LEBEN IST MEHR

Mit den besten Wünschen überreicht von:

**Jesus spricht zu ihm:
Ich bin der Weg
und die Wahrheit
und das Leben.
Niemand kommt zum Vater
als nur durch mich.**

Johannes 14,6

**Ich bin gekommen,
damit sie Leben haben
und es in Überfluss haben.**

Johannes 10,10

2023

LEBEN
IST
MEHR

Impulse für
jeden Tag

Leben ist mehr ist auch als digitaler Kalender (Windows) erhältlich.

Schauen Sie mal rein:

www.lebenistmehr.de

(Die Online-Version von **»Leben ist mehr«** verhält sich wie eine App und kann über eine Verknüpfung mit Mobil-Devices und Tablets genutzt werden.)

Ein Nachweis der verwendeten Bibelübersetzungen bei den Tagesversen befindet sich im Anhang des Kalenders.

Umschlag: Lucian Binder
Umschlagfoto: © by David Becker / unsplash.com
Piktogramme: Johannes Heckl
Satz: EDV- und Typoservice Dörwald, Steinhagen
Lektorat: Peter Lüling, Markus Majonica, Joachim Pletsch, Elisabeth Weise
Druck: GGP Media GmbH, Pößneck
Anschrift der Redaktion:
»Leben ist mehr« · Am Güterbahnhof 26 · 35683 Dillenburg
www.lebenistmehr.de · E-Mail: info@lebenistmehr.de

ISBN 978-3-86699-781-3 Artikel-Nr. 256781 (CLV-Paperback)
ISBN 978-3-86353-805-7 Artikel-Nr. 272706023 (CV-Paperback)
ISBN 978-3-86699-662-5 Artikel-Nr. 256662 (CLV-Hardcover)
ISBN 978-3-86353-806-4 Artikel-Nr. 272707023 (CV-Hardcover)

ZUM GEBRAUCH

Zum Gebrauch des Kalenders sind einige Hinweise zu beachten. Auf jedem Tagesblatt befinden sich folgende Elemente:

Die Kopfzeile: Sie enthält Angaben, die sich auf den jeweiligen Tag beziehen. Neben Monat, Tag und Wochentags sind hier ggf. auch zusätzliche Angaben zu Feiertagen, Gedenktagen und sonstigen Anlässen zu finden, zu denen der Haupttext einen Bezug hat.

Der tägliche Leitvers aus der Bibel, der in der Regel durch den Begleittext erklärt wird. Eine Übersicht sämtlicher Verse befindet sich am Ende des Buches. Sie enthält auch jeweils ein Kürzel, das auf die verwendete Bibel-Übersetzung hinweist.

Dem Haupttext ist immer ein *Symbol* vorangestellt. Es stellt einen Themenbereich dar, dem der jeweilige Text zugeordnet ist. Am Ende des Buches sind alle Tage nach Themen und Symbolen geordnet aufgelistet. Das ermöglicht das gezielte Heraussuchen von Beiträgen zu einem bestimmten Themenbereich. Dem Haupttext ist jeweils der Name des Autors hinzugefügt.

Die Frage zum Nachdenken

Der Tipp fürs Leben

Die tägliche *Bibellese*

Im Anhang finden Sie außerdem: ***Fünf Schritte zu einem Leben mit Gott,*** einen *Themenindex* und eine *Bibellese*, nach der Sie in einem Jahr das komplette Neue Testament lesen können.

Vorgehensweise:
Es empfiehlt sich, zuerst den *Tagesvers* aus der Bibel zu lesen und anschließend den *Haupttext. Frage* und *Tipp* dienen zur Anregung, über das Gelesene weiter nachzudenken. Die *Bibellese* ergänzt in der Regel den Hauptgedanken der Andacht.

VORWORT

»Wir leben in schwierigen Zeiten.« Diesem beinahe schon »geflügelten Wort« wird wohl kaum einer widersprechen – nach allem, was wir in den letzten drei Jahren erlebt haben.

Zuerst brachen ab 2020 die Corona-Virus-Wellen über uns herein, und ein Ende davon ist immer noch nicht abzusehen. Schließlich, als man nach zwei Jahren gerade hoffte, ein wenig Luft holen zu können, geriet Anfang 2022 mit dem Ukraine-Krieg die Weltordnung aus den Fugen. Neben Sorgen und Ängsten um das Leben vieler Menschen dort und der Not, unter der sie von heute auf morgen dramatisch zu leiden hatten, kam dann für uns alle noch die Verteuerungswelle quer über viele Branchen hinweg. Die Preise stiegen erheblich und vergrößerten überall die soziale Not, besonders bei denen, die sowieso schon seit Jahren »am Limit« leben. Da kommt man schon ins Nachdenken, wie denn alles weitergehen soll, ob unser Leben bald ganz anders verlaufen wird und schließlich »nichts mehr so sein wird wie früher«!?

Eigentlich brauchen wir nicht überrascht darüber zu sein, denn die Bibel macht an vielen Stellen klar, dass es am Ende der Zeiten, das uns schon ziemlich nahe ist, nicht gerade »rosig« aussehen wird. Aber trotzdem müssen wir deswegen nicht den Kopf in den Sand stecken oder Trübsal blasen. Denn über allem wacht Gott, der HERR. Er bestimmt Zeiten und Zeitpunkte. Er hat Einblick in alles – bis in unser persönliches Leben hinein. Und er merkt auf, wenn Menschen sich für ihn interessieren, ihm wieder zuhören und daran interessiert sind, an dem von ihm vorbereiteten und sicheren Ziel anzukommen, ganz gleich, was noch alles vor uns liegt.

Auf den hinzuweisen, der den Weg dorthin gebahnt hat – Jesus Christus –, dazu soll »Leben ist mehr« auch **im 25. Jahrgang** jedem dienen, der diesen Kalender – auf welche Weise auch immer – in die Hände bekommen hat und darin lesen möchte – ob zum ersten Mal, gelegentlich, möglichst häufig oder sogar täglich. Er oder sie wird feststellen, was über die vielen Jahre hinweg schon so viele erlebt haben: Mitten im Leben ist Gott da und vermag, in jeder Lage und zu jedem Anlass auf sich aufmerksam zu machen, zu uns zu reden und Hilfe zu geben. Dazu wünschen wir wieder allen Lesern ein ganzes weiteres Jahr 2023 lang ungetrübte Freude und nachhaltigen Segen!

Die Herausgeber

Der Gottlose verlasse seinen Weg und der Mann der Bosheit seine Gedanken! Und er kehre um zu dem Herrn, so wird er sich über ihn erbarmen, und zu unserem Gott, denn er ist reich an Vergebung!

JESAJA 55,7

»Reset« – Neustart

Was für ein Schreck! Unsere junge Mischlingshündin, die wir erst ein paar Monate bei uns haben, war weg. Sie hatte das Reh am Waldrand erblickt und war im Vollsprint hinterhergejagt. Da half kein strenges Rufen. Sofort begaben wir uns auf die Suche, und ich muss sagen, dass ich sehr skeptisch war, ob wir sie wiederfinden würden. Doch ich lag falsch, schon nach kurzer Zeit begab sich die Hündin an den Platz zurück, wo sie uns entlaufen war. Dort »wartete« sie so lange, bis sie schließlich überglücklich (und sehr schmutzig) von meiner Frau angeleint werden konnte.

Manchmal haben wir uns im Leben verrannt, haben uns vielleicht blindlings auf irgendwelche dummen Dinge eingelassen, stecken fest und kommen nicht mehr weiter. Vielleicht ist es gut, dann ein paar Schritte zurückzugehen, zum Anfang, dorthin, wo wir den guten Weg verlassen haben und dem schlechten gefolgt sind. Unsere Hündin war instinktiv so clever, dass sie zum Ausgangspunkt ihres Fehlverhaltens zurückgekehrt ist. Es ist wie beim Autofahren. Wenn ich falsch abgebogen bin, dann gilt es, schnellstmöglich zu wenden und den richtigen Weg zu nehmen.

Mir ist es im Leben manchmal so ergangen. Und bisher habe ich immer die Kurve gekriegt. Und das habe ich nicht mir, sondern meinem Herrn Jesus zu verdanken. Wäre es auf mich alleine angekommen, ich weiß nicht, wie mein Leben verlaufen wäre. Ich bin sicher, ich wäre heute unzufrieden und würde mit allem hadern. Als Jesus in mein Leben trat und ich ihn im Glauben als meinen Herrn angenommen habe, bin ich die notwendigen Schritte zurückgegangen. Manchmal müssen wir Schritte tun, die schmerzlich für uns sein können, die uns aber letztlich zum Guten dienen.

Axel Schneider

? Wäre der Beginn des Jahres nicht ein guter Zeitpunkt, sich neu auszurichten und den richtigen Weg zu nehmen?

! Gott wartet darauf, dass wir zu ihm umkehren und seine Vergebung in Anspruch nehmen.

✝ Lukas 15,11-32

Daher, wenn jemand in Christus ist,
so ist er eine neue Schöpfung; das Alte ist vergangen,
siehe, Neues ist geworden.

2. KORINTHER 5,17

Alles auf Anfang

Thomas Alva Edison lebte von 1847 bis 1931. Er war in den USA ein Erfinder und Unternehmer mit dem Schwerpunkt auf dem Gebiet der Elektrotechnik. Im Dezember 1914 brannte sein Labor bis auf die Grundmauern ab. Ein Großteil von Edisons Lebenswerk ging in Flammen auf. Der Erfinder war 67 Jahre alt, und sein gesamtes Hab und Gut wurde ihm genommen. Am nächsten Morgen sah sich Edison die Ruinen seines Hauses an und meinte: »So ein Unglück ist schon etwas Großartiges! Alle unsere Fehler und Irrtümer gehen dabei in Flammen auf, und wir sind in der glücklichen Lage, noch einmal ganz von vorn zu beginnen.« Edison musste neu anfangen. Drei Wochen nach dem Brand stellte er seinen ersten Phonographen vor, einen Vorläufer des Plattenspielers.

Edison musste ganz von vorne anfangen. Das möchte bestimmt der eine oder andere auch. Wenn das Leben einem so richtig übel mitgespielt hat, aber der Befreiungsschlag nicht möglich zu sein scheint. Aber ist das wirklich so erstrebenswert? Noch einmal alles zu durchlaufen, was mein Leben bestimmt hat? Das erscheint einem in zunehmendem Alter fast unmöglich.

Und doch brauchen wir Menschen alle einen Neuanfang. Denn wenn wir so weitermachen wie bisher, können wir nicht vor Gott bestehen. Im Blick auf unser bisheriges Leben fern von Gott bietet uns Jesus Christus einen Neuanfang an. Er hat sich für alle unsere Sünden, Fehler und Irrtümer an das Kreuz von Golgatha schlagen lassen! Und den Menschen, die im Glauben dieses Angebot annehmen, vergibt Gott alle Sünden und vergisst sie. Er macht aus diesen Menschen eine neue Schöpfung, neue Menschen. Sie stehen nun nicht mehr als Sünder vor Gott. Gott setzt alles auf Anfang und hilft dann auch, etwas Neues aufzubauen. *Herbert Laupichler*

? Für was wünschen Sie sich einen Neuanfang?

! Jesus will nicht reparieren, sondern neu machen.

† 1. Samuel 2,1-10

Ja, er liebt sein Volk!
All seine Heiligen sind in deiner Hand.

5. MOSE 33,3

In der Hand des Meisters

Es gibt sie tatsächlich noch – die Geige, auf der Mozart gespielt und die er sehr geliebt hat. Aufbewahrt wird sie in einem Tresor in Mozarts Geburtshaus. In seltenen Fällen gibt ein berühmter Geiger ein Konzert damit. Dann darf das unersetzliche Instrument das Museum verlassen – unter permanenter Bewachung durch zwei Mitarbeiter.

Mozarts Geige ist ein äußerst gutes Instrument, doch es gehört nicht zu den besten Geigen der Welt. Es hat seine Eigenarten, die hohen Töne klingen etwas hart, und das Klangvolumen von Violinen späterer Bauart wird nicht erreicht. Aber was dieser Geige trotzdem einen unschätzbar hohen materiellen und ideellen Wert verleiht, ist die Tatsache, dass Mozart selbst, der große Meister dieses Instruments, auf ihr gespielt hat.

Wir Menschen gleichen dieser Geige. Wir haben unsere Stärken, aber auch Schwächen. Die meisten von uns werden nach ihrem Leben schnell vergessen werden, so wie die Mehrzahl der Geigen aus Mozarts Zeit. Aber einige von uns legen ihr Leben in die Hand des Meisters. Sie wissen, dass ihr Wert und ihre Beständigkeit nicht aus ihnen selbst kommt, sondern durch die Tatsache, dass sie zu Gott gehören. Dass der große Meister sie liebt, ihr Leben zum Klingen bringt und in seinen Händen hält.

Eine Geige erfüllt den Sinn ihres Daseins erst, wenn sie gespielt wird. Wenn ein Mensch sich Gott anvertraut, dann wird Gott mit ihm arbeiten und das Beste aus ihm zur Freude seiner Mitmenschen herausholen. Sein Leben bekommt einen Sinn, einen Wert und eine Beständigkeit, die es aus sich selbst heraus niemals haben könnte. Für diese Geige war es ein Glücksfall, dass Mozart sie in Besitz nahm. Wer sein Leben Gott übergibt, wird nicht verlieren, sondern kann nur gewinnen. *Elisabeth Weise*

Was hält Sie davon ab, Ihr Leben dem großen Meister anzuvertrauen?

Es entspannt, wenn man seinen Wert nicht aus sich selbst, sondern aus seiner Zugehörigkeit zu Gott bekommt.

Jesaja 43,1-4

Dein Wort ist meines Fußes Leuchte
und ein Licht auf meinem Wege.

PSALM 119,105

Auch Blinde sollen lesen können

Im Alter von nur 16 Jahren erfand der 1806 geborene und mit drei Jahren erblindete Louis Braille die nach ihm benannte Blindenschrift, die auf einem genial einfachen Punktesystem aufgebaut ist. Es ist die heute noch am meisten genutzte Schrift für Blinde. Jeder von uns hat sie sicher schon einmal auf einer Medikamentenpackung gefühlt. Braille entwickelte seine Punktschrift aus der »Nachtschrift« der Soldaten von Charles Barbier. Damit ertasteten die Soldaten mit den Fingern eingeprägte Punkte im Papier, die für Silben und Buchstaben standen. So konnten sie im Dunkeln Botschaften lesen, ohne eine Laterne anzünden zu müssen. Der jugendliche Braille vereinfachte den Schriftcode auf nur sechs Punkte und ermöglichte auf diese Weise vielen blinden Menschen das Lesen mit den Fingerspitzen.

Es dauerte lange, bis auch die Bibel in Brailleschrift für sehbehinderte Menschen verfügbar war. Immerhin umfasst eine vollständige Braillebibel, die es bislang in 48 Sprachen gibt, ca. 40 Bände und ist sehr teuer. Viele Blinde haben heute eine Braille-Zeile auf ihrem Computer, worüber sie den Bibeltext lesen können. Außerdem sind natürlich Hörbibeln eine Alternative, jedoch meinte eine vollständig erblindete Frau in einem Radiointerview, sie könne sich beim Ertasten des Textes besser in Gottes Wort einfühlen, als wenn sie es nur hören würde. Außerdem fehle ihr bei der Hörbibel die Verszählung, die dort in der Regel nicht mitgelesen wird, und sie wolle die Verse gerne selbst nachschlagen.

Es ist eine großartige Bereicherung, wenn Menschen, die zeitlebens in völliger Dunkelheit gelebt und Licht allenfalls als Wärme und nicht als Helligkeit wahrnehmen können, das »Licht auf dem Weg« mit ihren Fingern »sehen« können.

Daniela Bernhard

? Haben Sie die Bibel schon gelesen oder damit angefangen?

! Als sehender Mensch die Bibel lesen zu können, sollte man wertschätzen!

† Psalm 119,1-24

Der Name des HERRN ist ein starker Turm;
der Gerechte läuft dorthin und ist in Sicherheit.
SPRÜCHE 18,10

Die Goldene Brücke

Am 5. Januar 1933, heute vor 90 Jahren, begannen die Bauarbeiten eines der gewagtesten Bauprojekte jener Zeit – die *Golden Gate Bridge*. Mehrere Weltrekorde würde die Fertigstellung der über 2,7 km langen Hängebrücke mit sich bringen. Der Ingenieur Joseph Strauss hatte alle Hände voll zu tun. Seine Aufgabe war es nicht nur, eine atemberaubende Hängebrücke über das offene, raue und oft stürmische Meer zu bauen, sondern auch das Leben der Brückenarbeiter so gut wie möglich zu schützen. Über 4 Jahre lang bauten Hunderte mutige Arbeiter in schwindelerregender Höhe von bis zu 220 m an dem Werk, das bis heute das markanteste Kennzeichen der Millionenstadt San Francisco ist. Viele technische Herausforderungen hatte Joseph Strauss mit seinem Team zu bewältigen, und es war ungewiss, ob das Projekt überhaupt glücken würde. Natürlich gab es nicht nur Lob und Zustimmung, sondern auch viel Kritik. Strauss wusste, dass ein wichtiger Aspekt zum Erfolg der Hängebrücke die Sicherheit war. So brachte man ein Auffangnetz unterhalb der Brücke an, das während der Bauphase 19 Brückenbauern das Leben rettete.

Die Fürsorge dieses Brückenbauers mag beispielhaft sein. Doch sie war auf dieses Projekt beschränkt. Darüber hinaus konnte er seinen Leuten keine weiteren Sicherheiten bieten. Doch auf die kommt es im Leben sehr wohl an. Wer gibt uns Sicherheit, damit wir überleben? Und zwar solche, die auch den letzten Absturz unseres Lebens abfängt, wenn uns der Tod ereilt. Damit können wir nur bei Gott rechnen. Liebe ist seine Motivation, uns zu beschützen. Seine schützenden Hände, die er uns entgegenstreckt, sind wie ein Auffangnetz. Er will nicht, dass wir bodenlos in die »Tiefe abstürzen«, sondern auf ihn vertrauen und uns auf ihn stützen! *Tony Keller*

? Vertrauen Sie Gott, dass er Sie auffangen und Ihnen ewige Sicherheit geben kann?

! Laufen Sie zu ihm! Jesus hat den Weg zu ihm endgültig frei gemacht.

† 1. Chronik 16,7-36

So lass es dir nun gefallen und segne das Haus deines Knechtes, dass es ewig vor dir besteht!

2. SAMUEL 7,29

C+M+B

Von Weihnachten bis heute, am 6. Januar, ziehen die Sternsinger singend von Haus zu Haus, um Spenden für wohltätige Projekte zu sammeln und den Sternsingersegen an die Türen der Häuser zu schreiben. Meist sind es Kinder, die (als die sogenannten Heiligen Drei Könige verkleidet) von Tür zu Tür gehen, geleitet vom himmlischen Stern, den sie symbolisch vor sich hertragen und der ihnen den Namen Sternsinger gab. Das Brauchtum der Sternsinger lässt sich bis in 16. Jahrhundert zurückverfolgen. Anfangs waren es Schüler, Studenten und Handwerksburschen, die mit den erhaltenen Geldern ihre materiellen Nöte linderten.

Einer landläufigen Fehlinterpretation zufolge stehen die drei an den Türen angeschriebenen Buchstaben C+M+B nicht für die Namen »Caspar +Melchior+Balthasar«, sondern stellen den Spruch »Christus+Mansionem+Benedicat« dar (»Christus segne [dieses] Haus«). Eingerahmt werden die drei Buchstaben von den jeweiligen Zahlen des aktuellen Jahres – für dieses Jahr also *20C+M+B23*. Die Segensformel soll jedem Ein- und Ausgehenden ein »Gott mit dir« auf den Weg geben und das Haus (oder die Wohnung) für das betreffende Jahr unter Gottes Segen stellen. Über dem M steht noch ein drittes »+«, sodass (mit den beiden Pluszeichen zwischen den Buchstaben) drei Kreuze symbolisiert werden, die für die Dreieinheit Gottes stehen.

Man mag über verschiedene kirchliche Traditionen geteilter Meinung sein, aber dem Anliegen und dem Wunsch, einen jeden ins Haus Ein- oder Ausgehenden dem Segen Gottes anzubefehlen und den Segen Christi für das neue Jahr über das eigene Haus zu erbitten, ist absolut zuzustimmen. An Gottes Segen ist alles gelegen! In diesem Sinne: *20C+M+B23* – »Christus segne dieses Haus im Jahre 2023!«

Martin von der Mühlen

? Welchen Spruch hätten Sie gerne über Ihrem Haus stehen?

! An Gottes Segen ist alles gelegen.

Psalm 115

Jesus aber sah sie an und spricht:
Bei Menschen ist es unmöglich, aber nicht bei Gott;
denn bei Gott sind alle Dinge möglich.

MARKUS 10,27

Ich wüsste gerne ...

... wer heute diesen Artikel liest. Ich werde das in diesem Leben nur in Einzelfällen erfahren, z. B., wenn mich jemand darauf anspricht oder mir eine E-Mail schickt. Aber all die anderen Leserinnen und Leser bleiben für mich im Dunkeln. Da dieser Kalender unter Freunden und Verwandten, in Gefängnissen, Krankenhäusern usw. verteilt wird, ist der Adressatenkreis denkbar divers. Vielleicht trifft dieser Text auf einen einsamen Menschen, vielleicht auf einen gestressten Alleinerziehenden, vielleicht auf einen, dessen Ehe zerbrochen, dessen Partner gerade gestorben ist oder der seinen Job verloren hat. Vielleicht trifft er auf einen fröhlichen Typen, vielleicht auf jemanden, der desillusioniert und frustriert ist. Vielleicht ist der Leser ein erfolgreicher Geschäftsmann, vielleicht ein verurteilter Verbrecher. Vielleicht steht der Empfänger am Anfang seines Lebens oder am Ende.

Was soll ich all diesen Menschen schreiben? Was könnte ich sagen, was den Lesern in all ihrer Verschiedenheit irgendwie weiterhilft? Ich sage es ganz offen: Dieser Gedanke macht mir Angst. Die vielen Unterschiede überfordern mich. Ich kenne nicht alle Leser, und selbst wenn – ich kann nicht in ihr Herz schauen und wissen, was sie wirklich benötigen.

Doch das muss ich auch gar nicht. Klar, ich will mir Mühe geben, einen guten Text zu schreiben. Aber das Wichtigste ist, dass Jesus Christus jeden Menschen – und damit auch jeden Leser dieser Artikel – ganz genau kennt. Er weiß, in welcher Herzenssituation man steckt. Das gibt mir großen Mut! Denn ich kann jedem, ganz gleich, wer Sie sind, eines ganz verlässlich sagen: Wenden Sie sich mit all Ihren Lebensfragen an den, bei dem nichts unmöglich ist. *Markus Majonica*

? Was bewegt Sie gerade und macht Ihnen Mühe oder gar Angst?

! Vertrauen Sie es in einem Gebet Jesus an und bitten Sie ihn um Hilfe!

✝ Matthäus 7,7-11

08 | JANUAR **SONNTAG**

Für die Freiheit hat Christus uns frei gemacht. Steht nun fest und lasst euch nicht wieder durch ein Joch der Sklaverei belasten!

GALATER 5,1

Zeit zum Aufräumen

Morgen, am 9. Januar, findet in den USA der »Nationale Räume-deinen-Schreibtisch-auf-Tag« statt. Auf der einen Seite lässt es mich schmunzeln, dass es mittlerweile für alles Mögliche und Unmögliche einen Tag gibt. Auf der anderen Seite werde ich daran erinnert, wie mein Schreibtisch früher immer ausgesehen hat. Ich war viele Jahre lang bei der Kriminalpolizei beschäftigt, und da türmten sich auf meinem Schreibtisch die Akten, Notizzettel, lose Blätter und selbstverständlich auch eine Kaffeetasse. Natürlich wurde nie etwas vergessen oder verschlampt, aber die Unordnung war nicht zu übersehen. Mein Schreibtisch zu Hause ist wesentlich kleiner, aber auch nicht gerade ordentlich. Da muss auch ab und zu mal Hand angelegt und alles wieder aufgeräumt werden.

Bis ich vor vielen Jahren zum Glauben an Jesus Christus gekommen bin, hatte ich nie den Eindruck, dass in meinem Leben etwas unordentlich sei und in Ordnung gebracht werden müsste (außer mein Schreibtisch natürlich). Doch nach meiner Bekehrung spürte ich gleich, dass vieles nicht in Ordnung war, was ich bisher getan und gedacht hatte. Aber Jesus hat aufgeräumt in meinem Leben, er hat »die Akten sortiert, die Blätter eingeheftet und die Kaffeetasse weggestellt«. Er hat mir geholfen, sündige Gewohnheiten abzulegen und schlechte Beziehungen zu beenden. Jesus hat mir gezeigt, welche Ordnung er möchte und nach welchen Prinzipien ich mein Leben führen soll. Das war für mich nicht einengend, sondern befreiend.

Auch wenn ich in manchen Dingen immer noch unordentlich bin, so ist mein Leben durch Jesus doch grundsätzlich in Ordnung gebracht worden. Dafür bin ich dankbar, denn ich weiß, dass seine Ordnungen gut für mein Leben sind.

Axel Schneider

? Spüren Sie in Ihrem Innern Unordnung?

! Gott kann auch Ihr Leben in Ordnung bringen.

✝ Kolosser 1,9-14

Die Augen des Menschen werden nicht satt.
SPRÜCHE 27,20

Auge Nimmersatt

Am 9. Januar 2007, heute vor 16 Jahren, stellte Steve Jobs das erste iPhone vor. Diese damals neue technische Besonderheit gehört heute für die meisten von uns zum Alltag. Das Smartphone vereint Briefkasten, Fernseher, Wecker, Fotoapparat und noch unzählig viel mehr in nur einem kleinen Gerät. Daher benutzen wir es auch so oft, es ist einfach superpraktisch. Doch während wir das Technikwunder in den Händen halten, hat es eigentlich *uns* im Griff. Es bestimmt unseren Lebensrhythmus. »55 % der Nutzer im Alter unter 30 nutzen das Smartphone in den ersten 10 Minuten nach dem Aufwachen, 59 % in den letzten 10 Minuten vor dem Einschlafen.« (www.faz.net)

Bei aller Erleichterung und Vereinfachung, die Apple, Apps und Android mit sich bringen, ist es längst kein Geheimnis mehr, dass unser Smartphone uns krank machen kann. Die ständige Erreichbarkeit und ununterbrochene Informationsflut rauben uns innere Ruhe und äußeren Fokus. Mehrfach belegt sind die krank machenden Effekte von Instagram, Snapchat und Co. Ironischerweise verbieten oder limitieren nicht wenige Tech-Giganten ihren Kindern bis ins Teenageralter den Zugang zu Smartphone und Internet.

Die Bibel hat dazu auch etwas zu sagen. Im Buch der Sprüche heißt es z. B.: »Die Augen des Menschen werden nicht satt.« Unser Inneres wird regelrecht dazu getrieben, auf keinen Fall die neueste Sensation zu verpassen, immer *up to date* zu sein. Die App-Entwickler sind sich dessen bewusst und machen damit eine Menge Geld. Gott hat uns bewusst dazu erschaffen, nach Erfüllung zu suchen, innerlich satt zu werden. Doch nicht im Appstore, sondern bei ihm! Nur in der Beziehung mit ihm gibt es eine tiefe innere Zufriedenheit, die kein Techniktrend der Welt jemals geben kann.

Jan Klein

? Wie stark werden Ihre Gewohnheiten vom Smartphone beherrscht?

! Nur eine persönliche Beziehung zu unserem Schöpfer kann wirklich satt und zufrieden machen.

† 1. Johannes 2,12-17

Du bist gut und tust Gutes; lehre mich deine Satzungen.
PSALM 119,68

Die ersten Gehversuche mit der Bibel (1)

Sabine (Pseudonym) ist in Ostdeutschland aufgewachsen. Der Sozialismus hat bei ihr ganze Arbeit geleistet: Für das Thema »Gott« gab es in ihrem Leben keine Schublade. Sie beschäftigt sich mit tief greifenden Fragen, aber alles wird ohne Gott erklärt. Nachdenken: Ja! Aber bitte ohne Gott. Mit ihrer Familie ist sie dann in die Region gezogen, in der wir jetzt auch wohnen. Sabine ist eine Freundin der Familie geworden. Neulich kam sie zu einem Bibeltreff unter Frauen dazu. Dann sagte sie: »Das ist für mich heute Premiere!« Nie hatte sie bis dato in einer Bibel gelesen.

Man fragt sich: Wie kann das sein? Wir leben doch in einem christlichen Abendland?! Ein Leben, ohne auch nur einmal in die Bibel zu schauen!? Ein Regal ohne eine Bibel!? Kein Religionsunterricht!? Keine Bibeltexte zu Feiertagen!? Aber dann denke ich: Ist der Unterschied zwischen Sabine und vielen ihrer Zeitgenossen denn wirklich so groß? Was macht ein Bücherregal mit einer Bibel schon aus – wenn sie nur Dekoration ist? Was macht der Religionsunterricht – wenn dieser nur ein aufgezwungenes Fach ist? Was macht ein schöner Bibelvers am Feiertag – wenn es nur eine Tradition ist?

Gott will sich mitteilen! Das ist sehr freundlich. Und in seiner Freundlichkeit hat er sich dazu entschieden, sich in einem Buch mitzuteilen. So habe ich die Möglichkeit, schwarz auf weiß seine Mitteilungen zu lesen. Ich kann immer wieder darauf zurückgreifen. Schade, dass das in so vielen Haushalten nicht passiert.

Höchste Zeit, den Mitteilungen des Schöpfer-Gottes zu lauschen! Für Sabine war es das erste Mal. Vielleicht ist es für Sie dran, den Staub von der Bibel zu pusten und dieses einzigartige Buch aufzuschlagen!? *Willi Dück*

? Welche Bedeutung hat die Bibel in Ihrem Leben? Oder besser: in Ihrem Alltag?

! Greifen Sie doch mal wieder zur Bibel!

† Sprüche 2,1-9

Ich freue mich über dein Wort wie einer, der große Beute findet.

PSALM 119,162

Die ersten Gehversuche mit der Bibel (2)

Für Sabine (Pseudonym) verlief die Premiere mit der Bibel sehr positiv. Sie war überrascht, denn es gab viel zu entdecken. Der Austausch war intensiv. Die Bibel, die sie zum ersten Mal aufgeschlagen hatte, durfte sie als Geschenk mit nach Hause nehmen. Dann überlegte sie, ob es nicht auch für ihre Kinder gut wäre, aus der Bibel vorgelesen zu bekommen. Meine Frau erzählte ihr, dass wir eine Bibel extra für Kinder haben, in kindgerechter Sprache und mit Bildern. Diese haben wir Sabine ausgeliehen. Einige Tage später kam Sabine wieder zu Besuch. Tatsächlich hatte sie ihren Kindern aus dieser Bibel vorgelesen, beginnend mit der Schöpfung und weiter über die erste Sünde: Adam und Eva essen von der verbotenen Frucht und müssen als Folge den Garten Eden verlassen und getrennt von Gott leben. Ihr Fazit: »Das wirkt alles so endgültig!«

Diese Einsicht ist erstaunlich und zeigt, dass man die Bibel auch als »Anfänger« auf Anhieb sehr gut verstehen kann. Denn tatsächlich hat Sabine recht: Sünde trennt wirklich von Gott. Und diese Trennung ist an sich endgültig. Doch die Bibel geht weiter. Das Problem Sünde, das am Anfang der Menschheitsgeschichte steht, wird schließlich gelöst, und zwar durch Gottes Sohn – Jesus Christus – höchstpersönlich. Er ist das Ziel, auf das der rote Faden der Bibel hinführt. Denn Gott möchte nicht Trennung, sondern Beziehung. Dafür hat er alles getan. Das ist unendlich spannend. Deswegen versuchen wir, Sabine zu ermutigen: »Lies weiter! Es gibt einen roten Faden! Es gibt eine Lösung!«

Hoffentlich bleibt Sabine dran und liest wirklich weiter. Hoffentlich erlebt sie Gott und versteht, dass durch diesen Jesus die Trennung von Gott nicht endgültig bleiben muss.

Willi Dück

? Kennen Sie diese Nähe, die Gott sich für Sie vorstellt?

! Entdecken Sie den roten Faden der Bibel! Er führt direkt zu Jesus.

† Epheser 1,3-14

Wer seine Schuld verheimlicht, dem wird es nicht gelingen. Wer sie aber bekennt und lässt, der wird Barmherzigkeit finden.

SPRÜCHE 28,13

Ich bin ausgerutscht

Am 13. Januar 2012 havarierte das Kreuzfahrtschiff *Costa Concordia* vor der Insel Giglio. Kapitän Schettino hatte eine Kursänderung befohlen. Dabei war das Schiff auf Felsen gelaufen. 32 Menschen kamen dabei ums Leben. Anstatt die Rettungsaktion zu koordinieren, verließ der Kapitän mit einem Rettungsboot den sinkenden Koloss. Anschließend gab er an, er wäre »ausgerutscht und dabei ins Rettungsboot gefallen«. Obwohl der Kommandant der Küstenwache ihn wiederholt aufforderte, an Bord zurückzukehren, versteckte er sich an Land. »Fare lo Schettino«, zu Deutsch »den Schettino machen«, ist bis heute in Italien ein geflügeltes Wort für »sich feige aus dem Staub machen«. Er wurde zu 16 Jahren und einem Monat Freiheitsstrafe verurteilt. Daran änderten auch die Berufungsverfahren bis zur letztmöglichen italienischen Instanz nichts.

Seit dem Sündenfall sind wir Meister darin, unsere Verantwortung zu leugnen oder kleinzureden. Adam, der sich mit seiner Frau aus Scham und Furcht vor Gott versteckt hatte, gab Eva die Schuld. Diese wiederum versuchte, die Verantwortung auf die Schlange abzuwälzen. Gott aber ließ sich von den Ausreden nicht beeindrucken und zog beide zur Rechenschaft. Allerdings öffnete Gott in seinem Urteilsspruch auch das Fenster für die Versöhnung zwischen ihm und den Menschen: Ein Nachkomme der Frau würde eines Tages der Schlange den Kopf zertreten, und zwar auf Kosten eines schmerzhaften Sieges. Die Schlange würde diesem Menschensohn die Ferse zermalmen. Am Kreuz, als dem Erlöser die Nägel durch die Fersenknochen geschlagen wurden, erfüllte sich diese Vorhersage. Seitdem gilt: »Wer seine Schuld verheimlicht, dem wird es nicht gelingen. Wer sie aber bekennt und lässt, der wird Barmherzigkeit finden.« *Gerrit Alberts*

? Wie gehen Sie mit eigener Schuld um?

! Die Luft ist umso klarer, wenn wir Vergebung und Versöhnung erfahren.

† 2. Samuel 24,10-14

Denen, die dich fürchten, hast du ein Panier gegeben, dass es sich erhebe um der Wahrheit willen.

PSALM 60,6

Die letzte Stellung

Am 13. Januar 1842 kämpften britische Truppen in Afghanistan bei der Schlacht von Gandamak. Es gibt ein Bild von William Barnes Wollen über diese Begebenheit. Auf diesem Bild sieht man die schwer verwundeten, auf einen kläglichen Rest zusammengeschmolzenen britischen Soldaten. Sie haben sich auf einer Anhöhe im offenen Gelände zu ihrer letzten Verteidigungsstellung gesammelt. Darum heißt das Bild: »The last Stand« (»Die letzte Stellung«). Sie sind bereit, den unter wehenden Fahnen heranstürmenden afghanischen Soldaten mit aufgepflanztem Bajonett zu begegnen, bevor sie überrannt werden. Ich zeigte meinem Sohn das Bild und fragte ihn, was auf dem Bild bei den britischen Soldaten fehlt. Er sagte nach einigem Betrachten: Papa, sie haben keine Fahne. Wir stellten uns die Frage, warum der Maler diese wegließ. Der Gedanke liegt nahe. Weil es das Bild einer Niederlage ist.

Psalm 60 bildet einen krassen Gegensatz zu dem Bild des Malers Wollen. Dort spricht der Dichter David auch von Krieg. Es geht um Israel, das umringt ist von Feinden. Es wird – im Bild gesprochen – etwa so bedrängt wie die britischen Soldaten auf dem Gemälde. Doch auf dem Bild, das uns David vor Augen malt, ist ein entscheidendes Detail vorhanden. Es ist die Rede von einem *Panier*, also einer Fahne oder einem Zeichen, das Gott gibt. Es ist wie eine wehende Flagge, zu der diejenigen fliehen dürfen, die Gott fürchten, um siegreich zu sein.

Nun gibt uns Gott heute keine Fahne, um einen militärischen Sieg zu erringen. Doch er gibt uns ein anderes, viel besseres Siegeszeichen: das Kreuz. Denn an diesem Kreuz hat der Gottessohn den Sieg über unsere Sünde errungen. Dort finden alle Bedrängten sichere Ruhe und Frieden mit Gott.

Dietmar Bauer

? Haben Sie schon Frieden mit Gott?

! Vertrauen Sie Jesus, dann haben Sie schon gewonnen.

† 2. Korinther 5,11-21

Alle Schrift ist von Gott eingegeben.

2. TIMOTHEUS 3,16

Schrift verrät Intelligenz

Wenn man bei Ebbe durch den noch feuchten Sand geht, sieht man überall die Rippelmarken, und man weiß, dass die durch die Bewegung des Wassers entstanden sind. Sieht man aber irgendwo im Sand ein gemaltes Herz mit der Inschrift: »Anja, ich liebe Dich!!! Dein F«, dann ist allen Lesern klar, dass das nicht von der abgelaufenen Flut geschrieben wurde. Man hat sogar ziemlich eng umrissene Vorstellungen von dem möglichen Autor. Das muss ein Mensch sein, der lesen und schreiben kann und dem irgendeine Anja gefällt. Auf der ganzen Welt gibt es nach aller Erfahrung niemanden sonst, der dafür infrage käme. Eine sinnvolle Botschaft, die aus an sich sinnleeren Elementen (Buchstaben) besteht, setzt immer einen intelligenten Autor voraus – immer! Das weiß jeder.

Umso erstaunlicher ist die Tatsache, dass man die effektivste, verbreitetste und intelligenteste Schrift, die Desoxyribonukleinsäure oder DNS, für ein Zufallsprodukt hält. Das ist die Schrift, mit der der Bauplan aller Lebewesen festgehalten ist und an die nächste Generation weitergegeben werden kann. Das gilt für die kleinste Blaualge wie auch für Mammutbäume, für Bakterien wie auch für uns Menschen.

Zwar hat Immanuel Kant gesagt, man könne die Existenz Gottes grundsätzlich nicht beweisen. Wenn aber die Bücher eines Menschen etwas über dessen Intelligenz und Denkungsweise aussagen, dann ist doch die DNS ein starker Beweis dafür, dass der Erfinder und Schreiber der DNS höchst intelligent sein muss. Nachdem man viele Jahre lang eine Menge der menschlichen DNS für »Evolutionsschrott« gehalten hatte, entdeckt man heute, dass das Unsinn war, obwohl man noch lange nicht hinter alle ihre Geheimnisse gekommen ist.

Hermann Grabe

? Warum genügt vielen Menschen dieses Zeichen der Intelligenz und damit der Existenz Gottes immer noch nicht?

! Die Bibel ist die andere, auch von Gott eingegebene Schrift.

† 2. Petrus 1,16-21

Du hast mich mit meinem Innersten geschaffen,
im Leib meiner Mutter hast du mich gebildet.

PSALM 139,13

Reproduktive Selbstbestimmung

Der Begriff der sogenannten »reproduktiven Selbstbestimmung« bestimmt in Deutschland zusehends die familienpolitische Agenda. Dabei geht es aber nicht etwa um nachvollziehbares Planen in Sachen Nachwuchs, um soziale Sicherheit für Mütter und (ungeborene) Kinder, um Hilfestellung in Krisen o. Ä. Diese Form der Selbstbestimmung soll vielmehr auch ein weitgehendes Recht auf Schwangerschaftsabbruch beinhalten: »Die Möglichkeit zu kostenfreien Schwangerschaftsabbrüchen gehören zu einer verlässlichen Gesundheitsversorgung«, heißt es hierzu wörtlich im aktuellen Koalitionsvertag der Regierungsparteien. Kurioserweise sollen auf der anderen Seite die Kosten für Behandlungen im Bereich der Fortpflanzungsmedizin weitgehend durch die Krankenkassen übernommen werden, damit der »Kindersegen« möglichst für jeden frei verfügbar wird.

Dadurch wächst allerdings tatsächlich die Gefahr, dass das menschliche Leben nun endgültig den einzigartigen Wert verliert, den Gott, der Schöpfer allen Lebens, demselben zugewiesen hat. Leben wird hierdurch immer weniger das besondere Geschenk, das wir dankbar annehmen – oder das uns vielleicht auch versagt bleibt. Es verkommt vielmehr zur Verfügungsmasse, zum Gegenstand der eigenen Vorstellungen, ja, zur Ware, über das jeder Einzelne nach seinem eigenem Lebensentwurf frei entscheiden und disponieren können soll. Leben ist nicht mehr etwas Wunderbares, es wird vielmehr degradiert zur »Reproduktion«. Unter dem Banner der Freiheit überschreiten wir damit eine moralische Grenze, die Gott uns gesetzt hat. Wir schwingen uns zum Herrn über Leben und Tod auf. Das ist aber eine Rolle, die nur dem Schöpfer selbst zusteht und über die er besonders sorgsam wacht.

Daniela Bernhard

? Was hält Gott von reproduktiver Selbstbestimmung?

! Besinnen Sie sich auf Gottes Wort als Grundlage für alle Fragen des Lebens!

† Römer 1,22-28

Freut euch im Herrn allewege,
und abermals sage ich: Freut euch!
PHILIPPER 4,4

Blue Monday – der traurigste Tag des Jahres?

Der britische Psychologe Cliff Arnall erstellte 2005 die Blue-Monday-Formel zur Berechnung des traurigsten Tages des Jahres. Dieser Tag ist der dritte Montag im Jahr. Folgende Parameter flossen in die Formel zur Ermittlung des Depri-Tages ein: das Wetter, die Schulden, von denen das Januargehalt abgezogen wird, die Zeit, die seit Weihnachten vergangen ist, die guten Vorsätze, die bereits wieder über Bord geworfen wurden, das Motivationslevel und das Bedürfnis, aktiv zu sein.

Trotz wissenschaftlichem Anstrich wird diese Formel zu Recht als Unfug abgetan. Mit willkürlichen, nicht kompatiblen Variablen ohne Maßeinheiten kann man nicht rechnen. Aber sicher ist bei vielen Menschen Trübsinn und eine gewisse Antriebslosigkeit in den noch dunklen, kalten Januartagen nicht zu leugnen. Die schöne Weihnachtszeit ist vorbei, der Frühling kommt noch lange nicht, das Wetter lockt meist nicht ins Freie.

Unser Tagesvers sagt, dass wir uns jederzeit »im Herrn« freuen sollen. Sich auf Kommando zu freuen, ist aber doch nicht möglich, denken Sie vielleicht. Erst recht nicht, wenn heute der *Blue Monday* ist! Das ist wahr, doch sich »im Herrn« zu freuen, hat nichts mit äußeren Umständen zu tun. Jedes Kind Gottes, jeder Mensch, der Gottes Rettungsangebot aufrichtig angenommen hat, kann sich immer freuen, wenn er sich daran erinnert, dass seine Schuld vergeben ist und dass für ihn der Himmel offen steht, weil Jesus auferstanden ist. Tiefe innere Freude und Dankbarkeit durchdringen sein Herz, weil er fest mit dem Herrn verbunden ist – selbst ein *Blue Monday* kann daran nichts ändern.

Daniela Bernhard

? Worüber können Sie sich heute freuen?

! Gottes Rettungsangebot gilt noch immer uneingeschränkt. Nehmen Sie es an!

† Psalm 66,1-8

Ich bin der gute Hirt.
Ein guter Hirt setzt sein Leben für die Schafe ein.

JOHANNES 10,11

Was zeichnet einen guten Mitarbeiter aus?

Was erwarte ich von einem guten Mitarbeiter? Diese Frage muss ich mir als Führungskraft stellen, wenn die Jahresmitarbeitergespräche anstehen. Mitarbeiter, die im abgelaufenen Jahr engagiert ihre Aufgaben erfüllt haben, erhalten dafür eine positive Beurteilung. Doch übertragen auf das Bild, das Jesus Christus im zehnten Kapitel des Johannesevangeliums aufgreift, fällt mir ein Unterschied im Bewertungsmaßstab auf: Mitarbeiter, die ich als gut ansehe, sind Hirten vergleichbar, die während der Arbeitszeit mit viel Eifer für die Schafe sorgen. Sie errichten für den Schutz der Tiere einen Zaun und investieren bei Bedarf dafür auch Überstunden. Doch danach gehen sie nach Hause, denn die Pflicht ist getan und der Arbeitstag beendet. Im Bewertungsgespräch bekämen sie dafür eine gute Beurteilung mit voller Punktzahl. Doch Jesus Christus ging weit über unsere Vorstellung des Adjektivs »gut« hinaus. Denn Kennzeichen des guten Hirten war für ihn: Der gute Hirte gibt sein Leben für die Schafe hin.

Für einen solchen Hirten sind die Schafe nicht nur ein Job. Er stellt sich vor sie, wenn der Wolf kommt und der Zaun nicht mehr schützt. Im Kampf mit dem Wolf ist dem guten Hirten das Wohl der Schafe wichtiger als sein eigenes Leben. Kein Chef kann von Mitarbeitern einen solchen Einsatz verlangen. Doch Jesus Christus kündigte mit dieser »Ich bin«-Aussage an, was er freiwillig für uns Menschen tun wollte: Um uns vor der ewigen Verlorenheit zu bewahren, gab er sein Leben hin. Er starb stellvertretend für uns, damit wir ewiges Leben haben können. Der Weg ans Kreuz war für Jesus keine Pflichterfüllung, sondern Herzensanliegen. Er tat es von innen heraus, weil er gut ist und seine Schafe liebt!

Andreas Droese

? Was für einen Hirten würden Sie haben wollen, wenn Sie ein Schaf wären?

! Sie können Jesus Christus bitten, Sie zu einem Schaf in seiner Herde zu machen.

† Hesekiel 34,11-16

Und sie nannte den Namen des HERRN,
der mit ihr redete: Du bist ein Gott, der mich sieht.

1. MOSE 16,13

Gott sieht mich

Die Frau, die im Tagesvers zu Wort kommt, hatte keine besondere gesellschaftliche Stellung. Hagar, so ihr Name, war eine ägyptische Sklavin, die im Haushalt ihres Herrn diente, der unter dem Namen Abraham weltbekannt werden würde. Da Abrahams Frau Sara kinderlos war, sollte sie als Nebenfrau ihres Hausherrn schwanger werden und – sozusagen als unfreiwillige Leihmutter – den möglichen Stammhalter für Sara austragen. Als sie dann tatsächlich ein Kind erwartete, nutzte sie diesen Umstand aus und behandelte ihre bis dahin unfruchtbare Hausherrin mit Geringschätzung.

Das führte natürlich zu Spannungen. Sara reagierte auf die Verachtung ihrer Sklavin ihrerseits mit Druck. In ihrer Not ergriff Hagar die Flucht und fand sich in der Wüste wieder. Eine scheinbar perspektivlose Situation: Wohin sollte sie gehen? Allein, ohne Geld, ohne Einfluss. Weiter zu Fuß durch die Wüste? Und das in ihrem Zustand? Oder sollte sie wieder umdrehen, zurückkehren zu ihrer dominanten Herrin? Sie war völlig allein und schwanger, auf sich gestellt, ohne Hoffnung, ohne Ratgeber, ohne Hilfe in einer Sackgasse des Lebens. Tatsächlich aber ist Hagar in dieser Situation nicht allein. Gott nimmt diese Frau sehr wohl wahr und kennt ihre Lebenssituation genau. Er begegnet ihr gerade hier ganz persönlich, gibt ihr Mut, eine konkrete, praktische Handlungsanweisung und eröffnet ihr schließlich eine große Perspektive, die über ihr eigenes Leben hinausreichen sollte.

Ich glaube, so handelt Gott auch heute noch. Die Lage mag noch so verzweifelt, ausweglos und verloren erscheinen. Und wenn es auch kein Mensch mitbekommen mag: Gott sieht es, und er möchte helfen, raten, führen und jedem Leben eine neue Perspektive geben. *Markus Majonica*

? Was ist nötig, um solche Erfahrungen zu machen?

! Lassen Sie sich von Gott den Glauben schenken, der nicht nur in Krisen und Nöten einen Unterschied macht.

† Markus 11,22-25

Er muss wachsen, ich aber abnehmen.

JOHANNES 3,30

Identität

Wer bestimmt meinen Wert? Meine Umgebung, meine Arbeitskollegen? Mein Bankkonto, mein Standing in der Firma, mein Anwesen? Das wäre krank. Der Wert meiner Enkelin, 3 Monate alt, die total zufrieden auf meinem Arm schläft – die Windel ist frisch, das Bäuchlein gut gefüllt – wer bestimmt ihn? Liegt die Identität der kleinen Enkelin noch in der Mutter? Wie zufrieden ist sie darin?

Unser Selbstwertgefühl ist leider manchmal abhängig davon, wie unser Bankkonto aussieht, wie gebildet wir sind, wie schön wir aussehen, wie unser persönlicher Status ist. Entspreche ich der Norm oder den Ansprüchen, bin ich cool, akzeptiert, gehöre ich zur Gruppe. Das ist natürlich etwas verkürzt gesagt, klar. Und doch haben so viele Menschen AD(H)S, kranken an psychosomatischen Verstimmungen, fügen sich selbst Leid zu, weil sie (vermeintlich) nicht das sind, was gemäß dem momentanen Geschmack von ihnen gewünscht wird. Auch das ist plakativ, richtig. Aber warum scheitern so viele, obwohl sie auf Instagram so »gefotoshopt« hinreißend aussehen?

Johannes bringt in unserem Tagesvers noch eine andere Dimension ins Spiel: Jesus muss wachsen, ich muss abnehmen. Kann es sein, dass unsere Identität gar nicht im Sichtbaren, gar nicht in uns selbst begründet liegt, sondern in unserem Schöpfer? Was denkt er über uns? Wozu hat er uns als seine Geschöpfe bestimmt? Wäre das unter Umständen auch eine Lesart für uns? Ich finde, eine sehr glückliche! Alles, was Gott ist, was er für mich getan hat und tut, wie er mich sieht und bezeichnet, was er über mich denkt, was er mit mir vorhat – das ist meine wahre Identität! Und darin möchte ich wachsen. Das nur auf mich selbst bezogene Denken – darin möchte ich gerne abnehmen.

Peter Lüling

? Wer oder was bestimmt Ihre Identität?

! Beschäftigen Sie sich intensiv damit, wie Gott uns Menschen gedacht hat!

† Prediger 3,10-15; 12,13-14

Wohl dem, dessen Übertretung vergeben, dessen Sünde zugedeckt ist!

PSALM 32,1

Tief ins Meer versenkt

Neulich hatten wir in unserer Familie eine dieser Situationen, die nur mit gegenseitiger Vergebung zu lösen sind. Unser siebenjähriger Sohn Noah fühlte sich von meinem Mann missverstanden, dabei hatte der ihn gar nicht absichtlich verletzt. Als eigentlich Unbeteiligte an dem Konflikt hatte ich die Ruhe, unserem Sohn nachzugehen, ihn in den Arm zu nehmen und ihn ausweinen zu lassen. Dann habe ich ihm zugehört und versucht, ihn zu ermutigen und gleichzeitig sanft zu korrigieren. »Du merkst, unsere Herzen sind böse, deswegen handeln wir so«, habe ich ihm erklärt.

Das ist nichts, was man heute noch oft hört oder gemäß der *social correctness* seinen Kindern sagen sollte, oder? Sollte ich ihnen nicht eher ständig versichern, dass sie wertvoll und wunderbar sind? Ja, das sind sie! Und ich bemühe mich, das meinen Kindern täglich zu sagen. Doch trotzdem bleibt, dass unsere Herzen nicht gut sind. Gott sagt uns das deutlich in der Bibel, und eigentlich wissen wir das auch. Trotzdem bezeichnen wir das, was in seinen Augen Sünde ist, lieber als »Selbsterfahrung«, »Persönlichkeitsentwicklung« oder Ähnliches. Doch wenn wir Sünde nicht mehr klar benennen, wird Gottes Vergebung überflüssig, die Jesus so teuer am Kreuz bezahlt hat. Wir können vielleicht das Wort vermeiden, aber die Tatsache bleibt bestehen. Sünde steht zwischen uns und Gott, weil bei ihm nichts Böses sein kann. Deshalb haben wir mit Noah gebetet, Jesus die Dinge genannt und uns gegenseitig um Vergebung gebeten. Danach habe ich meinem Sohn erklärt, dass Jesus die Schuld nun tief ins Meer geworfen hat, wo sie niemals wieder hervorgeholt werden kann. Der Familienfriede war wiederhergestellt. Es ist wunderbar, zu wissen und zu erleben, dass bei Jesus echte Vergebung möglich ist!

Ann-Christin Ohrendorf

? Steht Sünde zwischen Ihnen und Gott?

! Bitten Sie ihn um Vergebung!

✝ Psalm 51

Gott schuf den Menschen nach seinem Bild,
nach dem Bild Gottes schuf er ihn …

1. MOSE 1,27

Warum der Mensch besonders ist

Rotkehlchen, Rotbarsch, Rosen und der Rosengarten sind alle wunderbar, aber wir Menschen sind die einzigen Geschöpfe, die im Bild Gottes geschaffen sind. Alle vorherigen Schöpfungsakte geschahen durch Gottes Wort. Ein verbaler Befehl reichte aus, und es war da. Anschließend ist Gott im Gespräch: »Lasst uns Menschen machen« (1. Mose 1,26). So wird von Anfang an deutlich: Hier handelt es sich um einen außergewöhnlichen Schöpfungsakt. Denn der Mensch soll Gott ähnlich geschaffen werden. So wie Gott eine Dreieinheit ist, ist der Mensch eine Einheit aus Geist, Seele und Leib. Der Mensch ist von Gott selbst gebildet und in Form gebracht worden. Er ist Gott ähnlich geschaffen. Wir sind nicht Gott gleich, aber Gott ähnlich.

Was bedeutet das? Wir sind für Gott ein Gegenüber. Wir sind Persönlichkeiten, die mit Gott im Gespräch sind. Gott redet zu uns durch die Bibel, und wir dürfen auf sein Reden im Gebet antworten. Weiterhin zeigt sich im Handeln Gottes, was uns als Persönlichkeiten ausmacht. Wenn wir einmal alle Verben auflisten, die wir auf den ersten Seiten der Bibel finden, wird das sehr schön deutlich: Gott redet, Menschen haben eine Sprache. Gott gestaltet, Menschen sind kreativ. Gott beurteilt und freut sich an seiner Schöpfung, Menschen tun das auch. Gott arbeitet und ruht, auch das gehört zum Menschsein. Außerdem können wir verantwortungsbewusst denken und handeln. Wir leben nicht wie Tiere nach Instinkt, sondern können uns sehr wohl vorher Gedanken machen, welche Folgen unser Handeln hat.

Fazit: Jeder Mensch ist Gott ähnlicher als alles andere auf dieser Welt. Wir haben in Gottes Augen einen unschätzbaren Wert. Deshalb sollten wir wertschätzend miteinander umgehen und das Leben in jeder Beziehung schützen.

Hartmut Jaeger

? Was fällt Ihnen noch ein, wenn Sie über unsere Gottesebenbildlichkeit nachdenken?

! Danken Sie Gott jeden Tag dafür, dass er Sie wunderbar gemacht hat!

† Psalm 8

22 | **JANUAR** Deutsch-französischer Tag | **SONNTAG**

Denn es hat Gott gefallen, alle Fülle in ihm [Christus] wohnen zu lassen und durch ihn alles zu versöhnen zu ihm hin, es sei auf Erden oder im Himmel, indem er Frieden machte durch sein Blut am Kreuz.

KOLOSSER 1,19-20

Versöhnung

Das Verhältnis zwischen Deutschland und Frankreich war lange durch Krieg geprägt: Über die Reunionskriege, die Revolutionskriege, die Befreiungskriege, den Krieg 1870/71 und die beiden Weltkriege hielt sich die Vorstellung vom »Erbfeind«. Erst nach 1945 begann langsam die Versöhnung. Dafür war der gute Wille beider Seiten nötig. Denn beide hatten ihren Anteil an der Feindschaft. Daher genügte es nicht, dass sich nur der eine bewegte. Es mussten beide aufeinander zugehen und versöhnungsbereit sein. Bei zwischenmenschlichen Konflikten sieht das ähnlich aus. Denn auch hier liegt die Ursache i. d. R. nicht nur auf einer Seite. Daher muss man sich *miteinander* versöhnen.

In der menschlichen Existenz gibt es allerdings noch eine ganz andere Art von Feindschaft: Das ist die Feindschaft gegen Gott. Seit dem Sündenfall, den der Mensch ganz allein verschuldet hat, steht er Gott feindlich gegenüber. Es wäre daher in der Tat notwendig, dass sich der Mensch mit Gott versöhnt. Allerdings hat die Menschheit hier keine erfolgreichen Bemühungen gezeigt. Doch Gott ist nicht untätig geblieben. Die Verse aus dem Kolosserbrief zeigen, dass er – obwohl er an der Feindschaft keine Schuld trägt – einen gewaltigen Schritt auf die Menschheit zugegangen ist, indem er durch das Opfer seines Sohnes am Kreuz alles mit sich selbst (zu ihm hin) versöhnt hat.

Das ist von grundlegender Bedeutung. Damit macht Gott klar, dass von seiner Seite nichts zwischen ihm und uns stehen muss. Wer mit Gott in ein versöhntes Verhältnis kommen will, muss nicht erst etwas Großes leisten. Er muss nur glauben, dass diese Vorleistung Gottes auch für ihn gilt, ganz ohne eigenes Verdienst und unabhängig von seiner Würdigkeit.

Markus Majonica

? Sind Sie schon mit Gott versöhnt?

! Er hat alles getan, damit das möglich ist.

† 2. Korinther 5,18-21

Ich habe gepflanzt, Apollos hat begossen,
Gott aber hat das Wachstum gegeben.

1. KORINTHER 3,6

Pflanzen und gießen

Es ist schon ein paar Jahre her, dass er in dieser Firma arbeitete, wo er zwei Chefinnen hatte. Mein Freund, der eine der Chefinnen näher kannte, hatte hier als Lagerist angefangen. Wie es seine Art ist, hatte er auch in seiner neuen Stelle nicht mit seinem christlichen Glauben hinter der Tür gehalten. So gab es auch einige Gespräche über den Glauben mit seinen Chefinnen. Die Reaktionen waren eher verhalten, wenn auch nicht ablehnend.

Ein paar Jahre später hatte er eine neue, nicht mehr so anstrengende Arbeit gefunden. Er ging mit dem Gefühl, niemanden mit der Frohen Botschaft erreicht zu haben. Manchmal kam er noch, um etwas zu kaufen, dann gab es meist einen kurzen Small Talk. Vor zwei Wochen jedoch war es ganz anders. Er wurde von einer seiner ehemaligen Chefinnen fröhlich begrüßt. Statt Small Talk gab es ein tieferes Gespräch, und sie öffnete sich ihm mit den Worten: »Ich glaube jetzt auch an Jesus Christus und gehe mein Leben mit ihm als meinem Erlöser.«

Das war eine unerwartete Nachricht, und mein Freund musste sich erst einmal etwas zum Festhalten suchen. Auf seine Frage, wie es denn zu dieser Entscheidung gekommen sei, erzählte sie ganz unbefangen: »Stell dir vor, ich gehe seit einiger Zeit mit zwei anderen Frauen joggen. Die eine von ihnen ist eine Katholikin, die andere gehört einer evangelikalen Gemeinde an. Beim Joggen bin ich immer zwischen ihnen gelaufen, während sie über den Glauben und Jesus Christus redeten. Ihre Gespräche und ihr Glaube waren so tief und lebendig, dass ich begonnen habe, Gott zu suchen. Vor einigen Wochen habe ich ihm mein Leben übergeben, und jetzt bin ich auf dem Weg mit ihm.« Gott geht mit jedem Suchenden seinen ganz eigenen Weg. Und manchmal gewährt er uns Einblick darin. *Bernd Grünewald*

? Wurden Sie auch schon von Christen angesprochen und waren im Gespräch mit ihnen?

! Wenn so etwas passiert, könnte es darauf hinweisen, dass Gott Ihnen begegnen möchte.

† 1. Mose 24,10-21

Der HERR aber, der selber vor euch hergeht, der wird mit dir sein und wird die Hand nicht abtun und dich nicht verlassen. Fürchte dich nicht und erschrick nicht!

5. MOSE 31,8

Von Entmutigten und Ermutigten

Da sitzt sie. Niedergeschlagen und verletzt. Sie war von ihrer Herrin vertrieben worden und in die Wüste geflohen. Wie konnte es nur so weit kommen? Sie hatte doch nur den Wunsch ihrer Herrin befolgt, und jetzt war alles nur noch schlimmer als vorher! Hagar sprach daraufhin mit Gott und sagte getröstet: »Du bist ein Gott, der mich sieht!« (1. Mose 16,13).

Da sitzt er. Gedemütigt und verurteilt. Von seinen Brüdern war er an eine Karawane verkauft worden und diente in Ägypten dem wohlhabenden Beamten Potifar. Dessen Frau hatte ein Auge auf Josef geworfen, doch Josef wollte sich nicht auf eine Affäre einlassen. Das Ende: Josef wurde falsch beschuldigt und musste ins Gefängnis. Alles vorbei? Nein, denn »der Herr war mit Josef und verschaffte ihm Gunst« (1. Mose 39,21). Josef sollte bald für das Überleben eines ganzen Volkes sorgen.

Da geht er. Als Sohn der Tochter des Pharaos war er am Königshof aufgewachsen, und doch war er ein Israelit. Er hatte einen Ägypter erschlagen und war geflohen. Und jetzt? Mose sollte das Volk aus Ägypten führen. Niemals! Er konnte doch gar nicht reden. Aber Gott ermutigte ihn: »Geh hin: Ich will mit deinem Munde sein und dich lehren, was du sagen sollst« (2. Mose 4,12).

Drei Menschen aus der Bibel, die total niedergeschlagen waren und denen Gott begegnete. In ihren verschiedenen Situationen wurden sie alle von Gott ermutigt. Gottes Hilfe war jeweils passgenau. – Ich möchte Sie einladen, sich auch von Gott ermutigen zu lassen. Gott kennt Ihre Lebenssituation – so besonders sie vielleicht auch sein mag. Er sieht Ihre Zweifel und Ihre Umstände. Er ist ein Gott, der Sie ganz persönlich sieht und ermutigen möchte. Wollen Sie das zulassen?

Ann-Christin Bernack

? In welchen Lebensbereichen haben Sie Ermutigung nötig?

! Gott ist der perfekte Ermutiger!

† 1. Mose 16,1-14

Denn mein Fels und meine Burg bist du;
und um deines Namens willen
führe mich und leite mich!

PSALM 31,4

Eine sehr kluge Bitte

An der deutschen Nordseeküste gehören die Wattwanderungen zu den besonderen Ferienerlebnissen. Im Rhythmus von etwa 6 Stunden wechseln sich Ebbe und Flut ab. Während der Ebbe kann man gut beschuht, von etlichen Inseln zum Festland gehen oder umgekehrt. Doch tut man gut daran, sich einem Wattführer anzuschließen. Erstens kann der einem vieles zeigen, und zweitens kennt er die Strecke genau und weiß, wo die Priele, oft recht tiefe Wasserrinnen, verlaufen. Das Wichtigste aber ist, dass er auch noch Rat weiß, wenn plötzlich dichter Nebel das Festland oder die Insel verbirgt. Das zu missachten, hat schon vielen Unkundigen das Leben gekostet.

Unser aller Lebenswege gleichen einer Wattwanderung. Oft meinen wir, das Lebensziel klar vor Augen zu haben, und schreiten mutig aus, und plötzlich verhüllt eine dichte Nebelwand selbst den Ort für den nächsten Schritt. Da stellt der Arzt eine unheilbare Krankheit fest, oder eine neue Erfindung macht den bis dahin für sicher gehaltenen Beruf unnötig, oder familiäre Umstände werfen einen aus der Bahn, sodass alles, was gestern noch vollkommen klar erschien, ganz und gar im Nebel liegt.

Viele suchen dann Rat im Netz. Google wird schon eine Antwort parat haben. Die Betreiber wissen aber erwiesenermaßen nicht mehr als jeder andere und behaupten nur fest, was sie durch ihre Datenkenntnisse bei ihren Kunden für das Wahrscheinlichste halten.

In unserem Tagesvers bittet der Psalmdichter Gott, ihn zu führen, weil er selbst sein Unvermögen erkannt hat. Sollten wir seinem Beispiel erst folgen, wenn wir nicht mehr ein noch aus wissen, oder sollten wir uns nicht lieber auch schon in guten Tagen der souveränen Führung des Allwissenden anbefehlen?

Hermann Grabe

? Wie weit können wir wirklich in die Zukunft blicken?

! Schäden vermeiden ist preiswerter als Schäden reparieren.

† 2. Chronik 33,1-20

Genieße das Leben mit der Frau, die du liebst,
alle Tage deines nichtigen Lebens,
das er dir unter der Sonne gegeben hat,
all deine nichtigen Tage hindurch!

PREDIGER 9,9

Ein Bedürfnis Gottes

Heute ist »Ehegatten-Tag« und, so der Herr will, werden in genau 24 Tagen meine Ehefrau und ich 40 Jahre verheiratet sein. Wie in jeder Ehe gab es auch bei uns Höhen und Tiefen. Als wir uns das »Ja-Wort« gaben, waren wir beide noch nicht zum Glauben an unseren Herrn Jesus gekommen. Unsere Ehe stand daher mehr als einmal auf der Kippe. Zu unterschiedlich waren Ansichten, zu herausfordernd die Kindererziehung und zu verlockend der Gedanke, aus dem Alltag ausbrechen zu können. Dabei war uns beiden klar, dass eine Veränderung nicht unbedingt etwas Besseres sein muss. Wir rauften uns mehr als einmal zusammen.

Und dann kam etwas in unser Leben, mit dem wir nicht gerechnet hatten, was völlig unvorhergesehen war. Meine Ehefrau Karin kam zum rettenden Glauben an Jesus, und etwas später durfte ich den gleichen Schritt wie sie tun. Völlig überzeugt vom Werk Jesu am Kreuz und der Kraft Gottes, die in dem Glaubenden wirkt, wurde unser Leben buchstäblich auf den Kopf gestellt. Viele (auch finanzielle) Probleme waren immer noch da, aber die Perspektive und der Blick auf diese Probleme hatten sich geändert.

Gott hatte in unseren Alltag und somit in unsere Ehe eingegriffen und bestimmte mehr und mehr unser Zusammenleben. Wir erkannten aus der Bibel, wie wichtig Gott die Ehe ist. Wir lernten, wie Mann und Frau die ihnen zugeteilten Aufgaben gottgemäß ausführen können. Das war für uns kein Zwang oder Befehl, sondern eine echte Hilfe. Natürlich machten und machen wir noch immer Fehler. Aber gegenseitige Rücksichtnahme, füreinander da zu sein, auf die Bedürfnisse des Partners einzugehen – solche wichtigen Bestandteile einer Ehe zwischen Mann und Frau wurden und werden uns durch Gottes Wort weiterhin immer klarer und nachvollziehbarer.

Axel Schneider

? Spielt Gott in Ihrer Ehe eine Rolle?

! Reflektieren Sie Ihre Ehe im Lichte der Bibel und nehmen Sie Gottes Hilfe in Anspruch!

† Epheser 5,21-33

Wehe denen, die das Böse gut nennen und das Gute böse; die Finsternis zu Licht machen und Licht zu Finsternis; die Bitteres zu Süßem machen und Süßes zu Bitterem!

JESAJA 5,20

Gedenktage

Gedenktage sind in unserer Gesellschaft zu einem festen Bestandteil geworden. Alle paar Tage wird uns von Journalisten erzählt, wie wichtig es sei, dieses oder jenes Ereignis in Erinnerung zu behalten. Dazu dienen politische, kulturelle und gesellschaftliche Ereignisse.

Ein Gedenktag außergewöhnlicher Art ist der 27. Januar. Es ist der Jahrestag, an dem die Befreiung des Konzentrationslagers Auschwitz-Birkenau durch die Rote Armee im Jahre 1945 erfolgte. Im Jahre 2005 wurde dieser Tag sogar von der UNO als *Internationaler Gedenktag an die Opfer des Holocaust* eingeführt. Auch im Bundestag wird auf Initiative des damaligen Bundespräsidenten Roman Herzog an diesem Tag jährlich mit einer Gedenkstunde an die Gräuel der Nazis erinnert. Das Erinnern an diese böse Zeit darf nie aufhören. Was geschehen ist, kann nur als singuläres Verbrechen in der Menschheitsgeschichte bezeichnet werden. Vergessen wäre das Schlimmste.

Dem kann man aber ein anderes Ereignis der Weltgeschichte entgegenstellen, das ebenso singulär ist, jedoch in einer völlig gegensätzlichen Richtung. Es ist aus der Sicht des Betroffenen keine Gräueltat, sondern eine Liebestat. Hier entschied nicht ein Einzelner über Leben und Tod von Millionen, sondern hier wurde Millionen durch einen Einzelnen die Möglichkeit eröffnet, das ewige Leben zu gewinnen. Dieses Ereignis ist der Tod von Jesus Christus am Kreuz von Golgatha. Er starb dort, um unser aller Schuld zu begleichen und den bitteren Preis dafür zu bezahlen. Was für ihn wirklich bitter war, wurde für uns zu Süßem. Das wäre nicht nur auch im Bundestag einer Erinnerung wert, sondern weltweit an jedem Tag, denn es betrifft ja nicht nur ein einzelnes Volk, sondern sämtliche Völker dieser Erde.

Rudolf Koch

? Welches der beiden Gedenken spielt für Sie eine Rolle in Ihrem Leben?

! Das eine beschämt zutiefst und macht betroffen, und das andere setzt ein klares Zeichen der Hoffnung.

† Psalm 30

Wenn ihr von ganzem Herzen zu dem HERRN zurückkehren wollt, dann tut die fremden Götter … aus eurer Mitte und richtet euer Herz zu dem HERRN und dient ihm allein …

1. SAMUEL 7,3-4

Schluss jetzt!

Es war an einem Samstagabend. Bevor ich zu Bett ging, zündete ich mir noch schnell eine Kippe an. Als ich die Zigarette ausdrückte, war ich fest entschlossen: »Schluss jetzt! Schluss mit dem Rauchen!« In meiner Schachtel befanden sich noch ein paar Kippen. Doch um meine Entscheidung zu besiegeln, warf ich auch jene in den Mülleimer.

Der nächste Tag wurde zu einem Denkmal in meinem Leben. Damals ging ich auf meine Knie und betete zu Jesus Christus: »Schluss jetzt! Schluss mit meinem verkorksten Leben. Von nun an möchte ich mit dir leben.« Es gab viel größere Sachen, mit denen ich Schluss machen musste. Vor allem damit, mein Leben ohne Gott zu leben. Das Rauchen war dabei nur das kleinere Übel. Seitdem lebe ich übrigens tatsächlich nikotinfrei. Aber das ist nicht das Wichtigste. Das Wichtigste ist: Zu meinem »Schluss jetzt!« sagte Jesus: »Los jetzt!«. Damals schenkte Jesus mir einen Neuanfang in meinem Leben.

Jesus möchte uns allen ein neues Leben schenken. Doch zuerst müssen wir zu unserem alten Lebensstil »Schluss jetzt!« sagen. Denn er ist ohne Gott nicht nur schädlich, sondern letztlich tödlich. Dabei ist es wichtig, das aus wirklicher Überzeugung zu tun! Leider tun das nur wenige Menschen. Vielleicht sogar, weil sie nicht genau wissen, was auf sie zukommt, was das Neue bringen wird. Und andere sagen zwar »Schluss jetzt«, aber es ändert sich nichts. Vielleicht deshalb, weil sie nicht mit Jesus rechnen, der das Leben neu machen möchte. Enttäuscht stellen sie dann fest, dass alles beim Alten geblieben ist. Wer aber wagt, die alten Laster und seine Sünden bei Jesus »abzuladen«, wird ein Wunder erleben und wirklich ein neues Leben mit ihm beginnen.

Paul Wiens

Worunter müssen Sie einen Schlussstrich ziehen?

Wagen Sie einen Neuanfang mit Jesus Christus!

Hebräer 3,7-13

Wenn du deinen Fuß am Sabbat zurückhältst und nicht deinen Geschäften nachgehst ... dann wirst du deine Lust haben am HERRN, und ich will dich über die Höhen auf Erden gehen lassen ...

JESAJA 58,13-14

Das Geschenk des Ruhetags

Die Wichtigkeit der Ruhe wird vielfach unterschätzt. Ein wöchentlicher Ruhetag, sei es der jüdische Sabbat oder der christliche Auferstehungstag, der Sonntag, gibt dem Leben einen bedeutungsvollen Rhythmus. Er sorgt für das Gleichgewicht von Anspannung und Entspannung, für einen gesunden Wechsel von Arbeit und Ruhe, für die Auszeit von der Geschäftigkeit. Ein Ruhetag – so banal er erscheinen mag – birgt ein Geheimnis in sich. Gott, der selbst am siebten Tag nach der Schöpfungswoche ruhte, will uns ein Vorbild sein, schenkt und gönnt uns einen Tag der Ruhe.

Mit dem richtigen Verständnis für den unschätzbaren Wert eines wöchentlichen Ruhetags für unser inneres Gleichgewicht und unsere Gesundheit wird aus der religiösen Vorschrift »Du darfst nicht arbeiten!« oder »Du musst in die Kirche gehen!« ein befreiendes »Gönne dir Ruhe, habe Gemeinschaft mit Gott, Familie und Freunden, feiere heute, es ist ein Festtag!«. Der Ruhetag enthält Verheißungen, auf die niemand verzichten möchte, nicht nur, weil es ein Feiertag ist und die Alltagsgeschäfte samt Termindruck pausieren dürfen, sondern weil er die Gedanken auf höhere, elementare Dinge richtet. Wie sich Gott am Ruhetag an seiner Schöpfung erfreute, dürfen wir ebenso das genießen, was wir die Woche über geschafft und geschaffen haben. Der Ruhetag wird zum Schwungrad für unsere Schaffenskraft, die wir an den Arbeitstagen brauchen.

So gesehen ist der Ruhetag nicht nur das Ende der Woche, wenn wir erschöpft sind, sondern vor allem der Anfang, der uns befähigt, aus der Ruhe Kraft und Kreativität zu schöpfen, sowie daran erinnert, dass wir nicht nur für die Arbeit gemacht sind, sondern unsere eigentliche Bestimmung erst bei Gott in der ewigen Ruhe zur Erfüllung kommt. *Daniela Bernhard*

? Wie halten Sie es mit Ihrem wöchentlichen Ruhetag?

! Sie müssen sich den Ruhetag nicht verdienen, er ist ein Geschenk.

† Jesaja 14,3-7

Es fehlt nicht viel, so wirst du mich noch überreden und einen Christen aus mir machen.

APOSTELGESCHICHTE 26,28

Dicht dran

Schon zu Lebzeiten war er ein Idol. Seine Gewaltlosigkeit brachte Machthaber in Verlegenheit und fanatische Hindus auf die Palme. Er starb heute vor 75 Jahren durch drei Schüsse in die Brust. Im Juli 1939 schrieb er einen Brief an Adolf Hitler und bat ihn, doch bitte keinen barbarischen Krieg anzuzetteln. Mahatma Gandhi (1869–1948), der große Sohn Indiens, stellte fest: »Ihr Christen habt ein Dokument mit genug Dynamit in sich, die Welt auf den Kopf zu stellen, dieser kriegszerissenen Welt den Frieden zu bringen. Aber ihr geht damit so um, als ob es bloß ein Stück guter Literatur ist, sonst weiter nichts.«

Als junger Rechtsanwalt lebte Gandhi in Südafrika. Zu jener Zeit stand er dicht davor, Christ zu werden. Er schreibt: »Ich besuchte jeden Sonntag eine Kirche. Sie machte jedoch keinen günstigen Eindruck auf mich. Die Predigten waren begeisterungslos, die Gemeinde nicht besonders religiös. Man schien nur aus Gewohnheit zur Kirche zu gehen. So kam es manchmal, dass ich gegen meinen Willen einschlief. Ich schämte mich dessen; aber es war mir tröstlich, dass sich einige meiner Nebenmänner in keiner besseren Lage befanden. Bald gab ich den Kirchenbesuch auf.«

Diese Enttäuschung erlebte Gandhi gerade dann, als er für Jesus besonders empfänglich war. Was hätte es für ihn und Indien bedeutet, wenn er damals glaubwürdigen Zeugen begegnet wäre? Doch als Gandhi seine Lebensentscheidung traf, schlief die Christenheit!

Ein Missionar fragte den Mahatma später, wie das Christentum in Indien seine Kraft entfalten könne. Gandhi erwiderte: »Sie müssten anfangen, wie Jesus Christus zu leben. Ohne Zweifel wäre ich ein Christ, wenn die Christen es vierundzwanzig Stunden täglich wären.« *Andreas Fett*

Sind Sie von unglaubwürdigen Christen abgeschreckt?

Lassen Sie sich von Christus selbst anlocken! Er ist (glaub-)würdig.

Matthäus 23,1-12

Denn er gebietet dem Schnee: Falle auf die Erde! ... Dann zwingt er die Hand jedes Menschen zur Untätigkeit, damit alle Leute sein Werk erkennen möchten.

HIOB 37,6-7

Zugeschneit

Herrlich! Keine Schule, Winterurlaub und ab in die Berge! Zielort: Maloja, Schweiz! Bereits bei der Anreise lag schon ordentlich Schnee auf den Alpenpässen, sodass wir links und rechts nur die ausgefrästen Schneewände sahen. Je näher wir unserem Ziel kamen, desto mehr freuten wir Kinder uns auf eine Woche in der weißen Pracht. Was wir bei der Ankunft allerdings noch nicht wussten: Wir würden bei diesem Urlaub voll auf unsere Kosten kommen, mehr als unseren Eltern lieb war ...

Gegen Ende der Urlaubswoche hörten meine Eltern mit besorgten Gesichtern den Wetterbericht: Es hörte nicht mehr auf zu schneien. Der nächste Morgen kam, und wir trauten unseren Augen kaum. Es lag so viel Schnee, dass man auf dem Parkplatz kein einziges Auto mehr erkennen konnte! Am Frühstückstisch hörten wir dann die tolle (nicht so für meine Eltern) Nachricht: Eingeschneit, Maloja war von der Außenwelt völlig abgeschnitten wegen Lawinengefahr und zwei Metern Neuschnee! Wir mussten, ja, durften eine Woche länger im Urlaub bleiben! Alles war lahmgelegt, keine Straßen mehr befahrbar, jedermanns Pläne gestoppt!

Diese und ähnliche Naturereignisse zwingen uns zuweilen – völlig unerwartet – zu Untätigkeit und Abwarten. In diesen Situationen können wir allerdings etwas sehr Wichtiges lernen: Zum einen haben wir Menschen, anders als wir oft denken, bei Weitem nicht alles in der Hand. Schon gar nicht das Wetter. Das ist und bleibt allein Gottes Werk. Das ist die eine Lektion. Eine solche Auszeit bietet darüber hinaus aber auch eine existenzielle Chance: Denn wenn alles zum Stillstand kommt, haben wir plötzlich Zeit, über das Wichtigste nachzudenken, nämlich über den allmächtigen Gott und unser Verhältnis zu ihm.

Tony Keller

? Wer kontrolliert Ihrer Meinung nach das Wetter?

! Nutzen Sie Zeiten des Stillstands, um mit Gott ins Reine zu kommen!

† Apostelgeschichte 9,1-18

Alle eure Sorge werft auf ihn; denn er sorgt für euch.

1. PETRUS 5,7

Hakuna Matata

Kennen Sie Simba, den süßen Löwenjungen aus »Der König der Löwen«, dessen Onkel Scar den Löwenvater tötet, um den Thron im Königreich der Tiere zu besteigen? Der rechtmäßige Thronfolger Simba wird von Scar ins Exil gejagt, doch im tiefsten Dschungel von Timon und Pumbaa als Pflegekind aufgenommen. Das zackige Erdmännchen und das tollpatschige Warzenschwein leben genüsslich getreu ihrer Lebensphilosophie *Hakuna Matata:* »Hakuna Matata gilt stets als modern! Es heißt, die Sorgen bleiben dir immer fern. Keiner nimmt uns die Philosophie.«

In unserer Gesellschaft ist *Hakuna Matata* tatsächlich modern: schnelles Vergnügen, sofortige Bedürfnisbefriedigung, Genusssucht, gleichgültiger Egoismus. Sich Sorgen machen? Warum denn? Einfach leben nach dem Motto: »Ach, passt schon. Wird schon wieder. Mach dir keinen Kopf – Hakuna Matata!« Doch steigende Preise, Krieg vor der Haustür, schwere Krankheiten, Existenzängste, fehlende Rentenaussichten können plötzlich alles ändern. Keine Sorgen? Pustekuchen! Sorry Pumbaa, deine Aussage passt doch nicht in unsere Zeit. Die Philosophie ist uns genommen worden.

Die Bibel ist realistisch. Sie redet nichts schön und beschreibt das Leben mit all seinen Facetten. Aber sie bleibt nicht dabei stehen. Sie zeigt uns konkrete Handlungsmöglichkeiten, den Krisen des Lebens zu begegnen. Die Quintessenz aller Tipps lautet, vertrauensvoll zu Gott zu beten und alle Sorgen auf ihn zu werfen, weil er für uns sorgen möchte. Aber dazu müssen wir eingestehen, dass wir unser Leben nicht im Griff haben und Gott brauchen. Ohne ihn sind wir sogar in höchster Gefahr. – »Hakuna Matata«? Die bessere Lebensphilosophie ist eindeutig: Alle eure Sorge werft auf ihn; denn er sorgt für euch! *Dina Wiens*

? Was ist Ihre Lebensphilosophie?

! Gottes Fürsorge für uns gründet sich auf die Versöhnung mit ihm durch Jesus Christus, seinen Sohn.

† 1. Petrus 1,3-9

Dein Wort ist Wahrheit.
JOHANNES 17,17

Glaube und Wirklichkeit

Mir sind viele Menschen begegnet, die meinen, dass mein Glaube an Jesus Christus so eine Art Religion ist, die man zu bestimmten Zeiten in der Woche, meistens am Sonntagmorgen, ausübt, so ähnlich wie ein Hobby, das man hat. Meine Besuche in der »Gemeinde« (was auch immer das ist) würden mir bestimmt guttun, und alles, was einem selbst guttut, sollte man auch machen. Wahrer Glaube wird mit eifriger Religionsausübung gleichgesetzt und als psychologisch positives Element gesehen. Ich bin den Menschen, die so etwas denken, überhaupt nicht böse, im Gegenteil, ich denke, sie meinen es oft gut mit mir.

Doch der Glaube an Jesus Christus ist weder nur eine fromme Freizeitbeschäftigung noch der hilflose Versuch einer Selbsttherapie. Mein fester Glaube ist, dass Jesus Christus tatsächlich für meine Sünden am Kreuz gestorben ist. Ich selbst bin Sünder und wäre auf ewig verloren, wenn Jesus mir nicht meine Sünden durch den Glauben nähme. Er hat für mich als Stellvertreter den Tod als Strafe für die Sünde auf sich genommen. Damit hat der Glaube einen knallharten Realitätsbezug: Meine Sünden sind real. Jesu Tod am Kreuz ist ein historisches Faktum. Dass er dort stellvertretend für meine Sünden starb, ist eine Tatsache. Und auch die Vergebung der Sünden durch den Glauben ist Wirklichkeit. Es handelt sich um objektiv wirksame und erfahrbare Wahrheit.

Und genau deswegen ist dieser Glaube Mittel- und Ausgangspunkt für mein komplettes Leben. Das mag für Menschen widersinnig, ja, geradezu grotesk sein, die meinen, Glaube und Wirklichkeit seien zwei Paar Schuhe. Doch das ist nicht die Wahrheit. Durch meinen Glauben an Jesus Christus bin ich kein religiöser Utopist, sondern dankbarer Realist. *Axel Schneider*

? Sind Sie auch ein Realist?

! In einer »unwahren« Welt gibt es nur eine Wahrheit.

† Johannes 8,31-36

03 | **FEBRUAR** — FREITAG
Tag der männlichen Körperpflege

Prüfe mich, HERR, und erprobe mich;
läutere meine Nieren und mein Herz!

PSALM 26,2

Ein guter Schnitt

Etwa alle drei bis vier Monate treibt mich der Blick in den Spiegel mal wieder zum Friseur. Darauf freue ich mich eigentlich, denn mit meinem Friseur komme ich immer gut ins Gespräch. Meist über die aktuellen Themen der Woche. Das ist fast jedes Mal auch eine gute Gelegenheit, meinen Glauben zur Sprache zu bringen. Der Punkt war diesmal: Wenn ich zu meinem Friseur gehe, dann vertraue ich darauf, dass er mir einen guten Schnitt verpasst, sodass ich wieder ein gepflegtes Bild abgebe. Seine Schere könnte mir bei falschem Gebrauch zwar durchaus Schaden zufügen, aber er weiß ja, damit umzugehen.

Bildlich übertragen auf mein Verhältnis zu Gott bedeutet das: Ich muss mich von Zeit zu Zeit von ihm »zurechtstutzen« lassen, weil ich mich immer wieder auf falschen Wegen verrenne und in falsche Handlungsmuster verfalle, die zu Problemen führen und obendrein auch mein »Erscheinungsbild« zum Schlechten verändern: ein böser Gedanke, ein unbedachtes Wort, eine unüberlegte Tat – und schon ist das innere Gleichgewicht gestört und der Friede aus dem Herzen gewichen. Dann hilft nur noch, Gott wieder einmal seine »Schere« ansetzen und all das abschneiden zu lassen, was unkontrolliert und wenig schön gewachsen ist. Aus der Begegnung mit ihm gehe ich dann gereinigt und geläutert hervor und fühle mich »wie neugeboren«. Angst davor habe ich schon lange nicht mehr, denn es ist am Ende immer nur gut für mich ausgegangen.

Ach, wenn die Menschen doch begreifen würden, dass sie ohne Gott hoffnungslos ins Verderben rennen, weil ihnen die Orientierung an seinem guten und gerechten Maßstab fehlt. Dieser gute Gott will ihnen ja nur wegnehmen, was ihnen schadet, und ihnen dafür geben, was in Ewigkeit bleibt.

Joachim Pletsch

? Welches Bild haben Sie von Gott?

! Wir alle haben es nötig, uns von ihm »zurechtstutzen« zu lassen.

† Psalm 66,8-12

Frieden lasse ich euch, meinen Frieden gebe ich euch; nicht wie die Welt gibt, gebe ich euch. Euer Herz werde nicht bestürzt, sei auch nicht furchtsam.

JOHANNES 14,27

Auf der Suche nach Befriedigung

Es ist ein unbeschreibliches Gefühl. Ich fahre mit meinem Snowboard auf die Sprungschanze zu. Je näher ich der Schanze komme, um so mehr steigert sich meine Nervosität. Dann merke ich, wie es nicht mehr bergab, sondern bergauf geht. Ich sehe nicht mehr weißen Schnee, sondern blauen Himmel. Spätestens jetzt wird mir klar: Es gibt kein Zurück mehr! Ich fliege! Die Zeit scheint kurz stehen zu bleiben, für einen Moment nehme ich meine Außenwelt nicht mehr wahr. Nach der Landung sind es das Adrenalin und die Euphorie, die in mir ganz laut schreien: Nochmal! Nochmal! Es ist ein tolles Gefühl, ein geradezu euphorischer Zustand. Kein Wunder, dass viele Sportler immer wieder an ihr Limit gehen, um diesen Kick zu erfahren. Es macht süchtig.

In der Bibel wird von einem ganz anderen Gefühl oder Zustand geredet, das oder den ich nur schwer beschreiben kann: Frieden. Gott sagt, dass wir Menschen uns um nichts Sorgen machen müssen, stattdessen sollen wir unsere Sorgen und Ängste Gott bringen. Wenn wir das tun, verspricht die Bibel, dass der Friede Gottes unser Herz und unsere Seele in Christus bewahren wird (Philipper 4,6-7).

Dieser Friede von oben ist ein innerer Zustand, den unser Verstand nicht begreifen kann. Wenn um mich herum alles Kopf steht, wenn ich Rechnungen nicht bezahlen kann, wenn meine Liebsten schwer krank werden, wenn Sorgen mich quälen, dann darf ich erleben, wie mich ein tiefer Friede in der Hoffnung auf Christus bewahrt. Dieser Friede macht nicht süchtig wie das Snowboarden, sondern er erfüllt mich und lässt mich zur Ruhe kommen. Diesen Frieden finde ich nur bei Gott. Gott lässt mich Ruhe finden und gibt mir das, wonach meine unruhige Seele schreit.

Theo Schelenberg

? Kennen Sie diesen Frieden?

! Nur bei Gott finden wir wahre Erfüllung und können wir dauerhaft Frieden finden.

† Philipper 4,4-7

Obwohl er in jeder Hinsicht Gott gleich war,
hielt er nicht selbstsüchtig daran fest, wie Gott zu sein.
PHILIPPER 2,6

Heruntergekommen

Wenn jemand oder etwas »heruntergekommen« ist, dann ist das in der Regel keine gute Sache: Ist ein Gebäude heruntergekommen, dann mag man noch einiges von seiner einstigen Schönheit erkennen. Aber der Renovierungsstau ist erheblich. Im schlechtesten Fall ist das Haus nicht mehr zu retten, und man muss es abreißen. Schlimmer noch ist es bei einem Menschen. Manchmal begegnen wir Personen, die wir von früher kennen, die aber einen großen Absturz erlebt haben, sei es durch Drogen, Alkohol oder ein verpfuschtes Leben. Man hat noch den alten »netten Kerl« vor Augen und erschreckt sich darüber, was aus diesem geworden ist.

In diesen Fällen ist das »Herunterkommen« zurückzuführen auf Versäumnisse oder handfeste Fehler. Doch wer würde schon freiwillig und ohne Not einen sozialen Abstieg auf sich nehmen? Wer würde eine komfortable Lebenssituation verlassen, alle Privilegien aufgeben? Nur, um mit irgendwelchen gescheiterten Existenzen zusammen zu sein?

Der Sohn Gottes jedoch hatte genau diese Gesinnung. Er besaß in der Gegenwart seines göttlichen Vaters jede nur erdenkliche Herrlichkeit. Es wird – für uns Menschen unvorstellbar – nichts gegeben haben, was am allerbesten fehlte. Doch daran hat er nicht festgehalten. Er ist – im wahrsten Sinne des Wortes – auf die Erde »heruntergekommen«, hat seine himmlische Realität gegen eine irdische eingetauscht, die für ihn von seiner Geburt an lebensbedrohlich war. Er, dem Engel dienten, wurde zu einem Diener aller, wusch Füße, berührte Unberührbare und teilte seine Zeit mit Versagern und Gescheiterten. Und schließlich gab er sogar sein Leben für die Menschheit. Welch ein Abstieg, könnte man denken! Nein: Welch eine Liebe beweist sich in diesem Weg!

Markus Majonica

? Woran sind Sie schon gescheitert?

! Jesus macht allen Schaden gut – wenn wir es zulassen.

† Philipper 2,5-8

Wenn euch nun der Sohn frei macht,
so seid ihr wirklich frei.

JOHANNES 8,36

Der Strohhalm

In einer Fortbildung habe ich neulich das folgende Experiment durchlaufen und lade auch Sie ein, aktiv mitzumachen: Holen Sie sich einen Strohhalm, umschließen Sie diesen mit den Lippen und atmen Sie nun langsam, für ca. eine Minute, nur durch diesen Strohhalm. Nach dem Experiment wurde gefragt: Und, wie war es? Die Antworten waren unterschiedlich: Panik, beklemmend, einengend. Einige führten an, dass es ja nur eine begrenzte Zeit dauerte und dadurch erträglich war; andere hingegen konzentrierten sich auf die Atmung und konnten dann gut damit umgehen. Wie erging es Ihnen?

Interessant, dass so ein kleiner Gegenstand verdeutlichen kann, wie es manchen von uns im Leben zuweilen ergeht: Wir fühlen uns eingeengt, unter Druck und können kaum noch frei atmen. Irgendetwas stimmt nicht, wir können das Leben nicht mehr in vollen Zügen genießen.

Gerade die Beklemmung, die in diesem Experiment deutlich wird, lässt sich auf unser Leben übertragen. In der Bibel finden wir die Erklärung dafür, nämlich dass wir »alle schuldig geworden sind und nicht die Herrlichkeit Gottes erlangen« (Römer 3,23). Konkret heißt dies, dass alle Menschen Sünder sind und keine enge Gemeinschaft mit Gott haben können. Der Mensch ist nicht frei – er wird einmal für immer sterben müssen. Was für eine ernüchternde und einengende Aussicht.

Doch es gibt einen Ausweg – jemanden, der wirkliche Freiheit bringt. Jesus Christus ist in die Welt gekommen, um den Sieg über die Sünde zu erlangen und unsere Unzulänglichkeit auszugleichen. Die Sünde trennt uns Menschen von Gott. Diese Trennung ist jedoch durch Jesu Tod am Kreuz überwunden worden. Die Gemeinschaft mit Gott ist wieder hergestellt. Was für eine Aussicht, was für eine Freiheit! *Ann-Christin Bernack*

? Was schnürt Ihnen die Luft ab? Was hilft Ihnen beim Atmen?

! Jesus Christus ist auch für Ihre Sünden am Kreuz gestorben.

† Jona 2

Denn so spricht Gott, der HERR, der Heilige Israels: Durch Umkehr und Ruhe könntet ihr gerettet werden, im Stillesein und im Vertrauen läge eure Stärke.

JESAJA 30,15

Stille

Wer kann heute eigentlich noch Stille ertragen? Kaum wird es mal etwas ruhiger, stecken wir uns schon die Kopfhörer ins Ohr, schalten das Radio ein oder nesteln an unseren Smartphones herum. Besonders deutlich wird unsere Unfähigkeit, Stille zu ertragen, auch in Gesprächsrunden: Wenn einmal plötzliches Schweigen herrscht, hält kaum jemand das aus. Die Stille schreit uns regelrecht an und nötigt uns, etwas zu sagen. Manchmal etwas Sinnvolles, öfter nur Belangloses – Hauptsache, die peinliche Stille ist weg.

Im Alltag sind wir permanent von verschiedenen Reizen umgeben. Obwohl wir wissen, dass Lärm auf Dauer krank macht, ist Stille für viele Menschen zum seltenen Luxus geworden. Aber wir sollten die Stille nicht nur ertragen lernen, sondern sie sogar gezielt suchen. Denn die vielen Vorteile, die sie mit sich bringt, sind längst erforscht: Stille mindert Stress, verbessert die kognitiven Leistungen, lässt sogar das Gehirn wachsen, macht produktiv und kreativ. Eine klar definierte »Stille Zeit« tut Körper und Seele gut. Doch am besten ist, man nutzt die Stille nicht nur aus gesundheitlichen Gründen oder um mit sich selbst allein zu sein, denn das hilft letztlich auch nicht weiter. Stille ist eine gute Möglichkeit für viel mehr, nämlich um Gott zu begegnen. Das kann man, indem man betet und die Bibel aufschlägt.

Gott ist kein Marktschreier, der sich uns unangenehm aufdrängt (s. Jesaja 42,2), sondern er lässt sich besonders in der Stille finden. Dazu müssen wir uns Zeit für ihn nehmen und dürfen uns nicht von tausend Dingen ablenken lassen. Gott will uns gerne helfen, aber wir müssen unseren Rummel loslassen, zur Ruhe kommen und unser ganzes Vertrauen auf ihn setzen.

Daniela Bernhard

? Wann haben Sie zum letzten Mal bewusst äußere Reize abgestellt, um Gott in der Stille zu suchen?

! »Es gibt vielerlei Lärme. Aber es gibt nur eine Stille.« (Kurt Tucholsky)

† Psalm 37

Jesus spricht: »Ihr seid meine Freunde, wenn ihr alles tut, was ich euch gebiete.«

JOHANNES 15,14

Nichts verdrängen!

Neulich las ich, es sei höchst gefährlich, etwas auf die lange Bank zu schieben, von dem man weiß, dass man es tun sollte. Aber das nicht nur, weil man niemals weiß, ob morgen noch Gelegenheit dazu ist, sondern auch deshalb, weil in vielen Fällen ein bedürftiger Mensch dringend der Hilfe bedarf. Denken Sie nur an einen einsamen Menschen im Krankenhaus oder im Altenheim! Ein weiterer Grund, nichts aufzuschieben, liegt darin, dass die meisten Menschen solche Aufträge immer leichter verdrängen können, je länger sie damit warten. Unser Gewissen kann damit jeden neuen Tag leichter fertigwerden; oder anders ausgedrückt: das Gehorchen wird Tag für Tag schwerer.

Es ist mit unserem Gewissen so, als wenn man zur Winterzeit mit einem Ruderboot über einen See fahren soll. Wenn der erste Frost einsetzt, ist die Eisschicht so dünn, dass man sie ganz leicht durchqueren kann. Wartet man aber bei anhaltendem Frost einige Zeit, so wird diese Schicht immer dicker, bis an ein Durchkommen gar nicht mehr zu denken ist. Ja, schließlich kann man mit einem Auto über den See fahren.

Ob Sie es glauben wollen oder nicht: Gott ist es, der uns Menschen das Gewissen gegeben hat. Er gab es uns aber nicht, damit wir uns darin üben, es zum Schweigen zu bringen, sondern damit wir darauf hören. Das meiste Herzeleid der Welt kommt daher, dass wir Menschen uns so erfolgreich geweigert haben, der Stimme Gottes in unserem Gewissen zu gehorchen. Das gilt sowohl für das Zusammenleben in den Familien als auch für das allgemeinen Wirtschaftsleben, für den Umgang mit unserer Umwelt und für die große Politik. Wenn wir aber auf Gottes Stimme hören und gehorchen, kann alles besser werden. *Hermann Grabe*

? An was müssen Sie in diesem Zusammenhang gerade denken?

! Bringen Sie diese Sache jetzt gleich in Ordnung!

† 2. Mose 23,1-9

Das Volk, das in der Finsternis lebt, sieht ein großes Licht; hell strahlt es auf über denen, die ohne Hoffnung sind.
JESAJA 9,1

»Ich kann einfach nicht mehr«

So titelte am 9. Februar 2022 die Frankfurter Allgemeine Zeitung (FAZ). Die Unterschlagzeile lautete: *In Amerika häufen sich die Selbstmorde von Prominenten.* Wegen der Pandemie? Wegen der sozialen Medien?

Erstaunlich ist für mich, welche Vermutung die Autoren zu den Ursachen dieser Suizide haben: Gerade der Mix aus sozialen Medien und schlechten Nachrichten setzt allem Anschein nach jungen Amerikanern zu, besonders während der Pandemie. Schon vor deren Ausbruch war von Fachleuten erkannt worden, dass immer mehr Jugendliche über psychische Belastungen klagten. Viele beschrieben »Gefühle von Hoffnungslosigkeit und andauernder Trauer«. Fast jeder fünfte Schüler gab an, gelegentlich Selbstmordgedanken zu haben. Die aktuelle Pandemie hat diesen Trend offenbar verstärkt, und die »sozialen Medien« sind daran wesentlich beteiligt. Die Verbreitung schlechter Nachrichten über diese Kanäle zieht die Menschen »emotional herunter«. Verstärkt wird dies durch Anfeindungen und das »Fertigmachen« von Personen in den Netzwerken. Das ist auf die Dauer kaum erträglich. Wen wundert es, wenn manche ohnehin gefährdete Menschen nun den letzten Halt verlieren und aus lauter Hoffnungslosigkeit so weit gehen, ihrem Leben ein Ende zu setzen?

Diesem Trend der Hoffnungslosigkeit setzt Gott ein klares Licht der Hoffnung entgegen. In seinem Brief an die Römer nennt Paulus Gott einen »Gott der Hoffnung« (Römer 15,13). Gottes Sohn Jesus Christus nennt sich selbst das »Licht der Welt« (Johannes 8,12). Er ist dieses helle Licht, das nach dem Tagesvers gerade für all diejenigen strahlt, deren Leben zusehends finster erscheint. Wer diesem Jesus vertraut, wird das Licht des Lebens erleben.

Karl-Otto Herhaus

? Was zieht Sie besonders herunter?

! Gottes Licht durchbricht jede Finsternis.

† Römer 5,1-10

Denn der Mensch sieht auf das, was vor Augen ist, aber der HERR sieht auf das Herz.

1. SAMUEL 16,7

Durchblick

Heute vor 100 Jahren starb Wilhelm Conrad Röntgen. Er hat der Menschheit eine großartige Entdeckung hinterlassen und für die Medizin eine neue Möglichkeit der Diagnose erschlossen. Dafür hat er den ersten Nobelpreis für Physik erhalten.

Röntgen hatte zufällig beobachtet, dass ein Fluoreszenzschirm in der Nähe einer Kathodenstrahlröhre zu leuchten anfing, obwohl diese in schwarze Pappe eingepackt war. Er schloss daraus, dass es eine Strahlung gibt, die Materie durchdringen kann. Prompt fand er auch eine Anwendung für seine Entdeckung, als er die Hand seiner Frau auf ein Fotopapier legte und sie dieser Strahlung aussetze. Das Bild, auf dem man die Knochen der Hand und den Ehering sieht, durchlief in kürzester Zeit die Presse der ganzen Welt. Es war eine Sensation, dass man in den menschlichen Körper hineinschauen konnte, ohne ihn aufschneiden zu müssen.

Die Röntgen-Diagnostik ist ein gewaltiger Fortschritt. Trotzdem können wir immer noch nicht die Beweggründe und Gedanken eines Menschen erkennen. Bei Gott ist das anders. Gott sieht tiefer. Er sieht unser Herz, unsere Gefühle und Gedanken.

So wie eine Röntgenaufnahme zeigt, dass ein Knochen gebrochen ist, obwohl man von außen gar nichts davon erkennt, so sieht Gott unser Innerstes. Er sieht unseren Zorn, unseren Hass, alle schlechten und bösen Gedanken. Eine nette Fassade nützt uns nichts. Gott sieht auch unseren Frust, die Enttäuschungen und die inneren Verletzungen. Das Gute ist: Wir brauchen vor ihm nichts zu verbergen, wir können mit allem zu ihm kommen. Gott ist bereit, uns zu vergeben, wo wir schuldig geworden sind, und er will uns wieder neue Freude schenken, wo wir in Enttäuschungen hängen geblieben sind.

Bernhard Volkmann

? Warum versuchen wir immer wieder, einen guten Eindruck zu machen, damit keiner merkt, wie es uns wirklich geht?

! Wie gut, dass Gott alles sieht und wir uns ihm anvertrauen können!

† Psalm 139,1-14

11 | **FEBRUAR** Welttag der Kranken — SAMSTAG

Aus den Tiefen rufe ich zu dir, HERR! ...
Ich warte auf den HERRN, meine Seele wartet;
und auf sein Wort harre ich.

PSALM 130,1-5

Die Verdunkelung des Geistes

Das ist eine vielfach unterschätzte Begleiterscheinung von Erkrankungen. Durch alles Mögliche, sogar durch Medikamente, wird der menschliche Geist dann beeinträchtigt. Man kann ihn nicht mehr so »füllen«, dass sich das positiv auf die Befindlichkeit auswirkt. Im Gegenteil: Es kann sogar zu falschen Wahrnehmungen bis hin zu Wahnvorstellungen kommen, die den Geist in einen tiefen Abgrund stürzen lassen. Sätze aus einem Buch lesen sich schwerer, ihre Bedeutung erfasst man nicht mehr. Die Empfänglichkeit für ein geistliches Angebot sinkt ins Bodenlose. Man fühlt sich weiter von Gott entfernt als jemals zuvor. Schon die Schreiber der Psalmen haben so etwas durchmachen müssen, wie unser Tagesvers zeigt.

Wie lange so ein Zustand anhält, ist offen. Manchmal fragt man sich sogar, ob sich überhaupt wieder etwas zum Guten ändern wird, obwohl das, Gott sei Dank, in den meisten Fällen so ist. Wenn man auf sich selbst schaut, findet man einfach keinen Anhaltspunkt dafür, warum es wieder besser werden könnte. Man sitzt tief in einem Loch, und es fällt kein Licht so weit hinunter, dass man dadurch Hoffnung schöpfen könnte. So sind wir Menschen beschaffen, schwach und unvermögend, wenn wir von Krankheit, Schmerzen und körperlichem Leid geplagt werden.

Doch es gibt auch Dinge, die uns dann wieder aufrichten: die Nähe einer Person, eine Hand, die die unsere hält, ein tröstendes Wort, eine Zuwendung, ein Geschenk, eine Mahlzeit oder ein Getränk, je nachdem, wie es unseren Zustand lindert oder uns von unseren Schmerzen ablenkt. Und wenn kein Mensch da ist? Dann ist da immer noch Gott, zu dem unsere Seele nicht vergeblich schreit, der unser Elend sieht und uns hält, sodass wir nicht ganz und gar ins Bodenlose sinken.

Joachim Pletsch

? Kennen Sie solche Zustände?

! Gott ist wirklich da und hält uns, wenn wir zu ihm rufen, »denn bei dem HERRN ist die Güte, und viel Erlösung ist bei ihm«. (Psalm 130,7)

† Psalm 130

Ich preise dich darüber, dass ich auf eine erstaunliche, ausgezeichnete Weise gemacht bin. Wunderbar sind deine Werke, und meine Seele erkennt es sehr wohl.

PSALM 139,14

Gegen jede Wahrscheinlichkeit

Wer sich mit der Frage befasst, ob die Evolutionstheorie oder die Schöpfungslehre der Bibel die wahrscheinlichere Theorie ist, kommt unweigerlich zu dem Punkt, dass es bei der Evolutionstheorie so viele »Kröten zu schlucken« gibt, dass sie als Ursprung des Lebens auf der Erde eigentlich als »sehr unwahrscheinlich« ausgeschlossen werden muss.

So erging es dem Projektleiter für die Sonderausstellung im Darwin-Jahr 2009 »Evolution – Der Fluss des Lebens«, dem Paläontologen Dr. Günter Bechly. Er hatte die Idee, in dieser Ausstellung die Evolutionstheorie der Schöpfungstheorie gegenüberzustellen, und wollte damit zeigen: Die Lehre Darwins wiegt schwerer als sämtliche Kritik von Kreationisten. Doch seine Recherchen zeigten dem überzeugten Atheisten einerseits, dass es auch bei ausgewiesenen Experten der Evolutionsbiologie keine plausiblen Antworten auf seine Fragen gab. Andererseits befasste er sich intensiv mit der Schöpfungsgeschichte. Gleichzeitig interessierte ihn, wie glaubhaft die Evangelien, die Berichte über die Auferstehung von Jesus und über andere Aspekte des christlichen Glaubens sind. Anders als gedacht führte das aber nicht zu einer Verfestigung seiner evolutionären Ansichten. Er kam vielmehr zu einer tiefen Überzeugung, dass die biblischen Berichte einer wissenschaftlichen Überprüfung standhalten und glaubhaft sind. Daher entschied er sich, ein Nachfolger Jesu Christi zu werden.

Dass dieser Schritt erhebliche berufliche Konsequenzen hatte, hielt ihn nicht davon ab. Denn gerade das Ergebnis seines professionellen Arbeitens war die Erkenntnis, dass die Bibel eine verlässliche Erkenntnisgrundlage ist, auf die man auch als Wissenschaftler sein Leben bauen kann.

Bernhard Czech

? Was sind Ihre Gedanken zum Ursprung des Lebens?

! Die Schöpfung ist ohne Schöpfer nicht denkbar.

✝ Hiob 36,26–37,13

Es wird aber der Tag des Herrn kommen wie ein Dieb; an ihm werden die Himmel mit gewaltigem Geräusch vergehen, die Elemente aber werden im Brand aufgelöst und die Erde und die Werke auf ihr …

2. PETRUS 3,10

Wer ist Gott gleich?

Die Bibel spricht an mehreren Stellen davon, dass alles, was es jetzt an Sichtbarem gibt, vergehen wird. Unser Tagesvers redet da eine deutliche Sprache. Es ist natürlich klar, dass mit der Erde dann auch alles zugrunde geht, was Menschen auf ihr gebaut haben. Dazu gehören die Wolkenkratzer von Dubai, New York und Shanghai genauso wie die Pyramiden von Gizeh, die Chinesische Mauer und der Petersdom in Rom. Und all das wird nicht nur in Trümmern versinken, sondern »im Brand aufgelöst« werden. So wusste Petrus schon vor 2000 Jahren seinen Lesern zu beschreiben, was wir Heutigen als eine unvorstellbar riesige Kernschmelze bezeichnen würden. Alle Elemente, aus denen der gesamte Kosmos besteht, können in die Energie zurückverwandelt werden, aus der sie einst entstanden sind, wie wir seit Albert Einstein wissen.

Und diese Energie ist die Kraft des Gottes, der alles Sichtbare aus etwas Unsichtbarem – eben aus seiner göttlichen Kraft – erschuf, wie wir in Hebräer 11,3 lesen: »Aufgrund des Glaubens verstehen wir, dass die Welt durch Gottes Wort entstand, dass also das Sichtbare aus dem Unsichtbaren kam« (NeÜ).

Wer all das angesichts der Großartigkeit der Welt nicht als Angstmacherei und Unsinn abtun mag, der sieht sich plötzlich einem Gott gegenübergestellt, der alle Vorstellungen der Menschen bei Weitem übersteigt und gegen den jede Opposition absolute Torheit ist. Deshalb sollten wir kleinen Menschen nach Frieden mit ihm suchen, und den bietet er uns tatsächlich persönlich an: »Da wir nun gerechtfertigt worden sind aus Glauben, so haben wir Frieden mit Gott durch unseren Herrn Jesus Christus« (Römer 5,1). Da müsste doch jeder sogleich zugreifen. *Hermann Grabe*

? Was, außer einer Selbstverblendung, könnte einem Menschen den Mut geben, diesen Gott zu ignorieren?

! Gottes Liebe ist noch größer als seine Kraft.

† Daniel 9,1-19

Gott hat uns nicht dazu berufen, dass wir zügellos und eigennützig leben, sondern dass wir sein heiliges Volk sind und ihm Ehre machen.

1. THESSALONICHER 4,7

Eigennutz

Im Strafgesetzbuch fiel mir vor Kurzem wieder einmal auf, dass sich dort ein ganzer Abschnitt mit dem »strafbaren Eigennutz« beschäftigt. Immerhin 13 Paragrafen widmen sich diesem Thema, bei nur rund 358 Paragrafen insgesamt im StGB nicht ganz wenig. Aber Moment mal: Ist Eigennutz nicht zusehends etwas Positives? Wenn ich mich darum kümmere, was mir nutzt? Frei nach dem Motto: Wenn jeder (nur) an sich denkt, ist an alle gedacht? Ich ertappe mich selbst immer wieder dabei, dass meine Motive egoistisch sind und ich zuerst meinen Vorteil suche. Wenn der andere dabei das Nachsehen hat, selbst schuld!

Doch der Blick ins StGB gibt zu denken: Z. B. wird unter § 291 (in kurzen Worten) unter Strafe gestellt, wer die Zwangslage, die Unerfahrenheit, den Mangel an Urteilsvermögen oder die erhebliche Willensschwäche eines anderen ausnutzt, um sich auf dessen Kosten zu bereichern. Natürlich überschreitet nicht jedes geschickte Verhandeln die Schwelle der Strafbarkeit. Denn der erstrebte Vorteil muss dafür in einem auffälligen Missverhältnis zur eigenen Leistung stehen. Aber manch dreistes Geschäftsgebaren kommt dem schon recht nahe. Und ich kann mich nicht davon freisprechen, einen (erheblichen) Vorteil, den ich sehe, auch auf Kosten des anderen realisieren zu wollen.

Die Bibel fordert uns aber nicht nur auf, uns nicht strafbar zu machen. Sie weist uns auch darauf hin, dass nur dann wirklich an alle gedacht ist, wenn ich zuerst an den anderen denke. Nicht Eigennutz, sondern Fremdnutz ist das biblische Ideal. Jesus Christus gibt uns dafür das allerbeste Vorbild: Er gibt sein eigenes Leben für uns Menschen, damit wir ewiges Leben haben. Von Eigennutz finden wir bei ihm keine Spur!

Markus Majonica

? Wessen Nutzen suchen Sie?

! Geben ist seliger als Nehmen.

† 2. Timotheus 3,1-9

Wenn ihr aber die Person anseht, so begeht ihr eine Sünde und werdet vom Gesetz als Übertreter verurteilt.

JAKOBUS 2,9

Einsam und unbeachtet

Einsam sein ist keine Krankheit. Doch immer mehr Menschen leiden unter (chronischer) Einsamkeit – und das, obwohl uns die Digitalisierung eine umfassende Vernetzung mit Millionen von Menschen ermöglicht. Was Einsamkeit auf Dauer aus Menschen macht, zeigen mittlerweile viele Studien: Sich oft einsam zu fühlen, ist gefährlich für die körperliche und psychische Gesundheit. Und zwar so gefährlich, dass Wissenschaftler Einsamkeit auf eine Stufe mit Armut, Adipositas oder Alkoholismus stellen. Frauen und Männer im besten Alter sind ebenso stark betroffen wie ältere Menschen – egal, ob erfolgreich im Beruf oder allseits beliebt. Einsamkeit geht damit einher, dass sich Menschen zu wenig beachtet fühlen. Es entsteht – vielleicht auch nur subjektiv – der Eindruck, dass andere mehr Beachtung finden als man selbst. Das führt zu Unzufriedenheit und gar zu Minderwertigkeitskomplexen bis hin zu Depressionen.

Wir Menschen neigen dazu, andere Menschen unterschiedlich zu betrachten. Das nennt die Bibel: die Person ansehen. Dabei spielen Reichtum, Popularität und Schönheit, aber auch Sympathie und Antipathie und nicht zuletzt Ethnie und Herkunft eine große Rolle. Wir bevorzugen den einen und vernachlässigen den anderen. Das alles liegt in unserer gefallenen menschlichen Natur.

Doch bei Gott sind alle Menschen gleich. Er macht keine Unterschiede. Gott liebt jeden Menschen, völlig unabhängig davon, wer und wie der Mensch ist. Denn Gott ist der Schöpfer der Menschen, und was Gott macht, ist immer 100%ig richtig. So sind gerade Sie ein absolut gewolltes Geschöpf Gottes. Jesus liebt Sie und möchte das Beste für Sie. Bei ihm gibt es keine Einsamkeit, keine Vernachlässigung und kein Ansehen der Person.

Axel Schneider

? Fühlen Sie sich einsam oder zu wenig beachtet?

! Jesus sieht jeden Menschen.

† Jakobus 2,1-9

Alle gute Gabe und alle vollkommene Gabe kommt von oben herab, von dem Vater des Lichts, bei dem keine Veränderung ist noch Wechsel von Licht und Finsternis.
JAKOBUS 1,17

Rosinenbomber

Am 16. Februar 2022 starb im Alter von 101 Jahren Gail Halvorsen. Er wurde »Candy Bomber« genannt. Wie kam er zu diesem Spitznamen? Im Juni 1948 unterbrachen die Sowjets den gesamten Verkehr nach Berlin (außer der Luftverbindung). Auch die Elektrizitätsversorgung Berlins wurde eingestellt. Das führte dazu, dass die USA und Großbritannien eine Luftbrücke einrichteten, um die Westberliner Sektoren (Bevölkerung und Industrie) zu versorgen. Von anfangs 6,5 Tonnen am Tag steigerte sich das Volumen bis auf 12 940 Tonnen pro Tag im Mai 1949.

Einer der US-Piloten war Gail Halvorsen. Er war der Erste, der 1948 auch Süßigkeiten für die Kinder über der Stadt abwarf. Verwandte schickten ihm aus den USA Schokoladentafeln, die er dann an Taschentücher band und vor der Landung abwarf. Deshalb erhielt er diesen außergewöhnlichen Beinamen »Rosinenbomber« (frei übersetzt).

Wenn schon ein (irdischer) Pilot viele Süßigkeiten zur Freude der Kinder auf die Erde geworfen hat, wie viel mehr will der lebendige Gott, der im Himmel wohnt, uns mit allem Guten beschenken! Die Voraussetzung dazu hat er durch die Sendung seines Sohnes geschaffen. Jesus Christus, der Sohn Gottes, ist zu uns auf die Erde gekommen. Er sagt von sich: »Ich bin das Brot des Lebens; wer zu mir kommt, wird nicht hungern, und wer an mich glaubt, wird niemals dürsten« (Johannes 6,35). Wer zu ihm kommt, d. h. ihn als Retter und Herrn seines Lebens annimmt, für den wird wahr, was alle Vorstellungen übertrifft: Eigentlich hoffnungslos verlorene Menschen werden zu Kindern Gottes gemacht und dürfen »überleben«, ja, mehr als das – sie erhalten ewiges Leben, das von viel besserer Qualität als das Leben jetzt ist, nämlich geprägt von Unvergänglichkeit und Vollkommenheit.

Martin Reitz

? Haben Sie sich von Gott schon beschenken lassen?

! Die guten Taten Gail Halvorsens in Ehren – aber das, was Gott uns schenken möchte, übertrifft wirklich alles.

† Lukas 12,22-34

Er [Gott] redete und bestellte einen Sturmwind, und der trieb seine Wellen hoch. ... Dann aber schrien sie zum HERRN in ihrer Not: Und er führte sie heraus aus ihren Bedrängnissen.

PSALM 107,25-28

Die große Flut in Hamburg

Nach mehreren Deichbrüchen rollte in der Nacht vom 16. auf den 17. Februar 1962 die schlimmste Sturmflut in der Geschichte Hamburgs durch die Hansestadt und überschwemmte etwa 15 % des Stadtgebietes. 315 Menschen starben, zahlreiche Häuser und Wohnungen wurden zerstört oder schwer beschädigt. 20 000 Menschen mussten in Notunterkünften untergebracht werden. Der damalige Innensenator von Hamburg und spätere Bundeskanzler Helmut Schmidt nutzte seine guten Kontakte und bat verschiedene militärische Oberbefehlshaber aus ganz Europa persönlich um unbürokratische Hilfe und schnelle Unterstützung.

In einem der wasserumfluteten Häuser harrte ein junges Ehepaar aus. Die junge Frau war hochschwanger. Später berichtete sie: »Ich schickte Stoßgebete zum Himmel. ... Gottvertrauen muss man doch haben.« Sie wurden gerettet. Acht Tage nach der Flut, am 25. Februar, wurde ihre Tochter Gabriele (»Gott ist meine Stärke«, in Anlehnung an den Namen des Erzengels Gabriel) geboren.

Allein die Hubschrauberbesatzungen retteten am ersten Tag über 400 Menschen und wurden bald die »rettenden Engel« genannt. Bis zu 25 000 Helfer (u. a. aus Belgien, den Niederlanden, Dänemark, Großbritannien und den USA) fanden sich vor Ort ein. Die Solidarität war riesengroß. In einem Interview mit dem NDR gab Schmidt 1982 zu Protokoll: »Ich habe seither niemals wieder ein solch tiefes Gefühl der Gemeinschaft gehabt!«

Gott bestellt den Sturm, Gott hört das Schreien und Beten der Menschen, Gott führt die Menschen aus dem Sturm heraus, Gott verwandelt den Sturm in Stille. Vielleicht schickt Gott auch heute noch manchen Sturm, damit wir genau das (neu) erfahren. *Martin von der Mühlen*

? Welchen Sturm erleben Sie gerade?

! Es gibt keinen Sturm, den Gott nicht stillen kann.

† Markus 4,35-41

Alles, was ihr im Dunkeln sagt, wird am hellen Tag zu hören sein; und was ihr hinter verschlossenen Türen flüstert, wird man von den Dachterrassen rufen.

LUKAS 12,3

Schein und Sein

Präsident Biden trichterte seinen Mitarbeitern zu Beginn seiner Amtszeit ein, respektvoll mit Journalisten umzugehen. Er wollte sich von seinem Vorgänger abgrenzen, der Journalisten immer wieder offen attackiert hatte. Auf einer Pressekonferenz wurde ihm eine provokante Frage gestellt. Biden, in der Meinung, das Mikrofon sei abgestellt, murmelte: »Was für ein dummer S*****kerl.« Seine Original-Formulierung in englischer Sprache hört sich noch respektloser an.

Während des von der Regierung angeordneten Lockdowns fanden im Amtssitz von Premier Johnson entgegen den Corona-Bestimmungen feuchtfröhliche Partys statt. Während die Queen bei der Trauerveranstaltung um ihren verstorbenen Mann allein in einer Bankreihe saß, feierten etwa 30 Regierungsmitarbeiter laut einem Bericht von *Daily Telegraph* am selben Tag mit Tanz und Alkohol bis in die Nacht hinein. Johnson entschuldigte sich im Parlament für die Teilnahme an einer Party in seinem Garten. Er habe den Eindruck gehabt, es habe sich um ein Arbeitstreffen gehandelt.

Niemand kann sich davon freisprechen, dass unser öffentliches Reden und das Verhalten im Verborgenen oft zwei Paar Schuhe sind. Unseren Mitmenschen können wir etwas vormachen. Peinlich ist es, wenn die Fassade bröckelt. Die biblische Aussage ist: Alles wird ans Licht kommen. Nicht unbedingt in diesem Leben, aber spätestens, wenn wir vor dem Gerichtshof Gottes stehen. Auf der einen Seite ist diese Tatsache unangenehm. Andererseits ermutigt sie uns, vor Gott, der uns ohnehin bis ins Detail kennt, alle Masken fallen zu lassen. Wenn wir sein Licht in die dunklen Winkel unseres Lebens fallen und uns von ihm verändern lassen, dann können wir vor den Menschen authentisch sein und zu dem stehen, wer wir sind. *Gerrit Alberts*

? Wie reden Sie über Menschen, wenn Sie anwesend oder abwesend sind?

! Ein Tor ist, wer seinen Ärger auf der Stelle merken lässt.

† Sprüche 12,14-22

Erschrocken aber erstaunten sie und sagten zueinander: Wer ist denn dieser, dass er auch den Winden und dem Wasser gebietet und sie ihm gehorchen?

LUKAS 8,25

Der, dem auch der Sturm gehorcht

In der Nacht zum 19. Februar 2022 zog das dritte von vier aufeinanderfolgenden Orkantiefs über unseren Wohnort an der Nordsee hinweg. Experten warnten rechtzeitig vor »Zeynep«. Auf keinen Fall sollte man die Strände oder Hafenbereiche betreten, da mit einer schweren Sturmflut zu rechnen war. So kam es dann auch: Es gab Gebäudeschäden, umgestürzte Bäume und überflutete Wiesen und Felder. – Wir hatten vorgesorgt: Außenrollos geschlossen, Gartenmöbel in die Garage gebracht, Nachbargrundstücke nach losen Gegenständen abgesucht, mit den Nachbarn abgestimmt, uns ggf. auch mitten in der Nacht gegenseitig zu helfen. Aber vor allem hatten wir in Erwartung des erwarteten schwersten Sturms seit Jahrzehnten mehrfach zu Gott gebetet, hatten ihn um gnädigen Verlauf des Unwetters und um innere Ruhe gebeten. Gott war uns gnädig. Wenige Kilometer von uns entfernt wurden Windböen um 160 km/h gemessen, aber wir hatten nur einen kleinen Schaden am Dach. Insgesamt hielten sich in Cuxhaven die Schäden noch im Rahmen. Die Bilanz war weniger schlimm als anderswo im Norden. Es war der stärkste Orkan seit »Kyrill« 2007. In unserem Nachbarort kam allerdings ein Mann ums Leben, der entgegen aller Warnungen während des Sturms seinen Stall reparieren wollte, was zum Absturz aus 10 Metern Höhe führte.

In der Bibel wird mehrfach berichtet, wie Menschen in Stürmen und auf tobender See auf ihre Bitten hin Rettung und Bewahrung erlebten. Auch Jesus bewies seinen Jüngern in höchster Not, dass er Macht über Wind und Wellen hatte. Das ist für uns Grund genug, uns stets an ihn zu wenden, nicht nur im Blick auf unsere Nöte im Leben, sondern ganz besonders auch im Blick darauf, dass nur er uns vor dem ewigen Tod bewahren kann.

Hartmut Ulrich

? Haben Sie Angst vor Katastrophen, die sich ja heutzutage häufen?

! Gott hat jederzeit jeden im Fokus, der sein Vertrauen auf ihn setzt, in glücklichen und in schweren Momenten.

✝ Lukas 8,22-25

Arglistig ist das Herz, mehr als alles, und verdorben; wer mag es kennen?

JEREMIA 17,9

Warum Soldaten Kriegsverbrechen begehen

Die Medien liefern erschütternde Nachrichten aus dem Kriegsgebiet. »Russlands Soldaten foltern und ermorden Zivilisten«, meldet *zdf.de*. »Erschießung russischer Kriegsgefangener: Auch die ukrainische Seite begeht Kriegsverbrechen …«, ist in der *Weltwoche* zu lesen.

Wie kommt es, dass Menschen, die wenige Wochen vorher als ganz normale Handwerker, Ärzte, Ingenieure gearbeitet haben und liebevolle, treu sorgende Ehemänner und Väter waren, zu furchtbaren Gräueltaten fähig sind? Diese Frage hat sich auch die chinesischstämmige Historikerin Iris Chang gestellt. In ihrem Buch *Die Vergewaltigung von Nanking* berichtet sie über Grausamkeiten der japanischen Eroberer in ihrer Heimatstadt 1938-39. Sie schreibt: »Die Zivilisation ist an sich etwas Hauchdünnes. Irgendein Webfehler in der menschlichen Natur lässt es zu, dass selbst unaussprechliche Schandtaten in Minutenschnelle zu Banalitäten werden.«

In der Bibel wird dieser »Webfehler in der menschlichen Natur« ausführlich beschrieben. »Ihre Füße sind schnell, Blut zu vergießen …« (Römer 3,15-17). Der Apostel Paulus begrenzt diese Beschreibung nicht auf einige verrohte SS-Einheiten oder Söldner der *Gruppe Wagner*. Er leitet die Diagnose ein mit den Worten: »Da ist kein Gerechter, auch nicht einer.« Damit will er sagen: Jeder von uns ist zu jeder Bosheit fähig. Wenn uns bislang die »hauchdünne Decke der Zivilisation« von Gewaltverbrechen abgehalten hat, liegt es vielleicht an der »Gnade der späten Geburt«, an der Bewahrung vor Krieg – kurzum, am Schutz durch gute Bedingungen. Bei aller berechtigten Abscheu vor Gräueltaten warnen uns die Worte der Bibel vor Überheblichkeit und zeigen uns unsere oft verdrängte Erlösungsbedürftigkeit.

Gerrit Alberts

? Kennen Sie Ihr »Herz« wirklich?

! Nur Gott kann uns vom Bösen in uns befreien.

† Psalm 4

Der Hirte … die Schafe erkennen ihn schon an seiner Stimme. Dann ruft der Hirte sie mit Namen und führt sie auf die Weide. … er geht vor ihnen her, und die Schafe folgen ihm, weil sie seine Stimme kennen.

JOHANNES 10,2-3

Auf wen hören wir?

Die Stimme der Mutter, des Vaters und der engsten Familienangehörigen sind die ersten menschlichen Laute, die ein Neugeborenes wahrnimmt. Die Klangfarbe dieser Töne zusammen mit der Muttersprache und dem Dialekt prägen seine spätere, individuelle Sprachmelodie. In den ersten Lebensjahren formt sich die Grundstruktur des Sprechens, dabei können gleichzeitig mehrere »Elternsprachen« ausgebildet werden. Schon nach kurzer Zeit allerdings schließt sich das neuronale Fenster für die natürliche Sprachbildung, und Fremdsprachen oder Dialekte sind nur noch in vergleichbar mühsamer Weise und selten akzentfrei erlernbar. Wie wichtig das Hören menschlicher Stimmen für das Formulieren von Worten ist, kann man an gehörlosen Menschen sehen, die nicht auf normale Weise sprechen lernen können. Übrigens: Die Stimme eines Menschen bleibt zeitlebens nahezu unverändert.

Unser Tagesvers sagt, dass Schafe die unverwechselbare Stimme ihres Hirten verinnerlicht haben und ihn zweifelsfrei daran erkennen. Seine Stimme ist ihnen so vertraut, dass sie ihm unvoreingenommen überallhin folgen. Dieses Bild verdeutlicht die ideale Beziehung zwischen Gott und Mensch: Gott will uns wie ein Hirte führen, versorgen, beschützen und bewahren. Und er wünscht sich, dass wir ihm vertrauensvoll folgen, so wie Schafe das bei ihrem Hirten tun. Doch leider denken wir oft, wir wüssten besser als Gott, was gut für uns ist. Wir gehen lieber unsere eigenen Wege, anstatt auf die Stimme des Hirten zu hören. Aber so wie es einem Schaf am besten in der Nähe des Hirten geht, so ist es auch für uns das Beste, wenn wir auf Gottes Stimme hören und in seiner Nähe leben.

Daniela Bernhard

? Hören Sie auf den Ruf des Hirten, oder ist er Ihnen noch fremd?

! Lernen Sie den göttlichen Hirten kennen! Lesen Sie die Bibel und hören Sie auf ihn!

† Jesaja 46,3-4.9-13

Schweigen wir aber und warten, bis der Morgen hell wird, so wird uns Schuld treffen.

2. KÖNIGE 7,9

Kompromisslos

Heute vor 80 Jahren wurde Sophie Scholl hingerichtet – eine Ikone des Widerstands gegen die Hitlerdiktatur. Sie wurde nur 21 Jahre alt. Man ertappte Sophie und ihren Bruder Hans beim Verteilen eines »Weiße Rose«-Flugblattes. Über das Unrecht, das sie sahen, konnten und wollten sie nicht schweigen! Schon drei Tage später wurden sie zum Tode verurteilt! Der Fahndungsleiter Robert Mohr berichtete nach dem Verhör: »Sophie war krampfhaft bemüht, alle Verdächtigungen auf sich zu lenken. Um ihren Bruder zu schützen, war sie bereit, alle Schuld auf sich zu nehmen.«

Woher nahmen sie die Kraft für ihren kompromisslosen Widerstand? Ende 1942 schrieb Sophie ins Tagebuch: »Wenn in mir noch so viele Teufel rasen, ich will mich an das Seil klammern, das mir Gott in Jesus Christus zugeworfen hat.« Dieser Glaube ließ sie nicht an der Menschheit irrewerden: »Wenn ich die Menschen um mich herum ansehe, und auch mich selbst, dann bekomme ich Ehrfurcht vor dem Menschen, weil Gott seinetwegen herabgestiegen ist.« Hans notierte im August 1942: »Wenn Christus nicht gelebt hätte und nicht gestorben wäre, gäbe es wirklich gar keinen Ausweg. Dann müsste alles Weinen grauenhaft sinnlos sein. So aber nicht.« Alleine mit dem Gefängnisseelsorger feierten sie ihr letztes Abendmahl. Gemeinsam sagten sie dabei diese Verse aus der Bibel auf: »Nun aber bleiben Glaube, Hoffnung, Liebe, diese drei, aber die Liebe ist die größte unter ihnen.« Der Vollzugsbeamte war von der Würde und Gefasstheit der beiden beeindruckt. Hans schrieb in einem Abschiedsbrief an seine Eltern: »Ich bin ganz stark und ruhig ...«

Mit diesem lebendigen Vertrauen auf den Sohn Gottes haben sie ihre Angst und sogar den Tod überwunden! *Andreas Fett*

? Was gibt Ihnen Mut, Unrecht anzusprechen?

! Auf Gott können wir uns verlassen, über den Tod hinaus.

† 2. Timotheus 4,16-18

Wenn aber jener, der Geist der Wahrheit, gekommen ist, wird er euch in die ganze Wahrheit leiten.

JOHANNES 16,13

Die ganze Wahrheit (1)

Der Postdampfer hatte in der Bucht einer der unzähligen Südseeinseln angelegt, um Briefe und Pakete abzuliefern und mitzunehmen. Einige Reisende waren auch an Bord und wollten gerne inzwischen baden gehen. Darum fragten sie den Kapitän, ob es in dieser Bucht Haifische gebe. Der verneinte das, und so sprangen sie vergnügt ins Wasser. Als sie erfrischt und lustig wieder an Bord waren, fragten sie, wie es denn komme, dass es hier keine Haie gebe. Der Kapitän erklärte: »Das kommt daher, weil aus der breiten Flussmündung, dort drüben, immer wieder besondere Krokodile in die Bucht kommen, die auch Salzwasser mögen, und mit denen möchten die Haifische nicht gern Bekanntschaft machen.« – »Ja, aber warum haben Sie uns das nicht gesagt?«, riefen die Passagiere empört. »Sie haben nicht danach gefragt!«, war die lapidare Antwort des Kapitäns.

Einerlei, ob die Geschichte erfunden wurde oder ob sie tatsächlich passierte, sie beschreibt die Wahrheit dessen, was unendlich oft in dieser Welt passiert. Wie oft hören die Menschen bei vielerlei Gelegenheiten Geschichten vom »lieben Gott«, der nur dafür zu sorgen habe, dass es uns gut geht, und der offensichtlich für alles Böse, was wir tun, völlig blind sei. Das ermutigt die Hörer, vergnügt draufloszusündigen, wenn es Spaß macht, oder wenn man dadurch einen Vorteil erringen kann.

Der in der Bibel vorgestellte Gott aber ist völlig anders. Immer wieder wird da erzählt, dass die Menschen sich über Gottes Gebote hinwegsetzen und dann die Konsequenzen zu spüren bekommen, bis hin zur ewigen Verdammnis. Weil das so ist, sollten wir doch lieber nach der »ganzen Wahrheit« fragen, von der unsere Überschrift und der Tagesvers sprechen.

Hermann Grabe

? Von welchem Gottesbild gehen Sie aus?

! Heute lädt Gott noch ein, seine Gnade zu suchen.

✝ Johannes 16,1-15

Deshalb bezeuge ich euch am heutigen Tag, dass ich rein bin vom Blut aller; denn ich habe nicht zurückgehalten, euch den ganzen Ratschluss Gottes zu verkündigen.

APOSTELGESCHICHTE 20,26-27

Die ganze Wahrheit (2)

Wer sich nicht umfassend informiert, kann am Ende sehr großen Schaden erleiden. Die ganze Wahrheit muss man kennen. Das war die Quintessenz der gestrigen Andacht. Diese ganze Wahrheit kann dieser Kalender nicht vollständig vermitteln, aber wir können doch auf einige wichtige Tatsachen hinweisen, die man unbedingt zur Kenntnis nehmen muss:

1. Unsere Welt wurde zwar von Gott geschaffen, aber sie wird nicht ewig bestehen. Deshalb sollte man Sorge dafür tragen, an der zukünftigen neuen Welt Gottes Anteil zu haben. (Lukas 13,23-24) – **2.** Wir sind zwar allesamt Geschöpfe Gottes, aber so wie wir sind, können wir vor Gott nicht bestehen. Deshalb sollten wir unbedingt herausfinden, auf welcher Grundlage allein uns Gott annehmen kann. (Apostelgeschichte 4,12) – **3.** Wir haben als Menschen auf der Erde zwar nur ein vergleichsweise kurzes Leben, weil wir alle sterben müssen, aber danach geht es trotzdem weiter, weil wir alle vor dem Thron Gottes erscheinen und Rechenschaft abgeben müssen für unsere Taten. (Hebräer 9,27) – **4.** Aufgrund unserer Sünde sind wir zwar alle unterwegs ins Verderben, aber Gott hat eine Möglichkeit geschaffen, uns seine Gerechtigkeit anzurechnen, und zwar, weil Jesus am Kreuz unsere Schuld bezahlt und unsere Sünden gesühnt hat. (Römer 3,22-24) – **5.** Jesus Christus ist zwar für unsere Sünden am Kreuz gestorben, aber das wird nur für den wirksam, der es auch durch Glauben für sich in Anspruch nimmt und eine 180°-Wende zu Gott vollzieht. (Johannes 1,12) – **6.** Unser Körper ist zwar unrettbar vergänglich, aber jeder, der an Jesus glaubt und sich ihm anvertraut, wird vom Tod auferstehen und von Gott einen neuen Körper bekommen, der unvergänglich ist. (1. Korinther 15,44.47-48)

Joachim Pletsch

? Welche Konsequenzen ziehen Sie aus den oben gezeigten Tatsachen?

! Bemühen Sie sich jeden Tag ein wenig mehr um »die ganze Wahrheit«!

✝ Hebräer 5,11–6,3.11-12

Gott hat »sich doch nicht unbezeugt gelassen hat, indem er Gutes tat und euch vom Himmel Regen und fruchtbare Zeiten gab und eure Herzen mit Speise und Fröhlichkeit erfüllte«.

APOSTELGESCHICHTE 14,17

Frisch gepflanzt

Ende Februar haben wir begonnen, unsere Tomatenpflanzen zu ziehen. Kleine Pflanztöpfchen mit Anzuchterde waren schnell vorbereitet. Dann kamen die Samen hinein. Dazu verwendeten wir Kerne von Tomaten, die wir von der letzten Ernte aufbewahrt hatten. Alles wurde sorgsam gegossen und die Töpfchen beschriftet. Jeden Tag wurde die Erde etwas befeuchtet, und jeden Tag hatten wir Grund zum Staunen. In die Erde gesteckt haben wir nur einen kleinen Kern. Nach und nach kam etwas Zartes, Weißes aus der Erde hervor. Manche Samen keimten schneller, andere langsamer. Es fasziniert mich jedes Mal, wie schnell diese Keimlinge zu kräftigen Pflanzen heranwachsen. Man kann es fast buchstäblich sehen. Im Laufe der Wochen werden sie so kräftig, dass wir sie auspflanzen können. Am meisten freuen wir uns dann auf die Frucht, die im Laufe des Sommers heranreift. Lecker! Tomaten, die wirklich nach Tomate schmecken.

Für mich ist das alles ein Wunder der Schöpfung Gottes. Dem Kern sieht man nicht an, was einmal aus ihm wird. Ein unscheinbares Samenkorn wird zu einer großen Pflanze, an der dann Früchte hängen, die wiederum lebendige Samenkerne beinhalten. Mir zeigt das etwas von der Größe und der Fürsorge unseres Schöpfers. Gott hat alles wunderbar gemacht und genial geschaffen. Alles, was wir in der Natur sehen, kommt aus Gottes guten Händen. In seiner Schöpfung können wir etwas von seiner Größe und Genialität erkennen.

Damit beweist sich der heutige Bibelvers jeden Tag aufs Neue: Indem Gott uns durch die sichtbare Schöpfung versorgt und uns Fröhlichkeit schenkt, bezeugt er seine Güte. Doch der größte Beweis seiner Güte liegt in seinem Sohn Jesus Christus, den er uns zu unserer Rettung sandte.

Joschi Frühstück

? Haben Sie schon einmal darüber nachgedacht, was es in der Schöpfung Gottes alles zu entdecken gibt?

! Gott hat alles zu unserer Freude und zum Genuss geschaffen, fangen Sie doch einfach einmal damit an, nach ihm zu fragen.

† Johannes 12,24-33

Ich bin der Weg, die Wahrheit und das Leben.
Niemand kommt zum Vater als nur durch mich.

JOHANNES 14,6

Lasst uns Brücken bauen

Zwischen Ruhrgebiet und Sauerland (NRW) klafft seit Ende 2021 eine Lücke: Die Rahmedetalbrücke bei Lüdenscheid ist für den Verkehr komplett gesperrt. Neben offensichtlichen Auswirkungen wie lange Staus, verstopfte Umleitungen und einer vollen Innenstadt sind auch Firmen, Familien und Freundschaften von dieser Trennung betroffen. Sie leiden darunter, und teilweise kommen Existenzängste auf. Ende Februar 2022 erzeugte die Brücke wieder medialen Wirbel: Eine Künstlergruppe trug mit ca. drei Tonnen Farbe ein Kunstwerk auf. Mitten auf der Brücke prangt nun der Slogan »Lasst uns Brücken bauen«.

Natürlich erinnert uns diese Botschaft an die entstandene Distanz und Isolierung im Zuge der Corona-Pandemie und das Kriegsgeschehen in der Ukraine. Ich musste angesichts dieses Spruchs aber auch über den wahren Brückenbauer, den wirklichen Friedensstifter und umfassenden Retter nachdenken: Jesus Christus. Durch seinen Tod am Kreuz wurde er für uns zum Brückenbauer. Jesus hat die Kluft zwischen Gott und Menschen, die durch unsere schlechte Taten – die Bibel nennt sie Sünde – entstanden sind, überbrückt. Die Verbindung zu Gott ist damit wieder hergestellt. Jesus ist der Weg zu Gott geworden. So stellt er sich auch selbst vor: »Ich bin der Weg, die Wahrheit und das Leben! Niemand kommt zum Vater als nur durch mich« (Johannes 14,6).

Jesus Christus ist die einzige Möglichkeit, die Trennung zwischen Gott und Mensch zu überwinden. Anders als im Beispiel der Autobahnbrücke gibt es für den Weg zu Gott keine Umleitungsstrecke. Die Verbindung muss durch die Brücke, die Jesus Christus durch seinen Tod geschaffen hat, wiederhergestellt werden. Sind Sie bereit, diesen Weg zu gehen?

Ann-Christin Bernack

? Welche Trennungen haben Sie in Ihrem Leben schon erlebt?

! Jesus Christus ist der einzige Weg zu Gott. Es gibt keine Umleitung.

† Markus 9,14-27

Preise den HERRN, meine Seele, und vergiss nicht alle seine Wohltaten! Der da vergibt alle deine Sünde, der da heilt alle deine Krankheiten.

PSALM 103,2-3

Gott kann alle Wunden heilen

Überall, wo Menschen Überschwemmungen erlebten, machten sie – nachdem das Wasser wieder zurückgegangen war, eine zusätzliche, traurige Erfahrung: Es war nicht genug, dass alles, was vom Wasser erreicht wurde, wieder getrocknet werden musste. Das weit Schlimmere war, dass sich, sobald das Wasser zum Stillstand kam, der darin enthaltene Schlamm absetzte und in allen Spalten und Ritzen eindrang. Dadurch wurden neben allen Lebensmitteln auch alle Textilien verdorben und alle Maschinen unbrauchbar gemacht. Und wer nicht sogleich mit dem Entfernen dieses Schlamms anfing, musste erleben, dass dieser – trocken geworden – zu einer zementharten Schicht wurde, die kaum zu entfernen war.

Genauso geht es, wenn wir von einer Sünde überrumpelt werden, von der wir vielleicht annehmen, niemals dazu fähig zu sein. Wenn das aber geschehen ist, dann genügt es meistens nicht, um Entschuldigung zu bitten und Besserung zu versprechen. Da sind massive Schäden entstanden, weil Vertrauen missbraucht und tiefe Verletzungen verursacht wurden. Für manche Leidtragenden brach eine ganze Welt zusammen, in der sie sich bis dahin sicher gefühlt hatten.

Je eher und je deutlicher man nun daran geht zu zeigen, dass man niemanden als sich selbst für allen Schaden verantwortlich macht, umso eher ist wahre Versöhnung möglich. Der Spruch »Zeit heilt alle Wunden« ist eine große Lüge. Schwere Verletzungen richten im Laufe der Zeit noch unendlich mehr Schäden an als die ursprüngliche Tat.

Aber unser Tagesvers weist uns auf Gott hin, der sowohl dem Täter als dem Opfer in rechter Weise helfen kann und will. Er ist der vollkommene Arzt, der auch solche Wunden heilen kann. *Hermann Grabe*

? Wie gehen Sie mit Schuld oder mit Verletzungen um?

! Man darf nicht warten, bis die »Schlammschicht« steinhart geworden ist.

† Matthäus 5,23-26

Und es kommt ein Aussätziger zu ihm,
bittet ihn und kniet nieder und spricht zu ihm:
Wenn du willst, kannst du mich reinigen.

MARKUS 1,40

Wenn du willst!

Es ist nicht ganz klar, welche Krankheit genau sich hinter dem Aussatz dieses Mannes verbarg. Es kann sich um eine Hautkrankheit gehandelt haben, vielleicht eine Art Schuppenflechte, oder um eine sonstige, gut sichtbare, vielleicht sogar hochinfektiöse Erkrankung. Für den Aussätzigen hatte sie jedenfalls tief greifende Folgen: Er war sozial ausgegrenzt. Keiner wollte in seiner Nähe sein. Und er war nach den mosaischen Vorschriften vom Gottesdienst ausgeschlossen. Denn Aussatz wurde mit Schuld in Verbindung gebracht. Sein Leidensdruck dürfte daher sehr stark gewesen sein.

Nun kommt er zu Jesus. Und wir können viel von diesem Aussätzigen lernen: Er hat verstanden, dass er ein Problem hat, das er selbst nicht lösen kann, das seine Beziehung zu anderen Menschen und zu Gott stört. Er hat verstanden, dass Jesus nicht irgendwer ist, sondern jemand, der höher steht als er, also kniet er sich nieder. Er hat verstanden, dass er keinen Anspruch auf Heilung hat, darum bittet er. Er hat verstanden, dass Jesus tatsächlich die Macht hat, ihm zu helfen. Denn er ist überzeugt: Du kannst mich reinigen. Und er stellt die Heilung in die alleinige Entscheidungshoheit dieses Jesus – »Wenn *du* willst!«

Diese Haltung bleibt bei dem Sohn Gottes nicht ohne Folgen. Er überwindet die Distanz und tut Unmögliches: Der Reine berührt den Unreinen. Die Not des Mannes lässt ihn nicht kalt. Sie bewegt ihn zutiefst. Daher macht er diesen Menschen wieder beziehungsfähig, indem er ihn tatsächlich von seinem Aussatz reinigt. Wer von Aussatz reinigt, kann auch von Sünden reinigen. Und das haben wir alle ohne Ausnahme nötig, damit wir nicht draußen bleiben müssen, wenn Gott die Türen in seine himmlische Gegenwart öffnet.

Markus Majonica

? Sind Sie sich bewusst, dass die trennende Wirkung der Sünde auch Sie betrifft?

! Auch hier gilt: Man muss zu Jesus kommen, vor ihm niederknien und ihn bitten, reingewaschen zu werden.

† 1. Johannes 1,5-9

HERR, was ist der Mensch, dass du dich seiner annimmst, und des Menschen Kind, dass du ihn so beachtest? Ist doch der Mensch gleich wie nichts; seine Zeit fährt dahin wie ein Schatten.

PSALM 144,3

Gnothi seauton

In der Antike gab es in Delphi ein weltbekanntes Orakel. Dorthin kamen Menschen, um etwas über ihre Zukunft zu erfahren. Die Orakelsprüche entstanden unter eher dubiosen Umständen: Eine Priesterin (Pythia), berauscht von Gasen, die aus der Erde aufstiegen, brabbelte unverständliches Zeug. Ihre »Botschaften« wurden vom Priester anschließend so offen formuliert, dass sie auf alles passten, was auch geschehen würde. Neben aller Scharlatanerie und Geschäftemacherei mit der Sorge der Menschen fand sich an einer Säule des Tempels aber ein Spruch, der Beachtung verdient: *Gnothi seauton* – Erkenne dich selbst. Die Autorenschaft ist nicht gesichert, aber die Botschaft ist zeitlos: Der Ratsuchende sollte erkennen, wer er selbst ist. Er sollte auf seine Endlichkeit, seine Verletzlichkeit und Unvollkommenheit hingewiesen werden. Der Spruch macht deutlich, dass wir Menschen gut daran tun, uns nicht zu überschätzen.

Tatsächlich neigt die Menschheit eher zur Selbstüberschätzung. Dabei werden die Menschheits-Probleme in der Regel nicht gelöst, sondern liegen gelassen: Hunger in der Welt, Pandemien, Klima, Kriege usw. Auch im persönlichen Bereich kriegen wir unsere Probleme selten wirklich in den Griff. Und spätestens vor dem Tod kapituliert jeder. Daher ist eine nüchterne Bestandsaufnahme hilfreich: Was ist schon der Mensch! Verdient er angesichts seiner Fehlerhaftigkeit überhaupt Beachtung? Diese Frage wirft auch die Bibel auf.

Allerdings enthält die Bibel hierzu – im Gegensatz zum Gebrabbel der Pythia – eine ganz klare, freudige Botschaft: Kein Mensch ist Gott gleichgültig, ganz im Gegenteil. Er möchte uns statt unserer begrenzten Endlichkeit eine herrliche Ewigkeit schenken. *Markus Majonica*

? Haben Sie eine realistische Selbstsicht?

! »Erkenne dich selbst!«

† Römer 5,1-10

Aber so ist es nicht unter euch; sondern wer irgend unter euch groß werden will, soll euer Diener sein.

MARKUS 10,43

Ein Held der anderen Sorte

Der indische Philosoph Mangalwadi beschäftigt sich mit dem christlichen Einfluss auf unsere Wertvorstellungen. Sein Buch trägt den Untertitel: *Die Bibel als Herzstück der westlichen Kultur*. Er untersucht u. a., wie sich der Heldenbegriff seit der griechischen und römischen Antike gewandelt hat. Von einem klassischen Helden erwartete man, dass er durch List, Kraft und kluge Allianzen andere besiegte und unter seine Herrschaft brachte. Das Heldentum Jesu allerdings war anderer Art: Es ersetzte Brutalität durch Liebe, Stolz durch Sanftmut, die Herrschaft über andere durch aufopfernden Dienst an ihnen.

Richard Kirkland war Soldat im amerikanischen Bürgerkrieg und von daher eher ein Kandidat für das antike Verständnis von Heldentum. In der Schlacht von Fredericksburg lagen sich 1862 die feindlichen Armeen gegenüber. Auf den Schlachtfeld zwischen den Stellungen lagen zahlreiche Verwundete, die den ganzen Tag nach Wasser schrien. Niemand wagte sich aus der Deckung, aus Angst, sofort unter Feuer genommen zu werden. Irgendwann hielt Kirkland es nicht mehr aus und fragte seinen Brigadegeneral Kershaw, ob er den Verdurstenden, die vor allem aus der feindlichen Armee stammten, Wasser bringen könne. Nach vielen Warnungen gab der Offizier schließlich nach, verbot aber dem Soldaten, ein weißes Taschentuch zu zeigen. Anstatt ins Kreuzfeuer zu geraten, konnte Kirkland eineinhalb Stunden lang die Verwundeten mit Wasser versorgen. Feind und Freund erkannten seinen heldenhaften Mut und ließen die Waffen schweigen.

Die Heldentat von Jesus Christus aber ist unvergleichlich: Er erlitt freiwillig einen schrecklichen Durst und schließlich einen qualvollen Tod, um uns das Wasser des Lebens zu bringen. *Gerrit Alberts*

? Nach welchem Prinzip leben Sie?

! Die Rettung, die Jesus aus Liebe für uns vollbrachte, bringt allen, die sich darauf einlassen, ewiges Leben.

† Psalm 102,4-14

Wenn ihr etwas bitten werdet in meinem Namen, so werde ich es tun.

JOHANNES 14,14

Er hört!

»Warum werden deine Gebete erhört und meine nicht?« Mit dieser ehrlichen Frage steht meine Nachbarin aufgewühlt vor mir. Vor wenigen Tagen hatten wir beide ein sehr offenes Gespräch miteinander. Sie erzählte mir weinend von ihren großen Nöten. Am Ende betete ich laut vor ihr und brachte ihre ganze Not vor Gott. Und in den nächsten Tagen veränderte sich ihr Leben auffallend. Offensichtlich beeindruckt, aber irritiert, fragt sie nun nach dem »Warum«. Schließlich bete sie doch auch mehrmals täglich. Warum also wurden meine Gebete erhört, ihre aber nicht?

Die Antwort konnte nur darin liegen, dass unsere Gebete an unterschiedliche Adressaten gerichtet waren. Ich betete zu Jesus, von dem die Bibel sagt, dass er als Sohn Gottes genau die gleiche Natur wie Gott hat und somit Gott ist. Jesus betonte mehrmals, dass er Gebete nicht überhört. Wer ihn ehrlich um etwas bittet, darf mit einer Antwort rechnen. Deshalb war meine Antwort an meine Nachbarin recht kurz: »Jesus hört!«

Diese Erfahrung ist immer wieder beeindruckend. Jesus hört! Mit ihm zu reden, bedeutet nicht, ins Leere hineinzurufen. Nein, unser aufrichtiges Gebet erreicht das offene Ohr eines lebendigen Gottes. Und Jesus beweist immer wieder seine Realität, indem er reagiert.

Vielleicht beten Sie überhaupt nicht. Vielleicht sind Sie bisher enttäuscht worden, weil Ihre Gebete keine Erhörung fanden. Dann möchte ich Sie ermutigen, darüber nachzudenken, an wen Sie Ihr Gebet gerichtet haben. War es Jesus, der Sohn Gottes? Wenn nicht, dann dürfen Sie es von Neuem bei Jesus versuchen und dabei seiner Einladung folgen: »Bittet, so wird euch gegeben; sucht, so werdet ihr finden; klopft an, so wird euch aufgetan« (Matthäus 7,7).

Dina Wiens

? Haben Sie heute schon gebetet?

! Jesus hält seine Versprechen und hört Sie.

† Matthäus 7,7-14

Sagt in allem Dank! Denn dies ist der Wille Gottes in Christus Jesus für euch.

1. THESSALONICHER 5,18

Eine kaputte Scheibe

Gedankenversunken gehe ich durch die rückwärtige Tür in meine Garage. Ich steige in mein Auto und betätige die Fernbedienung zum Hochfahren des Garagentores. Noch bevor das Tor ganz oben ist, starte ich den Motor und fahre, aus welchen Gründen auch immer, ein wenig nach hinten. Als Nächstes höre ich einen lauten Knall, als die Heckscheibe meines Fahrzeuges mit dem hochfahrenden Garagentor kollidiert und in tausend Scherben zerspringt. Dummheit? Unaufmerksamkeit? Hektik? Ich weiß es nicht. Ich weiß auch nicht, warum mir jetzt so etwas völlig Unnötiges passieren musste. Was kommen jetzt für Kosten auf mich zu?! Wie lange kann ich mein Auto nicht mehr benutzen? Was muss ich jetzt als Nächstes tun? Irgendwie scheint es heute ein »gebrauchter Tag« zu werden. Gottes Wege erkenne ich überhaupt nicht in diesem Geschehen. Ich bin einfach nur wütend auf mich selbst.

Am nächsten Morgen lese ich wie jeden Tag in meiner Bibel. Ich komme »zufällig« an die Stelle, die unseren Tagesvers wiedergibt: »Sagt in allem Dank! ... dies ist Gottes Wille!« Ich ahne schon, welche Lektion ich heute zu lernen habe, und ein leichtes und zufriedenes Lächeln macht sich breit. Ist damit gemeint, dass ich nur für das Gute dankbar sein soll, das der Herr mir gibt? Ich denke nicht. Ich meine, auch für das, was schmerzt und sinnlos erscheint, soll ich danken. Eben aus dem Grund, weil ich für alles (!) dankbar sein soll.

Ich weiß nicht, wozu der finanzielle Schaden und der ganze Ärger gut sein sollen. Aber ich weiß, ich soll meinem Gott dafür dankbar sein. Vom menschlichen Standpunkt aus ist das nicht zu verstehen, aber Gott hat allem Anschein nach andere Prinzipien. *Axel Schneider*

? Wie gehen Sie mit Problemen um?

! Gott kann Steine in unseren Weg legen, damit wir uns daran erinnern, dass wir seine Gnade und Hilfe brauchen.

† Jesaja 55,6-11

HERR, Gott der Heerscharen, höre mein Gebet!
Vernimm es, Gott Jakobs!

PSALM 84,9

Der Allmächtige hat uns Menschen lieb!

Der Tagesvers ist ein Satz aus der Bibel, der allen, die diesen Gott noch gar nicht kennen, Geschmack darauf machen sollte, ihn kennenzulernen. Wer Gott wirklich kennt, weiß in etwa, was es bedeutet, den um Hilfe bitten zu dürfen, der Herr aller Heerscharen ist. Damit sind ja nicht nur die Abermillionen Engel gemeint, sondern auch alles andere, was er in Überfluss erschaffen hat. Z. B. die Unzahl der Galaxien und der Sterne darin, die Sandkörner an den Ufern der Meere und in den Wüsten, die nach Gottes Gesetzen arbeitenden Naturkräfte, der Überfluss an Schöpfungsideen, der sich rings um uns her unseren Sinnen darbietet, obwohl wir Menschen bereits sehr viel davon zerstört haben.

Alles steht ihm widerspruchslos zu Gebote, auch wenn es unseren beschränkten Sinnen oft nicht so vorkommt. Und er hat zugesagt, es zu unserem Heil und nicht zu unserem Verderben einzusetzen, wenn wir uns ihm anvertrauen wollen. Aber nicht genug damit. Er ist auch der Gott jedes einzelnen Menschen. Dieser ganz und gar allmächtige Gott hat sich aus völlig unerklärlicher Liebe zu uns kleinen Menschen herabgeneigt, und das gibt jedem von uns die berechtigte Hoffnung, bei ihm ein offenes Ohr zu finden.

Es ist doch ein eindeutiges Zeichen seines unbegrenzten Erbarmens, dass er sich Gott Jakobs nennen lässt. Würde es heißen, er sei der Gott Moses oder des Paulus, dann hätten Leute wie ich kaum Hoffnung, von ihm erhört zu werden. Aber weil er auch der Gott Jakobs ist, fühle ich mich bei ihm an der richtigen Adresse. Jakob war ein Betrüger, hinterlistig und unverfroren. Wie oft hat Jakob so gehandelt, dass Gott ihn wie eine »heiße Kartoffel« hätte fallen lassen müssen; aber er hat ihm immer wieder aufgeholfen.

Hermann Grabe

? Wie reagieren Sie auf den Gott Jakobs?

! Bitten Sie Gott um solchen Glauben!

† 1. Mose 31,3-21

... als er aber eine sehr kostbare Perle gefunden hatte, ging er hin und verkaufte alles, was er hatte, und kaufte sie.

MATTHÄUS 13,46

Der unerkannte Schatz

Als im Jahr 1866 die größte Diamantenmine der Welt in Südafrika entdeckt wurde, ahnte man zunächst nichts davon. Ein Mann namens Schalk van Niekerk fand Steine, die wie Diamanten aussahen und einfach auf dem Boden herumlagen. Als er darauf aufmerksam machte, sagten die Leute: »Mach dich nicht lächerlich! Diamanten, die einfach so im Sand herumliegen und die man einfach nur aufzulesen braucht, so etwas gibt es doch nicht!« Ein besonders großes Exemplar wurde per Post an den damals führenden Geologen, Dr. William G. Athertone (1814–1898) geschickt. Dieser bestätigte, dass es sich um einen 21,25 Karat (ca. 4,25 g) schweren Diamanten handelte.

Die gute Botschaft, dass jeder Mensch durch den persönlichen Glauben an Jesus Christus mit Gott versöhnt werden kann, ist leider auch so ein weithin »unerkannter Schatz«. Ein Hauptgrund hierfür liegt darin begründet, dass wir stolzen Menschen die Notwendigkeit der Versöhnung mit unserem Schöpfer als nicht mehr zeitgemäß beiseiteschieben. Doch Gott und sein Wort an uns haben sich über die Jahrhunderte nicht verändert. Die Bibel bringt es auf den Punkt: »Und so gewiss es den Menschen bestimmt ist, einmal zu sterben, danach aber das Gericht, so wird der Christus, nachdem er sich einmal zum Opfer dargebracht hat, um die Sünden vieler auf sich zu nehmen, zum zweiten Mal denen erscheinen, die auf ihn warten, nicht wegen der Sünde, sondern zum Heil« (Hebräer 9,27-28). Mit »Heil« ist hier das ewige, also nicht endende Leben in Freude und harmonischer Gemeinschaft mit Gott gemeint. Der »Wert« dieser Botschaft ist für jeden, der sie ernst und persönlich im Glauben annimmt, unvergleichlich höher als alle Diamanten dieser Erde zusammengenommen.

Bernhard Czech

? Welchen Wert hat das Evangelium von Jesus Christus für Sie persönlich?

! Greifen Sie zu und nehmen Sie diesen unermesslichen Schatz persönlich in Besitz!

† Offenbarung 20,11-15

Da sprach Gott der HERR zu der Frau:
Warum hast du das getan?

1. MOSE 3,13

Fragen an Frauen in der Bibel (1)

»Er hat aber angefangen! Er ist schuld!« Meine kleine Tochter schaute mich trotzig an, als ich sie wegen ihres ungezogenen Verhaltens zur Rede stellte. Wie alle Mütter kenne ich diese Ausrede nur zu gut. Was Kinder plump tun, habe ich aber auch schon oft getan: Anstatt selbst die Verantwortung für mein Handeln zu übernehmen, habe ich die Schuld auf andere abgeschoben. Wahrscheinlich haben wir alle diese Neigung vom ersten Menschenpaar geerbt.

Totale Freude, ungetrübter Genuss, junge Liebe. Wie gut ging es Adam und Eva im Paradies! Sie lebten in einer herrlichen Freiheit, alles war ihnen erlaubt – bis auf eine Sache. Es gab eine Regel, an die sie sich halten sollten: »Von dem Baum in der Mitte des Gartens sollst du nicht essen.« Wir wissen, wie es ausgegangen ist: Eva ließ sich von der Schlange verführen, nahm von der verbotenen Frucht und gab auch ihrem Mann davon. Seitdem ist die Sünde in der Welt. – Interessant ist, wie Gott damit umgeht. Er stellt Fragen. Auch an Eva: »Warum hast du das getan?« Gottes Frage ist die erste Frage an eine Frau. Warum fragte Gott? Er wusste doch, wahrscheinlich besser als Eva selbst, welche Mischung aus Neugier, Rebellion und Misstrauen zu der Tat geführt hatte. Aber Gott wollte Eva die Chance geben, ihren Teil an der Sache zuzugeben. Doch leider nutzte sie diese Chance nicht. »Die Schlange hat mich verführt«, antwortete sie und versuchte so, die Schuld von sich abzuschieben.

Bis heute fällt es Kindern wie Erwachsenen schwer, Fehlverhalten zuzugeben. Menschen gegenüber, aber auch gegenüber Gott. Wir sind groß darin, die Gründe für unser falsches Handeln bei anderen zu suchen. Doch Ausflüchte helfen nicht weiter. Nur wer seine Schuld zugibt, wird Vergebung und Befreiung finden. *Elisabeth Weise*

? Warum fällt es uns so schwer zuzugeben, wenn wir etwas falsch gemacht haben?

! Wer Schuld abschiebt, wird sie nicht los.

† 1. Mose 3,1-24

Das Gute nehmen wir von Gott an,
da sollten wir das Böse nicht auch annehmen?

HIOB 2,10

Fragen an Frauen in der Bibel (2)

»Unfassbar, dass das passiert ist! Warum hat Gott nicht eingegriffen?« Die WhatsApp-Nachrichten drückten Trauer und Betroffenheit aus, nachdem im Klassenchat geteilt worden war, dass die ehemalige Schulkameradin meines Mannes mit knapp 50 Jahren ihrem Krebsleiden erlegen war.

Auch ein anderer Mann erlebte Schweres. An einem Tag kamen alle seine Kinder ums Leben, er verlor seinen Besitz und dann auch noch seine Gesundheit. Seine Frau sagte verzweifelt zu ihm: »Jetzt kannst du deinem Glauben auch noch absagen. Fluch Gott und stirb!« Doch Hiob, dessen Geschichte uns die Bibel im Alten Testament erzählt, antwortete seiner Frau mit einer interessanten Frage: »Wenn wir das Gute von Gott angenommen haben, sollten wir das Böse nicht auch annehmen?«

Wir alle nehmen gerne das Gute in unserem Leben mit: Ehepartner, Gesundheit, Kinder, Besitz. Was das mit Gott zu tun hat, darüber denken wir nur wenig nach. Doch wenn uns eines dieser Dinge plötzlich genommen wird, fragen wir entrüstet, wie Gott das nur zulassen konnte. Ganz anders Hiob. Er hatte eine enge Beziehung zu Gott in guten Zeiten und diente ihm, als er reich, gesund und glücklich war. Aber er hielt auch an Gott fest, als er krank, vereinsamt und arm war. Er liebte Gott um seiner selbst willen.

Leid offenbart, was für ein Gottesbild wir haben. Ist Gott nur ein Wunscherfüller, der uns Gutes schenken soll, sich aber sonst nicht in unser Leben einmischen darf? Diese Vorstellung zerplatzt, wenn es Leid in unserem Leben gibt. Aber Gott möchte uns in guten und in schweren Tagen nah sein. Wenn wir uns im Leid nicht von ihm abwenden, kann dies die Möglichkeit sein, seinen Trost und seine Hilfe so real zu erfahren wie niemals zuvor.

Elisabeth Weise

? Warum klagen Menschen im Leid einen Gott an, an den sie gar nicht glauben?

! Es lohnt sich, Gott in guten wie in schweren Tagen zu suchen und ihm zu vertrauen.

† Hiob 42,10-17

Bin ich dir nicht mehr wert als zehn Söhne?

1. SAMUEL 1,8

Fragen an Frauen in der Bibel (3)

Auch der liebevollste Ehemann liegt manchmal völlig daneben. Das erlebte Hanna, eine Frau aus dem Alten Testament. Sie wünschte sich sehnlichst ein Kind und litt sehr unter ihrer Unfruchtbarkeit. Ihr Mann liebte Hanna aufrichtig, aber er konnte nicht verstehen, wie sehr sie sich wünschte, Mutter zu sein. »Du hast doch mich!«, sagte er in seiner männlichen Selbstüberschätzung, »das ist doch besser, als zehn Kinder zu haben!« Wie wenig verstand er das Herz seiner Frau.

Wenn es uns schlecht geht, wünschen wir uns Verständnis und Mitgefühl von Menschen, die uns nahestehen. Aber manchmal versagen diese darin. Jeder kennt Gefühle, die niemand sonst so recht nachvollziehen kann. Entweder, weil die anderen sich keine Mühe geben, sie zu verstehen, oder auch, weil sie es einfach nicht können.

Hanna tat das einzig Richtige: Sie schüttet ihr bekümmertes Herz in einem langen Gebet vor Gott aus. Das Problem konnte nicht zwischen Hanna und ihrem Mann gelöst werden, aber es löste sich, als Hanna zu Gott betete. Sogar ihr Gesichtsausdruck, der vorher von Hoffnungslosigkeit und Kummer gezeichnet war, änderte sich. Und das, obwohl sich ihre Situation noch gar nicht verbessert hatte.

Wenn Menschen uns enttäuschen, Gott enttäuscht nicht. Wohl dem, der sich in seiner Frustration und seinem Kummer an ihn wendet! Manchmal wird Gott die Situation ändern, so wie er das bei Hanna tat, die tatsächlich einige Monate später ein Kind bekam. Oder er wird unser Herz so verändern, dass wir mit der Schwierigkeit weiterleben können. Auf jeden Fall macht die Nähe zu Gott den Unterschied. Wer seine Not an den Höchsten abgeben kann, wird auch das Unverständnis seiner Mitmenschen leichter ertragen können.

Elisabeth Weise

? Warum suchen wir Verständnis und Hilfe so oft an der falschen Adresse?

! Gott ist da, auch wenn Menschen enttäuschen.

† 1. Samuel 1,1-28

Frau, was weinst du? Wen suchst du?
JOHANNES 20,15

Fragen an Frauen in der Bibel (4)

Maria Magdalena läuft durch den Garten, blind vor Traurigkeit und Kummer. Jesus, dem sie alles verdankt, ist ans Kreuz geschlagen worden. Bis zum Schluss hat sie sich das furchtbare Schauspiel angesehen und auch beobachtet, wie zwei Männer den toten Körper in eine Gruft legten. Jetzt ist sie wieder hergekommen, um dem toten Körper ihres geliebten Herrn die letzte Ehre zu erweisen und ihn nach der Sitte damaliger Zeit zu salben. Doch dann die schlimme Entdeckung: Das Grab ist leer, der tote Körper verschwunden. Wer hat ihn weggenommen? Fieberhaft überlegt sie. Sie muss ihn suchen!

Maria schreckt zusammen, als sie durch den Tränenschleier einen Mann sieht. Dieser fragt sie: »Warum weinst du? Wen suchst du?« Sie denkt im ersten Moment, dass es der Gärtner sei, der sie anspricht. Erst, als dieser ihren Namen nennt, erkennt sie, dass es Jesus selbst ist, der mit ihr redet. Er ist auferstanden und lebt! Ihm ist nicht egal, wie verzweifelt Maria ist, und er offenbart sich ihr.

Die Liebe und Hingabe der Maria beeindrucken mich. Ich suche alles Mögliche in meinem Leben, aber in meine Beziehung zu Jesus investiere ich zu wenig. »Über Gott kann ich später noch nachdenken«, sagen viele Leute, wenn man sie auf den Glauben anspricht. Und für Jesus interessieren sie sich nicht und suchen ihn auch nicht. Dabei geht es um so viel, nämlich darum, das ewige Leben nicht zu verpassen. Dafür ist allein Jesus der Garant. Nur wer ihn hat, der hat das wahre Leben und wird – so wie er – nicht im Tod bleiben, sondern zum ewigen Leben auferstehen. Maria ist ein Vorbild, nicht Nebensächlichkeiten hinterherzulaufen, sondern Jesus mit aller Kraft zu suchen. Wer das tut, wird nicht enttäuscht werden. *Elisabeth Weise*

Was suchen Sie mehr als alles andere in Ihrem Leben?

»Wenn ihr mich von ganzem Herzen sucht, dann will ich mich von euch finden lassen«, verspricht Gott (Jeremia 29,13-14).

Johannes 20,11-18

Wer an den Sohn glaubt, hat ewiges Leben; wer aber dem Sohn nicht gehorcht, wird das Leben nicht sehen, sondern der Zorn Gottes bleibt auf ihm.

JOHANNES 3,36

Er glaubte den alten Steinen!

Am 11. März 2011 wurden weite Teile der japanischen Pazifikküste durch einen gewaltigen Tsunami zerstört, ausgelöst durch das sogenannte Tōhoku-Erdbeben. Ganze Ortschaften verschwanden völlig. Nur die kleine Fischerstadt, Fudai blieb davon verschont. Das hatte sie ihrem damaligen Bürgermeister, Kotako Wamura, zu verdanken, der gegen jahrelange Proteste seiner Bürger eine fast 16 Meter hohe stabile Mauer vor dem ganzen Ort errichten ließ. Der Bürgermeister war so hartnäckig gewesen, weil er in den gleich hinter dem Ort ansteigenden Bergen uralte Gedenksteine untersucht hatte, die anzeigten, wie hoch vor Jahrhunderten schon manche Tsunamis die Küste berannt hatten. Es bedarf oft großen Mutes und erstaunlicher Standhaftigkeit, um in ruhigen Wohlstandszeiten die Mitmenschen dazu zu bringen, möglichen Gefahren vorzubeugen, besonders wenn es Opfer erfordert.

Unser Tagesvers gleicht einem solchen uralten Gedenkstein, an dem man ablesen kann, was nicht nur japanischen Fischern, sondern allen Menschen droht, wenn sie nicht vorsorgen. Gottes Zorn wird ein weit schlimmeres Ereignis als der größte Tsunami sein, weil er nicht nur alles zerstören wird, was Menschen jemals errichtet haben, sondern weil er ewige Verdammnis für alle Betroffenen bedeutet. Das klingt in den Ohren der meisten Menschen leider noch unmöglicher und unzumutbarer als die Forderungen des Bürgermeisters von Fudai für die dortigen Fischer. Nur mussten diese damals zu ihrem Glück gehorchen, während die Menschen heute dies nicht tun müssen, weil Gott nur Freiwillige retten will und er ihnen die Freiheit lässt, sein Angebot zu missachten. Aber um welchen Preis tun sie das? Wir sollten uns doch wohl lieber warnen lassen und die Bedrohung ernst nehmen!

Hermann Grabe

? Sonnen Sie sich in Wohlstandszeiten, ohne für den bevorstehenden Tag der Katastrophe vorzusorgen?

! Gottes Zorn ist so sicher wie der nächste Tsunami, nur den Tag wissen wir für beides nicht.

† 2. Petrus 3,1-13

Die Blumen zeigen sich im Lande,
die Zeit des Singens ist gekommen.
HOHESLIED 2,12

Himmlische Grüße aus der Botanik

Unser Gartengrundstück ist nicht sonderlich groß. Aber im März vergangenen Jahres erblühten dort über 300 Narzissen. Was war das für ein malerischer Anblick!

Der Pfarrer und Kirchenliederdichter Paul Gerhardt (1607–1676) erwähnte diese hübschen Blumen in seinem bekannten Lied »Geh aus, mein Herz, und suche Freud«. Darin werden die Schönheiten von Gottes Schöpfung zur warmen Jahreszeit besungen. Der Mann hatte ein aufmerksames Auge für die Natur. Vor allem aber lehrten die Blumen ihn eine Theologie, die er in seinem Lied vermitteln wollte. Einerseits erinnerten die Narzissen ihn an Gottes freundliche Fürsorglichkeit, wie Jesus sie in der Bergpredigt lehrte. Wenn Gott schon die Blumen so herrlich kleidet, die heute im Garten blühen, dann als Strauß ein paar Tage die Wohnung schmücken und schlussendlich auf dem Komposthaufen landen, wie viel mehr wird er sich dann um die Menschen kümmern, die ihm vertrauen.

Zum anderen sah Paul Gerhardt in der Blütenpracht einen Vorgeschmack auf den Himmel, den ewigen Lebensraum der Kinder Gottes. Er hatte die Grausamkeiten des Dreißigjährigen Krieges miterlebt. Wenn aber schon auf dieser leidgeplagten Erde die Schönheiten der Blumen uns erfreuen können, wie unvorstellbar schöner wird es erst im Himmel sein, wo es kein Leid, keine Sünde, keinen Schmerz und keine Träne mehr geben wird.

Zuletzt aber richtet die Narzisse auch ermahnende Worte an uns wegen ihrer begrenzten Blütezeit. »Der Mensch – wie Gras sind seine Tage, wie die Blume des Feldes, so blüht er.« Heute gesund, morgen krank, übermorgen nicht mehr da – so könnte man den Lebenslauf des Menschen kurz beschreiben. Darum rät uns die Bibel zu einer frühzeitigen Entscheidung für Jesus Christus.

Arndt Plock

? Wie stellen Sie sich den Himmel vor?

! Wer hier glaubt, wird dort leben.

✝ Psalm 19

In keinem andern ist Rettung zu finden, denn unter dem ganzen Himmelsgewölbe gibt es keinen vergleichbaren Namen. Nur dieser Name ist den Menschen gegeben worden.

APOSTELGESCHICHTE 4,12

Wiederaufbau des Berliner Schlosses

Das Berliner Schloss war fast 500 Jahre lang (1443–1918) die Hauptresidenz der brandenburgisch-preußischen Herrscher aus dem Haus Hohenzollern. Zu DDR-Zeiten wurde es gesprengt und an dessen Stelle der »Palast der Republik« gebaut. Dieses asbestbelastete Gebäude wurde wiederum 2009 abgerissenn und in den Jahren 2013 bis 2020 entstand der Wiederaufbau des historischen Barockgebäudes mit seiner kupfernen Kuppel und einer goldenen Inschrift auf blauem Grund unterhalb der Kuppel. Dort ist wieder folgende Botschaft zu lesen: »Es ist in keinem andern Heil, ist auch kein anderer Name den Menschen gegeben, denn in dem Namen Jesu, zur Ehre Gottes des Vaters. Dass im Namen Jesu sich beugen sollen aller derer Knie, die im Himmel und auf Erden und unter der Erde sind.«

Dieser Text ist eine Verbindung von zwei Bibelstellen, nämlich Apostelgeschichte 4,12 und Philipper 2,10. König Friedrich Wilhelm IV. hatte damals diese Verse kombiniert, die nun wieder im Zentrum von Berlin zu lesen sind. Aus diesen Versen geht hervor, dass es nur einen Weg zum ewigen Seelenheil gibt: durch den Glauben an Jesus Christus! Nicht eine der vielen Religionen führt zum Ziel, sondern nur dieser eine Weg. Auch ein Leben ohne Gott führt nicht zum ewigen Leben. Nur Jesus ist der Erretter, der König der Könige und Herr der Herren.

An diesem Jesus scheiden sich allerdings die Geister. Ist das zeitgemäß, sieht so Toleranz gegenüber Andersdenkenden aus?, fragen sich die Menschen des 21. Jahrhunderts. Doch nur die Bibel sagt uns, wie der einzige Gott und Schöpfer von Himmel und Erde darüber denkt. Er sagt uns die Wahrheit, weil er will, dass jeder Mensch zur Erkenntnis der Wahrheit kommt. Es lohnt sich, an Jesus Christus zu glauben.

Uwe Harald Böhm

? Suchen Sie einen Weg zu Gott?

! Lesen Sie die Evangelien im Neuen Testament!

† Johannes 14,1-6

Ihr Gewissen ist abgestumpft; an ihnen prallt alles ab, was du sagst. Ich aber freue mich über dein Gesetz.

PSALM 119,70

Gewissensfrage

Sie kennen vielleicht die alte Geschichte von dem jähzornigen Bauern, der seinen Kettenhund erschoss, weil dessen Gebell ihn beim Schlafen störte. Dabei hatte das aufmerksame Tier nur angeschlagen, weil sich Räuber ins Haus geschlichen hatten, und die beendeten kurz darauf auch das Leben des Bauern. Es war daher sehr dumm von dem Bauern, seinen treuen Freund für immer zum Schweigen zu bringen und auf die Stabilität seiner Haustür zu vertrauen, die dieses Vertrauen offensichtlich nicht rechtfertigte.

Jeder Mensch hat einen solchen treuen Wächter. Das ist sein Gewissen. Zugegeben, es gibt Menschen, die ein so sensibles Gewissen haben, dass sie kaum jemals einen mutigen Schritt zu gehen wagen. Aber wenn Kinder unter der Obhut verantwortungsbewusster Eltern aufwachsen, werden sie meistens genügend Belehrung über das erhalten haben, was gut und was nicht gut ist. Das ist dann sozusagen die Messlatte, an der ihr Gewissen entscheidet, was Recht und was Unrecht ist. Leider gerät in unserer Welt dieses Messgerät allzu oft in Gegensatz zu dem, was wir wollen, weil wir es für gewinnbringend oder spaßig halten, oder sogar beides zusammen. Dann entbrennt in unserer Seele oft ein heißer Kampf. Doch äußerst gefährlich wäre es, mit unserem Gewissen so umzugehen, wie der Bauer mit seinem treuen Hund! Leider machen viele aber genau das.

Glücklicherweise brauchen wir diesen Gewissenskampf nicht allein auszufechten. Allerdings müssen wir, um handfeste Hilfe zu erhalten, den um Hilfe bitten, der uns unser Gewissen gegeben hat und es mit seiner Wahrheit immer wieder schärfen will: Gott. Wenn wir ihm die Leitung in unserem Leben überlassen, hat er versprochen, unserem Gewissen zu Hilfe zu kommen.

Hermann Grabe

? Wie reagieren Sie auf die Warnungen Ihres Gewissens?

! Je häufiger man seinem Gewissen folgt, umso deutlicher kann es uns den Weg zeigen.

† Psalm 16

Wir wissen aber, dass denen, die Gott lieben, alle Dinge zum Guten mitwirken.

RÖMER 8,28

Synergie

Im Wirtschaftsleben trifft man oft auf Begriffe wie »Synergiepotenzial«, »Synergieeffekte« usw. Das Wort Synergie bedeutet zunächst nur Zusammenwirken. In der Ökonomie beschreibt es meistens, dass man zunächst unabhängige Einheiten zusammenbindet, damit diese sich z. B. dieselbe EDV teilen, um Zeit und Geld zu sparen. Das nennt man dann den Synergieeffekt. Klingt positiv, muss aber nicht zwingend positiv sein. Es mag zwar ein großes Synergiepotenzial bestehen. Das beschreibt die theoretisch möglichen positiven Auswirkungen unter idealen Rahmenbedingungen. Trifft man aber auf die Wirklichkeit, kann sich der Synergieeffekt auch (nur) neutral oder gar negativ auf die Betroffenen auswirken.

Bemerkenswert ist, dass schon die Bibel dieses moderne Wort Synergie verwendet, z. B. im Tagesvers; dort steckt es in dem Wort »mitwirken«. Der Schreiber weiß (sicher), dass unter Gottes Rahmenbedingungen die Synergie für den Betroffenen ausschließlich positive Auswirkungen hat. Denn es *müssen* zwingend ausnahmslos *alle* Dinge, also alle Lebensumstände, für den Betroffenen zum *Guten* mitwirken. Das ist nachvollziehbar, denn der Herr des Geschehens, Gott, hat alle Dinge in der Hand und bestimmt deren Effekt. Er kann ideale Rahmenbedingungen schaffen und die Wirklichkeit gestalten. Dass »alle Dinge« nicht nur angenehme Lebensumstände bezeichnet, wird schon dadurch deutlich, dass eben »alle« Dinge gemeint sind, auch die schwerer zu ertragenden Situationen des Lebens. Denn manchmal ist harte Erziehung erforderlich, um mich auf den richtigen, guten Weg zu bringen.

Doch das alles geschieht nicht automatisch und bei jedem Menschen: Nutznießer von Gottes guten Synergieeffekten ist nur der, der Gott liebt.

Markus Majonica

? In welchen Lebensumständen stecken Sie?

! Gott hat für Ihr Leben ein gutes Ziel.

† Psalm 46

Dann spricht er zu Thomas:
Reiche deinen Finger her und sieh meine Hände,
und reiche deine Hand her und lege sie in meine Seite,
und sei nicht ungläubig, sondern gläubig!

JOHANNES 20,27

Beweis und Glaube

Als ehemaliger Kriminalbeamter war es u. a. meine Aufgabe, Beweise zu sichern. Hierbei unterscheidet man zwischen Sachbeweisen und Personenbeweisen. Sachbeweise sind z. B. Fingerabdruck- oder DNA-Spuren. Personenbeweise sind Aussagen von Zeugen. Während Fingerabdrücke und DNA-Spuren objektiv einen Täter überführen können, ist bei Zeugenaussagen immer Vorsicht geboten. Menschen können irren, Spuren nicht. Zeugen schildern den gleichen Sachverhalt oft völlig unterschiedlich. Zudem sagen Zeugen zuweilen mit Absicht die Unwahrheit.

Thomas war einer der zwölf Apostel Jesu, und er hatte seinen Herrn über drei Jahre lang ständig begleitet. Er hatte gehört, wie Jesus über seinen Tod und seine Auferstehung sprach. Als Jesus nach seiner Auferstehung den Jüngern erschien, war Thomas nicht zugegen. Obwohl die anderem ihm sagten, sie hätten Jesus gesehen, glaubte er nicht. Die »Zeugenaussagen« waren für ihn nicht Beweis genug. Als Jesus ein zweites Mal zu den Aposteln kam, war Thomas zugegen, und er durfte die Wundmale Jesus selbst betasten, also den »Sachbeweis« antreten.

Wir können heute dankbar sein für diesen Skeptiker Thomas. Denn bei ihm kommen Sach- und Personenbeweis in einzigartiger Weise zusammen. Er hat für uns die Richtigkeit der Auferstehung Jesu eigenhändig ermittelt, und das macht sein Zeugnis ausgesprochen glaubwürdig. Was den zunächst »ungläubigen Thomas« überzeugt hat, sollte auch für uns ausreichen. Doch das ist noch lange nicht alles in Gottes Beweiskette: Die Heilige Schrift sagt, dass viele Hundert Zeugen übereinstimmend die Auferstehung Jesu bezeugt haben. Vor allem aber schenkt Gott durch seinen Geist jedem, der hierfür offen ist, eine tiefe Überzeugung von der Wahrheit der Auferstehung.

Axel Schneider

? Können Sie ohne Beweise glauben?

! Der lebendige Glaube vieler Menschen ist ein schlagender Beweis.

† Hebräer 11,17-19

Der HERR ist allen nahe, die ihn anrufen,
allen, die ihn aufrichtig anrufen.

PSALM 145,18

Der Notruf

Die *Björn Steiger Stiftung* kümmerte sich in den vergangenen Jahrzehnten um den Ausbau des Rettungswesens in Deutschland. Sie setzte sich dafür ein, dass landesweit einheitliche Notrufnummern gelten und Notrufsäulen am Straßenrand aufgebaut wurden. Zu Beginn der 70er-Jahre spendete man für den Rettungsdienst die ersten 100 Funkgeräte, denn Sprechfunk kannte man bis dahin nur in Taxis. Auf Anregung der *Björn Steiger Stiftung* wurde 1984 der münzfreie Notruf beschlossen. Am 17. März 2022, also heute vor einem Jahr, verstarb mit 92 Jahren der Gründer Siegfried Steiger.

Die Motivation für dieses Lebenswerk zog das Ehepaar Ute und Siegfried Steiger aus einem furchtbaren Ereignis. Sie verloren ihren achtjährigen Sohn Björn, der 1969 nach einem Schwimmbadbesuch von einem Auto erfasst wurde. Passanten alarmierten sofort Polizei und Rotes Kreuz. Doch es dauerte fast eine Stunde, bis der Rettungswagen eintraf, und Björn starb noch auf dem Transport an einem Schock. Die Geschichte der *Björn Steiger Stiftung* zeigt, dass es für den Menschen keineswegs selbstverständlich ist, schnelle und verlässliche Rettung herbeirufen zu können.

Bei Gott ist das anders. Im Tagesvers sagt David, dass Gott allen nahe ist, die ihn im Gebet anrufen. Das heißt, er hört sie augenblicklich. Wenn man zu Gott ruft, wird keine Notrufsäule benötigt. Auch keine »fromme« Vorleistung ist erforderlich. Wenn Sie in Not sind und vor allem, wenn Ihnen bewusst wird, dass eine Schuld Sie von Gott trennt, dürfen Sie sofort im Gebet zu Jesus kommen. Er wartet darauf, von Rettungsbedürftigen angerufen zu werden. Denn er hat am Kreuz schon für unsere Schuld bezahlt und will uns in die rettende Gemeinschaft mit Gott bringen. *Stefan Taube*

? Wann haben Sie zuletzt einen Hilfeschrei zu Gott abgesetzt?

! Umkehr zu Gott geschieht durch Vertrauen – nicht durch fromme Leistung.

† Psalm 50

An dem letzten, dem großen Tage des Festes, aber stand Jesus und rief und sprach: Wenn jemand dürstet, so komme er zu mir und trinke.

JOHANNES 7,37

Das Klingelauto

Kennen Sie es noch – das gute alte Klingelauto? Als ich Kind war, war es eine normale Erscheinung. Bei meiner Oma hielt stets ein Klingelauto, das fast alles (zumindest an Lebensmitteln) dabei hatte, was man brauchte. Alte Menschen, die nicht mehr mobil waren, wurden auf diese Weise einmal pro Woche rundum versorgt. Bei uns kam der Eiermann und später im Herbst der Kartoffelmann – natürlich mit einer lauten Klingel, die in der ganzen Siedlung bzw. Straße gehört wurde. Teilweise erscholl auch nach dem Klingeln auch noch der laute Ruf: »Kartoffeln!«

Wenn die Klingel laut ertönt, merkt das ganze Dorf auf: Das Klingelauto ist da! Dann gilt es, den Korb und die Geldbörse in die Hand zu nehmen und hin zum Auto zu laufen, bevor es zum nächsten Ort weiterfährt. Am 18. März 2019 kam zum letzten Mal das Bäcker-Klingelauto in unser Dorf. Der Bäckermeister musste aus Altersgründen kürzertreten. Einen Nachfolger gab es nicht. Die Klingel wird in unserem Dorf seitdem nicht mehr gehört.

In unserem Tagesvers ist auch von jemandem die Rede, der sich an einen zentralen Ort begeben hat, wo gerade sehr viele Menschen waren, um dort ein Angebot zu machen: vom »Wasser des Lebens« zu trinken. Das ist ein Bild davon, was Jesus jedem gerne geben will, der zu ihm kommt und ihn herzlich darum bittet: eine lebendige, unwiderrufliche Beziehung zu ihm, die über den Tod hinaus Bestand hat. Den Anschluss an eine Quelle ewigen Lebens, die niemals versiegt. Ein Erfülltsein, an das nichts in dieser Welt auch nur annähernd heranreicht: tiefer innerer Friede, die Befreiung von Schuld, die Eröffnung einer Zukunftsperspektive für die Ewigkeit. Und das Beste ist: Dieses Angebot gilt immer noch! *Martin Reitz*

? Klingelt es bei Ihnen?

! Jesus Christus ruft Sie.

† Johannes 4,10-14

Denn mich hungerte, und ihr gabt mir zu essen;
mich dürstete, und ihr gabt mir zu trinken;
ich war Fremdling, und ihr nahmt mich auf.

MATTHÄUS 25,35

»Meine Mutti nimmt Sie auf!«

Bomben in Deutschland, der Siegesrausch ist vorbei. Die Männer sind Soldaten, die Mütter mit Kindern in ländliche Gebiete evakuiert, wo es vielleicht noch etwas zu essen gibt.

Mein mutiger Vater war im Frühjahr 1945 als Soldat in Dessau stationiert. Er wusste, dass seine Frau ins Sudetenland evakuiert worden war, wo inzwischen das zweite Kind – das war ich – entbunden worden sein musste. Mit Zustimmung seines Vorgesetzten kämpfte er sich zu uns durch. Tatsächlich fand er uns, und während am östlichen Horizont die Angriffe der Roten Armee dröhnten, packte mein Vater kurzerhand seine Familie in ein Fahrzeug und flüchtete gen Westen. Eine abenteuerliche Flucht begann, schließlich zu Fuß durch Wälder und kleinere Orte. Mehrfach geriet die Gruppe in Todesgefahr durch russische Patrouillen. Aber Gott, an den meine Eltern glaubten, sorgte dafür, dass alles gut ging. Nun war aber die Kraft meiner Mutter am Ende, ihre Muttermilch versiegt; sie musste sich dringend ausruhen. Inzwischen war jedoch die Fluchtbewegung Richtung Westen so stark, dass dieses Ausruhen unterwegs fast unmöglich war. Vater gab dennoch nicht auf, sondern ging von Haus zu Haus, um jemanden zu finden, bei dem wir uns ausruhen konnten. Er betete und hoffte auf Gottes Hilfe. Schließlich sagte ihm ein 10-jähriger Junge: »Meine Mutti nimmt Sie auf!« Die Mutter war eine Witwe, die ihren Mann an der Front verloren hatte. Aber sie wagte es, uns aufzunehmen. Was für ein Geschenk: Gastfreundschaft! Ausruhen können! So ist Gott: Er rettet. Er erhört Gebet.

Während ich diesen Text schreibe, kommen Menschen aus der Ukraine zu uns nach Deutschland. Wir können Gastfreundschaft üben, helfen, ein Segen für andere Menschen sein – so wie damals ein kleiner Junge und seine Mutter für uns.

Klaus Spieker

? Wo können Sie heute Helfer sein für Menschen, die hier noch nicht zu Hause sind?

! Beten Sie darum, dass Gott Ihnen die Augen öffnet für Menschen, deren Not Sie lindern können.

† Lukas 2,1-7

Du hast Freude in mein Herz gegeben,
mehr als jenen zu der Zeit,
da sie viel Korn und Most haben.

PSALM 4,8

Kann man das Glück pachten?

Der bekannte Radioreporter Manni Breuckmann hat viele Fußballspiele innerhalb der Bundesliga kommentiert, z. B. »auf Schalke« oder in Dortmund, aber auch die Finalspiele der WM 2002 (Brasilien – Deutschland 2:0) und der EM 2008 (Spanien – Deutschland 1:0). Legendär war sein markanter Satz, als 2009 Schalke 04 beim BVB 3:0 führte: »Die Schnitte ist gegessen.« Aber dann gelang den Dortmundern noch das 3:3 – beinahe hätten sie sogar noch gewonnen.

Manni Breuckmann erzählt von sich, dass er als Kind nach dem Krieg auf Trümmer-Grundstücken mit den Ratten gespielt habe. Dennoch habe seine Generation *das Glück gepachtet*. Er sei auf der Sonnenseite des Lebens gewesen, weil er zu der Generation gehört habe, die den Aufschwung erlebt hat. Die Nachkriegserfahrungen lassen Manni Breuckmann eine tief verankerte Dankbarkeit spüren – leider ohne Bezug zu Gott.

Bei all den interessanten Ereignissen aus seinem (Reporter-)leben – an einer Stelle stutzte ich beim Lesen des Artikels. Kann man das Glück wirklich pachten? In der Bibel heißt es von dem Knecht Abrahams in einer Situation, dass er einer Frau beim Wasserschöpfen zusah, um zu erkennen, ob Gott zu seiner Reise Glück gegeben habe oder nicht (1. Mose 24,21). Und von Gott heißt es in den Psalmen, dass er Gefangene hinaus ins Glück führt (Psalm 68,7). Diese beiden Bibelverse machen doch deutlich, dass das Glück letztlich von Gott abhängt. Wenn wir »Glück« erfahren, dann sollten wir diesem Gott dafür dankbar sein und nicht einfach zur Tagesordnung übergehen. Denn Gott ist der Geber aller guten Gaben, er sorgt für viel Gutes in unserem Leben (»Korn und Most«), und in Jesus Christus will er uns noch viel mehr geben: echte Freude und (ewiges) Leben im Überfluss!

Martin Reitz

? Wovon machen Sie Ihr Glück abhängig?

! Wenn das Glück von Gott kommt, dann sollten wir doch diesen Gott mit Ernst suchen und ihn ehren.

† Psalm 48

Und die Menschen wurden von großer Hitze versengt und lästerten den Namen Gottes, der über diese Plagen Macht hat, und sie taten nicht Buße, ihm Ehre zu geben.
OFFENBARUNG 16,9

Eine falsche Einstellung

Fährt man heute durch die ehemals wunderschönen deutschen Waldgebiete, erschrickt man bei dem Anblick der durch Dürre und Borkenkäfer zugrunde gerichteten Fichtenwälder. »Ähnliches hat es früher auch gegeben«, sagen viele darauf. Das mag sein. Siehst man dann das Elend der durch »Starkregen« verwüsteten idyllischen Urlaubsorte, sagen viele wieder: »Es gab früher schon Schlimmeres.« Auch das mag sein. Und fällt einem dann noch Corona ein, so heißt es wieder: »Das war früher manchmal noch viel heftiger.« Und wieder muss ich sagen: »Das stimmt.«

Was sich aber grundlegend geändert hat, ist die Reaktion auf alle diese Ereignisse. Früher läuteten die Glocken, und in den Kirchen und Häusern wurde Gottes Erbarmen angerufen und in strenger Selbstkasteiung Buße für eigene und gemeinsam begangene Sünden getan.

Heute dagegen werden Schuldige ausgemacht, denen man das Handwerk legen muss. Andere wieder geben vor, die Erderwärmung abschaffen zu können. Und weil wir alle gern »Macher« sind, glauben wir wirklich, wir könnten unsere gesamte Erdkugel ein wenig von ihrer augenblicklichen Sonnennähe wegrücken. Kierkegaard würde dazu sagen: »Und keiner lacht.« Andere wieder geben dem harmlosen und höchst nützlichen CO_2 die Schuld, obwohl alle Menschen zusammen nur 5 % davon produzieren, alles andere kommt aus den erwärmten Ozeanen und aus den Vulkanen.

Die Bibel macht deutlich, dass Gott solche Schwierigkeiten kommen lässt, um uns Menschen zur Einsicht zu bringen, dass wir mit Gott im Unfrieden leben und eiligst umkehren sollten, damit er uns wieder freundlich begegnen mag. Darüber sollte man innerlich »Warnglocken läuten« und nicht mehr einfach so weitermachen wie bisher. *Hermann Grabe*

? Was haben Sie vor, in dieser Sache zu tun?

! Man muss den Hebel da ansetzen, wo er wirklich etwas bewegt.

† Offenbarung 16

Du wirst mir kundtun den Weg des Lebens;
Fülle von Freuden ist vor deinem Angesicht,
Lieblichkeiten zu deiner Rechten immerdar.

PSALM 16,11

Wasser ist sein Element

Kennen Sie Nikolaus? Nein, ich meine nicht den Bischof, der die Kinder kurz vor Weihnachten mit Köstlichkeiten beglückt. Ich meine die männliche Kegelrobbe im Wattenmeer, die man im März 2015 im Alter von 13 Wochen vor Friedrichskoog auswilderte, ausgestattet mit einem Sender, durch den man sechs Monate lang ihre Wege durch die Nordsee verfolgte. Auf sagenhafte 10 241 km hat sie es in diesem Zeitraum gebracht. Betrachtet man die Karte mit ihrer Reiseroute, so sieht man auf den ersten Blick nur ein einziges Wirrwarr von Linien in einem allerdings begrenzten Gebiet der Nordsee. Es gibt darin nur wenige »Zentren«, in denen sich diese Linien zu einem dickeren Bündel verdichten, offenbar an ergiebigen Futterplätzen oder beliebten Rückzugsorten zum Ausruhen nach ausgiebigen Jagdzügen.

Für mich ist Nikolaus ein treffendes Bild für den rastlosen Menschen, der in seinem Leben meist aus ähnlichen Gründen unterwegs ist, wie wir es aus der Tierwelt kennen: Nahrungsbeschaffung, Fortpflanzung, Ausleben und Ausruhen in dem zugewiesenen Element und Lebensraum. Bei den Robben findet nach rund 25 Jahren dieses Dasein ein Ende, wenn sie nicht schon vorher – z. B. durch Erkrankung – zu Tode kommen. Doch sind wir Menschen nicht mehr als die Tiere? Ja, denn der Mensch wurde zu einem höheren Zweck geschaffen: um seinem Schöpfer auf eine Weise zu ehren, die über ein bloßes Dasein und Vergehen hinausgeht: Seines Schöpfers Wege soll er gehen, d. h. nach seinem Willen leben, um letztlich ein Ziel zu erreichen, wo keine Gefahr, kein Mangel, kein Schmerz und kein Tod mehr drohen. Dieser »Weg des Lebens«, den Gott uns in seinem Sohn Jesus Christus gewiesen hat, endet nicht im Vergehen, sondern führt zum ewigen Leben.

Joachim Pletsch

Haben Sie dieses Ziel vor Augen?

Orientieren Sie sich an Jesus Christus, um dorthin zu kommen.

Apostelgeschichte 2,22-32

Wahrlich, ich sage euch: Wer das Reich Gottes nicht annimmt wie ein Kind, wird dort nicht hineinkommen.

MARKUS 10,15

Nachbarschaftshilfe

Unsere Nachbarn machen schon einiges mit! Nicht nur, dass unsere Kinder öfter mal lautstark auf dem Trampolin im Garten herumspringen – nein, auch meine Frau und ich stehen immer mal wieder bei ihnen vor der Tür. Wieso? Meistens, weil uns etwas fehlt. »Habt ihr noch einen Liter Milch übrig?« Oder: »Könnte ich mir nochmals deinen Dreieckschleifer ausleihen?« Es kann aber auch einmal sein, dass die Waschmaschine »spinnt«, ein Wasserhahn tropft oder die Gangschaltung vom Fahrrad defekt ist. Meistens kann einer der Nachbarn helfen. Ständig senden wir das Signal aus: Wir brauchen euch, wir sind auf euch angewiesen. Das Interessante ist: Fast immer hat man den Eindruck, dass die Leute sich freuen, wenn man sie um Hilfe bittet.

Anfangs fiel uns das gar nicht leicht, andere um Hilfe zu bitten. Lieber selber zum Baumarkt fahren, niemanden belasten, niemandem etwas schuldig sein. Man möchte sich doch nicht von anderen abhängig machen, oder? Dieser tiefe Wunsch in uns, von niemandem abhängig zu sein, ist vielleicht auch der Grund, warum viele sich mit der christlichen Botschaft so schwertun.

Jesus Christus benutzte einmal das Bild von kleinen Kindern zur Verdeutlichung eines Prinzips: Wir sollen werden wie Kinder. Diese sind abhängig von ihren Eltern und brauchen ihre Hilfe auf Schritt und Tritt. Ebenso, wie kleine Kinder ohne die Unterstützung, Versorgung und Liebe ihrer Eltern nicht überleben könnten, müssen Menschen anerkennen: Ich brauche Hilfe! Ich muss erlöst werden, ich bin abhängig von der Rettung, die Jesus Christus jedem Menschen anbietet und ohne die niemand zu Gott kommen kann. Nur in der vollkommenen Abhängigkeit, nämlich von seiner Erlösung, finden wir Frieden und Gemeinschaft mit Gott. *Thomas Bühne*

? Möchten Sie auch von niemandem abhängig sein?

! Unabhängigkeit von Jesus Christus bedeutet, fern von Gott und verloren zu bleiben.

† Markus 10,13-16

Der Wind war ihnen entgegen.

MATTHÄUS 14,24

Im Gegenwind (1)

Im vergangenen Jahr haben wir als Familie über Ostern unseren Urlaub an der Nordsee verbracht. Wir nutzten dabei auch verschiedene Möglichkeiten der Freizeitgestaltung aus dem Inventar unserer Ferienwohnung. Dazu gehörte ein Set zum Federballspielen. Das wollte meine achtjährige Tochter unbedingt mit mir ausprobieren. Allerdings erging es uns dann so, wie es der Tagesvers ausdrückt: Der Wind war uns entgegen. Zumindest einem von uns. In die eine Richtung flog der Federball weit weg und in die andere Richtung kam er nicht gegen den Wind an. Nach einer Weile gaben wir das Spiel auf.

Aufgeben war in der Situation, in der sich die Jünger Jesu auf dem See Genezareth befanden, allerdings nicht möglich. Sie waren in dunkler Nacht mitten auf dem See und in wirkliche Not geraten, weil ihnen der Wind entgegen war. Sie waren in einen Überlebenskampf geraten, in dem sie den Naturgewalten offenbar hilflos ausgeliefert waren. Doch dann kam Jesus mit dem anbrechenden Morgenlicht über das Wasser zu ihnen, und sobald er im Boot war, legte sich der Wind. Was für eine Wendung zum Guten – allein durch die Gegenwart Jesu! Die Jünger warfen sich noch im Boot vor ihm nieder und sprachen aus, welcher Eindruck sie überwältigte: »Wahrhaftig, du bist Gottes Sohn!« (Matthäus 14,33).

Welch ein Unterschied ist es, wenn man in Not und Bedrängnis Jesus hat! Er ist der Not nicht hilflos ausgeliefert, sondern er hat Macht über sie. Sobald er da war, legte sich der Sturm. Nach dunkler Nacht folgte ein heller Morgen. Durch ihn sind alle, die zu ihm gehören, sicher geborgen und werden das Ziel erreichen, zu dem er sie führen will: den »ersehnten Hafen«, wie es an anderer Stelle – bezogen auf eine ähnliche Erfahrung – heißt (Psalm 107,30).

Joachim Pletsch

? Was machen Sie, wenn Ihnen der Wind entgegensteht?

! Alleine kämpft man vergeblich dagegen an. Mit Jesus beruhigt sich alles, und man kommt sicher am Ziel an.

† Matthäus 14,22-33

Als er anfing zu sinken, schrie er und sprach:
Herr, rette mich! Sogleich aber streckte Jesus die Hand aus, ergriff ihn ...

MATTHÄUS 14,30-31

Im Gegenwind (2)

Die gestern geschilderte Begebenheit auf dem See Genezareth soll uns heute noch einmal beschäftigen, denn sie enthält noch eine weitere besondere Erfahrung eines Einzelnen: von Petrus, einem der Jünger Jesu. Sein kühnes Handeln erstaunt mich: Die Schwierigkeiten im Boot waren schon groß genug. Wer wäre da noch auf die Idee gekommen, das Boot zu verlassen und sich draußen den Wellen auszuliefern?

Genau genommen wollte Petrus prüfen, ob es tatsächlich Jesus war, der auf dem Wasser zu ihnen kam. Vielleicht war auch noch eine Portion Spontaneität mit ihm Spiel, was nun mal seinem Charakter entsprach. Und so bat er Jesus darum, ihm zu befehlen, auf dem Wasser zu ihm zu kommen – wohl in der Zuversicht, dass auch ihn dann das Wasser tragen würde. Und tatsächlich! Es funktionierte – bis er auf den starken Wind sah. Sofort schmolz sein Glaube dahin – wie ein weicher Käse im Ofen. Stattdessen ergriff ihn Furcht vor dem Untergang. Er verlor buchstäblich den Halt ... und im gleichen Augenblick begann er zu sinken. Zu viel riskiert, zu wenig geglaubt – das erlebt und kennt manch einer heute auch.

Solche, die an Jesus glauben, sind eben keine Superhelden, und oft nicht einmal Glaubenshelden. Sie sind anfällig für Zweifel und drohen dann unterzugehen in den Stürmen des Lebens. Aber eigentlich nur dann, wenn sie den Blick auf Jesus verlieren und nur noch auf die Umstände schauen. Die sind oft wenig aussichtsreich, ja, zum Teil sogar bedrohlich. Aber spätestens, wenn Wind und Wellen sie zu verschlingen drohen, dann erinnern sie sich daran, dass nur drei Worte genügen, um Hilfe und Rettung zu erfahren (siehe Tagesvers). Denn Jesus ist da, er ergreift sie und hält sie – sofort, wenn sie ihn rufen. *Joachim Pletsch*

? Haben Sie Jesus schon als Ihren persönlichen Retter erfahren?

! Der Ausruf »Herr, rette mich!« steht uns allen an, damit uns der Tod nicht ereilt.

† Psalm 146

SONNTAG **MÄRZ 26**
Beginn der Sommerzeit

Nahe ist der HERR allen, die ihn anrufen,
allen, die ihn in Wahrheit anrufen. ...
Ihr Schreien hört er, und er hilft ihnen.

PSALM 145,18-19

Heuler

Bei unserem Besuch auf der Seehundstation lernten wir eine besondere Robbengruppe kennen: die Heuler. So bezeichnet man Jungtiere, die allein zurückgelassen wurden. Aufgrund des beständigen »Rufens« nach der Mutter wurden sie dann »Heuler« genannt. In den Seehundstationen an der Küste werden sie so lange versorgt, bis sie eigenständig draußen in der Nordsee überleben können. Ob der Verlust der Mutter Auswirkungen auf ihr späteres Leben hat, ist nicht erforscht.

Bei uns Menschen ist das aber zweifellos der Fall, wenn wir in unserer Kindheit einen solchen Verlust hinnehmen mussten. Selbst wenn das durch Pflegefamilien oder Kinderheime so gut wie möglich aufgefangen wird, so bleibt der Verlust der Eltern doch ein großes Problem. Es lässt sozusagen ein tiefes Loch in der Seele zurück, das kaum jemals wieder gefüllt werden kann. Oft entsteht daraus ein lebenslanges Defizit, das sich auf verschiedene Weise immer wieder als Störfaktor und Auslöser scheinbar unerklärbarer Verhaltensweisen erweist. So könnte man auch hier von »Heulern« sprechen, deren Schreien aus tiefster Seele leider oft ungehört verhallt.

Nicht jedoch bei Gott, der sich als der Vater von Waisen und Witwen bezeichnet, wie Psalm 68,6 deutlich macht. Das Schreien zu ihm verhallt nicht ungehört. Er will sich um verlassene Seelen kümmern, sie aufnehmen und ihnen ein Zuhause geben. Ja, er vermag so viel Liebe, so viel Wärme und so viel Geborgenheit zu geben, dass es sogar fehlende Mutterliebe mehr als ausgleicht (vgl. Jesaja 66,12-13). Welchen Verlust auch immer es in meinem Leben gibt, es besteht Hoffnung, ihn auszugleichen, weil Gott mich liebt und mich tragen will – vorausgesetzt, ich schreie zu ihm und lasse es zu, dass er sich meiner annimmt.

Joachim Pletsch

? Brauchen Sie einen Beweis der Liebe Gottes zu Ihnen?

! In Jesus Christus, der für uns am Kreuz starb, hat Gott diesen Beweis unüberbietbar geliefert.

† 1. Johannes 3,1-3; 4,10.15-16

Ich kenne deine Werke. Siehe, ich habe eine geöffnete Tür vor dir gegeben, die niemand schließen kann.
OFFENBARUNG 3,8

Eine immer geöffnete Tür

Als Noah mit seiner Familie in der Arche saß, hatte Gott die Tür selbst verschlossen, und das war gut so. Welches Unglück hätte es geben können, wenn Noah unterwegs diese Tür hätten öffnen können, während draußen die Wellen der Sintflut tobten? Aber es gab ein Fenster, das nach oben geöffnet werden konnte. Durch dieses hat Noah auch gegen Ende der Reise den Raben und die Tauben hinausgelassen.

Für alle wahrhaft an das Erlösungswerk Christi Glaubenden ist Jesus die Tür geworden, durch die wir zu jeder Zeit und an jedem Ort Zugang nach oben, zu dem heiligen Gott haben können. Und wie unser Tagesvers sagt, kann niemand diese Tür vor uns verschließen. Sie können wir im Glauben durchschreiten und dann mit dem himmlischen Vater sprechen. Mag es um uns herum auch noch so wüst zugehen, mögen die Wellen des Unglaubens und des Hasses auch noch so hoch schlagen, diese Tür wird davon nie erreicht.

Ja, wie ist es aber, wenn wir selbst etwas Böses getan und ein schlechtes Gewissen haben, steht dann diese Tür auch noch für uns offen? Gott hat auch dafür Vorsorge getroffen und uns gesagt, dass er uns wieder ganz rein von aller Sünde macht, wenn wir sie ihm bekennen (1. Johannes 1,9). Im Alten Testament mussten sich die Priester die Hände und Füße waschen, bevor sie in den Tempel gingen, also vor Gottes Angesicht treten durften. Sie mussten sich erst von allem Unreinen distanzieren, mit dem sie in dieser Welt in Berührung gekommen waren. Das geschah in Verbindung mit äußeren Ritualen und ging im besten Falle auch mit einer inneren Reinigung einher. Auf diese kommt es nämlich an, und durch Jesu stellvertretendes Opfer seines Lebens am Kreuz ist die endgültig zuverlässige Grundlage dafür geschaffen worden. *Hermann Grabe*

? Warum drängeln sich die Leute nicht nach dieser vielversprechenden Möglichkeit?

! Wie großartig wäre es, wenn alle Leser dieser Zeilen Gott bäten, auch Zutritt zu dieser Tür zu erhalten.

† Hebräer 10,19-25

Denn er hat den, der von keiner Sünde wusste, für uns zur Sünde gemacht, auf dass wir in ihm die Gerechtigkeit würden, die vor Gott gilt.

2. KORINTHER 5,21

Vorbilder

Es gibt Menschen, deren Leben vorbildlich ist: Sie engagieren sich z. B. für die Umwelt oder für ihre Mitmenschen. Sie kümmern sich um Drogenabhängige, alte Menschen, Flüchtlinge usw. Ein prominentes Beispiel ist Mutter Teresa: Sie hat sich über viele Jahre in Kalkutta um die Ärmsten und Ausgestoßenen gesorgt und sich selbst dabei nicht geschont.

Es ist sicherlich gut, sich einen solchen Menschen zum Vorbild zu nehmen. Allerdings müssen wir eines beachten: Die guten Taten einer Mutter Teresa bleiben grundsätzlich *ihre* guten Taten. Auch wenn ich mir den verdienstvollsten Menschen zum Vorbild nehme, werden dadurch dessen Verdienste nicht zu den meinen. Ich bin nicht automatisch genauso verdienstvoll, nur weil ich diesem besonderen Menschen nacheifere. Dessen Lebenswerk wird mir nicht zugerechnet. Die beste Tat eines anderen macht mich keinen Deut besser. Das muss ich schon selbst erledigen.

Wie sieht das mit Jesus Christus aus? Der Sohn Gottes hat sich als Mensch absolut und in jeder Facette des Lebens vorbildlich verhalten. Er hat keinen bösen Gedanken gedacht, kein falsches Wort gebraucht und sein Verhalten war stets tadellos. Er war vollkommen gerecht, aus menschlicher wie aus göttlicher Sicht. Er ist *das* perfekte Vorbild. Aber anders als bei jedem anderen Vorbild hat seine Vollkommenheit eine unmittelbare Auswirkung auf mein Leben. Denn wenn ich mein eigenes Versagen erkenne, aber mein ganzes Vertrauen auf diesen Jesus setze, rechnet Gott tatsächlich mir die Gerechtigkeit Jesu so zu, als wäre es mein Verdienst. Und gleichzeitig nimmt er mein Versagen, meine Sünde weg, weil er die Strafe für diese schon an seinem Sohn vollzogen hat. *Markus Majonica*

? Was bewirken Vorbilder in Ihrem Leben?

! Lassen Sie sich Jesu Gerechtigkeit schenken und folgen Sie ihm nach!

† 1. Korinther 1,26-31

Er zählt die Zahl der Sterne, er ruft sie alle mit Namen.

PSALM 147,4

Wem gehört der Weltraum?

Am 29. März 2022 diskutierten Fachleute u. a. aus der Raumfahrtindustrie und dem Weltraumrecht mit Journalisten im Bremer »Universum« über das Thema »Wer darf was im Weltraum?« Hierbei ging es um die rasante Erforschung und Eroberung des Weltalls, um Tausende von Satelliten, die im erdnahen Orbit platziert sind, um jeden Winkel der Welt mit schnellem Internet zu versorgen. Es ging um Weltraumschrott, um Piloten, die dadurch in die Irre geleitet werden, und auch darum, dass uns allen eventuell einmal der Blick in den Sternenhimmel beeinträchtigt wird.

Die Frage, wem der Weltraum gehört, betrifft auch Ressourcen im All, die immer greifbarer werden. Experten für Öffentliches Recht, Medienrecht sowie Luft- und Raumfahrtrecht beleuchteten das Thema aus unterschiedlichen Perspektiven. Man einigte sich darauf, dass das derzeit anwendbare Weltraumrecht von 1967 dringend aktualisiert werden muss: Wer bezahlt die Kosten für die Rückholung eines Satelliten, der auf Kollisionskurs ist? Und wem gehören Bodenschätze auf anderen Planeten? Das alles, so wurde diskutiert, müsse geregelt werden.

Fast jedes Interesse wurde dabei beleuchtet, nur einer ging leer aus: Gott, der Schöpfer und Erhalter des Universums. Das ist doch erstaunlich: Die Menschheit streitet über die Nutzung von Dingen, die einem anderen gehören, nämlich Gott. Wir versuchen, über sein Eigentum zu bestimmen, ohne ihn dazu zu befragen. Was würden Sie tun, wenn jemand einfach die Nutzung Ihres Gartens verplante? Allerdings ist dieses Vorgehen im Verhältnis Mensch-Gott exemplarisch: Wir maßen uns das Herrschaftsrecht über das Leben, die Erde und das Universum an und vergessen, wie winzig wir Menschen sind und wie allmächtig Gott ist.

Hartmut Ulrich

? Sind Sie sich der Größe und Allmacht Gottes bewusst?

! Akzeptieren Sie Gottes Eigentumsrechte!

† Psalm 8

Ich bin der HERR, dein Arzt.

2. MOSE 15,26

Der beste Arzt des Landes

»Wow, wie kann es sein, dass die Lunge nach einer Woche komplett zugewachsen und geheilt ist?!«, fragte der neue Stationsarzt den Chefarzt. Was würde dieser Chefarzt darauf antworten? Es handelte sich hierbei nicht um irgendeinen Chefarzt, sondern um den ärztlichen Direktor der besten Uniklinik im ganzen Bundesland. Es gibt wohl keine bessere Klinik und keinen höhergestellten Arzt im ganzen Land als diesen. Kurz gesagt: Der beste Spezialist für Neugeborene und Kinder weit und breit. Wie kam es zu der Frage, und was antwortete dieser Chefarzt?

Eine Woche zuvor: Unsere neugeborene Tochter wurde nach der Geburt direkt in diese Spezialklinik verlegt. Ihr rechter Lungenflügel war gerissen, und so sank ihre Sauerstoffsättigung rapide ab. Sie musste dauerhaft beatmet werden, und bis der Lungenflügel vollständig zugewachsen wäre, sollte es Wochen dauern.

In dieser aussichtslosen Lage beteten wir. Eine Woche später kamen dann der neue Stationsarzt und der Chefarzt zu unserer Tochter. Der Chefarzt erläuterte dem neuen Kollegen kurz die Situation und bestätigte dann, dass die Lunge wieder zusammengewachsen sei – innerhalb einer Woche! »Wie kann das sein?«, fragte nun der neue Fachmann. Der Chefarzt hätte vieles antworten können; er hätte sich auf die Schulter klopfen können, hätte sein Team und die gute technische Ausstattung des Krankenhauses loben können, er hätte von viel »Glück« reden können, aber all das tat er nicht. Stattdessen sagte er zu unserem Erstaunen: »Diese wundersame Heilung können wir nicht erklären. Es lag wohl an dem Gebet der Eltern.« Bemerkenswert! Ein wissenschaftlich geschulter, rationaler Profi auf seinem Gebiet gesteht ein, dass es nur Gott gewesen sein kann.

Tim Petkau

? Welche wundersamen Dinge haben Sie schon erlebt?

! Beten hilft über Verstehen.

† Psalm 71,1-8

Ich bin der Weg und die Wahrheit und das Leben. Niemand kommt zum Vater als nur durch mich.

JOHANNES 14,6

Ein Momentum

So bezeichnet man einen Augenblick, vielleicht verbunden mit einer besonderen Erfahrung, die sich vom Alltäglichen abhebt und lange in Erinnerung bleibt oder gar zu einer Wende im Leben führt. – So ein »Momentum« erlebten wir, als wir nach vielen Jahren wieder einmal einige Tage an der Nordsee verbrachten. Von unserem Quartier aus hatten wir uns zu einem Fußmarsch an die nur wenige Kilometer entfernte Küste aufgemacht. Als der letzte Deich überwunden war, lag sie dann vor uns: die scheinbar unendliche Weite des Meeres – verbunden mit dem überwältigenden Eindruck, wie verloren man doch als einzelner Mensch in dieser Weite ist.

Wie gut, dass meine Frau und ich uns an der Hand fassen und gemeinsam, ja, unbeschwert diesen Eindruck als überwältigend erfahren konnten. Aber das lag sicher nicht nur daran, dass wir zu zweit, also nicht alleine waren, sondern ganz gewiss auch daran, dass wir um Jesus in unserem Leben wissen. Durch ihn sind wir nicht mehr verloren in der Weite des Lebens, der Welt und des Universums, wo es kein wirkliches Ziel zu geben scheint. Doch durch Jesus, unseren Herrn, kennen wir ein solches Ziel: die ewige Herrlichkeit bei Gott, unserem Vater. Und durch Jesus wissen wir auch, wie man dieses Ziel erreichen kann: Er selbst ist der Weg dorthin, und er selbst begleitet uns dorthin.

Das ist das ultimative Momentum, das im Grunde jeder Mensch braucht, um sich nicht verloren zu fühlen und nicht verlorenzugehen – wenn einem bewusst wird, wie unscheinbar und vergänglich man als Mensch eigentlich ist, sich aber trotzdem geborgen weiß. Wer sich dann haltlos fühlt, kann immer noch die Hand ergreifen, die einen ewig hält und nicht mehr loslässt (vgl. Johannes 10,27-30).

Joachim Pletsch

? Wissen Sie um ein solches »Momentum« in Ihrem Leben?

! Lassen Sie sich von Jesus überwältigen!

† Psalm 31,2.13-25

Als der HERR die Gefangenen Zions zurückführte, waren wir wie Träumende. Da wurde unser Mund voll Lachen und unsere Zunge voll Jubel. Da sagte man unter den Nationen: »Der HERR hat Großes an ihnen getan!«

PSALM 126,1-2

Gedanken zum 1. April

»April, April« ... eine Redensart, die schon für das Jahr 1618 belegt ist. Höchstwahrscheinlich ist sie aber noch viel älter. Seit geraumer Zeit »schicken« sich also schon Menschen an diesem Tag »in den April« – mit erfundenen Spaßgeschichten. Also passen Sie auf, wenn Sie heute von einem Bekannten die Nachricht bekommen: »Im Laden XY gibt es 50 Prozent auf alles!« Oder wenn in einer Klassen-WhatsApp-Gruppe die Meldung erscheint: »Schule findet heute erst drei Stunden später statt.« Selbst Tageszeitungen gönnen sich an diesem Tag häufig den Luxus der Spaßmeldungen. Beispiele für beliebte »Klassiker«: Auf der Insel XY hat man fliegende Pinguine entdeckt. Oder: Großbritannien führt ab heute den Rechtsverkehr ein.

Leider werden jedoch auch am 1. April häufig die Grenzen des harmlosen Spaßes überschritten. Wenn z. B. falsche Einbruchmeldungen und Brandalarme Polizei und Feuerwehr in Atem halten, so vergeht sicherlich manchem Beamten das Lachen. Letztlich sind ja alle Späße zweifelhaft, die auf Kosten anderer gemacht werden.

Überhaupt ist es ja am allerschönsten, wenn Menschen nicht *übereinander*, sondern *miteinander* lachen. So wie in unserem Tagesvers. Die Israeliten waren von Gott mit starker Hand aus der Babylonischen Gefangenschaft befreit worden. Ihre Erleichterung führte zu einem von Herzen kommenden gemeinsamen Lachen. Zwar befinden wir uns heute nicht in einer Gefangenschaft, aber die Botschaft der Befreiung ist im Evangelium von Jesus Christus nach wie vor in dieser Welt: Gott liebt uns und hat seinen Sohn gesandt, damit wir Vergebung und ewiges Leben von ihm geschenkt bekommen können. Diese Nachricht klingt fast unglaublich. Aber ... halten Sie sich fest: Sie ist kein April-Scherz, sondern sie ist wahr! *Stefan Nietzke*

? Wie stehen Sie zu der biblischen Botschaft der Befreiung?

! Es ist in diesem Fall äußerst wichtig, diese Nachricht nicht für einen Witz oder Spaß, sondern für wahr zu halten.

† 1. Korinther 15,1-11

Aber du, HERR, kennst alle ihre Anschläge gegen mich, dass sie mich töten wollen. So vergib ihnen ihre Missetat nicht und tilge ihre Sünde nicht aus vor dir!

JEREMIA 18,23

Das geht zu weit!

Jeremia war ein Prophet Israels in einer Zeit des moralischen Niedergangs. Gottes Volk zog sich immer mehr von Gott zurück. In dieser Situation erhielt Jeremia den Auftrag, seine Zeitgenossen zu warnen. Mit ihrem gottlosen Verhalten rannten seine Landsleute geradewegs in ihr Unglück. Jeremia war diese Gefahr sehr bewusst. Aus Liebe zu seinem Volk wies er öffentlich auf die fatalen Folgen dieses Irrwegs hin. Doch hörte man nicht auf ihn, im Gegenteil: Um den unbequemen Mahner zum Schweigen zu bringen, plante man seinen Tod. Als er von den Anschlagsplänen erfuhr, machte er seiner Enttäuschung in einer Klage gegenüber Gott Luft. So sehr hatte er sich um seine Mitmenschen bemüht, und sie dankten es ihm mit Mordabsichten. Das geht zu weit! Das ist unentschuldbar! Vergib ihnen das nicht!

Rund 600 Jahre nach Jeremia tritt Jesus Christus auf. Er, der Sohn Gottes, setzte sich zeit seines öffentlichen Wirkens für seine Mitmenschen ein. Er verkündete die Möglichkeit, durch Umkehr und Glauben an ihn Frieden mit Gott zu finden. Und er warnte vor den ewigen Folgen, falls man dieses Friedensangebot ausschlägt. Wie Jeremia war auch Jesus für die meisten Menschen ein unbequemer Mahner. Also planten auch hier die Menschen, Jesus zu töten. Doch während die Bibel das Ende Jeremias nicht berichtet, bezeugt sie, dass die Feinde Jesu (scheinbar) zum Ziel kommen. Sie töten den Sohn Gottes am Kreuz!

Wäre hier nicht – erst recht – der Ruf angebracht: Vergib ihnen nicht! Doch im Gegenteil: Im Angesicht des Todes betet der Sohn Gottes am Kreuz für seine Mörder: »Vater, vergib ihnen, denn sie wissen nicht, was sie tun.« Jesu Liebe ist so tief, dass sie die Feindschaft der Menschen überwindet, um uns zu retten!

Markus Majonica

? Wie könnte Gott seine Liebe besser beweisen?

! Ergreifen Sie die Hand des Mannes, der für Sie gestorben ist!

† Lukas 23,33-43

Der Segen des HERRN macht reich,
und eigene Mühe fügt ihm nichts hinzu.
SPRÜCHE 10,22

Vergeblich bemüht?

Ohne Fleiß kein Preis! Wer kennt nicht dieses Sprichwort, das auf den antiken griechischen Dichter Hesiod zurückgeführt wird. Und bis heute prägt dieser Leistungsgedanke unsere Gesellschaft. Es kommt, so die gängige Meinung, allein auf eigene Leistung und Anstrengung an, um es im Leben zu etwas zu bringen. Das ist nicht grundsätzlich verkehrt. Doch ist »Fleiß« kein Automatismus für »Preis« und Erfolg. Denn es gibt viele unwägbare Faktoren, die die Gleichung »je mehr ich leiste, desto weiter werde ich kommen« zunichtemachen können. Die Lebenserfahrung zeigt, dass auch ehemals eher leistungsschwache Mitschüler mit etwas Glück heute mehr Geld verdienen als der Klassenprimus von früher. Mancher ist vielleicht begabt, intelligent und strengt sich an. Dennoch versagt ihm das Leben den erwarteten Erfolg, und er kommt nie über das Mittelmaß hinaus. Manch einer hat sich so ein Leben lang vergeblich bemüht.

Auch im Verhältnis zu Gott wenden viele Menschen das Leistungsprinzip an. Doch hier gelten völlig andere Maßstäbe. Hier zählt allein der Glaube. Wer meint, man könne Gott damit beeindrucken, dass man sich ordentlich anstrengt, Gutes tut oder viel Geld spendet, irrt gewaltig.

Natürlich sind all diese Dinge an sich nicht verwerflich. Aber Gott kommt es auf die innere Haltung an: Gott sucht Menschen, die ihm vertrauen und daran glauben, dass Jesus, der Sohn Gottes, für die Sünden der Menschen und damit auch für ihre eigenen Sünden gestorben ist. Das ist das, was zählt, um in Gottes Sinn ein gelungenes Leben zu führen. Und im Gegensatz zum weltlichen Leistungsprinzip ist der Lebenserfolg für den Glaubenden ganz sicher. Denn der Segen des Herrn macht am Ende wirklich reich.

Axel Schneider

? Bemühen Sie sich, ein guter Mensch zu sein?

! Humanismus ist falsch verstandenes Christentum.

† Römer 3,21-31

Meinst du nicht, dass ich meinen Vater um Hilfe bitten könnte und er mir sofort mehr als zwölf Legionen Engel stellen würde?

MATTHÄUS 26,53

Der große Unterschied

Schon lange weiß ich, dass Jesus freiwillig sein Leben opferte, indem er sich seinen Peinigern auslieferte und alle Qualen geduldig über sich ergehen ließ. Doch ich stellte mir die Frage: Was war mit all den anderen Menschen, die auch grausam hingerichtet wurden und deren Todeskampf teilweise sogar noch länger dauerte als bei Jesus? Reichten ihre Leiden nicht aus, um ihre eigene Schuld zu begleichen?

Doch je mehr ich mich mit den biblischen Berichten über das Sterben Jesu beschäftigte, desto klarer wurde mir, dass das Leiden Jesu auf einer ganz anderen Ebene stattfand. Jesus kannte jede Einzelheit seines Lebens im Voraus und während der gesamten Zeit seines Leidens stand ihm seine göttliche Macht in vollem Umfang zur Verfügung. Kein Mensch kann erahnen, welche Kraft nötig war, während der unvorstellbaren Qualen der Kreuzigung darauf zu verzichten!

Richtig bewusst wurde mir das, als ich den Film »Die Passion Christi« von Mel Gibson sah. Als sie ihm die Dornenkrone verpassten! Als die Peitschenhiebe mit voller Wucht seinen Rücken trafen! Als man ihm mit brutalen Hammerschlägen die Nägel durch Hände und Füße trieb! Zu jedem Zeitpunkt seines Leidens hätte Jesus mit einem einzigen Machtwort seine Peiniger vernichten und damit sein Leiden beenden können. Als die Hohenpriester und Schriftgelehrten ihn verspotteten, hätte er tatsächlich vom Kreuz herabsteigen können. Doch er blieb hängen. Er hielt durch und rief am Ende: »Es ist vollbracht!«

Auf diese Weise hat Jesus die Macht Satans und den Hass der Menschen besiegt. Seine scheinbare Niederlage auf Golgatha war der größte Sieg, der in der Geschichte der Menschheit je errungen wurde. Er starb für jeden Einzelnen von uns.

Günter Seibert

? Welche Bedeutung hat das Leiden und Sterben Jesu für Sie?

! Es lohnt sich, sich die Berichte über das Sterben Jesu genauer anzuschauen. Da gibt es viel zu entdecken.

† Matthäus 27,27-50

Nimm dich in Acht, dass du den HERRN nicht vergisst, der dich herausgeführt hat aus dem Land Ägypten, aus dem Sklavenhaus.

5. MOSE 6,12

Gegen das Vergessen

Wissen Sie, warum Lothringen Lothringen heißt? Einfach gesagt darum: Es gab einmal einen Herrscher, der hieß Lothar, ein Enkel Karls des Großen, heute vor 1200 Jahren zum Mitkaiser gekrönt. Er übernahm das große Frankenreich von seinem Vater, musste aber seine beiden Brüder an der Herrschaft beteiligen. Den Westen erhielt Karl (der Kahle), den Osten erbte Ludwig (der Deutsche) und Lothar blieb Kaiser mit einem Mittelreich, das von Holland bis nach Norditalien reichte. Dieses Mittelreich wurde nach ihm bald Lotharingien genannt. So sind wir hier Deutsche und die im Westen Franzosen, und dazwischen gibt es noch Lothringen. Der Name dieses Herrschers wirkt damit bis in unsere Zeit hinein. Es scheint bei den meisten Deutschen allerdings üblich geworden zu sein, alles, was jenseits des 20. Jahrhunderts liegt, aus der Erinnerung zu streichen. Das gilt auch für Personen oder Sachverhalte, die bis heute unsere Gegenwart auf die eine oder andere Weise beeinflussen.

Wenn man das Alte Testament liest, finden sich viele Textstellen, in denen Vergangenes erwähnt wird. Oft steht dabei die Aufforderung, das Erlebte nicht zu vergessen: So sollten die Israeliten nicht vergessen, dass ihr Urvater ein heimatloser Aramäer (5. Mose 26,5) war. Im Tagesvers mahnt Gott die Israeliten, ja nicht zu vergessen, wem sie ihr Leben und ihre Freiheit verdanken. Dieses Wissen sollte für jeden Israeliten zum Gepäck gehören, um damit das eigene, gegenwärtige Leben geistig zu ordnen. Israel sollte aus seiner Geschichte lernen. Denn wenn man auf solches Wissen verzichtet und vergisst, dass man letztlich Gott alles verdankt, wird man schnell undankbar. Und man wiederholt Fehler, vor denen die Erinnerung an Vergangenes hätte bewahren sollen.

Karl-Otto Herhaus

? Inwieweit prägt Ihre Vergangenheit Ihre Gegenwart?

! Vergessen Sie nicht, was Gott Ihnen schon Gutes getan hat.

† Psalm 103

Denn ich hielt es für richtig, unter euch nichts zu wissen als allein Jesus Christus, ihn, den Gekreuzigten.

1. KORINTHER 2,2

Die Bedeutung des Kreuzes Jesu

Kritiker des Glaubens stellen die Frage: »Warum musste dieser brutale Tod am Kreuz sein? Bei eurem Glauben dreht sich alles um ein Hinrichtungsinstrument. Konnte Gott nicht einen sanfteren Weg beschreiten, um mit uns Menschen ins Reine zu kommen?« Alle »Warums« greifen nicht, weil sie die Sünde verharmlosen. Und das scheint mir die Krankheit unserer Zeit zu sein. Sünde und Kreuz sind untrennbar miteinander verbunden. Nur am Kreuz können wir ablesen, was wir in keinem Buch der Denker und Philosophen finden:

Das Kreuz zeigt uns, welch tiefe Kluft die Sünde zwischen Gott und Mensch gerissen hat. Der Abgrund ist so unermesslich, dass die Hölle die Folge davon ist (vgl. Matthäus 25,46).

Das Kreuz gibt uns eine realistische Vorstellung davon, wie weit Gott in seiner Liebe zu uns geht. Um den Preis für die Sünde zu begleichen, riss er sich mit seinem Sohn Jesus buchstäblich sein Liebstes vom Herzen.

Das Kreuz Jesu ist die tiefste Herablassung Gottes. Der Schöpfer des Universums und allen Lebens lässt sich wie ein Verbrecher hinrichten, ohne sich zu wehren. Welch hoher Preis für die Sünde! Nach dem am Kreuz ausgesprochenen Wort »Es ist vollbracht!« (Johannes 19,30) kann Jesus nun jeden Sünder zu sich einladen und ihm ewiges Leben schenken: »... wer zu mir kommt, den werde ich nicht hinausstoßen« (Johannes 6,37). Es gilt aber auch: Wer nicht kommt, bleibt verloren – sogar ewig!

Das Kreuz markiert das Ende aller menschlichen Erlösungswege. Darum konnte Jesus so ausschließlich verkündigen: »... niemand kommt zum Vater denn durch mich« (Johannes 14,6). Daraus folgt: Kein anderer Name und kein menschliches Gedankensystem hat rettende Kraft. *Werner Gitt*

? Welche Bedeutung hat das Kreuz Jesu für Sie?

! Rufen Sie den Retter Jesus an, um rechtzeitig Vorsorge für die Ewigkeit getroffen zu haben!

† 1. Korinther 15,54-57

Wir schauen auf Jesus, ... der um der vor ihm liegenden Freude willen, ... das Kreuz erduldete.

HEBRÄER 12,2

Der Blick nach oben

Dabei muss ich an herrliche Bergtouren denken. Nach stundenlangem Aufstieg, das Ziel vor Augen und dann – schweißgebadet am Gipfelkreuz angekommen. Aber die Strapazen sind vergessen; ich kann mich nicht sattsehen. Die herrliche Bergwelt!

Der Blick nach oben motivierte auch Jesus Christus. Heute erinnern wir uns an sein Leiden und Sterben. Karfreitag kommt vom althochdeutschen »kara« und bedeutet Klage und Trauer. Doch dabei blieb Jesus nicht stehen. In allem Leid am Kreuz sah er nach oben. Er betete zu seinem Vater und übergab sich seinem Willen. Und so konnte er kurz vor seinem Tod sagen: »Vater, in deine Hände übergebe ich meinen Geist.«

Und gleichzeitig wusste er auch um den Lohn seiner Leiden und Schmerzen. Denn zu diesem Lohn gehören alle Menschen, die sein Erlösungswerk für sich persönlich angenommen haben. Sie machen nämlich deutlich, dass Jesus Christus, der Sohn Gottes, nicht umsonst gestorben ist, sondern damit Menschen aus der Verlorenheit rettete. Dieser Ausblick bedeutet für ihn Freude. Die gute Botschaft von Karfreitag ist: Jesus Christus starb für uns, um den Lohn der Sünde, den Tod, stellvertretend für uns zu bezahlen.

Lassen Sie sich heute ermutigen! Richten Sie Ihren Blick nach oben zu dem Mann am Kreuz – nicht zurück, nicht auf andere, nicht auf sich selbst, sondern auf Jesus, den Heiland der Welt. Sein Leiden und Sterben sind Grundlage für ein neues Leben. Seine größte Freude Karfreitag 2023 wäre, wenn auch Sie zu seinem Lohn dazu gehören. Der Blick »nach oben« lohnt sich für Sie. Dadurch wird Jesus Christus geehrt, und für Sie selbst darf die Hinwendung zum Mann am Kreuz zum Heil werden. *Hartmut Jaeger*

? Was hindert Sie, das Erlösungswerk von Jesus Christus anzunehmen?

! Schauen Sie auf den Mann am Kreuz! Er starb dort an Ihrer statt. Danken Sie ihm dafür!

† Hebräer 12,1-3

Er hat unsere Sünden selbst an seinem Leib getragen auf dem Holz, damit wir, den Sünden gestorben, der Gerechtigkeit leben mögen; durch seine Wunden seid ihr heil geworden.

1. PETRUS 2,24

Friday for Future

Da stehen sie – junge und ältere Menschen, die sich Freitag für Freitag auf den Weg machen, um für eine bessere Welt zu demonstrieren. Sie klagen Politiker an, nicht genug für Umweltschutz, nachhaltige Produktion und weniger Fleischkonsum zu tun.

Da stehen sie – Frauen und Männer, und sie schauen traurig und verzweifelt auf den Toten. Zwischen zwei Verbrechern wurde Jesus an einem Holzkreuz hingerichtet. Sie hatten ihn drei Jahre seines Lebens eng begleitet und viel von ihm gehört und gelernt. Jesus hatte Wasser in Wein verwandelt, Kranke geheilt und immer wieder von seinem Vater im Himmel, von Gott, gesprochen. Hatte er ihnen nicht auch eine bessere Zukunft versprochen?

Die Kreuzigung Jesu ist für mich der tatsächliche »Friday for Future«. Der Tag, der mir handfeste Hoffnung auf Besserung bietet. An Karfreitag erinnern wir uns daran, dass Jesus am Kreuz gestorben ist. Sein Tod ist die Lösung für das schwerwiegendste Problem, das jeder von uns hat. Jeder Mensch ist nämlich ein Sünder, also jemand, der schlechte Taten begangenen hat und deshalb keine Gemeinschaft mit Gott haben kann. Die Sünde trennt uns Menschen von Gott. Wir Menschen können von uns aus die Sünde nicht loswerden und müssen mit dem Tod bestraft werden.

Doch Gott hat eine Lösung: Er schickte seinen Sohn auf die Erde, und dieser konnte durch seine Sündlosigkeit alle Schuld auf sich nehmen. Durch den Glauben an seinen stellvertretenden Tod können wir von unserer Sünde befreit werden. Was für ein Geschenk, was für eine Zukunftsaussicht! Jeder, der an Jesus und sein Opfer glaubt, kann wieder Gemeinschaft mit Gott haben und darf sich auf eine herrliche Zukunft im Himmel freuen.

Ann-Christin Bernack

? Wie sieht für Sie eine »bessere Zukunft« aus?

! Jesus Christus starb auch für Ihre Sünden am Kreuz.

Offenbarung 21,1-7

Nun aber ist Christus aus den Toten auferweckt ...

1. KORINTHER 15,20

Jesus Christus lebt!

Ostersonntag gilt als der ranghöchste Feiertag im Kirchenjahr. Als Christ freue ich mich über die herrliche Tatsache, dass mein Herr und Heiland, Jesus Christus, der Sohn Gottes, auferstanden ist.

Schade, dass dieses historische Ereignis bis heute infrage gestellt wird. Und nicht zuletzt auch deshalb, weil man sich fragt: Wie kann Jesus *drei Tage* und *drei Nächte* im Grab geblieben sein, wenn er am Freitag gekreuzigt wurde und am Sonntag auferstand? Jesus prophezeit ja in Matthäus 12,40: »Denn wie Jona *drei Tage* und *drei Nächte* im Bauch des Fisches war, so wird auch der Menschensohn *drei Tage* und *drei Nächte* im Innern der Erde sein.« Da kann doch etwas nicht stimmen?

Viele Kritiker meinen, dass Jesus dreimal eine 24-Stunden-Periode im Grab gewesen sein müsse, und datieren die Kreuzigung auf Donnerstag oder noch früher. Dabei legen sie unsere Zeitrechnung zugrunde und nicht die jüdische.

Tatsache ist: Jesus Christus starb an einem Freitag. Nach jüdischer Denkweise zählt ein Teil des Tages für den ganzen Tag. Er war im Grab einen Teil des Freitags, zählend für den ganzen Freitag, den ganzen Samstag und einen Teil des Sonntags, was für den ganzen Sonntag zählt. So stand er nach drei Tagen vom Tod auf. Jesus Christus ist auferstanden! Das ist eine unerschütterliche Tatsache.

Gleichzeitig ist es auch die Grundlage für Ihre und meine Auferstehung. Und da gibt es zwei Möglichkeiten: die Auferstehung zum Gericht und die zum Leben. Jeder, der an Jesus Christus, den gestorbenen und auferstandenen Sohn Gottes, glaubt und sein Erlösungswerk für sich angenommen hat, wird zum Leben auferstehen und für alle Zeit bei ihm in der Herrlichkeit sein. Das ist die gute Botschaft zu Ostern. *Hartmut Jaeger*

? An welcher Auferstehung werden Sie teilnehmen – an der zum Leben oder an der zum Gericht?

! Der Glaube an den auferstandenen Jesus Christus bedeutet Leben.

† Johannes 11,17-27

Musste nicht der Christus dies leiden und in seine Herrlichkeit eingehen?

LUKAS 24,26

Alternativlos

Zwei Männer auf der staubigen Straße nach Emmaus vor rund 2000 Jahren, voller Trauer und Verwirrung. Nun war es schon der dritte Tag, seitdem ihr Meister Jesus zum Tode verurteilt und an einem Kreuz hingerichtet worden war. Dieser Mann, auf den sie ihre Hoffnung gesetzt hatten, war nicht mehr da. Während sie noch diskutieren, tritt ein Dritter dazu. Scheinbar weiß er gar nichts von dem, was sich kurz zuvor in Jerusalem abgespielt hatte. Also klären sie ihn auf: über den Prozess gegen Jesus, das Urteil, die Hinrichtung, aber auch über die neuesten Gerüchte: Jesu Körper sei nicht mehr in seinem Grab. Engel seien erschienen. Einige Frauen behaupteten sogar, er lebe.

Und nun beginnt dieser scheinbar Fremde, der niemand anderes als der auferstandene Christus ist, diese beiden Männer über die zwingende Notwendigkeit des Geschehens rund um seine Person aufzuklären: »Musste nicht …?« Tod und Auferstehung des Messias – »Musste« es nicht genau so sein? Mit den Worten »Musste nicht …« macht der Sohn Gottes deutlich, dass sein Weg ans Kreuz in jeder Hinsicht alternativlos war. Kein menschliches Verdienst, nicht der frömmste Gottesdienst der Menschen hätte die Schuld der Menschheit vor einem völlig gerechten Gott auszugleichen vermocht. Das ging nur, indem der völlig gerechte Mensch und Gottessohn Jesus selbst für die Ungerechten stirbt – und von den Toten aufersteht. Gerade mit der Auferstehung dokumentiert Gott, dass dieses Opfer seines Sohnes wirklich Frieden schafft zwischen Gott und den Menschen.

Aber dieses »Musste nicht …« bedeutet auch, dass es zu dem Glauben an diesen gekreuzigten und auferstandenen Jesus keine Alternative gibt, wenn ich wirklich Frieden mit Gott haben will.

Markus Majonica

? Warum ist der Glaube an Jesus alternativlos?

! Dem geht es ewig gut, der seine Zuflucht bei Jesus sucht.

† Lukas 24,13-35

Ich bin die Auferstehung und das Leben. Wer an mich glaubt, wird leben, auch wenn er stirbt; und jeder, der lebt und an mich glaubt, wird in Ewigkeit nicht sterben.

JOHANNES 11,25-26

Der auferstandene Christus

Der auferstandene Jesus war rein äußerlich derselbe, wie ihn die Menschen vor der Auferstehung kannten. Und doch ist einiges anders. Zweierlei wollen wir hier betrachten:

1. Bleibende Nägelmale: Die Nägelmale von der Kreuzigung und die Wunde vom Speerstich in seine Seite waren auch nach seiner Auferstehung sichtbar. Sie sind das bleibende Siegeszeichen über Sünde, Tod und Teufel. Johannes der Täufer hatte Jesus als das Lamm Gottes angekündigt, das der Welt Sünde trägt (vgl. Johannes 1,29). Mit dem Ausruf Jesu am Kreuz *»Es ist vollbracht!«* war der Sieg errungen. Im Himmel wird dieser Sieg Jesu gelobt: »... denn du bist geschlachtet und hast mit deinem Blut Menschen für Gott erkauft aus allen Stämmen und Sprachen und Völkern und Nationen« (Offenbarung 5,9). In Jesaja 49,16 wird uns etwas sehr tief Greifendes offenbart: »Siehe, in die Hände habe ich dich gezeichnet ...« Es sind dies die Hände unseres Erretters Jesus, wo unsere Namen auf ewig eingraviert sind.

2. Ungebunden an Raum und Zeit:Wir alle auf der Erde leben unter den einschränkenden Bedingungen von Raum und Zeit. Wir sitzen auf dem »Fließband der Zeit« und fahren alle mit derselben Geschwindigkeit dahin. Ebenso einengend wirkt der Raum auf uns. Wir können immer nur an einer definierten Stelle sein. Für den auferstandenen Jesus gab es derlei Begrenzungen nicht mehr. Wände und verschlossene Türen waren für ihn keine Einschränkungen mehr (vgl. Johannes 20,19). Er hatte uneingeschränkte Macht – »Mir ist gegeben alle Gewalt im Himmel und auf Erden« (Matthäus 28,18) – und konnte gleichzeitig an verschiedenen Orten erscheinen und auch wieder verschwinden. Darum sicherte er den Jüngern zu: »Und siehe, ich bin bei euch alle Tage bis an der Welt Ende« (Matthäus 28,20).

Werner Gitt

? Können Sie das Wunder der Auferstehung fassen?

! Halten Sie sich an den Auferstandenen! Er ist der Garant auch für Ihre Auferstehung.

† Johannes 21,1-14

Danach erschien er Jakobus, dann den Aposteln allen; zuletzt aber von allen [...], erschien er auch mir.

1. KORINTHER 15,7-8

Fünf Fakten für die Auferstehung

Vor einiger Zeit unterhielt ich mich mit einem Freund über die Auferstehung von Jesus. Während des Gesprächs bot er einen Erklärungsversuch, der die »Auferstehung« vielleicht ganz natürlich erklären könnte, ganz ohne »Wunder«. Er merkte dann aber schnell selbst, dass seine Theorie einige Schwachstellen hatte.

Tatsächlich wurden im Laufe der Zeit schon viele alternative Erklärungen zur Auferstehung angeboten. Woran liegt das? Historiker, die ein übernatürliches Wunder ablehnen, zerbrechen sich den Kopf an den geschichtlichen Tatsachen. Es gibt nämlich fünf Fakten, die derart gut belegt sind, dass nahezu alle Forscher, die sich mit der Person Jesus von Nazareth beschäftigen, sie als historisch gesichert akzeptieren. Dies trifft sowohl auf Christen als auch auf Skeptiker zu.

Die Fakten sind: **1.** Jesus starb durch eine Kreuzigung, eine Art der Hinrichtung, in der die Römer perfekt waren. **2.** Seine Jünger waren völlig überzeugt davon, dass ihnen der auferstandene Jesus nach seinem Tod begegnet ist. Ja, sie waren derart überzeugt, dass sie bereit waren, für diese Wahrheit zu sterben. **3.** Der Christenverfolger Paulus war sich so sicher, dem Auferstandenen begegnet zu sein, dass er daraufhin selbst ein Nachfolger von Jesus wurde. **4.** Gleiches gilt für Jakobus, den Halbbruder von Jesus, der vor dessen Kreuzigung noch ein großer Skeptiker gewesen war. **5.** Das Grab war leer (dies akzeptieren im Unterschied zu den vorigen Fakten »nur« 75 % der Forscher).

Welche naturalistische Theorie kann diese Fakten zufriedenstellend erklären? Keine. Doch warum glauben viele Historiker trotzdem nicht an die leibliche Auferstehung von Jesus? Sie müssten zugeben, dass Jesus wirklich auferstanden ist. Sie müssten zugeben: Jesus lebt! *Jonathan Loos*

? Welche Konsequenz müsste man aus der Tatsache ziehen, dass Jesus auferstanden ist und lebt?

! Auf die Begegnung mit ihm sollte man gut vorbereitet sein.

† Johannes 20,24-29

Ich schäme mich nicht, denn ich weiß, wem ich geglaubt habe, und bin überzeugt, dass er mächtig ist, mein anvertrautes Gut bis auf jenen Tag zu bewahren.

2. TIMOTHEUS 1,12

Watergate

Charles Wendell (genannt Chuck) Colson war Berater des US-Präsidenten Richard Nixon und seinem Chef völlig ergeben. Für diesen ging er kompromisslos vor und kannte alle Tricks. So war er auch an den Vorgängen beteiligt, die als die sogenannte Watergate-Affäre in die Geschichtsbücher eingingen. Wegen seiner eigenen Verstrickung wurde er zu einer Gefängnisstrafe verurteilt. Was wie eine Sackgasse klingt, war für Colson tatsächlich der Beginn eines völlig neuen Lebens. Durch ein Buch, das er vor seiner Verhaftung erhielt, erlebte er, was das Evangelium von Jesus Christus bedeutet: Vergebung der Schuld und ein neues Leben. Nach Verbüßung seiner Haft gründete er die »Prison Fellowship«, eine Gefangenenhilfsorganisation, und engagierte sich für diese bis zu seinem Tod 2012. Erstaunlich finde ich, dass Colson durch die Watergate-Affäre nicht nur den lebendigen Glauben an Jesus Christus kennengelernt hat, sondern gerade dadurch von dessen Auferstehung völlig überzeugt wurde. Er schrieb hierzu (übersetzt):

»Ich weiß, dass die Auferstehung eine Tatsache ist, und Watergate hat mir das bewiesen. Wie? Weil zwölf Männer bezeugt haben, dass sie Jesus nach seiner Auferstehung von den Toten gesehen haben, und dann diese Wahrheit rund 40 Jahre proklamierten, ohne diese einmal zu leugnen. Jeder von ihnen wurde geschlagen, gefoltert, gesteinigt oder ins Gefängnis geworfen. Das hätten sie nicht ertragen, wenn das nicht die Wahrheit gewesen wäre. In Watergate waren zwölf der mächtigsten Männer der Welt verstrickt – und sie konnten ihre Lügen nicht einmal für drei Wochen für sich behalten. Sie sagen mir, die zwölf Apostel hätten eine Lüge über 40 Jahre aufrechterhalten können? Absolut unmöglich.«

Markus Majonica

? Welche Meinung haben Sie zur Auferstehung von Jesus?

! Nur *der* Same bringt seine Frucht, der zuvor stirbt!

† Apostelgeschichte 5,27-33

Und seid nicht gleichförmig dieser Welt, sondern werdet verwandelt durch die Erneuerung des Sinnes, dass ihr prüft, was der Wille Gottes ist: das Gute und Wohlgefällige und Vollkommene.

RÖMER 12,2

Der Ruhrpott: Eine Region im Wandel

»Du wohnst im Ruhrgebiet? Du Armer!« So mancher Gesprächspartner hat schon mitleidige Worte gefunden, als er von meinem Wohnort hörte. Anscheinend haben viele Menschen noch das Bild von rauchenden Hochöfen, verdreckter Luft und grauen Wohnsiedlungen im Kopf. Doch wohl kaum eine Region in Deutschland hat mehr Veränderungen durchgemacht als der »Pott«. Ende der 1950er-Jahre sinkt die Nachfrage nach Ruhrkohle und stürzt die Region in eine Krise. Man beginnt umzudenken. Bisher gibt es keine Universität, wenige Ausbildungsangebote, keine Naherholungsgebiete. Doch der Strukturwandel wird angegangen. Das Straßen- und S-Bahn-Netz wird ausgebaut, Stauseen und Grünflächen werden geschaffen, es folgen Investitionen in Energie, Bildung und Kultur, neue Arbeitsplätze im Dienstleistungssektor entstehen. Bis heute sind die Menschen durch stetigen Wandel herausgefordert und erleben Veränderungen hautnah.

Mich begeistert die Art und Weise, wie das Ruhrgebiet und seine Bewohner mit all den Tiefschlägen der letzten Jahrzehnte umgegangen sind. Was mich ebenfalls begeistert, ist der Wandel in Menschen mit einer Beziehung zu Gott. Sie erleben nicht nur einen »Strukturwandel«, sondern eine völlige, innere Erneuerung. Gott selbst, der durch den Heiligen Geist in jedem Gläubigen wohnt, bewirkt diese »Verwandlung«, von der auch der heutige Tagesvers spricht. Leitlinie dafür ist der Wille Gottes, den er uns in seinem Wort, der Bibel, mitteilt. Echte Vergebung, selbstlose Hilfsbereitschaft, das Ende von Süchten oder innerliche Ruhe in Schwierigkeiten werden dann zur Wirklichkeit. Die Chance dazu will Gott jedem geben, und nötig haben wir diese Veränderung alle, denn ohne sie würden wir bleiben, was wir von Natur aus sind: hoffnungslos verloren. *Thomas Bühne*

? Sehnen Sie sich nach innerer Veränderung?

! Gott selbst bewirkt einen grundlegenden Wandel, wenn Sie eine Beziehung mit ihm beginnen.

† 2. Korinther 5,17-21

Nein, eure Vergehen haben die Mauer gebaut,
die zwischen euch und eurem Gott steht.
Eure Sünden verhüllten sein Gesicht, dass er euch
auch nicht anhören will.

JESAJA 59,2

Bleibt die Ampel ewig rot?

Vor der Tür zur Facharztpraxis bildete sich eine Warteschlange. Das Praxisteam hatte eine Ampelanlage installiert, um die Anzahl der Patienten in den Räumen zu begrenzen. Die rote Anzeige mit der Aussage »Nicht eintreten« war eindeutig: Der Zugang war gesperrt. So stand ich mit vielen weiteren Patienten vor der Tür, obwohl die Zeit für meinen vereinbarten Termin längst erreicht war. Erst nach einer gefühlten Ewigkeit kam eine Sprechstundenhilfe von der anderen Seite an die Tür und stellte erstaunt fest, dass die Ampel nicht auf Grün umgesprungen war. Wie sich herausstellte, war die Wand zwischen Arztpraxis und den wartenden Patienten so dick, dass die Funkimpulse nicht bei der neuen Anlage ankamen.

Mich erinnert dieses Erlebnis an das, was Jesaja beschreibt: Zwischen Gott und uns Menschen steht eine Mauer, die uns den direkten Zugang zu ihm versperrt. Mit unseren Gedanken, Worten und Taten haben wir Gottes gute Gebote übertreten. Diese Sünden trennen uns wie eine Mauer von Gott. Die Zugangs-Ampel steht auf Rot. Wir selbst sind nicht in der Lage, sie auf Grün umzustellen. Weder gute Werke noch Spenden oder sonstige Anstrengungen können unsere Sünden ungeschehen machen. Doch die gute Nachricht ist: Gott möchte nicht, dass wir draußen bleiben müssen. Er liebt uns und möchte der Arzt sein, der uns ewiges Leben schenkt. Darum ist er nicht tatenlos auf der anderen Seite der Wand geblieben, sondern zu uns gekommen. In seinem Sohn hat er uns den Zugang geöffnet. Jesus Christus hat mit seinem stellvertretenden Tod am Kreuz den Preis für unsere Schuld auf sich genommen. Weil er für unsere Sünde bezahlt hat, steht die Tür zu Gott denen offen, die durch den Glauben zu ihm kommen wollen.

Andreas Droese

? Was ist Ihre normale Reaktion, wenn die Ampel vor Ihnen auf »Grün« springt?

! Bleiben Sie nicht vor der Tür stehen! Jesus Christus hat den Zugang zu Gott für Sie geöffnet.

✝ Offenbarung 3,20

... bis du erkennst, dass der Höchste über das Königtum der Menschen herrscht und es verleiht, wem er will.

DANIEL 4,22

Leihgaben

Wir hatten Ferien und waren unterwegs, um Verwandte zu besuchen. Kurz vor einer Kurve kam uns in rasender Fahrt ein Auto entgegen, das einfach geradeaus fuhr, über die Leitplanke flog und im Abgrund verschwand. Der Wagen wurde durch einige Bäume abgebremst und stand unten scheinbar ziemlich heil auf seinen vier Rädern. Dann kam der Fahrer über die Leitplanke geklettert. Er blutete ein wenig und weinte. Als ich sagte, er könne eigentlich froh sein, dass er noch lebe, sagte er: »Ja, aber das Auto habe ich mir nur ausgeliehen. Was mache ich jetzt?«

Man hätte lieblos antworten können, dass er sich das ein paar Minuten vorher hätte klarmachen sollen. Dann wäre ihm das Unglück nicht passiert. Aber es ist nicht unsere Aufgabe, einen Menschen, der ins Unglück gestürzt ist, noch tiefer in die Tonne zu treten. Stattdessen sollten wir uns selbst klarmachen, dass nicht nur ein Auto des Onkels eine Leihgabe ist, sondern ebenso alles, was wir sind und haben. Alles sind göttliche Leihgaben, mit denen wir im Sinne des Verleihers arbeiten sollen, weil wir alle einmal darüber Rechenschaft geben müssen, was wir aus und mit diesen Leihgaben gemacht haben.

In den beiden Geschichten von den geliehenen Talenten und den Pfunden (siehe die Bibellese) wird uns das sehr deutlich gesagt. Da spielt es auch keine Rolle, ob wir an die Bibel glauben oder nicht, genauso wenig, wie es darauf ankommt, was der arme Autofahrer dazu sagt. Es wird gelten, was der Onkel entscheidet. Und so wird auch gelten, was Gott gesagt hat. Der Unterschied besteht allerdings darin, dass auch ein reicher Onkel nur über begrenzte Mittel verfügt, während Gott unendlich reich ist und alles Versäumnis herzlich gern vergibt, wenn wir ihn ehrlich darum bitten.

Hermann Grabe

? Mit welcher Leihgabe sind Sie nicht sorgfältig umgegangen?

! Gehen Sie mit dem, was Gott Ihnen gibt, sorgsam um! Setzen Sie es in seinem Sinne ein, z. B. verbunden mit Nächstenliebe!

† Matthäus 25,14-30

Siehe, handbreit hast du meine Tage gemacht, und meine Lebenszeit ist wie nichts vor dir; nur ein Hauch ist jeder Mensch, wie fest er auch steht.

PSALM 39,6

Lebenswert

Im Blick auf die Ewigkeit ist das Leben nur ein winziger Moment. Mit unserer Geburt ist der Tag des Sterbens schon beschlossene Sache. Dazwischen liegen 70, 80 oder 90 Jahre. Tatsächlich ist diese Zeit nur wie ein Hauch. Je älter man wird und auf sein Leben zurückblickt, desto surrealer kommt es einem manchmal vor, wie schnell all die Jahre vergangen sind. Alles, was für uns während dieses Lebens vielleicht eine Zeit lang wichtig gewesen ist, verliert scheinbar irgendwann seine Bedeutung.

Diese Einsicht führt leicht in Desillusionierung und Resignation. Warum soll man sich abmühen auf dieser Erde? Warum Reichtümer anhäufen oder berühmt werden? All dies ist doch sehr vergänglich. Und selbst wenn man sein Leben nur dafür nutzte, seine eigenen Interessen voranzutreiben, so führt dies letztlich ins Nichts, weil der sichere Tod alles zerstört.

Oder kommt doch noch etwas danach, was dem Leben einen Sinn geben könnte? Immerhin glauben noch fast zwei Drittel der Deutschen an eine Existenz nach dem Tod. Allerdings gibt es sehr unterschiedliche Ansichten dazu, wie dies wohl aussehen mag. Obwohl sich über die Hälfte aller Deutschen als Christen bezeichnen, glauben nur etwa 30 % an einen Himmel und nur etwa halb so viel an die Hölle.

Tatsächlich enthält die Bibel klare Aussagen darüber, *dass* es ein Leben nach dem Tod gibt und *wie* dieses aussieht. Dort erleben wir die Konsequenz unseres diesseitigen Lebens. Haben wir hier gelernt, auf den Sohn Gottes zu vertrauen, erhalten wir ewiges Leben. Haben wir das nicht, ernten wir ewige Trennung von Gott. Erst dieser klare Blick erlaubt uns, unser Leben hier mit einem klaren Ziel und damit lebenswert zu leben. Denn hier bestimmen wir unsere Ewigkeit.

Axel Schneider

? Was glauben Sie?

! Es gibt einen sicheren Weg über den Tod hinaus.

† 1. Korinther 15,35-49

Wie wunderbar sind deine Werke!

PSALM 66,3

Hier staunt nicht nur der Materialwissenschaftler

Spinnen können hochfeine Fäden mit einer so erstaunlichen Kombination mechanischer Eigenschaften herstellen, dass Materialwissenschaftler ins Schwärmen geraten. Bei hoher Zugfestigkeit (vergleichbar mit Stahl) ist die Spinnenseide gleichzeitig sehr elastisch. Der Rahmenfaden eines Spinnennetzes mit einer Zugfestigkeit im Bereich von einer Milliarde Pascal (= 1 GPa) reißt bei einem Durchmesser von einem Millionstel Meter (1 µm) unter einer Last von bis zu 80 Milligramm. Umgerechnet auf ein Seil von 1 cm Durchmesser geschieht dies erst bei einer Last von 8 Tonnen. Es ist überaus erstaunlich, dass ein so leichtes organisches Material wie Spinnenseide solche Werte aufweist. Die gleichzeitige Festigkeit und starke Dehnbarkeit macht das Material so außergewöhnlich.

Eine einzelne Radnetzspinne wie z. B. die Gartenkreuzspinne *(Araneus diadematus)* kann bis zu sieben verschiedene Fadensorten zugleich herstellen. Jeder Faden ist dabei für eine spezielle Aufgabe optimiert: Festigkeit der Rahmenfäden, Klebrigkeit und Dehnbarkeit der Fangfäden. Wissenschaftler versuchen, die Geheimnisse dieses Materials zu entschlüsseln. Obwohl Spinnenseide im Wesentlichen nur aus zwei Proteinen aufgebaut ist, ist der Bauplan bisher trotz intensiver Forschung nicht bekannt. Unklar ist auch, wie die Struktur zu derart besonderen mechanischen Eigenschaften führt. Genau diese Kenntnisse wären aber erforderlich, um das Erfolgsrezept der Spinnenseide auch für den Menschen in künstlichen Materialien nutzbar zu machen. Diese wunderbaren Eigenschaften ihrer Seide haben sich die Spinnen sicher nicht selbst ausgedacht. Was jeden Materialwissenschaftler zum Staunen bringt, zeigt, dass dahinter eine wahrhaft göttliche Schöpferintelligenz stehen muss. *Werner Gitt*

? Sollte das nicht zum Staunen über den Konstrukteur anregen?

! Wenden Sie sich an den Schöpfer, der bereits auf Sie wartet!

† Lukas 6,46-49

Aus der Tiefe rufe ich zu dir, o HERR:
Herr, höre meine Stimme!
Lass deine Ohren aufmerksam sein
auf die Stimme meines Flehens!

PSALM 130,1-2

»Der ist mir zu glatt!«

Joggen ist für mich zu einer Leidenschaft geworden. Besonders wertvoll ist es, dies in Gemeinschaft mit meinen Nachbarn zu tun. Was ich so schätze: Man kann reden, muss es aber nicht! Es ist nicht komisch, wenn wir auch mal eine Weile schweigen – wir laufen ja eigentlich. Hat jedoch einer etwas »auf dem Herzen«, kann er es während des Laufens loswerden. So ergeben sich immer wieder wertvolle Gespräche: über die Arbeit, Familie, die Kinder, Gott und die Welt – wirklich bereichernd. Aus Nachbarn werden Freunde!

Bei einem dieser Läufe mit Klaus (Name geändert) redeten wir über einen gemeinsamen Bekannten: Wolfgang (Name geändert). Plötzlich stieß Klaus hervor: »Der ist mir zu glatt!« Klaus hatte kein Interesse, privat Zeit mit Wolfgang zu verbringen. Die Beziehung war einfach oberflächlich, kalt, korrekt, »smalltalkmäßig«. Nie ging es in die Tiefe. Schade! Aber mich freute, dass Klaus an tiefgründigen Beziehungen interessiert ist. Da konnte ich mitgehen!

Ich frage mich: Wie viele unserer Beziehungen sind eher glatt als tief? Bloß nichts Persönliches preisgeben. Ein aufgesetztes Lächeln und stets ein »Alles gut!« auf den Lippen. So bleibe ich unangreifbar, unnahbar, aber auch glatt und oberflächlich. Eigentlich einsam!

Und noch etwas: Gott ist ebenfalls nicht an Oberflächlichkeit interessiert. Er will über eine bloße Kirchenbank hinaus. Er will an mein Herz. Das Gute: Er kennt mich sowieso. Ich kann versuchen, ihm etwas vorzumachen. Es wird erfolglos bleiben. Eine Beziehung lebt von Offenheit und Transparenz! Ich kann ehrlich sagen, was mich beschäftigt. Nicht auswendig gelernt, nicht in einer besonderen Tonlage, ohne Fachbegriffe, sondern einfach von Herzen – eben nicht glatt! *Willi Dück*

? Wann haben Sie Gott das letzte Mal ehrlich gesagt, was Sie bewegt?

! Gott möchte Ehrlichkeit, nicht Oberflächlichkeit.

† Lukas 7,36-50

Denn wer sich an sein Leben klammert,
der wird es verlieren. Wer aber sein Leben für mich
und für Gottes rettende Botschaft aufgibt,
der wird es für immer gewinnen.
MARKUS 8,35

Ulrich von Augsburg und Otto der Große

Im Jahr 973 mussten zwei Männer ihr Leben lassen, die beide auf ihre Art für den Gang der deutschen Geschichte von großer Bedeutung waren: Otto I. war seit Beginn seiner Regierung dabei, die widerspenstigen Reichsfürsten zu unterwerfen. Ein großer Schritt war es, die Mehrheit dieser Adligen hinter sich zu bringen, als es darum ging, die Einfälle der Ungarn endgültig abzuwehren. Dies gelang ihm 955 durch den Sieg auf dem Lechfeld bei Augsburg.

Einer seiner tatkräftigsten Helfer war der Bischof Ulrich von Augsburg, der mit dem Brustharnisch unter der Soutane auf den Mauern die Verteidigung der Stadt leitete und dadurch zum Sieg Ottos erheblich beitrug. Ulrich wurde seitdem zu einem der wichtigsten Berater und Helfer des späteren Kaisers. Er nahm teil an dem großartigen Aufstieg Ottos, dem es 962 gelang, sich in Rom zum Kaiser krönen zu lassen und damit das Kaisertum Karls des Großen zu erneuern und diese Würde ins Ostfrankenreich zu ziehen, wo sie bis 1806 blieb.

Der Einsatz dieser beiden tatkräftigen Männer hatte aber nicht nur entscheidenden Einfluss auf die deutsche Geschichte. Durch ihr Lebenswerk hatten sie zugleich erheblichen Anteil an der Ausbreitung des christlichen Glaubens durch die spätere Mission in Mittel- und Osteuropa. In diesem Gebiet entstanden die Städte Wittenberg und Halle, also spätere Zentren des evangelischen Glaubens. Wir können daraus lernen, dass der Einsatz von zwei beherzten Männern viel bewegen kann, wenn Gott, der eigentliche Herr der Geschichte, das zulässt. Doch muss man weder König noch Bischof sein, um Positives zu bewegen. Jeder, der sein Leben für Gott einsetzt, wird in seiner Umgebung und damit für seine Nachwelt gute Spuren hinterlassen.

Karl-Otto Herhaus

? Wie sehen Ihre Lebensspuren aus?

! Orientieren Sie sich an dem, was Gott wichtig ist!

† Matthäus 19,27-30

Seine unsichtbare Wirklichkeit, seine ewige Macht und göttliche Majestät sind nämlich seit Erschaffung der Welt in seinen Werken zu erkennen.
Die Menschen haben also keine Entschuldigung.
RÖMER 1,20

Künstliche Intelligenz – ist sie wirklich lernfähig?

Mein Handy korrigiert mir automatisch Fehler oder macht mir sogar Vorschläge, um ein Wort oder gar einen Satz zu vollenden. Das ist im Allgemeinen sehr praktisch. Nur das Wort »Gott« existiert im Vokabular dieses Programms offenbar nicht! Dieses muss ich immer selbst vollständig ausschreiben, obwohl ich es recht oft verwende, besonders im Zusammenhang mit Danksagung im Englischen wie »thanks to God«. Dabei wird vom Hersteller behauptet, die eingebaute künstliche Intelligenz sei lernfähig und würde sich dem Nutzer anpassen. Ich frage mich nur: Warum stellt sich mein Handy dumm, wenn es um »Gott« geht? Scheuen sich die Programmierer, in ihren Logarithmen Gott zu berücksichtigen? Leider, so erscheint es mir bei Besuchen in Europa, wird das Wort »Gott« offenbar nicht gerne gehört, und man wird eher belächelt oder gar geächtet, wenn man gottgläubig ist.

Dabei zeigt uns doch die Natur in aller Deutlichkeit, dass es einen Schöpfergott gibt. Gerade wenn man genau hinschaut und sich die Details ansieht. Meines Erachtens braucht es mehr »Glauben« an den Zufall, um all die mikrobiologischen Zusammenhänge, oft irreduzible komplexe Systeme, die wir heute kennen, zu erklären, als die Existenz eines Schöpfers zu akzeptieren. Ein solches irreduzibles System ist zum Beispiel unser Immunsystem, dem viele besonders in der Corona-Zeit ihr Leben verdankten.

Zusätzlich haben wir die Bibel, die uns diesen Gott beschreibt. Er beweist seine Liebe zu uns Menschen durch seinen Sohn Jesus Christus mit dessen Leben und Sterben auf dieser Erde. Er möchte, dass alle Menschen gerettet werden, sie brauchen nur an Jesus zu glauben und ihn als ihren Erlöser anzuerkennen.

Martin Grunder

? Wem würden Sie im Ernstfall mehr vertrauen, der künstlichen Intelligenz – oder Gott?

! Lassen Sie sich von Gottes Wort, der Bibel, leiten!

† 5. Mose 6,4-25

Ich preise dich darüber, dass ich auf eine erstaunliche, ausgezeichnete Weise gemacht bin. Wunderbar sind deine Werke, und meine Seele erkennt es sehr wohl.

PSALM 139,14

Wunderbar!

Viele haben sich schon die Frage gestellt, ob man als denkender Mensch an den Schöpfer-Gott der Bibel glauben kann. Und manche kommen zu dem Ergebnis, dass es hier keinerlei Probleme gibt. Glaube und Wissenschaft können einander ergänzen. Die eigentliche Frage ist folglich eine andere, nämlich: Will ich überhaupt an diesen Schöpfer-Gott der Bibel glauben? Oder anders formuliert: Legt es mir nicht zu viele Beschränkungen auf, wenn ich an diesen Gott der Bibel glaube?

Ein paar Überlegungen dazu: Wenn Gott langweilig, kleinkariert, knausrig und spießig wäre, wie manche behaupten, hätte er unsere Welt dann so gemacht, wie sie ist? Hätte er sich dann majestätische Berge und Wasserfälle, malerische Sonnenuntergänge, Schnee und unsere Sexualität ausgedacht? All das zeigt uns, dass wir einen GOTT DER FREUDE haben. All das hat er sich ausgedacht, um uns zu beschenken! All das genießen wir über die Maßen! Wieso gibt es nicht nur eine Sorte Blumen? Wieso sehen nicht alle Menschen gleich aus? Wieso gibt es Mann und Frau? Wieso greifen alle Öko-Systeme ineinander, ohne sich gegenseitig zu schaden? All diese Wunder zeigen uns etwas von der Genialität, Macht, Intelligenz und Kreativität unseres Schöpfers.

Endgültig begraben konnte ich mein Spielverderber-Bild von Gott, als ich Menschen kennenlernte, die wirklich mit ihm lebten. Nach wenigen Wochen konnte ich in ihrem Leben sehen, dass sie das hatten, was ich immer gesucht habe: Freude, Sicherheit, Sinn und Hoffnung. Und sie hatten es, weil sie durch Jesus zu Gott gefunden hatten, der uns den Weg zu ihm zurück gebahnt hat. Durch das Leben dieser Menschen wusste ich, dass er die Wahrheit war. Und als ich mich Jesus anvertraute, erlebte ich es selbst.

Stefan Hasewend

? Welche Vorbehalte haben Sie gegenüber Gott?

! Prüfen Sie einmal, wie er in der Bibel bezeugt wird!

† Psalm 139,1-18

Angst und Bedrängnis haben mich erreicht.
Deine Gebote sind meine Lust.

PSALM 119,143

Die Streichholzbibel

»Alle strammstehen!«, herrschte der Lagerkommandant die Häftlinge an, die gerade beim trüben Licht einer Glühbirne ihre Mittagssuppe löffelten. »Durchsuchung!« Drei Soldaten kontrollierten die Baracke gründlich und förderten die letzten Schätze der Gefangenen zutage, die sie durch bisherige Kontrollen hatten retten können: ein Foto, ein Stück Seife und einige Zigaretten. Aber der kostbarste Schatz blieb unentdeckt und befand sich auf dem Boden der Suppenschüssel: eine Mini-Bibel.

Für viele gläubige Soldaten in der UdSSR, denen der Besitz einer Bibel strengstens verboten war, waren diese Mini-Ausgaben der Evangelien der größte Schatz. Sie wurden in den 70er-Jahren im Westen hergestellt und hinter den Eisernen Vorhang geschmuggelt. Sie waren kaum größer als eine Streichholzschachtel, die unzerreißbaren, wasserfesten Seiten aus einem speziellen Material hergestellt, das auch bei minus 40 °C noch biegsam war, aber auch Hitze aushielt. Sie konnten im Schnee, im Suppentopf oder Trinkbecher versteckt werden.

Warum wurde der Aufwand betrieben, so etwas Ungewöhnliches zu produzieren? Warum gingen Menschen das Risiko ein, diese Mini-Bibel zu besitzen, wo doch bei ihrer Entdeckung Folter, Tod oder Einzelhaft drohte? Die Bibel war immer gefürchtet und bekämpft von totalitären Regimes, die ihre Macht mit niemandem teilen wollten. Aber auch geliebt und unter größten Risiken gelesen von Menschen, die darin Trost, Heil und Leben fanden. In der Bibel muss mehr stecken als ein paar dumme Märchen-Geschichten. Sie ist zu brisant, als dass man sie ungelesen im Regal verstauben lassen sollte. Zu wichtig, als dass man sie ignorieren dürfte. Nutzen wir doch die Freiheit, in der wir leben, und lesen selbst, was dieses alte Buch zu sagen hat!

Elisabeth Weise

? Was ist Ihnen die Bibel wert?

! Lesen Sie heute bewusst ein Kapitel dieses einzigartigen Buches!

† Psalm 119,161-176

»So spricht der Herr, HERR!«
Wer hören will, der höre, und wer es lässt, der lasse es!
HESEKIEL 3,27

Man kann wählen

Mancher Kalenderleser mag sich fragen, worin sich die konservative oder altmodische Theologie von der modernen unterscheidet. Sind es nur die Formulierungen oder die unterschiedlichen Betonungen mancher Wahrheiten, oder gibt es da unüberbrückbare Unterschiede, durch die sie sich gegenseitig ausschließen? Das zu entscheiden, möchte ich den Lesern überlassen. Ich will nur auf einige Unterschiede aufmerksam machen.

Vor rund 500 Jahren versuchten die Reformatoren, den Urzustand der Kirche zur Zeit der Apostel wiederherzustellen. Sie haben uns hinterlassen, was ihre Grundsätze waren. Sie sagten, **1.** dass alles von dem Sohn Gottes, von Jesus Christus, abhinge; **2.** dass nur die Bibel als das von Gott eingegebene Wort Grundlage aller geistlicher Erkenntnis sei; **3.** dass nur der Glaube selig mache und dass keine »guten Werke« unsererseits etwas dazu beitrügen; **4.** dass alles einzig der Gnade Gottes zu verdanken und von ihr zu erwarten sei, und **5.**, dass alles allein der Verherrlichung des dreieinen Gottes dienen dürfe. Die moderne Theologie stellt im Geist der Aufklärung den menschlichen Verstand als oberste Erkenntnisquelle dar. Was unser Verstand an biblischen Aussagen nicht annehmen kann, kann es demnach nicht geben. Es muss umgedeutet oder schlichtweg übergangen werden. So heißt es, dass niemand übers Wasser laufen könne. Darum sei das in Wirklichkeit nicht geschehen. Genauso könne niemand Tote auferwecken. Darum sei auch Christus niemals auferweckt worden, und so fort.

Wo sollte Theologie im Sinne ihrer wörtlichen Bedeutung (Lehre von Gott) sein? Möglichst nahe bei Gott oder nahe beim Menschen? Dazu kann man sagen: Je näher sie bei Gott ist, desto näher kommt sie auch dem Menschen. Umgekehrt funktioniert das nicht. *Hermann Grabe*

? Welcher Sichtweise neigen Sie zu?

! Unser Glaube muss selbst dem Sterben noch standhalten können.

† 1. Korinther 15,12-19

Und wenn ein Baum nach Süden oder nach Norden fällt, an der Stelle, wo der Baum fällt, da liegt er.

PREDIGER 11,3

Mein Freund, der Baum ...

Oft passiert es mir auf meiner täglichen Fahrradstrecke durch den Wald zur Arbeitsstelle, dass nach stürmischer Nacht der Weg versperrt ist; heftige Stürme gibt es in Ostfriesland besonders häufig, und die haben schon manchen Baum auf meinen Weg fallen lassen und ihn unpassierbar gemacht. Ohne die mit Motorsägen und schwerem Gerät ausgestatteten Bautrupps wäre so ein Weg auf unabsehbare Zeit versperrt, denn »wo der Baum fällt, da liegt er«.

Im Jahr 1968 sang die Sängerin mit dem Künstlernamen »Alexandra« ihr selbst komponiertes, tief melancholisches Lied: »Mein Freund, der Baum, ist tot / er fiel im frühen Morgenrot ...«, womit sie sehr schnell sämtliche Hitlisten anführte. Nur ein Jahr später verstarb sie, nur 26 Jahre alt, bei einem tragischen Verkehrsunfall, zusammen mit ihrer Mutter. Ihren Vater hatte sie Anfang desselben Jahres tot in seiner Hamburger Wohnung aufgefunden. Das traurige Schicksal von Doris Treitz, so Alexandras bürgerlicher Name, hat damals die ganze Nation berührt, und vielen wurde sicherlich die unabänderliche und eigentlich schockierende Endgültigkeit des Lebensendes bewusst.

In Johannes 8,24 zeigt Jesus Christus, warum auf uns alle der Tod wartet: Wir sterben wegen unserer Sünden. Doch er macht gleichzeitig deutlich, dass der Glaube an ihn zum ewigen Leben rettet (Johannes 3,16). Mit einem, der an ihn glaubt, wird dasselbe geschehen, was mit ihm selbst geschah: Er wird vom Tod auferstehen. Welch eine Hoffnung! Welch eine gute Nachricht! Wer sich für Jesus entscheidet, der bleibt nicht einfach liegen, wo er hinfällt. Er wird zu neuem Leben erweckt und ewig die Gemeinschaft dessen erleben, der ihn durch sein Sterben und Auferstehen vom Tod gerettet hat: Jesus.

Erwin Kramer

? Welche Entscheidung treffen Sie?

! Die Entscheidung zum Leben muss unbedingt getroffen werden, bevor der Tod kommt.

† Johannes 5,24-29

Denn von innen aus dem Herzen der Menschen kommen die bösen Gedanken hervor: Unzucht, Dieberei, Mord, Ehebruch, Habsucht, Bosheit …

MARKUS 7,21-22

Herzensangelegenheit (1)

»Warum können die Menschen nicht einfach in Frieden zusammenleben?«, fragte mich mein Kollege auf der Arbeit. Der Krieg in der Ukraine war gerade losgegangen, und er war fassungslos. Wir unterhielten uns weiter über die Menschheitsgeschichte und stellten fest, dass sie im Wesentlichen eine einzige Aneinanderreihung von Kriegen ist.

Bei uns ist ja noch heile Welt! Aber auch dieser Schein trügt. Der Krieg hat sich nur verlagert. Jede zweite Ehe zerbricht, und viele, die nicht zerbrechen, gleichen einem Stellungskrieg. Am Arbeitsplatz wird das Ganze »Mobbing« genannt. Und wie geht es Ihnen persönlich mit diesem Thema? Wie ist es um die Beziehungen in Ihrer Familie bestellt? Und in der Großfamilie? Wie innig und liebevoll ist das Verhältnis zu den Nachbarn und Arbeitskollegen? Wir merken: Das betrifft auch uns! Warum ist das so? Warum gibt es überall Konflikte, wenn eigentlich doch jeder in Frieden und Harmonie zusammenleben möchte? Was stimmt mit uns nicht?

Die Bibel gibt uns im heutigen Tagesvers eine klare Antwort darauf: Das Problem ist unser Herz. Alle bösen Gedanken haben dort ihren Ursprung, und sie haben das Potenzial, zu Taten zu werden. Jeder Mord beginnt mit Hass, jeder Ehebruch mit Gedankenspielereien. Diese Diagnose tut weh. Wir denken vielleicht, das System sei schuld, die Gesellschaft, die Politik, die Erziehung, die … Aber all diese »Systeme« bestehen letztlich aus Menschen – Menschen, deren Herzen böse Gedanken hervorbringen. Der Prophet Jeremia spricht sogar davon, dass unser Herz »unheilbar« ist (Jeremia 17,9). Wenn unser Herz unheilbar ist, dann gibt es eigentlich nur eine Lösung für unser Problem: Wir brauchen ein *neues* Herz. Und genau das möchte Gott uns schenken …

Stefan Hasewend

Welche Gedanken aus Ihrem Herzen würden Sie gerne abstellen?

Was wir selbst nicht schaffen, soll uns zu Gott hintreiben.

Lukas 19,1-10

Und ich werde euch ein neues Herz geben und einen neuen Geist in euer Inneres geben; ... und ich werde machen, dass ihr in meinen Ordnungen lebt und meine Rechtsbestimmungen bewahrt und tut.

HESEKIEL 36,26-27

Herzensangelegenheit (2)

Gestern haben wir festgestellt, das wir ein »unheilbares Herz« haben. Auch wenn wir das Richtige wollen, schaffen wir es doch oft nicht, es umzusetzen. Das zeigt die gesamte Menschheitsgeschichte: Gott gibt den ersten beiden Menschen *ein* Gebot, sonst herrschte vollkommene Freiheit unter perfekten Bedingungen – und sie brechen es. Als die Welt einige Zeit später sehr verdorben ist, macht Gott mit Noah und seiner Familie einen Neustart, aber die falsche Ausrichtung des Herzens bereitet weiter Probleme. Nachdem Gott das Volk Israel durch gewaltige Wunder aus Ägypten geführt hat, lädt er sie ein, ihm zu vertrauen und sein Volk zu sein. Das Volk ist begeistert und möchte alles tun, was Gott gefällt. Aber sie schaffen es nicht und brechen innerhalb kürzester Zeit die Zehn Gebote, die Gott ihnen gegeben hat. Der Grund dafür: ein unheilbares Herz, bei dem keine Behandlung anschlägt.

Aber Gott hat eine herrliche Lösung: ein *neues* Herz. Etwas, was man nicht mehr heilen kann, muss ersetzt werden! Dieses neue Herz kommt in Verbindung mit einem neuen Geist, dem Geist Gottes. Und der verändert – wie wir im Tagesvers sehen – unser Denken und Wollen. Plötzlich *will* ich so leben, wie es Gott gefällt. Es ist kein Zwang von außen mehr, sondern ein inneres Bedürfnis. Im Hebräerbrief heißt es dazu: »Meine Gesetze gebe ich in ihren Sinn [ihr Denken] und werde sie auch auf ihre Herzen schreiben« (Hebräer 8,10).

Das Ganze hört sich eigentlich unglaublich an. Hätte ich es nicht selbst erlebt und auch bei anderen Menschen beobachtet – ich würde es vielleicht nicht für möglich halten! Bleibt eigentlich nur die Frage: Wie komme ich zu diesem neuen Herz? Wie kann ich einen »OP-Termin« bei Gott bekommen? Das schauen wir uns morgen an ...

Stefan Hasewend

? Trauen Sie Gott eine »Herz-OP« bei Ihnen zu?

! Es liegt alles bereit, um sie erfolgreich durchzuführen.

† Jeremia 31,31-34

Nahe ist der HERR denen, die zerbrochenen Herzens sind, und die zerschlagenen Geistes sind, rettet er.

PSALM 34,19

Herzensangelegenheit (3)

Bei guten Herzspezialisten gibt es bekanntlich eine lange Wartezeit. Nicht so bei Gott! Ein »Herz-OP«-Termin ist sofort für jeden möglich. Im Tagesvers werden die Voraussetzungen genannt: ein zerbrochenes Herz und ein zerschlagener Geist. Das beschreibt einen Menschen, der bekümmert ist über seine eigene Unfähigkeit, so zu leben, wie es Gott gefällt. Er sehnt sich danach, seine Schuld vor Gott loszuwerden. Er sehnt sich nach Veränderung. Er möchte seine Rebellion gegen Gott beenden und ein neues Leben mit ihm beginnen. Deshalb kommt er im Gebet Hilfe suchend zu Gott. Und solch einen Menschen rettet Gott! Er vergibt ihm die Schuld. Das ist möglich, weil sein Sohn Jesus Christus die Strafe für alle Schuld bereits am Kreuz getragen hat.

Aber Gottes Rettung geht noch viel weiter: Er hat festgelegt, dass jeder, der an diese Stellvertretung glaubt, »in Christus« ist, also mit Christus verbunden bleibt. Deshalb ist er eine neue Schöpfung: »Daher, wenn jemand in Christus ist, so ist er eine neue Schöpfung; das Alte ist vergangen, siehe, Neues ist geworden« (2. Korinther 5,17). Ein solcher Mensch hat dann ein neues Herz. Es ist ein Herz, das sich nach Gott sehnt und lernbereit ist; ein Herz, in das Gott etwas »hineinschreibt«, was uns Orientierung in Bezug auf seinen Willen gibt. Und das nimmt dann in unserem Leben zunehmend Gestalt an.

Nicht alles verändert sich von heute auf morgen. Aber es hat eine grundlegende Veränderung im Herzen stattgefunden: Man möchte Gott gefallen, ihn immer besser kennenlernen und für ihn leben. Das ist eine völlig neue Lebensqualität. Da gerät man nicht mehr außer Atem, sondern schafft auch die steilsten Wege und die längsten Treppen, ohne dass man Atemnot bekommt.

Stefan Hasewend

? Was hält Sie noch von der »Herz-OP« zurück?

! Sie werden staunen über die neue Lebensqualität.

† 2. Korinther 6,1-10

Lehre uns bedenken, dass wir sterben müssen,
auf dass wir klug werden.

PSALM 90,12

Das Dementi des eigenen Todes

Schock in der Fußballwelt! Am 30. April 2022 gab die Familie des berühmt-berüchtigten Mino Raiola bekannt: Der Spielerberater ist im Alter von 54 Jahren an den Folgen einer Lungenerkrankung verstorben. Raiola fädelte Spielertransfers von Topstars wie Zlatan Ibrahimović, Paul Pogba und Erling Haaland ein. An jedem Transfer verdiente er kräftig mit. Sein Verhandlungsstil galt als knallhart, bei den Managern war er gefürchtet, von den Spielern wurde er verehrt. Er soll durch Spielervermittlungen ein Vermögen von bis zu 100 Millionen Euro aufgehäuft haben.

Doch – starb er wirklich an jenem 30. April? Schon zwei Tage zuvor nämlich hatten Zeitungen bereits Meldungen über seinen Tod veröffentlicht. Diese Berichte dementierte Raiola allerdings noch umgehend selbst auf Twitter: »Aktueller Gesundheitszustand für alle, die sich wundern: Ich bin empört, weil sie mich zum zweiten Mal innerhalb von 4 Monaten umgebracht haben. Scheinbar kann ich mich wiederbeleben.« Es hatte den Anschein, als wolle (und könne) ein Mino Raiola selbst entscheiden, wann er die Weltbühne verlässt. Aber auch für den Mann, der am Verhandlungstisch nicht zu schlagen war, kam eine Krankheit, mit der man nicht verhandeln konnte und die seinen Tod bestimmte.

Vielleicht haben Sie auch die volle Kontrolle über Ihr Leben. Das Haus ist abbezahlt, ein sicherer Job, alle Schäfchen im Trockenen und für den Notfall gut versichert. Was kann da noch passieren? Raiola erinnert mich an den Mann aus der heutigen Bibellese. Wer weiß schon, wann seine Zeit abläuft? Es kann ganz plötzlich gehen. Von einem auf den anderen Augenblick stehen Sie vor dem lebendigen Gott, der selbst von sich sagt, dass er Lebende und Tote richten wird.

Thomas Bühne

? Haben Sie sich auf diesen Augenblick schon vorbereitet?

! Bringen Sie Ihr Leben mit Gott in Ordnung, solange Sie es noch können!

† Lukas 12,16-21

Und bei euch sind sogar die Haare auf dem Kopf alle gezählt. Seid darum ohne Furcht!

LUKAS 12,7

137964 minus 1 = 137963

So könnte es aussehen, wenn wieder einmal ein Haar von unserem Kopf fällt. Die Anzahl der Haare eines Menschen ist abhängig von der Farbe und der Dicke. Beispielsweise haben rothaarige Menschen ca. 90 000 Haare auf ihrem Kopf, Schwarzhaarige ca. 100 000, Braunhaarige ca. 110 000 und blonde Menschen um die 150 000 Haare. Pro Quadratzentimeter der Kopfhaut sind dort in etwa 220–310 einzelne Haare aufzufinden. Das Wachstum beläuft sich bei der Kopfbehaarung auf 2,5 mm pro Woche, was einen Tageswert von 0,36 mm aufweist, in zwei Jahren sind das etwa 30 cm. Diese Zahlen beziehen sich auf weltweite Durchschnittswerte (Quelle: Statista).

Die Überschrift nimmt den Tagesvers ernst, dass Gott stets Kenntnis nimmt, wenn eins unserer Haare den Kopf verlässt. Wenn Gott selbst über so etwas Banales wie die Anzahl der Haare auf dem Kopf Bescheid weiß, wie viel mehr wird er dann unsere echten Nöte, Sorgen und Ängste kennen?! Gott nimmt Dinge unseres Lebens wahr, die wir kaum bemerken, oft unbeachtet lassen, und die uns erst dann ein Problem werden, wenn die »Glatze« fortschreitet.

Das ist unglaublich tröstlich! Gott sieht alles, was ich übersehe. Gott nimmt Anteil am scheinbar Unbedeutenden und am ganz Wesentlichen. Das gibt uns Zuversicht und Mut. Ihm entgeht nichts. Meine Frau hatte nach der ersten Geburt große Sorge, als ihr büschelweise die Haare ausfielen. Doch Gott hatte es gesehen, ihre Befürchtung ernst genommen und wieder vollen Haarwuchs geschenkt. Wie wunderbar, das im Kleinsten erleben zu können. In den wirklichen Lebenssorgen und Alltagsproblemen ist er immer noch derselbe Gott. Er nimmt Kenntnis, Anteil und will uns gerne helfen. Wir sollten ihn einfach darum bitten! *Gabriel Herbert*

? Wie gehen Sie jetzt damit um zu wissen, dass Gott Sie kennt und sucht?

! Gott kennt uns besser, als wir uns selbst kennen.

† Lukas 12,4-7

Da sprach ich: Hier bin ich, sende mich!

JESAJA 6,8

Kein Sicherheitsbeauftragter zu finden?

Für diesen Job gab es keine Bewerbungen! Als die Stelle des Sicherheitsbeauftragten in unserem Kreditinstitut neu zu besetzen war, mussten wir feststellen: Niemand hatte Interesse, die Aufgabe zu übernehmen. Wie wichtig die Funktion war, war den meisten Mitarbeitern bewusst. Doch niemand wollte die Verantwortung tragen. Alle Versuche, Kollegen aus anderen Bereichen für die Stelle zu gewinnen, schlugen fehl. Die Mitarbeiter schreckten vor den hohen fachlichen und persönlichen Anforderungen zurück. Man wusste, dass der Beauftragte oft auf sich allein gestellt war. Noch dazu musste man damit rechnen, dass nicht alle Kollegen mit Verständnis auf die Tätigkeit reagierten. Denn für sie war es eine unwillkommene Störung ihres Arbeitsalltags, wenn der Beauftragte mit ihnen Sicherheitsanforderungen ihres Fachbereichs thematisieren musste.

Im Gegensatz dazu musste Jesus Christus nicht mit Engelszungen überredet werden, »Sicherungsbeauftragter« für uns Menschen zu werden. Dabei war die »Stellenbeschreibung«, die Gott seinem Sohn vorgelegt hat, noch viel herausfordernder. Jesus musste seine himmlischen Vorrechte zur Seite legen, als Mensch auf der Erde geboren werden und von Beginn an Ablehnung erleiden. Obwohl es sein Auftrag war, die Menschen vor der realen Bedrohung einer ewigen Verlorenheit zu retten, fühlten sie sich von ihm gestört. Die wenigen, die ihn begleiteten, ließen ihn in der Stunde seiner größten Not im Stich. Schließlich hing er alleine am Kreuz, um dort die Strafe für unsere Schuld zu tragen. Das alles hat Jesus Christus bereits gewusst, als er vor seinem Kommen auf die Erde dem Vater antwortete: »Hier bin ich, sende mich!« Aus Liebe zu uns meldete er sich freiwillig.

Andreas Droese

? Mit welcher Haltung begegnen Sie dem, der freiwillig die schwerste Aufgabe der Weltgeschichte übernahm?

! Wenn Jesus Sie anspricht, geht es immer um das, was zu Ihrem Besten dient.

† Philipper 2,5-11

Siehe, Kinder sind eine Gabe des HERRN,
und Leibesfrucht ist ein Geschenk.

PSALM 127,3

Miet-Bäuche

Vielen Paaren bleibt das Glück, Nachwuchs zu bekommen, versagt. Dies kann sehr schmerzlich sein und ist oft schwer zu akzeptieren. Sind die üblichen Kinderwunsch-Behandlungen erfolglos geblieben, lassen manche als letzten Ausweg ein Baby von einer Leihmutter austragen. Dies ist in Deutschland durch das Embryonenschutzgesetz verboten, im Ausland aber möglich. Die Top-Destination für internationale bezahlte Leihmutterschaft ist die Ukraine. Dort ist es sogar erlaubt, ein »Designerbaby« in Auftrag zu geben, wofür die Kunden aus Datenbanken eine Eizellspenderin und einen Samenspender aussuchen können.

Das Motiv für Frauen, Leihmutter zu werden, ist meist Armut, was von Kinderwunsch-Agenturen rigoros ausgenutzt wird. In diesem inhumanen Geschäft ziehen sie und die Kinder den Kürzeren. Die Leihmütter haben strenge Verträge einzuhalten, die medizinische Behandlungen, Essgewohnheiten und sogar ihr Sexualverhalten regeln. Sie müssen direkt nach der Geburt vom Kind getrennt werden und auf ihre Rechte als leibliche Mutter verzichten. Leihmutterschaft ist Kinderhandel, was besonders dann offenbar wird, wenn die Eltern ihre Bestellung stornieren, die Leihmutter zur Abtreibung drängen oder Babys nicht abgeholt werden.

Der Schöpfer hat den Wunsch nach Nachwuchs in uns angelegt und Vermehrung sogar als Auftrag formuliert (1. Mose 1,28). Trotzdem segnet er nicht alle Paare mit Kindern. Gott hat mit jedem Menschen einen Plan, und wir dürfen ihm vertrauen, dass er es gut mit uns meint, auch wenn unser Lebensentwurf anders aussah. Es gibt kein Recht auf ein Kind, man darf Menschen nicht kommerzialisieren. Es bleibt: Jeder neugeborene Mensch ist ein Wunder Gottes.

Daniela Bernhard

? Ist Ihnen bewusst, dass Gott Sie gewollt, geplant und geschaffen hat?

! Gebet kann Trost und Zuversicht schenken und manchmal auch ein Wunder.

† 1. Mose 30,1-2

Glückselig die Sanftmütigen,
denn sie werden das Land erben.

MATTHÄUS 5,5

Das alte und das neue Weltbild

In alter Zeit hielt man das Ptolemäische Weltbild für die richtige Beschreibung der Wirklichkeit, dass sich nämlich alles, Sonne, Mond, Planeten und Sterne, um die Erde dreht. Erst Kopernikus hatte erkannt, dass die Sonne im Zentrum unseres Sonnensystems steht und dass die Planeten mit ihren Monden um sie ihre Bahnen ziehen.

In den Köpfen der Menschen aber ist das alte System noch fest verankert. Da kommt sich jeder wie die Erde vor, um die sich alles andere dreht oder zumindest zu drehen hat. Das muss zwangsläufig zu dauernden Karambolagen führen, wofür Streitereien im Kleinen und Kriege im Großen deutliche Kennzeichen sind. Eigentlich sollte man daraus entnehmen können, dass man eine falsche Vorstellung von der Weltordnung hat. Stattdessen hat man diese Zustände zur Norm erklärt. Ja, man hat sie zu den eigentlichen Motoren des Fortschritts hochstilisiert. Man erzählt uns, durch den Sieg der Stärkeren, Schnelleren und Klügeren über die Schwächeren, Langsameren und Dümmeren hätten sich die besseren Gene gegenüber den schlechteren durchgesetzt. Selbst wenn das stimmen sollte, würde das aber nur zu grenzenloser Steigerung von Gewalttätigkeit, Brutalität und Erbarmungslosigkeit führen.

Die Bibel zeigt uns ein ganz anderes Weltbild. Da steht der barmherzige und gnädige Gott im Zentrum allen Seins, und der hat Wohlgefallen an denen, die seine Eigenschaften zu seiner Ehre verwirklichen. Das können wir aber nur, wenn wir das alte Weltbild verwerfen und uns Gottes Führung unterstellen. Er hat versprochen, seine Nachfolger zu beschützen, auch und gerade, wenn sie seinem Wesen entsprechend handeln und den Schwachen und Armen helfen. *Hermann Grabe*

? Welches Weltbild halten Sie für das richtige?

! Gott hat den Sanftmütigen den Sieg versprochen.

† Matthäus 5,1-16

Denn ich weiß wohl, was ich für Gedanken
über euch habe, spricht der HERR:
Gedanken des Friedens und nicht des Leides,
dass ich euch gebe Zukunft und Hoffnung.

JEREMIA 29,11

Die Stickarbeit

Während meiner Schulzeit lernte ich im Fach »Textil« neben Stricken auch die Grundlagen des Stickens. Mehr oder weniger begeistert schob ich damals die Nadel durch den vorgelöcherten Stoff und versuchte, die Kreuzstiche an den richtigen Stellen zu setzen.

Seit einiger Zeit erfreut sich das Sticken wieder neuer Beliebtheit. Im letzten Urlaub nutzte ich die Zeit und wollte es auch noch einmal probieren. Eigentlich lief es ganz gut, problematisch war aber – wie damals schon – der Faden- und Farbwechsel. Abschneiden und verknoten oder einfach einmal über die Rückseite ziehen? Der Unterschied zwischen vorne und hinten wurde immer deutlicher: Während auf der Vorderseite die schönen Blumenmuster wuchsen, kamen hinten immer neue Knoten und Schlaufen dazu. Wenn jemand nur die unordentliche Rückseite gesehen hätte, hätte er nicht glauben können, dass die Stickarbeit vorne so hübsch aussah.

Dieses eindrückliche Bild lässt sich auch auf unser Leben beziehen. Da sind Krankheiten und Einschränkungen, die herausfordern. Viele Beziehungen sind anstrengend und kräftezehrend. Im Berufsleben läuft nicht alles glatt. Man fragt sich: Was für einen Sinn hat das alles?

Mich tröstet es in diesen Momenten, dass Gott den Überblick über mein Leben hat. Seitdem ich mich ihm anvertraut habe, ist er der Herr meines Lebens. Er sieht die »Vorderseite« und weiß, wozu manche Schwierigkeiten notwendig sind. Ich möchte darauf vertrauen, dass er alles zu einem perfekten Bild »sticken« wird. Und einmal, wenn ich nach meinem Tod im Himmel bin, werde auch ich verstehen, warum Gott die verschiedenen Schwierigkeiten zugelassen hat und was der Sinn von manchen Problemen war. Dieses Wissen tröstet mich immer wieder. *Ann-Christin Bernack*

? Was macht Ihnen gerade zu schaffen?

! Gott will auch die Stickarbeit Ihres Lebens gestalten.

† Offenbarung 21,1-6

Wenn wir aber unsre Sünden bekennen,
so ist er treu und gerecht, dass er uns die Sünden
vergibt und reinigt uns von aller Ungerechtigkeit.

1. JOHANNES 1,9

»Wo waren deine Hände heute?«

Auf der Toilette einer Raststätte an der A3 fand ich folgendes Schild – passenderweise direkt über den Kloschüsseln: »Wo waren deine Hände heute?« Mit diesem wenig dezenten Hinweis sollten die Besucher auf die Notwendigkeit hingewiesen werden, sich nach dem Besuch des »stillen Örtchens« die Hände intensiv zu reinigen. In der Tat, wer kann schon immer genau rekonstruieren, was man im Laufe des Tages alles angefasst hat: den Tankdeckel, den Zapfhahn an der Tanksäule, den Griff an der Eingangstür eines Geschäfts, ein Treppengeländer, den Klodeckel, eine Tischoberfläche im Schnellrestaurant, den Griff des Einkaufswagens, Hände, die man geschüttelt hat, usw. Überall können Viren und Bakterien lauern, oder einfach Dreck. Denn all diese Oberflächen werden auch von vielen anderen Menschen berührt, und wer weiß schon, wo deren Hände heute waren ...

Das Problem schmutziger Hände ist allerdings leicht gelöst: Wasser, Seife und vielleicht ein Desinfektionsmittel beseitigen alle möglichen Keime. Doch die Hände sind eigentlich nicht unser Problem. Die Frage bei mir müsste eher lauten: Wo war dein Herz heute? Wo waren deine Gedanken heute? Haben wir mit unserer Fantasie vielleicht Dinge berührt, die uns nicht guttun? Haben wir unsere Zeit mit Inhalten verbracht, die unsere Herzen vergiften? Haben wir unseren Blick auf Ziele ausgerichtet, die unser Gedankenkino in die falsche Richtung laufen lassen? – Doch wie geht man mit dieser Form der Kontamination um? Wie reinige ich Gedanken und Herz?

Der Tagesvers eröffnet den Ausweg: Geh zu Gott und bekenne! Mach dir bewusst, wo dein Herz heute war, und offenbare es Gott. Gottes zugesicherte Reaktion hierauf ist: Er vergibt und reinigt uns von aller Ungerechtigkeit!

Markus Majonica

? Wie genau nehmen Sie es mit der Reinhaltung?

! Verunreinigung schadet nicht nur uns selbst, sondern auch anderen.

† 2. Korinther 6,17–7,1

Seine unsichtbare Wirklichkeit, seine ewige Macht und göttliche Majestät sind nämlich seit Erschaffung der Welt in seinen Werken zu erkennen.
Die Menschen haben also keine Entschuldigung.

RÖMER 1,20

Wissenschaft versus Glaube

Früher konnten sich die Menschen verschiedenste Naturphänomene nicht erklären. Also brauchten sie einen Gott, der es z. B. donnern lässt und Blitze vom Himmel schießt. Heute wissen wir, dass Blitze durch unterschiedliche elektrische Ladungen entstehen und sich dabei die Luft so stark erhitzt, dass es knallt. Wer braucht da noch einen Gott?

Diese Argumentation klingt auf den ersten Blick logisch, ist bei genauerem Hinsehen aber ziemlich absurd. Es ist so ähnlich, als würde man die Prozesse in einem Otto-Motor (Benzin-Motor) verstehen und dann behaupten, dass Nicolaus Otto ihn folglich sicher nicht erfunden haben kann. In Wahrheit ist es genau umgekehrt: Je besser ich die Prozesse verstehe, desto mehr komme ich zum Schluss: Das ist genial, das muss sich jemand gut überlegt haben.

Max Planck, ein deutscher Physiker, Begründer der Quantenphysik und Nobelpreisträger, drückte es so aus: »Religion und Naturwissenschaft – sie schließen sich nicht aus, wie manche heutzutage glauben oder fürchten, sondern sie ergänzen und bedingen einander. Wohl den unmittelbarsten Beweis für die Verträglichkeit von Religion und Naturwissenschaft auch bei gründlich-kritischer Betrachtung bildet die historische Tatsache, dass gerade die größten Naturforscher aller Zeiten, Männer wie Kepler, Newton, Leibniz, von tiefer Religiosität durchdrungen waren.«

Die Frage, ob man als denkender Mensch an den Schöpfer-Gott der Bibel glauben kann, lässt sich also getrost mit »Ja« beantworten. Es ist logischer und wahrscheinlicher, dass die Ordnung, Schönheit und Komplexität, die wir im ganzen Universum vorfinden, von einer göttlichen Intelligenz stammen, statt dass sich alles aus dem Nichts entwickelt haben soll.

Stefan Hasewend

Wussten Sie, dass 60 % der Nobelpreisträger zwischen 1901 und 2000 Christen waren?

Erforschbare Naturgesetze erfordern einen Gesetzgeber.

Psalm 104

Als nun Jesus den Essig genommen hatte, sprach er: Es ist vollbracht! Und er neigte das Haupt und übergab den Geist.

JOHANNES 19,30

Schöner als die berühmten drei Worte?

»Welche drei Worte sind für Sie noch schöner als die Aussage ›Ich liebe Dich‹?«, wollte der Moderator einer Radiosendung wissen. Die Antworten der Zuhörer reichten von »Bald ist Wochenende« über »Freibier für alle« bis zu »Es geht weiter«. Hätte der Jünger Johannes dort eine Antwort geben können, hätte er auf die letzten Worte von Jesus Christus hingewiesen: »Es ist vollbracht!« Denn diese Worte haben unzähligen Menschen die Augen für das Wunder geöffnet, das am Kreuz geschehen ist.

Was wie eine Niederlage aussieht, erklärt sich durch diese Aussage als der größte Sieg, der je errungen wurde. Jesus Christus ist nicht am Kreuz gescheitert, sondern hat dort den Plan Gottes erfolgreich abgeschlossen. Der Sohn Gottes ist der Einzige, der als Mensch ohne Sünde geblieben ist. Auf ihn hatte der Tod, der aufgrund der Sünde in die Welt gekommen ist, keinen Anspruch. Doch Jesus hat sein Leben freiwillig als stellvertretendes Opfer eingesetzt. Am Kreuz hat er unsere Schuld und Sünde auf sich genommen. Die drei Worte »Es ist vollbracht« sind die Bestätigung, dass Jesus Christus mit seinem Tod vollständig den Preis bezahlt hat, damit wir Menschen frei von unserer Schuld werden können.

Als Johannes diese Tatsache in Gottes Auftrag aufgeschrieben hat, hat er im griechischen Original allerdings nur ein Wort verwendet – nämlich einen Begriff, der auch auf alten Papyri gefunden worden ist. Dort wurde das Wort benutzt, um den Empfang von Steuern zu bestätigen und zu dokumentieren, dass die Schuld vollständig bezahlt ist. Ob ein Wort oder drei: In jedem Fall bestätigt Jesus ganzheitlich mit Wort und Tat, dass er uns liebt und sein Leben für uns eingesetzt hat. Was ist unsere Antwort darauf?

Andreas Droese

? Welche Drei-Wort-Sätze fallen Ihnen ein, die Sie Jesus im Gebet sagen können?

! Gerne können Sie mit »Ich danke dir« oder »Ich glaube dir« beginnen – und ohne Limit weiterbeten.

† Johannes 19,17-30

Denn wer sein Leben retten will, wird es verlieren; wer aber sein Leben verliert um meinetwillen, wird es finden.

MATTHÄUS 16,25

Wahre Freiheit

»Warum sollte ich Christ werden? Ich könnte doch nicht mehr tun und lassen, was ich wollte! Ich könnte nicht mehr feuchtfröhlich feiern. Ich wäre zu eingeschränkt. Das ist für mich nicht lebenswert!« – Solche oder ähnliche Aussagen habe ich schon von Menschen gehört, wenn sie auf »Christsein« angesprochen wurden. Da ich erst sehr spät, mit etwa 40 Jahren, zum Glauben an Jesus gekommen bin, kann ich diese Argumente sehr gut nachvollziehen. Auch ich wollte von Christus nichts wissen, weil ich mein Leben nach meinen Wünschen gestalten wollte. So gibt es viele Menschen, die das Christentum ablehnen, weil sie meinen, dass dadurch eine unnötige Last auf sie gelegt wird. Auch manche Christen sind vielleicht manchmal müde, immer wieder zu hören, man solle Gott gehorchen und seinen Willen tun. Mit dieser Einstellung wird Christsein zu einem Zwang. Man fühlt sich gefangen in einem System, das der eigenen Lebensphilosophie hinderlich ist.

Solche Menschen bedenken nicht, dass es um viel mehr geht als nur um das Leben jetzt. Die wichtigere Frage ist nämlich, was danach kommt, und dass es davon abhängt, wie wir unser Leben hier gelebt haben. Die Bibel äußert sich klar dazu: Mit dem Tod ist nicht alles aus, wir alle müssen dann vor Gott Rechenschaft ablegen. Und er hat uns auch mitgeteilt, was allein bei ihm Anerkennung findet: der Glaube an Jesus und ein Leben nach seinem Willen. Da muss man sich überlegen, was einem wichtiger ist: vergängliche Freude und grenzenloser Spaß hier – meist verbunden mit der Missachtung von Gottes Geboten – oder die Freude mit und bei Gott, die ewig währt, auch wenn sie uns hier etwas kostet. Aber wer sich für Letzteres entscheidet, wird merken, dass die Freude darüber schon jetzt groß ist.

Axel Schneider

? Ist Veränderung in Ihrem Leben notwendig?

! Jesus als Herrn zu haben, zahlt sich am Ende aus.

† Jeremia 42,18-22

Die Tage unserer Jahre sind siebzig Jahre, und, wenn in Kraft, achtzig Jahre, und ihr Stolz ist Mühe und Nichtigkeit, denn schnell eilt es vorüber, und wir fliegen dahin.

PSALM 90,10

Nutze den Tag!

Unser Fünfjähriger saß in sich versunken auf der Bettkante. Als seine Mutter ihn fragte, was er da mache, sagte er: »Ich warte, dass die Zeit vergeht!« Kindern fällt das Warten oft schwer. »Wie lange dauert es noch, bis ich Geburtstag habe?« – »Wann kommt Weihnachten?« usw., wird immer wieder gefragt. Sie meinen, die Zeit vergehe viel zu langsam.

Ist man älter, fragt man sich stattdessen, wo die Jahre und Jahrzehnte geblieben sind, die man schon gelebt hat. Dann muss man, ob es einem gefällt oder nicht, dem Mose recht geben, der uns unseren Tagesvers aufgeschrieben hat. Und was kommt danach? Die Bibel sagt uns, dass sich dann für uns eine der beiden Türen für die Ewigkeit öffnet. Weiter sagt sie uns, dass uns diese eilig davonfliegende, kurze Erdenzeit gegeben wurde, damit wir uns auf die Ewigkeit vorbereiten, um ebendiese Ewigkeit bei Gott verbringen zu dürfen. Dorthin geht es durch die eine Tür; die andere führt in die ewige Finsternis der Gottferne. Gut vorbereitet konnte Gerhard Terstegen in seinem Abendlied singen:

»Ein Tag, der sagt´s dem andern, mein Leben sei ein Wandern zur großen Ewigkeit. / O Ewigkeit, du schöne, mein Herz an dich gewöhne, mein Heim ist nicht in dieser Zeit.«

Diese Vorbereitung geschieht nicht durch gute Werke, nicht durch Fasten oder Pilgerreisen, sondern dadurch, dass wir unser Unvermögen dem bekennen, der alles bereits für uns getan hat, um dann an seine Vergebung zu glauben. Es wäre doch jammerschade, wenn man hier auf dieser Erde nur nach Irdischem getrachtet hätte, von dem man nichts, aber auch gar nichts mitnehmen kann, und das uns genauso schnell abhandenkommt, wie unser Leben entflieht.

Hermann Grabe

? Wie viel Prozent Ihrer Lebenszeit liegen noch vor Ihnen?

! Nur der heutige Tag steht uns zum Handeln zur Verfügung.
Was morgen ist, weiß niemand.

† Psalm 90

10 | MAI — MITTWOCH

Und Gott der HERR schickte ihn aus dem Garten Eden hinaus.

1. MOSE 3,23

Ende der Idylle

Geschafft! Stolz blicken wir auf unser Werk. Unser Lockdown-Projekt ist beendet, unser Hochbeet ist fertig. Stundenlang haben wir Paletten abgeschliffen, gestrichen und verschraubt. Wir haben Wühlmausdraht verlegt und einen Schneckenschutz installiert. Nach eingehender Recherche wurde das Beet mit den passenden Schichten aufgefüllt und viel Geld in besonders gute Bio-Erde investiert. Und nun stehen die liebevoll auf der Fensterbank vorgezogenen Pflänzchen in ordentlichen Reihen gut bewässert im Beet. Am nächsten Morgen werfen wir einen Blick nach draußen und erstarren: Viele der zarten Pflanzen sind herausgerissen und die Erde völlig zerwühlt. Später entdecken wir ernüchtert, wie sich zwei große Vögel vergnügt in der Erde suhlen.

Als wir vor unserem verwüsteten Beet stehen, denken wir an die ersten Kapitel der Bibel: Gott hatte eine perfekte Umgebung geschaffen, einen wunderschönen Garten, in dem es von allem genug gab. Tod, Krankheit, Streit und mühevolle Arbeit – absolut unbekannt. Dort hinein setzte er die ersten Menschen, die er so geschaffen hatte, dass sie in der Lage waren, eine enge Freundschaft mit ihm zu pflegen. Er hatte glückliche zwischenmenschliche Beziehungen und Erfüllung in seiner Gegenwart im Sinn. Doch die liebevoll erschaffenen Menschen wählten einen Weg ohne Gott. Sie verstießen gegen die einzige Regel Gottes für sie und verspielten damit ihre Möglichkeit, Gott ihre Liebe und Loyalität zu beweisen. Damit entschieden sie sich für ein Leben in Trennung von ihrem Schöpfer mit all den negativen Folgen, die er von ihnen fernhalten wollte.

Doch Gott wartet darauf, dass wir zu ihm zurückkehren, um wieder in den Genuss eines Lebens in seiner guten Gegenwart zu kommen.

Janina und Philipp Strack

? Wo sind in Ihrem Leben Dinge in Unordnung und nicht im Einklang mit Gott?

! Sprechen Sie mit Gott darüber! Es ist der erste Schritt in seine Gegenwart.

† Johannes 6,35-40

So ist weder der da pflanzt etwas, noch der da begießt, sondern Gott, der das Wachstum gibt.

1. KORINTHER 3,7

Die Heilungshoheit liegt bei Gott (1)

Nachdem ich mich im Frühjahr des vergangenen Jahres nach rund zwei Jahren Pandemie auch »endlich« infiziert hatte, habe ich mir nach dem Abklingen der dankbarerweise doch eher leichteren Symptome einige Gedanken darüber gemacht. Den Verlauf der Krankheit habe ich viel bewusster erlebt, als das sonst bei »Erkältungen« der Fall war, denn immerhin bestand ja die Möglichkeit, dass es zu einem schwereren Verlauf kam. Gott sei Dank, trat das nicht ein.

Eine Einsicht, die mir bisher nicht so klar war, bestand darin, dem Krankheitsverlauf unerbittlich ausgeliefert zu sein. Man hat keine Kontrolle darüber, was im Körper vor sich geht, und kann nur abwarten, ob es bei einem leichten Verlauf bleibt, oder ob bei einem schweren Verlauf medizinisch eingegriffen werden muss. Diese Ungewissheit zu überstehen, dabei half mir das Bewusstsein, in Gottes Hand zu sein, egal, was kommen mochte. Und mir wurde klar: Wenn nicht der Körper die entsprechende Konstitution bereits mit sich bringt (weil er dazu von Gott grundsätzlich angelegt ist), können auch Maßnahmen von außen nur begrenzt oder im schlimmsten Fall gar nichts dazu beitragen, dass es zur Genesung kommt.

Jedenfalls wurde mir bewusst, dass medizinische Bemühungen meistens hilfreich, jedoch immer nur unterstützend möglich sind und niemals ganz neue Prozesse entstehen lassen, die zur Genesung führen. Die sind alle schon vom Schöpfer selbst angelegt. Ein klarer Hinweis darauf, dass bei ihm die »Heilungshoheit« liegt und im Bauplan des Lebens schon Vorsorge dafür getroffen wurde. Deshalb macht es für mich Sinn, mich an ihn zu wenden und ihm den Heilungsprozess anzubefehlen, egal, wie »intensiv« die Maßnahmen auch sind, die zusätzlich von medizinischer Seite her noch getroffen werden müssen. *Joachim Pletsch*

? Auf was verlassen Sie sich im Fall einer Erkrankung?

! Es kommt bei allem im Leben viel mehr auf Gott an, als wir es uns vorstellen können.

† Daniel 4,31-32

12 MAI
Internationaler Tag der Pflegenden

FREITAG

Denn so hat Gott die Welt geliebt, dass er seinen einzigen Sohn gab, damit jeder, der an ihn glaubt, nicht verlorengeht, sondern ewiges Leben hat.

JOHANNES 3,16

Die Heilungshoheit liegt bei Gott (2)

Gestern habe ich von meiner Corona-Erkrankung berichtet, die natürlich noch weitere Fragen auslöste, z. B. auch diese: »Wenn Gott die Heilungshoheit besitzt, warum greift er nicht grundsätzlich ein, wenn unsere körperliche Konstitution und die medizinischen Maßnahmen zur Genesung nicht ausreichen?« Nun, einmal hängt es sicherlich davon ab, ob wir uns überhaupt mit der Bitte um Heilung an ihn wenden. Gottes Handeln ist niemals ein Automatismus, sondern geschieht im Verbund mit menschlichem Tun – auch in Verbindung mit medizinischem Handeln. Am ehesten aber dann, wenn wir ihm unser Unvermögen erklären und ihn um seine Hilfe bitten. Dann sind vielfach schon Wunder geschehen.

Aber was ist, wenn Gott offensichtlich nicht eingreift und ein Mensch stirbt? Liegt es dann an diesem Menschen oder an Gott? Diese Frage können wir nicht beantworten, denn sie würde bedeuten, den Anspruch zu stellen, Gott und sein Handeln erklären zu können. Niemand kann das, und es steht keinem Menschen zu. Wir können ihm lediglich zuhören, wenn er sich selbst uns erklären will. Und völlig verstehen können wir ihn auch dann immer noch nicht.

Was wir aber tun können, ist Folgendes: Wir können sicherstellen, dass Gottes Handeln, wie er es uns auch immer bestimmen wird, gut für uns ausgeht, selbst im Falle unseres Ablebens. Denn ehrlich gefragt: Was nützt mir eine Genesung, wenn ich doch eines Tages sterben muss und dafür nicht vorgesorgt habe? Sie bedeutet dann im besten Fall einen Zeitaufschub. Und andererseits: Wenn ich vorgesorgt habe, dass mein Tod nicht endgültig ist, dann kann ich auch im Sterben getrost sein. Wie kann man eine solche Vorsorge treffen? Durch den Glauben an seinen Sohn verspricht uns Gott ewiges Leben.

Joachim Pletsch

? Sind Sie eher auf den Heilungsfortschritt oder auf den Glaubensfortschritt konzentriert?

! Gott hat nicht nur die Heilungshoheit für unseren Körper, sondern auch die Rettungshoheit zum ewigen Leben.

✝ 2. Samuel 12,15-25

Lehre mich tun nach deinem Wohlgefallen, denn du bist mein Gott; dein guter Geist führe mich auf ebner Bahn.

PSALM 143,10

Unvollendete Projekte

Unvollendete Projekte kennen wir alle aus unserem Alltag: Hausaufgaben, die begonnene Steuererklärung, Gartenarbeit. Doch nicht fertig werdende Projekte gibt es auch im Großen: Die Elbphilharmonie und der Berliner Flughafen blieben lange unvollendet, und doch sind sie inzwischen in Betrieb. An der A59 stand gab es jedoch mal ein Gebäude, das noch fiel länger unfertig herumstand: der Kaiserbau. In den 1970er-Jahren sollte er als Hotel in der Nähe von Troisdorf errichtet werden. 1975 war der Rohbau fertiggestellt, und die benötigte Anschlussstelle der Autobahn ging 1996 in Betrieb. Aber das Hotel? Mehr als 25 Jahre blieb es unvollendet, bevor es am 13. Mail 2001 gesprengt wurde. Ganz schön verrückt, dass ein Gebäude so lange steht und seiner eigentlichen Bestimmung nicht entspricht!

Wir Menschen scheitern immer wieder daran, Projekte zu Ende zu bringen. Doch Gott ist anders! Er will, »dass alle Menschen gerettet werden und zur Erkenntnis der Wahrheit kommen« (1. Timotheus 2,4). Diese Rettung ist notwendig, da wir Menschen durch unsere Sünde getrennt sind von Gott. Er hat daher Jesus Christus auf die Erde geschickt und am Kreuz sterben lassen, damit wir – befreit von dem Fluch der Sünde – ewiges Leben haben können. Diesen Plan hat Gott bis zum Schluss verfolgt und alles getan, was für seine Vollendung nötig war. Sogar seinen eigenen Sohn hat er dafür gegeben. Gottes Projekt der Erlösung ist vollbracht!

Und nun liegt es an jedem Menschen persönlich, Gottes Heilsangebot auch anzunehmen. Tut er das, darf er wissen, dass Gott mit seinem Leben ans Ziel kommen wird. Das finde ich so befreiend und ermutigend! Ich darf darauf vertrauen, dass Gott in meinem Leben nun alles so lenkt, dass sein Wille geschieht und sein Plan zustande kommt. *Ann-Christin Bernack*

? Ist Ihre Beziehung zu Gott noch ein unvollendetes Projekt?

! Gott hat einen Plan für Sie ganz persönlich. Lassen Sie sich darauf ein!

† Psalm 143

Ehre den Vater und die Mutter.

MATTHÄUS 19,19

Die Eltern ehren

Vor dem Fall des Eisernen Vorhangs wurde ein Christ wegen seines Glaubens in Russland verurteilt. Während des Prozesses sagte ein Offizier: »Sie wissen, Sie können einer fünfjährigen Haft entgehen, wenn Sie sagen, dass Sie nicht mehr predigen und keine Taufen mehr durchführen werden. Warum können Sie nicht einfach sagen: ›Okay, ich mache das nicht mehr‹. Wenn Sie dann die Freiheit haben, können Sie doch so weiterleben, wie Sie wollen!« Der Christ fragte zurück: »Könnten Sie Ihrer eigenen Mutter ins Gesicht spucken, um die Freiheit zu erlangen?« »Nein!«, antwortete der Offizier entrüstet, »die Mutter, das ist etwas Heiliges, das könnte ich nicht.« – »Aber Sie könnten doch Ihrer Mutter sagen: ›Ich spucke nur einmal, Mütterchen, dann wischst du schnell die Spucke ab, und ich habe die Freiheit.‹« – »Nein«, sagte der Offizier, »ich würde lieber sterben, als meine Mutter anzuspucken!« – »Ihre Antwort gefällt mir!«, meinte der Christ. »Sehen Sie, bei mir ist das genauso. Ich kann Christus nicht ins Angesicht spucken und ihn verleugnen, da sterbe ich lieber oder gehe für fünf Jahre ins Gefängnis.« – »Ihre Antwort gefällt mir auch«, sagte der Offizier nachdenklich, »bleiben Sie Ihren Prinzipien treu.«

Der atheistische Offizier war offensichtlich beeindruckt von dem Verhalten des Christen. Er realisierte, dass dieser Mensch tatsächlich an einen Gott glaubte, der ihm so nah und wertvoll war wie die eigene Mutter – und sogar noch mehr. Für diesen Gott war der Christ bereit, Gefängnis und Leid auf sich zu nehmen.

So eine tiefe Liebe zu Gott ist eigentlich nur eine Antwort auf Gottes Liebe zu uns. Wer verstanden hat, dass Gott sogar seinen eigenen Sohn nicht verschont, sondern ihn aus Liebe für uns hingegeben hat, der möchte diesen Gott wiederlieben und ihm sein Leben schenken. *Anna Schulz*

? Was ist Ihnen das Wichtigste auf der Erde?

! Wir sollen unsere Eltern ehren – aber Gott noch mehr.

† Matthäus 15,1-8

… Herrlichkeit aber und Ehre und Frieden jedem, der das Gute wirkt … Denn es ist kein Ansehen der Person bei Gott.

RÖMER 2,10-11

Vor 250 Jahren – Geburt des Fürsten Metternich

Meine Frau und ich besuchen öfter das Schloss Johannisberg bei Rüdesheim. Es liegt oben auf der Bergkette, die sich dort parallel zum Rhein hinzieht und eine der besten Weinlagen Deutschlands gegen den Nordwind abschirmt. Man hat von dort eine wunderbare Aussicht auf den Rhein. Goethe hat gemeint, es sei eine der schönsten Lagen Deutschlands, und ich glaube, er hat recht. Es gehörte einmal dem Fürsten Metternich.

Als alter Koblenzer war Metternich »Reichsdeutscher«. So nannte man damals die Leute, die weder habsburgisch noch preußisch waren. Sie fanden oft ihren Platz im Leben in der habsburgischen Verwaltung. In der machte Metternich seine Karriere und stieg schließlich zum Staatskanzler auf. Die Aufgaben, vor die er sich gestellt sah, waren gewaltig. Er hatte sich mit dem damaligen Ungeheuer Europas, mit Napoleon, auseinanderzusetzen und half mit, an der Seite Russlands, Preußens und weiterer Staaten, ihn zu besiegen. Dann aber kam seine größte Aufgabe: Europa musste danach neu geordnet und Frieden musste geschaffen werden. Unter Metternichs Führung gelang es, auf dem »Wiener Kongress« diese Aufgabe zu lösen. Die Beschlüsse, die dort gefasst wurden, brachten Frieden für ein Menschenalter. Die lange Friedenszeit war ganz wesentlich Metternich zu verdanken.

»Frieden ernährt, Unfrieden verzehrt.« So hat es damals ein Zeitgenosse auf eine Formel gebracht. Das gilt auch heute noch. Christen sollten ernsthaft und anhaltend für den Frieden beten und für alle Personen, die sich in verantwortlicher Position der Erhaltung des Friedens widmen, egal, für welches Land sie handeln (1. Timotheus 2,1). Und was uns selbst betrifft, so stehen wir alle in der Pflicht, zuerst den Frieden mit Gott und dann aber auch mit allen anderen zu suchen.

Karl-Otto Herhaus

? Was wird mit der Erinnerung an Sie nach Ihrem Tod in Verbindung gebracht werden?

! Gott beurteilt uns nach unseren Taten und nicht nach unseren Idealen.

† 1. Samuel 25

Und kein Geschöpf ist vor ihm verborgen, sondern es ist alles bloß und aufgedeckt vor den Augen dessen, dem wir Rechenschaft geben müssen.

HEBRÄER 4,13

Im Rückspiegel

Ich halte mich selbst für einen ganz passablen Autofahrer. Ich bilde mir ein, jedenfalls ganz überwiegend die Verkehrsregeln zu beachten. Doch wenn ich im Rückspiegel einen Polizeiwagen entdecke, werde ich dennoch etwas nervös und überprüfe sofort meine Fahrweise, um ja nicht negativ aufzufallen. Denn während meiner Ausbildung habe ich einmal mehrere Stunden einen erfahrenen Polizisten im Streifenwagen begleitet. Seitdem weiß ich, was ein geübter Ordnungshüter auch bei Dunkelheit und auf Distanz alles sieht: ob der Gurt angelegt ist, ob der TÜV abgelaufen ist, usw. Das Bewusstsein, unter Beobachtung der Polizei zu stehen, führt bei mir zum Überdenken und bei Bedarf zum Korrigieren meines Fahrverhaltens. Denn die Polizei hat die Aufgabe und die Autorität, Fehlverhalten festzustellen und mich gegebenenfalls zur Rechenschaft zu ziehen.

Diese Reaktion auf die Anwesenheit der Polizei zeigen nach meiner Beobachtung viele Verkehrsteilnehmer. Aber wie ist die Reaktion auf die Anwesenheit Gottes? Bin ich mir bewusst, dass der allgegenwärtige Gott stets auch dort anwesend ist, wo ich bin? Vor Gottes Augen sind weder Herz noch Gedanken noch Handlungen der Menschen verborgen. Aber Gott nimmt all dies nicht nur wahr, er ist auch die höchste Autorität. Und daher kann und darf und wird er auch jeden von uns zur Rechenschaft ziehen für das, was wir denken, sagen und tun.

Wäre es angesichts dessen nicht dringend angezeigt, unser Verhalten stets anhand von Gottes heiligen Maßstäben zu überprüfen und bei Bedarf zu korrigieren? Wenn man die Anwesenheit der Polizei ignoriert und bei Rot über die Ampel fährt, hat das seinen Preis. Welchen Preis hat es, unsere Verantwortung vor Gott zu ignorieren? *Markus Majonica*

? Wie würde es Ihr Verhalten verändern, wenn Sie sich der Anwesenheit Gottes bewusst werden?

! Wir sollen Gott fürchten.

† Sprüche 1,1-22

Geliebte, glaubt nicht jedem Geist, sondern prüft die Geister, ob sie aus Gott sind! Denn viele falsche Propheten sind in die Welt hinausgegangen.

1. JOHANNES 4,1

Prüft die Geister!

Wenn man noch Anfang vorigen Jahres und früher die Zeitungen aufschlug, füllte *ein* Ereignis die Blätter, natürlich auch die anderen Medien: Corona. Wahrscheinlich ist manchem von uns bewusst geworden, dass in Corona-Zeiten viele andere Sachen in den Hintergrund traten oder medial gar nicht mehr existierten. Das ist der Lauf der Welt. Aber die Welt der Medien ist nur die *berichtete* Welt. Hinter den Medien stehen Menschen, die uns zeigen, was sie selbst für richtig und wichtig ansehen. Es ist also *ihre* Weltsicht, die sie uns präsentieren.

Gesundes Misstrauen ist daher angebracht. Für gläubige Christen gilt die Mahnung des Apostels Johannes im Tagesvers umso mehr, denn wir leben in einer Zeit, in der viele Kräfte beharrlich und leider auch erfolgreich die noch vorhandenen christlichen Fundamente zu zerstören suchen. Nicht wenige urteilsfähige Mitmenschen werden so für die neuen Lehren gewonnen. Diese Gefahren hat eine kenntnisreiche Jüdin, die man leicht zu den eindringlichen Mahnern unserer Zeit einordnen kann, Hannah Arendt, so beschrieben: »Die Menschen haben sich in einer immer unverständlicher werdenden Welt darauf eingerichtet, jederzeit jegliches und gar nichts zu glauben ...« (FAZ, 28.02.2020).

Das Prüfen, das Johannes anmahnt, setzt allerdings voraus, dass man mit der Wahrheit vertraut ist, die von Gott kommt. Wer sich nicht auf etwas Zuverlässiges, ewig Gültiges ausrichtet, ist letztlich dazu verdammt, im Hin und Her der Meinungen und Informationen haltlos umhergetrieben zu werden. Mit der Bibel jedenfalls kann man lernen, wie man die Dinge aus göttlicher Perspektive betrachtet. Und fähig wird zu erkennen, welcher Geist hinter all dem steht, was an mich herangetragen wird.

Karl-Otto Herhaus

? Woran halten Sie sich im Trubel der Meinungen und Desinformation?

! Man sollte alles an dem Maßstab prüfen, der von dem gegeben wurde, der alles kennt und durchschaut.

✝ 1. Johannes 4,1-6

Wir wissen: Wenn es offenbar wird, werden wir ihm gleich sein; denn wir werden ihn sehen, wie er ist.

1. JOHANNES 3,2

Der himmlische Jesus

Wird der auferstandene Jesus mit dem himmlischen Jesus identisch sein? Ja, in Offenbarung 1,13-16 beschreibt uns der Apostel Johannes, wie er den erhöhten und verherrlichten Herrn gesehen hat: »... [ich sah] einen, der war einem Menschensohn gleich, angetan mit einem langen Gewand und gegürtet um die Brust mit einem goldenen Gürtel. Sein Haupt aber und sein Haar war weiß wie weiße Wolle, wie der Schnee, und seine Augen wie eine Feuerflamme und seine Füße wie Golderz, das im Ofen glüht, und seine Stimme wie großes Wasserrauschen; und er hatte sieben Sterne in seiner rechten Hand, und aus seinem Munde ging ein scharfes, zweischneidiges Schwert hervor, und sein Angesicht leuchtete, wie die Sonne scheint in ihrer Macht.«

Das entspricht dem, was Jesus in Johannes 17,5 erbittet: »Und nun, Vater, verherrliche du mich bei dir mit der Herrlichkeit, die ich bei dir hatte, ehe die Welt war.« Bei seiner Wiederkunft wird Jesus als der Verherrlichte erscheinen, denn in Matthäus 24,30 heißt es: »... und werden sehen den Menschensohn kommen auf den Wolken des Himmels mit großer Kraft und Herrlichkeit.«

Daran wird deutlich, dass Jesus das Aussehen eines Menschen beibehalten hat, denn hier wird ausdrücklich vom *Menschensohn* gesprochen.

Wie werden Gläubige nach ihrer Auferstehung sein? Es ist geradezu unfassbar, was Jesus denen, die ihm angehören, zugesagt hat. In Johannes 17,22 betet Jesus zum Vater: »Und ich habe ihnen die Herrlichkeit gegeben, die du mir gegeben hast ...« Ebenso wie Jesus werden auch sie im Himmel mit Herrlichkeit überkleidet werden. Paulus schreibt davon in 1. Korinther 15,42-43: »Es wird gesät verweslich und wird auferstehen unverweslich. Es wird gesät in Niedrigkeit und wird auferstehen in Herrlichkeit.« *Werner Gitt*

? Können Sie erahnen, wie viel wir Gott wert sind?

! Was Jesus noch mit uns vorhat, wird auch Sie betreffen, wenn Sie sich ihm anvertrauen.

✝ Römer 8,38-39

Ihr wisst, wie wir jeden Einzelnen von euch,
wie ein Vater seine eigenen Kinder, euch ermahnt
und getröstet und euch bezeugt haben …

1. THESSALONICHER 2,11-12

Mein Papa

Unsere Nachbarn waren zum Abendessen gekommen. Wenige Tage zuvor war mein Vater gestorben, und aus diesem Grund fragte ich Norbert: »Wie geht es deinen Eltern?« »Keine Ahnung! Ich weiß es nicht, ich weiß auch nicht, ob sie noch leben. Es ist mir auch einerlei.« Dann erzählte Norbert, dass er als Dreijähriger mit seinen beiden Geschwistern in jeweils unterschiedliche Heime gebracht wurde. An diese Zeiten hätte er nur schlechte Erinnerungen. Doch er habe sich durchgeschlagen und sei heute glücklich, dass es ihm so weit gut gehe. Zu seinen Eltern habe er seit damals keinen Kontakt mehr, und das wolle er auch gar nicht.

Mich hat das total traurig gemacht. Ich darf eine glückliche Erinnerung an meinen Vater haben. Sicher gibt es Dinge, die mir nicht gefallen haben, aber tief im Innern weiß ich, dass mein Vater mich sehr geliebt und sein Bestes gegeben hat, um mich zu einer fröhlichen Persönlichkeit zu formen.

Nun kenne ich mittlerweile zu viele Menschen, Kinder und Jugendliche, die keinen Vater mehr haben. Nicht, weil er schon tot wäre, sondern weil er Frau und Kinder sitzen ließ. Und damit fehlt ihnen die starke Schulter, der Berater, der Förderer und Ermutiger, die prägende Männlichkeit. Das ist total schade, und ich frage mich, wie werden sie ihre Rolle später in der Gesellschaft finden?

Mein Vater hat mir das Fahrrad repariert, ist mit mir im Wald unterwegs gewesen, hat mir die Tiere gezeigt und erklärt, meine Hausaufgaben überprüft, sich schützend vor mich gestellt, kurz gesagt: Er hat mich lieb gehabt. Ich hatte in ihm einen Orientierungspunkt, eine Leitplanke, er war oft mein Gewissen. Ich wünsche mir, dass meine Kinder mich auch vermissen, wenn ich abtreten muss.

Peter Lüling

? Wie füllen Sie Ihre Rolle als Vater aus?

! Nutzen Sie die wenigen Jahren, Ihren Kindern das zu geben, was sie für ein gutes Leben benötigen!

† 1. Thessalonicher 2,1-12

Denn jeder, der den Namen des Herrn anrufen wird, wird gerettet werden.

RÖMER 10,13

Warum wir zu Gott aktiv »Ja« sagen müssen

Dieses Urteil des Bundesgerichtshofs schreckte die gesamte Bankenwelt auf: Im April 2021 erklärte die oberste Rechtsinstanz die sogenannte Zustimmungsfiktion für unwirksam. Bis dahin konnten Banken ihre Geschäftsbedingungen und Preise einseitig ändern, ohne dass Kunden sich damit ausdrücklich einverstanden erklären mussten. Es reichte aus, wenn der Kunde über die Inhalte informiert wurde und nicht innerhalb von zwei Monaten Widerspruch einlegte. Infolge der neuen Rechtsprechung müssen Banken seit diesem Zeitpunkt alle Kunden um aktive Zustimmung bitten, damit Vereinbarungen Gültigkeit erlangen.

Viele Menschen stellen sich Gottes Handeln ähnlich wie die frühere Praxis der Banken vor. Sie denken, Gottes Rettungsangebot wird automatisch für alle gültig. Doch sie irren, wenn sie unterstellen, dass Gott am Ende alle Menschen in den Himmel bringt. Denn Gottes Prinzip entspricht dem, was der Verbraucherschutz eingeklagt hat: Menschen sollen frei entscheiden können! Gott nutzt seine Macht nicht aus, um sich uns gegen unseren Willen aufzuzwingen. Er lässt uns die Wahl, nachdem er uns durch sein Wort über das informiert hat, was er zu unseren Gunsten getan hat: Er sandte seinen Sohn, der unsere Schuld und Sünde am Kreuz trug. Damit zeigte er seine Liebe und öffnete den Weg in den Himmel. Von Gottes Seite aus sind alle Voraussetzungen erfüllt, damit wir Vergebung und ewiges Leben erhalten können. Seine Einladung zum Glauben gilt: Jeder, der seinen Namen anruft, wird gerettet werden! Nun kommt es auf unsere Reaktion an. Ein einfaches, ernst gemeintes Gebet reicht aus, um mit Jesus Christus in eine verbindliche Beziehung einzutreten. Haben Sie auf Gottes Einladung schon reagiert?

Andreas Droese

? Warum wäre es keine Liebe, wenn Gott uns Menschen keine Entscheidungsfreiheit lassen würde?

! Im Himmel (und in der Hölle) werden nur Freiwillige sein.

† Römer 10,6-13

Und wie es den Menschen bestimmt ist,
einmal zu sterben, danach aber das Gericht …

HEBRÄER 9,27

Dem Gericht entflohen?

21. Mai 1945: Nach zwei Wochen Flucht quer durch Deutschland, der Gefangennahme durch die Engländer und dem Transport in verschiedene Lager war der Mann am Ende. Wahrscheinlich erhoffte er sich eine bessere Behandlung, als er die Augenklappe, die er zur Tarnung getragen hatte, abnahm und dem zuständigen Kommandanten gestand: »Ich bin Heinrich Himmler.« – Es war das Ziel der alliierten Streitkräfte, hochrangige NS-Personen zu finden und vor Gericht zu stellen. Diese versuchten kurz vor und nach dem Kriegsende verzweifelt, dem Gericht zu entfliehen, indem sie das Land verließen, untertauchten, die Identität wechselten oder als letzten Ausweg Selbstmord begingen. – »Haben Sie den Mann gründlich durchsucht?«, fragte der britische Kommandant den Arzt. »Ja, wir haben auch eine Zyankali-Kapsel in seiner Tasche gefunden. Doch der entwischt uns nicht mehr!« Aber am nächsten Tag meinte ein Soldat, einen Gegenstand in Himmlers Mundhöhle zu sehen. »Machen Sie den Mund auf!«, herrschte er den Gefangenen an, der in diesem Moment die zweite Zyankali-Kapsel, die er über Tage in seiner Backentasche versteckt hatte, zerbiss. Heinrich Himmler, Reichsführer SS, Chef der Polizei und Herr über die Konzentrationslager, starb, ohne für seine Taten vor Gericht gestellt werden zu können.

Wirklich? Unser Bibelvers sagt, dass kein Mensch dem letzten Gericht vor Gottes Thron entfliehen kann. Schuldig gesprochen werden dort nicht nur Mörder und Verbrecher, nein, jeder wird zugeben müssen, dass er in seinem Leben oft gegen sein eigenes Gewissen gehandelt und gegen die Gebote des heiligen Gottes verstoßen hat. Dem letzten Gericht entfliehen kann nur der, für dessen Schuld Jesus Christus am Kreuz stellvertretend die Strafe getragen hat.

Elisabeth Weise

? Was empfinden Sie beim Gedanken an ein letztes Gericht?

! Vor Gott kann kein Mensch davonlaufen.

† Offenbarung 20,11-15

Wie sich ein Hirte um seine Schafe kümmert, wenn sie sich verirrt haben, so werde ich mich um meine Schafe kümmern und sie aus allen Orten befreien, wohin sie an jenem finsteren, bedrohlichen Tag zerstreut wurden.

HESEKIEL 34,12

Der Hirte und die Schafe

Anfang des Jahres unternahmen wir als Familie einen Spaziergang. In unmittelbarer Nähe zu uns befand sich ein weites Feld, auf dem für einige Tage eine große Schafherde weidete. Das war eine Freude für Groß und Klein. Besonders beeindruckend war es, das Verhalten des Schäfers zu beobachten. Die Schafe befanden sich mittig auf dem großen Feld, während der Schäfer emsig außen herumging und einen Zaun befestigte. Er tat dies in völliger Ruhe und Routine, als wäre es das Einzige, was er jemals getan hätte. Dabei war er von zwei Hunden umringt, die jeden seiner Schritte begleiteten und bellten, wenn Gefahr in Verzug sein sollte.

Dieses Bild so lebhaft vor Augen zu haben, war ein besonderes Geschenk, um es auf Gott zu übertragen. Denn auch unser Vater im Himmel sorgt für seine Kinder wie ein Hirte für seine Schafe. Er gibt ihnen Sicherheit, indem er mit seinem Wort um sie herum einen »Zaun«, einen Rahmen baut, an dem sie sich orientieren und innerhalb dessen sie sich frei bewegen dürfen. Er versorgt sie mit allem, was sie brauchen, indem er sie auf frische Felder führt, auf denen sie sich ausruhen und sich ernähren dürfen. Er zieht mit ihnen gemeinsam weiter, wenn es an der Zeit ist, und führt sie sicher bis zum nächsten Ziel – bis sie zuletzt da angekommen sind, wo er ihnen einen ewigen Wohn- und Ruheort bereitet hat.

Wer sich Gott zum Hirten wünscht, der kann noch heute in seine Herde eintreten. Durch Jesus ist dafür immer noch die Tür offen (vgl. Johannes 10,7-9). Man muss nur auf seinen Ruf hören, ihn demütig und dankbar um Aufnahme bitten und ihm folgen. Dann ist man fortan dabei und für ewig sicher.

Annegret Heyer

? Wer sorgt in Ihrem Leben für Schutz und Sicherheit?

! Bringen Sie Ihre Sorgen und Nöte im Gebet vor Gott, und er will Sie leiten wie ein Hirte seine Schafe.

† Johannes 10,7-18

Da verließen ihn alle Jünger und flohen.

MATTHÄUS 26,56

Das Maß aller Dinge

Vielleicht gehören Sie zu den Menschen, die meinen, sie würden im Mittelmaß versinken. Der Alltag hat Sie fest im Griff. Tagaus und tagein die gleiche Leier. Eigentlich werden Sie von der Umgebung kaum beachtet. Sie führen ein Leben ohne wirkliche Höhepunkte.

Die zwölf Menschen, die Jesus damals in seinen engeren Kreis gewählt hatte, waren ganz normale Typen, ohne besondere Bildung. Einige waren Fischer, einer war Zöllner (Geldeintreiber) und ein weiterer von ihnen, Judas, wurde zum Verräter. Über drei Jahre hinweg begleiteten sie Jesus. Sie sahen, was er tat, und hörten, was er redete. Sie staunten über seine vielen Wunder und über seine große Weisheit. Sie waren von Jesus begeistert. Noch kurz vor seinem Tod versicherten sie Jesus, dass sie immer zu ihm stehen und ihn niemals verlassen würden. Als die Horde, angeführt von Judas, im Garten Gethsemane erschien, um Jesus gefangen zu nehmen, bekamen die Jünger Angst. Nichts mehr war zu spüren von der Selbstsicherheit und von dem Versprechen, Jesus immer beizustehen. Als es wirklich ernst wurde, flohen sie alle.

Das macht betroffen, aber es weckt auch Hoffnung. Mit diesen Menschen, die bei der ersten schweren Prüfung versagten, schrieb Jesus Weltgeschichte. Diese furchtsamen und einfachen Menschen haben – ausgestattet mit göttlicher Kraft – die froh machende Botschaft über Jesus in die Welt getragen. Es waren Menschen wie Sie und ich. Mit solchen Menschen will Jesus auch heute noch »arbeiten« und sie befähigen. Solche kann er gebrauchen, nicht die Großen und Weisen dieser Welt, nicht die, die besonders herausragen und überall bekannt sind. Jesus ist in den Schwachen mächtig. Bei ihm gibt es kein Mittelmaß, alle in der Familie Gottes werden reich beschenkt.

Axel Schneider

? Wie sehen Sie sich selbst? Und was halten andere von Ihnen?

! Bei Jesus gibt es kein Ansehen der Person. Jeder ist herzlich willkommen.

† Matthäus 26,47-56

Gott ist einer und einer ist Mittler zwischen Gott und Menschen, der Mensch Christus Jesus, der sich selbst gab als Lösegeld für alle.

1. TIMOTHEUS 2,5-6

Brückenbauer

Heute vor 140 Jahren wurde die Brooklyn-Brücke in New York eingeweiht. Mit 486 Metern war sie die längste Hängebrücke der Welt. Sie verbindet die Stadtteile Brooklyn und Manhattan. An normalen Tagen überqueren auf ihr 100 000 Fahrzeuge den East River.

Doch ihr Bau forderte einen hohen Tribut. Das Projekt ging auf den Ingenieur John A. Roebling zurück. Er überzeugte den Stadtrat von der Machbarkeit des gewagten Vorhabens. Bei Vermessungsarbeiten verletzte er sich jedoch, erkrankte an Wundstarrkrampf und starb. Sein Sohn Washington Roebling übernahm die Projektleitung. Mit vollem Engagement beteiligte er sich sogar an Arbeiten in einem Senkkasten unter Wasser. Dabei zog er sich die Taucherkrankheit zu. Lebenslang war er dadurch auf einen Rollstuhl angewiesen. Da er die Arbeiten vor Ort nicht mehr leiten konnte, arbeitete sich schließlich seine Frau Emily Warren Roebling in die Materie ein und sorgte elf Jahre lang für die Ausführung der Baupläne ihres Mannes. Eine Inschrift an einem Brückenpfeiler ehrt sie mit den Worten: *Hinter jedem großen Werk können wir die aufopfernde Hingabe einer Frau finden.* 27 weitere Menschen verloren bei den Bauarbeiten ihr Leben.

Der Einsatz dieser Menschen für die Verbindung zweier Stadtteile ist beeindruckend. Doch gibt es einen anderen Brückenbauer, der eine viel größere Kluft überwinden musste, die Kluft der Sünde. Das Wort *Sünde* stammt von Sund und meint einen Graben oder einen Abgrund. In Begriffen wie Fehmarnsund taucht er auf. Um diesen Abstand zu überwinden, hat Jesus Christus sein Leben gelassen. Jetzt ist die Brücke zu Gott fertiggestellt. Jeder Mensch ist eingeladen, sie zu betreten, um in Verbindung mit Gott zu kommen.

Gerrit Alberts

? Welche Kluft muss Jesus in Ihrem Leben überbrücken?

! Die beste Brücke ist nutzlos, wenn man sie nicht überquert.

† Johannes 14,1-10

Auch Finsternis würde vor dir nicht verfinstern,
und die Nacht würde leuchten wie der Tag,
die Finsternis wäre wie das Licht.

PSALM 139,12

Gott weiß längst alles

Wenn unser Tagesvers auch noch auf unsere Gegenwart zuträfe, wäre das eine schlechte Nachricht für alle, die dunkle Machenschaften betreiben, für alle Geldwäscher und Steuerflüchtlinge. Denen sollte doch endlich einmal das Handwerk gelegt werden, so denken viele. Aber die Sache wird noch schlimmer; denn der hier angesprochene, alles sehende, unbestechliche Richter ist der allwissende Gott, und der sieht nicht nur die großen Betrüger, sondern auch die kleinen, alle, die etwas zu verbergen haben. Und wer könnte sich davon freisprechen?

Nun aber kommt die gute Nachricht: Gott sieht zwar alles Böse, auch die heimlichsten Dinge, doch er hat kein Gefallen daran, die Übeltäter zu bestrafen. Vielmehr liebt er uns Menschen so sehr, dass er selbst für Abhilfe gesorgt hat, indem er seinen Sohn für unsere heimlichen und unheimlichen Sünden hat sterben lassen. Und das Opfer seines Sohnes Jesus Christus ist in seinen Augen so wertvoll, dass es die Sünden der ganzen Welt aufwiegt. Zugesprochen wird die Vergebung allerdings nur denen, die »die Leichen aus dem Keller holen«. Das heißt, die mit dem Versteckenwollen Schluss machen und alles an das Licht bringen, in dem es vor Gott schon immer war.

Dass Gott sowieso alles weiß, ist dabei für alle Aufrichtigen ein froh machender Gedanke. Man braucht nie Angst zu haben, dass Gott sein Gnadenangebot zurückzieht, wenn wir mit ganz schlimmen Sachen ans Licht kommen. Er wusste ja darum, als er sein Angebot machte. Er war auch dabei, als wir die Dinge taten. Sie sind ihm also keine Neuigkeit, die seine Haltung uns gegenüber ändern könnte. Darum können sich begnadete Sünder zugleich schämen und sich freuen.

Hermann Grabe

? Was hindert Sie noch daran, dieses Geschenk anzunehmen?

! Je gründlicher wir Ordnung schaffen, umso froher werden wir.

† 2. Samuel 12,1-15

Der Himmel und die Erde werden vergehen,
meine Worte aber werden nicht vergehen.
LUKAS 21,33

Ein Rekord für die Ewigkeit

Der bekannte deutsche Stürmer Gerd Müller (1945–2021) schoss in der Bundesliga-Saison 1971/1972 40 Saisontore. Diese beeindruckende Marke galt lange Zeit als unerreichbar und nicht wiederholbar. Die Leistung des »Bombers der Nation« ging als »ewiger Torrekord« in die Bundesligageschichte ein. Rund 50 Jahre später wurde dieser Rekord aber doch überboten: Der polnische Stürmer Robert Lewandowski schoss in der Saison 2020/2021 überragende 41 Tore in nur 34 Spieltagen, wobei er noch einige Spiele verletzt verpasste.

Die Leistungen der beiden Stürmer waren wirklich außergewöhnlich! Doch wie lange halten diese Rekorde? So gut diese Leistungen auch sind, ewig halten sie nicht. Es kommt der Tag, an dem der Rekord übertroffen wird oder in Vergessenheit gerät.

Jesus sagt, dass seine Worte nicht vergehen werden. Das ist eine steile Behauptung! Doch Jesu Worte sind schon über 2000 Jahre alt und immer noch gültig, aktuell und wahr. Sie haben Regierungen und Meinungen überlebt. Wir halten seine Worte, die in der Bibel niedergeschrieben sind, immer noch in unseren Händen, auch wenn mehrere Versuche unternommen wurden, sie zu vernichten.

Viele Menschen sind über diese Erde gegangen, doch keiner hat so viele Menschen mit seinen Worten nachhaltig verändert wie Jesus Christus. In seinen Worten finden wir die Zusage, dass jeder, der an ihn glaubt, ewiges Leben hat. Und dass jeder, der sein Leben mit ihm lebt, eine ewige Belohnung bekommen wird, nämlich eine Belohnung, die ihm niemand nehmen kann.

Wir sehen: Jesu Worte sind ewig und nicht unsere Rekorde, so gut diese auch sein mögen.

Jens Bergmüller

? Was in Ihrem Leben hat ewigen Bestand?

! Lesen Sie die ewigen Worte Jesu in der Bibel!

† Psalm 19,8-15

Dass aber durch Gesetz niemand vor Gott gerechtfertigt wird, ist offenbar, denn »der Gerechte wird aus Glauben leben.

GALATER 3,11

Gesetz und Evangelium

Man kann die Bibel – grob gesagt – in zwei Bereiche einteilen: Gesetz und Evangelium (Frohe Botschaft). Beide Teile werden allerdings oft missverstanden. Das Gesetz ist wie Gott selbst und wie wir sein *sollten*: vollkommen, heilig, gut und gerecht. Das Gesetz fordert dabei den ganzen inneren und äußeren Menschen. Es sagt: Wenn du *alles* tust, was Gott gebietet, dann bist du gerecht vor Gott. Doch wenn du nur ein Gebot übertrittst, bist du am ganzen Gesetz Gottes schuldig (Jakobus 2,10). Damit ist das Gesetz für sich kein Weg, um mit Gott wirklich ins Reine zu kommen. Es ist zunächst Gottes Diagnose-Tool, um uns zu zeigen, wie wir wirklich sind. Wie das MRT die Metastasen, so zeigt das Gesetz, wie unvollkommen wir sind: Durch Gesetz kommt Erkenntnis der Sünde (Römer 3,20). Wer also zu Gottes Geboten mit dem Ziel greift, vor Gott gut dazustehen, ist schlecht beraten.

Hier leuchtet die Frohe Botschaft hell auf, dass Gott ohne jedes eigene Verdienst den gerecht spricht, der an seinen Sohn Jesus Christus glaubt. Wie befreiend! Was für ein Lichtblick für das Gewissen, das durch Gottes heiliges Gesetz von den eigenen Abgründen tief überführt wird! Das Gesetz für sich macht zuerst hilflos, die Gnade aber hilft. Doch auch das Evangelium von der freien Gnade wird leicht missverstanden oder gar missbraucht: Dann kann ich ja so weitermachen wie bisher …

Damit übersieht man aber, dass das Evangelium nur für diejenigen ist, die sich sehnlich wünschen, von den eigenen Fehlern wirklich erlöst zu werden, um ein neues, befreites Leben führen zu können, das sich nun von Herzen an Gottes guten Geboten orientieren kann. *Markus Majonica*

? Haben Sie den Wunsch, von Schuld und Versagen erlöst zu werden?

! Bitten Sie Gott, dass er auch Ihnen zurechnet, was Jesus für Sie getan hat!

† Römer 3,21-28

Und siehe, ich sende die Verheißung meines Vaters auf euch. Ihr aber, bleibt in der Stadt, bis ihr angetan werdet mit Kraft aus der Höhe.

LUKAS 24,49

Kraft aus der Höhe

In keiner Zeit wurde mehr über Energiegewinnung nachgedacht als heute. In einer hochtechnisierten Welt ist die Frage, wie man Energie gewinnt, von großer Bedeutung. Ohne diese würde vieles nicht mehr funktionieren und zum Erliegen kommen. Unser Körper funktioniert verbunden mit dem Verdauungsprozess der Nahrung durch chemische Energie. Andere Energieformen sind z. B. die thermische, elektrische oder fossile Energie als Grundlage vieler Vorgänge, deren Ablauf wir täglich erleben: Heizung, Licht, Fortbewegung, Antrieb von Motoren usw. Aber nicht nur mechanische Abläufe beruhen auf Einsatz von Energie, sondern letztlich auch die geistigen Leistungen unseres Gehirns. Immer ist Kraftaufwand, also Energie, notwendig, um etwas zu schaffen oder aufrechtzuerhalten, was uns Nutzen bringt.

Als Jesus seine Jünger auf die gewaltige Aufgabe vorbereitete, der Welt die Botschaft von seinem Erlösungswerk zu bringen, hat er ihnen eine ganz besondere Art von Energie versprochen. In unserem Tagesvers wird sie als »Kraft aus der Höhe« bezeichnet. Jesus bezog sich damit auf die Sendung des Heiligen Geistes, der über sie »ausgegossen« werden sollte. Darauf sollten sie unbedingt warten, denn ohne ihn würden sie letztlich nichts ausrichten können, was zum Bau des Reiches Gottes beitragen würde. Ja, Gott baut etwas ganz Neues auf dieser Erde. Die Menschen, die an Jesus glauben und ihm nachfolgen, sind seine Werkzeuge. Und die Kraft dazu kommt auf wissenschaftlich nicht erklärbare Weise »von oben«, d. h. von ihm selbst. Doch diese Kraft bekommt man nur, wenn man an Jesus glaubt und ihm sein Leben übergibt. Dann aber ist man dazu befähigt, an dem größten Projekt aller Zeiten mitzuwirken, das jemals in Gang gesetzt wurde und bis in Ewigkeit Bestand haben wird. *Joachim Pletsch*

? Wäre es nicht großartig, wenn Sie an einem solchen Projekt mitarbeiten könnten?

! Gottes Gabe dazu ist einzigartig. Und diese Energiequelle versiegt niemals.

† Apostelgeschichte 1,4-14

Der Wind weht, wo er will, und du hörst sein Sausen, aber du weißt nicht, woher er kommt und wohin er geht; so ist jeder, der aus dem Geist geboren ist.

JOHANNES 3,8

Wie Gottes Geist wirkt

Windkraft ist heute eine sehr begehrte Energiequelle. Zu ihrer Nutzung wurden schon vor langer Zeit Windmühlen eingesetzt. Deren heutige Form ist einzig und allein darauf ausgerichtet, die Kraft des Windes in vielfältig nutzbare elektrische Energie umzuwandeln. Windkraft zählt zu den sogenannten erneuerbaren Energien, für die keine natürlichen Ressourcen endgültig verbraucht werden, sondern deren »Rohstoff« praktisch immer wieder neu zur Verfügung steht. Windkraft ist allerdings nicht völlig berechen- und steuerbar. Sie ist vielmehr abhängig von Vorgängen, auf die der Mensch keinen Einfluss hat. Jedoch ist sie zuverlässig, sobald man sich dorthin begibt, wo diese Kraft zur Verfügung steht.

Der Wind ist auch der vermutlich beste Vergleich, um das Wirken von Gottes Geist zu beschreiben. Das dafür in der Bibel verwendete griechische Wort *pneuma* legt das nahe, denn es bedeutet Geist und Wind zugleich. Im Zusammenhang des Tagesverses geht es darum, wie ein Mensch neues Leben empfängt und von der Kraft erfüllt wird, die von Gott kommt. Das Beispiel Wind zeigt Folgendes: **1.** Der Mensch hat keinen Einfluss darauf, wo und wann der Geist »weht«, also wirkt. Es hängt allein von Gott ab. **2.** Je näher man Gott kommt, desto höher ist die Chance, die Wirkung von Gottes Geist zu erfahren.

Was ist seine Aufgabe und sein Ziel? Er weht alles weg, womit wir unser sündiges Leben verschleiert und verdeckt haben, sodass wir uns als Sünder vor Gott erkennen können. Er bläst den Nebel des Zweifels und Unglaubens fort, der uns den klaren Blick darauf verstellt, wer Jesus ist und dass wir ihn als unseren Retter brauchen. Und schließlich »weht« er uns – wenn wir aus ihm geboren sind – in das Reich Gottes hinein, um ewig Anteil an einem Leben aus der Kraft Gottes zu haben.

Joachim Pletsch

? Stehen Sie schon »im Wind«, oder bleiben Sie lieber auf Abstand?

! Lesen Sie in der Bibel und beten Sie, um Gott näher zu kommen und das Wirken von Gottes Geist zu erfahren.

✝ Johannes 3,1-21

Wenn wir untreu sind, so bleibt er doch treu;
er kann sich selbst nicht verleugnen.

2. TIMOTHEUS 2,13

Wie steht es mit meiner Integrität?

Anton findet Ehrlichkeit extrem wichtig. Er sieht es als ehrenhaft an, Fehler einzugestehen. Aber als er selbst etwas versäumt und vermasselt hat, gebraucht er seinem Chef gegenüber einen Vorwand, warum das nicht geklappt hat. Er versucht, sich herauszureden und zu rechtfertigen, anstatt das Versäumnis zuzugeben.

Bianca vertritt die gute Einstellung, dass man nicht über andere reden sollte, sondern mit der betreffenden Person selbst. Ihre Freundin Lisa tut etwas, was sie sehr ärgert. Bei nächster Gelegenheit erzählt sie es einer weiteren gemeinsamen Freundin. Mit Lisa selbst zu sprechen, traut sie sich aber nicht. Die Wertvorstellungen, die sie vertritt, sind zwar gut. Sie bemerkt jedoch nicht, dass sie sich nicht an ihre eigenen Werte hält.

Die Eigenschaft, die in solchen Fällen fehlt, nennt man Integrität. Damit ist ein Handeln gemeint, das in Übereinstimmung mit den eigenen Wertvorstellungen steht. Also dass man die Werte, die man vertritt, auch selbst lebt. Es geht gewissermaßen um Treue zu sich selbst.

Ein Vorbild völliger Integrität ist Jesus. Er handelte immer dem entsprechend, was er sagte. Seine Worte und Taten stimmten überein. Das ist bis jetzt so. Er ist sich selbst nicht untreu. Dadurch wissen wir, er ist verlässlich. Das, was er sagt, wird er auch tun. Und er wird sich uns gegenüber so zeigen, wie er sich uns in der Bibel vorstellt – in Eigenschaften wie z. B. Gnade, Barmherzigkeit und Güte, Wahrheit und Gerechtigkeit. Wenn wir uns mit Jesus verbinden, haben wir jemanden, der uns nicht (ent-)täuschen wird und der uns ein Vorbild für Integrität ist. Lernen wir Jesus immer mehr durch die Bibel kennen, wird uns das zu Menschen machen, die verlässlich sind und die leben, was sie vertreten. *Manfred Herbst*

? Wo haben Sie es schon versäumt, nach den Werten zu handeln, die Sie vertreten?

! Eine integre Person zu sein, wünscht sich jeder.

† 2. Timotheus 3,10-17

Und einer rief dem andern zu und sprach:
Heilig, heilig, heilig ist der HERR der Heerscharen!

JESAJA 6,3

»Du riechst wie ein Kettenraucher!«

07:30 Vor einiger Zeit habe ich für ein paar Monate in einer Raucherwohnung gelebt. Die Folgen des Nikotinkonsums des Vormieters schlugen einem beim Öffnen der Tür sofort entgegen und nahmen jedem Besucher buchstäblich den Atem. Wenn ich jedoch den ganzen Tag im Haus verbracht hatte, ist mir der drückende Geruch des Rauchs gar nicht mehr aufgefallen. Doch sobald ich das Haus verließ, wurde mir nur allzu deutlich bewusst, dass mich eine unsichtbare Rauchwolke begleitete, wo immer ich hinging. »Mensch Caro, merkst du gar nicht, dass du riechst wie ein Kettenraucher?«, fragte mich meine Mutter jedes Mal, wenn ich nach Hause kam, und wedelte theatralisch mit der Hand vor ihrer Nase herum.

Diese Begebenheit lässt mich an Sünde denken. Wenn wir uns mit unseren Mitmenschen vergleichen, bemerken wir oft gar nicht, wie schlecht wir eigentlich sind. Der andere lügt doch viel mehr oder hat sogar schon mal etwas geklaut! Solange wir im »Gestank« dieser Welt sind, fällt uns unser eigener Geruch kaum auf. Doch heben wir einmal den Blick zum Himmel, zu dem Gott, der uns in unzähligen Bibelstellen als »heilig« vorgestellt wird. Heilig, das bedeutet, völlig ohne Fehler zu sein. Und weil Gott perfekt ist, »stinken unsere Sünden zum Himmel«. Sie trennen uns von ihm, da er in seiner Vollkommenheit Sünde nicht ertragen kann.

Nachdem ich ausgezogen war, ist der unangenehme Geruch allmählich aus meiner Kleidung und meinen Haaren verschwunden. Doch unsere Sünden können wir nicht einfach »auslüften«. Der einzige Weg, sie loszuwerden, ist, Jesus um Vergebung zu bitten. Er ist für diese Sünden gestorben, damit Sie und ich zu einem »Wohlgeruch« für Gott werden können. Noch heute können Sie dieses Angebot annehmen! *Carolin Nietzke*

? Was ist der Maßstab unseres Handelns?

! Wir sind Sünder – auch wenn wir das nicht immer merken.

† Jesaja 1,15-18

01 | **JUNI** Welterntag — DONNERSTAG

»Keiner ist klug, keiner fragt nach Gott.«

RÖMER 3,11

Alter, du nervst!

Es unterhalten sich zwei Väter pubertierender Teenager. Sagt der eine: »Mein Sohn behandelt mich, als wäre ich Gott.« Erstaunt erwidert der andere: »Echt? Was macht er denn?« Die Antwort klang ernüchternd: »Er hört überhaupt nicht auf mich, er gehorcht in keiner Weise. Er ignoriert mich meistens und will sogar nichts mehr mit mir zu tun haben. Eigentlich kommt er nur angedackelt, wenn er mal wieder etwas von mir braucht.«

Leider verhalten sich viele Menschen Gott gegenüber genauso wie manche Pubertierende in ihren schlimmsten Phasen den Eltern gegenüber. Sie leben so, als gäbe es ihn nicht. Sie wissen alles besser und wollen sich von einer höheren Instanz nichts sagen lassen. Kommen sie dann in eine Krise oder geht es ihnen schlecht, fällt ihnen plötzlich der »Notnagel im Himmel« ein. Wenn manche dann tatsächlich beten, glauben sie im Grunde eigentlich gar nicht, dass Gott einschreitet; tut er es doch, nennen sie es Glück oder Zufall und vergessen ihn sogleich wieder. Schreitet er nicht ein, haben sie einen Grund, ihn anzuklagen oder ihren Unglauben zu bestärken.

Unsere Kinder hatten auch die Phase, wo die Eltern nervten, kleinkariert und nicht auf der Höhe der Zeit waren. Heute sind sie selbst für ihre Kinder verantwortlich und sind dankbar, dass sie bei uns Rückhalt und Ratgeber haben. Sie wissen es zu schätzen, uns anrufen zu können, wenn in der Erziehung Dinge schieflaufen, wenn Alltagsprobleme überhandnehmen oder wenn es um ihre Lebensplanung geht. Sie wissen, dass sie von ihren Eltern bedingungslos geliebt werden, die alles für sie tun würden, damit sie glücklich und zufrieden sind. Und genauso ist unser Gott im Himmel. Er ist kein Notnagel, sondern möchte unser Helfer, Berater, Zuhörer und Beistand sein.

Daniela Bernhard

? Ist der Glaube an Gott »uncool«, also nicht mehr zeitgemäß?

! Gott ist zeitlos, ewig und seit jeher derselbe.

† Psalm 78

Und an jenem Tage werdet ihr mich nichts fragen.
JOHANNES 16,23

Was wir ohne die Bibel nicht wissen können (1)

Wir können zwar manches über Gott aus der Schöpfung ablesen und mit wissenschaftlicher Hilfe erfahren, aber vieles bliebe uns verborgen, wenn Gott es uns nicht in der Bibel offenbaren würde. Wir wüssten nicht, ... *dass* das gesamte Universum einschließlich unserer Erde mit allen Lebewesen innerhalb von sechs 24-Stunden-Tagen durch einen allmächtigen und allwissenden Gott geschaffen wurde: »Denn in sechs Tagen hat der HERR Himmel und Erde gemacht und das Meer und alles, was darinnen ist, und ruhte am siebenten Tage« (2. Mose 20,11). ... *dass* Gott einen Sohn hat, der sein Ebenbild ist (vgl. Kolosser 1,15), der alle Macht im Himmel und auf Erden hat (vgl. Matthäus 28,18), der der Schöpfer und Erhalter (Kolosser 1,16-17; Hebräer 1,3) dieser Welt ist, dessen Name Jesus ist. ... *dass* der Mensch ursprünglich nach dem Bilde Gottes geschaffen wurde: »Und Gott schuf den Menschen zu seinem Bilde, zum Bilde Gottes schuf er ihn; und schuf sie als Mann und Frau« (1. Mose 1,27). ... *dass* der Mensch sich durch eigenes Verschulden im Strudel der Sünde verfangen hat (vgl. 1. Mose 3) und darum der Erlösung durch einen göttlichen Retter bedarf. Das hat Gott für uns durch Jesus getan: »Aber mir hast du Arbeit gemacht mit deinen Sünden und hast mir Mühe gemacht mit deinen Missetaten« (Jesaja 43,24).

Diese wenigen Punkte zeigen uns, wie lebenswichtig diese Information für uns ist. Römer 10,14 nennt drei grundlegende Fragen: »Wie sollen sie aber den anrufen, an den sie nicht glauben? Wie sollen sie aber an den glauben, von dem sie nichts gehört haben? Wie sollen sie aber hören ohne Prediger?« Und genau darum hat Jesus den Auftrag gegeben: »Darum geht hin und macht zu Jüngern alle Völker ... und lehrt sie halten alles, was ich euch befohlen habe« (Matthäus 28,19-20). *Werner Gitt*

? Können Sie den obigen Punkten zustimmen?

! Für die verlorene Welt gibt es keine wichtigere Botschaft.

† Apostelgeschichte 4,12

Nachdem nun Gott die Zeiten der Unwissenheit übersehen hat, gebietet er jetzt den Menschen, dass sie alle überall Buße tun sollen.

APOSTELGESCHICHTE 17,30

Was wir ohne die Bibel nicht wissen können (2)

Die Bibel ist die einzige Informationsquelle zu den folgenden Antworten. Ohne sie wüssten wir nicht, ... *dass* Jesus Christus der einzige Erlöser ist (vgl. Apostelgeschichte 4,12) und alle von Menschen ersonnenen Heilswege in die Verlorenheit führen (vgl. Matthäus 7,13-14). Johannes 3,36 fasst dies zusammen in dem einen Vers: »Wer an den Sohn (Gottes) glaubt, der hat das ewige Leben. Wer aber dem Sohn nicht gehorsam ist, der wird das Leben nicht sehen, sondern der Zorn Gottes bleibt über ihm.« .... *dass* wir Ewigkeitsgeschöpfe sind, weil Gott uns bei der Erschaffung seinen »Odem des Lebens« (vgl. 1. Mose 2,7) eingehaucht hat, der ewig ist. Die atheistische Position, dass mit dem Tod alles aus sein soll, ist ein Irrweg, der im Augenblick des Todes in schrecklicher Weise offenbar wird (vgl. Hebräer 10,31). ... *dass* es einen Himmel und eine Hölle gibt, die beide ewig sind: »Und sie werden hingehen: diese zur ewigen Strafe, aber die Gerechten in das ewige Leben« (Matthäus 25,46). ... *dass* alle Menschen einmal vor einem letzten Gericht erscheinen müssen: »Wir werden alle vor den Richterstuhl Gottes gestellt werden«(Römer 14,10). ... *dass* wir zu ewiger Gemeinschaft mit Gott geladen sind. Jesus sagt in Lukas 19,10: »Denn der Menschensohn ist gekommen, zu suchen und zu retten, was verloren ist.« ... *dass* es Gottes Wunsch und Wille ist, dass wir vom Weg der Verlorenheit umkehren müssen (vgl. 1. Timotheus 2,4), um einmal bei ihm ewig im Himmel zu sein: »Unser Bürgerrecht aber ist im Himmel ...« (Philipper 3,20).

Das Wort Gottes zu verwerfen, ist mit einem Verlust ohnegleichen verbunden. Aber bis zum Wiederkommen Jesu Christi bleibt die Himmelstür offen, und jeder ist eingeladen einzutreten. *Werner Gitt*

? Wie wird Ihre Antwort auf diese Fakten sein?

! Ergreifen Sie das in Jesus angebotene ewige Leben!

† Lukas 15,21-24

Ich habe dich je und je geliebt, darum habe ich dich zu mir gezogen aus lauter Güte.

JEREMIA 31,3

Anerkennung

Wer möchte nicht in seiner Familie, seinem Freundeskreis, an seinem Arbeitsplatz oder in seiner Community anerkannt sein? Was unternimmt man nicht alles, um anerkannt zu werden: Essen wird fotografiert und noch vor dem Verzehr online gestellt. Die schönsten Bilder des Urlaubs (auch wenn der sonst gar nicht so schön war) werden gepostet, damit möglichst viele Menschen sehen, wie (vermeintlich) schön man es hat. Statusbilder sollen das eigene Leben medial aufwerten. Warum? Damit man Anerkennung erfährt.

Auf der Suche nach Anerkennung greift man leicht zu unlauteren Mitteln: Sich auf Kosten des Arbeitskollegen besser darzustellen, als man in Wirklichkeit ist. Man drängt sich in den Vordergrund, um endlich angemessen wahrgenommen zu werden. Warum tun wir das? Weil wir über die Anerkennung durch andere Menschen unseren Wert definieren. Anerkennung ist Wertschätzung, und je mehr Anerkennung ich erfahre, desto wertvoller bin ich, so denkt man. Fehlt Anerkennung, dann habe ich auch keinen Wert. Und das Gefühl der Wertlosigkeit kann sogar krank machen. Je größer dieses Gefühl, desto stärker der Impuls, mehr aus mir zu machen, als ich eigentlich bin, und Scheitern zu vertuschen.

Wer seinen Wert über das definiert, was er selbst schafft, oder über das Bild, das andere Menschen von ihm haben, ist abhängig von sich und seiner Umwelt. Bei Gott ist das anders: Er definiert meinen Wert nicht aus dem, was ich bin, leiste oder nur zu sein scheine. Er definiert meinen Wert durch seine große Liebe. Ich habe einen Wert, weil ich für Gott wertvoll bin. Trotz aller meiner Defizite gilt mir seine Liebe. Wer sich so sehr geliebt weiß, wird frei von dem Drang nach Anerkennung und Selbstdarstellung.

Markus Majonica

? Wer bestimmt Ihr Selbstwertgefühl?

! Wesentlich ist nicht, dass ich Gott liebe, sondern dass Gott mich liebt.

† Jeremia 31,1-9

Siehe, ich komme bald und mein Lohn mit mir, um einem jeden zu vergelten, wie sein Werk ist.
OFFENBARUNG 22,12

Endabrechnung

Wir Menschen haben vom Schöpfer die Aufgabe erhalten, seine Schöpfung zu bewahren und sie nicht durch Raubbau zu zerstören. Wir sollen also mit dem uns Geliehenen wie mit einem kostbaren Schmuck umgehen (»Kosmos« heißt auf Deutsch »das Geschmückte«). Tun wir das nicht, brauchen wir uns über das Ausmaß der von Menschen angerichteten Schäden trotzdem keine großen Sorgen zu machen. Denn alles deutet darauf hin, dass wir ans Ende dieser Weltzeit angekommen sind und dass die Erfüllung unseres Tagesverses direkt vor der Tür steht.

Den uns vor etlichen Jahren mit einem Buchtitel angekündigte »Stummen Frühling« haben wir jetzt, weil wir so erfolgreich die Insektenwelt reduziert haben, dass die Vögel wegen Futtermangels aussterben oder fortbleiben. Die Wüsten werden rasend schnell größer, weite Gebiete sind durch ausgelaufenes Erdöl und durch radioaktive Verseuchung unbewohnbar geworden, Urwälder werden abgebrannt, in den Ozeanen treiben Millionen Tonnen von Plastikresten, die den Walen zum Verhängnis werden usw. Und den Menschen wird verständlicherweise angst und bange.

Wenn in früheren Zeiten unbeherrschbare Ereignisse wie Kriege und Seuchen eintraten, läuteten die Glocken, und die Menschen strömten in die Kirchen, um Gott um Erbarmen und Vergebung ihrer Sünden anzuflehen. Heute sind die meisten so weit von ihrem Schöpfer entfernt, dass ihnen diese Möglichkeit überhaupt nicht mehr einfällt. Stattdessen verfallen sie in sinnlosen Aktionismus, der stets auf dem gleichen Prinzip beruht: Andere sollen sich ändern, nur man selber nicht. – Der Untergang kommt; aber auch die durch Jesus Christus erworbene Rettung steht bereit. Nehmen wir sie doch rechtzeitig in Anspruch! *Hermann Grabe*

? Was müsste noch geschehen, damit Sie Gott ernst nehmen?

! Gottes Rettung steht für alle bereit, die ihm recht geben.

† 1. Mose 7

Was willst du, dass ich dir tun soll?
Er aber sprach: Herr, dass ich sehend werde!
LUKAS 18,41

Eine letzte Chance

Wie lange mag der blinde Mensch schon Tag für Tag am Stadttor von Jericho gesessen und um Geld gebettelt haben! Sicher hatte er auch von dem überaus freundlichen Wunderheiler aus Nazareth gehört, und dann hatte er davon geträumt, der möchte doch auch einmal nach Jericho kommen. Plötzlich hörte er eine große Volksmenge sich nähern. Er erkundigte sich, um was es da gehe. Zu seiner überwältigenden Freude sagte man ihm, Jesus von Nazareth wolle nach Jerusalem gehen, und dort werde man ihn zum König machen. So wenigstens sah die Hoffnung der Leute aus.

Sogleich fing er an zu schreien: »Jesus, Sohn Davids, erbarme dich meiner!« Und das wiederholte er immer wieder. Die dem Zug Vorangehenden träumten davon, dass nun das Messianische Reich anbrechen werde, in dem sie natürlich eine wichtige Rolle spielen würden. Ihnen passte das Geschrei des Blinden überhaupt nicht ins Konzept, und so bedrohten sie ihn, er solle schweigen. Der aber schrie immer eindringlicher, als ahnte er die Tatsache, dass dies seine einzige Chance sein würde; denn Jesus war wirklich auf seiner letzten Reise, die am Kreuz enden sollte.

Jesus blieb stehen, ließ ihn rufen und fragte ihn, was er für ihn tun solle. »Herr, dass ich wieder sehend werde«, war sein einziges Begehren, und das erfüllte Jesus Christus ihm. Freudig folgte er jetzt Jesus, seinem neuen Herrn, nach.

Wie oft ist Christus schon an Ihnen vorbeigegangen? Sie wissen nicht, ob er es diesmal zum letzten Mal tut. Darum ist es so wichtig, heute so wie der Blinde am Tor von Jericho zu handeln. Und wenn Sie es längst gemacht haben, dann danken Sie ihm aufs Neue für seine Rettungstat!

Hermann Grabe

? Warum ist es so wichtig, solche Entscheidungen nicht auf morgen zu verschieben?

! Man muss so lange rufen, bis man erhört wird.

† Psalm 123

Glückselig der, dessen Übertretung vergeben, dessen Sünde zugedeckt ist.

PSALM 32,1

Wer’s glaubt, wird selig!

Wer das Wort »selig« hört, denkt wahrscheinlich unwillkürlich an Kirchen, Kathedralen und Choräle oder fromme Friedhofsfloskeln. Dabei ist es erstaunlich, wie häufig wir »selig« im Alltag gebrauchen – als markante Wortendung, die zum Ausdruck bringt, dass jemand so tief von etwas erfüllt oder betroffen ist, dass er dadurch charakterisiert ist: Wer z. B. durch und durch feindlich gesinnt ist, gilt als feindselig, wer von tiefer Armut gekennzeichnet ist, gilt als armselig. Jemanden, der häufig und gerne Wein genießt, nennt man weinselig. Wer ununterbrochen redet und sich dabei gefällt, wird treffend als redselig bezeichnet. Wenn einer immer wieder unüberhörbar Trübsal bläst, ist er trübselig. Und wer tiefes Glück erlebt? Der ist – natürlich – glückselig.

Glückselig zu sein, heißt also eigentlich, nicht nur für einen Augenblick mal glücklich zu sein, sondern tiefes und unvergängliches Glück zu genießen. Wer will da nicht gerne glückselig sein?

In der Bibel gibt es viele Aussagen darüber, wer glückselig zu nennen ist, also wirklich und dauerhaft glücklich sein kann. Ein bekannter Vers ist der oben zitierte aus Psalm 32, den König David gedichtet hat. David hatte mehrfach schwere Fehler begangen, große Schuld auf sich geladen und gegen Gott und Menschen gesündigt. Darunter litt er buchstäblich Nacht und Tag. Aber dann beschreibt er in diesem Psalm, wie er Gott seine ganze Schuld bekannt und volle Vergebung erfahren hat. Die Last war ihm genommen und sein Herz wieder froh geworden. Daraufhin hält er für alle Zeiten und jeden Menschen fest: Glückseligkeit beginnt mit göttlicher Vergebung. Glückselig ist der, dessen Übertretung vergeben, dessen Sünde zugedeckt ist.

William Kaal

? Können Sie glückselig genannt werden?

! Keine Vergebung, kein Glück!

† Psalm 32

Eile, rette dich dorthin!

1. MOSE 19,22

Musik, die uns Beine machen will

Die Bibel berichtet manchmal von dramatischen Ereignissen, in denen sofortiges und schnelles Handeln überlebensnotwendig war. So passierte das bei dem Mann Lot, der von Engeln aus seiner Wahlheimatstadt Sodom gedrängt wurde, damit nicht auch er durch den angedrohten Schwefel- und Feuerregen ums Leben kam. Er sollte seine Haut so schnell wie möglich in Sicherheit bringen, denn Gott wollte ihn verschonen. Aber Lot zögerte. Zu stark war er in dieser bösen Stadt verwurzelt. Die Engel mussten ihn und seine Angehörigen quasi dort herausziehen und ihm befehlen: »Rette dich, es geht um dein Leben!« Da rannte Lot und erreichte rechtzeitig einen sicheren Ort.

Wenn es um unser Seelenheil geht, dann ist ebenfalls höchste Eile geboten. Aber was kann uns in Bewegung setzen? Der Komponist Johann Sebastian Bach nutzte dazu treffend die Musik. In seiner Johannes-Passion beschreibt Bach die Gefangennahme, die Verurteilung und Kreuzigung von Jesus Christus. In der Arie »Eilt, ihr angefochtnen Seelen« ist es ihm musikalisch hervorragend gelungen, uns aufzufordern, zu dem Gekreuzigten zu fliehen. Der Zuhörer wird dabei förmlich vom Stuhl gerissen durch die schnellen Läufe der Streichinstrumente sowie durch den dringlichen Appell der Bassstimme: »Eilt, ihr angefochtnen Seelen, / geht aus euren Marterhöhlen!« Immer wieder wirft der Chor die Frage ein: »Wohin, wohin?« Die Antwort: »Nehmet an des Glaubens Flügel, / flieht zum Kreuzeshügel Golgatha, / eure Wohlfahrt blüht allda!«

Bach kannte das Evangelium. Rettung und Wohlergehen für die schuldbeladene und bekümmerte Seele finden wir allein bei dem gekreuzigten Sohn Gottes. Hier können wir allen Ballast loswerden. Wozu noch zögern? Auf nach Golgatha!

Arndt Plock

? Was bremst Sie aus, bei Jesus noch heute Ihre Zuflucht zu suchen?

! Nehmen Sie sich mal einen Abend Zeit für die Johannes-Passion!

† 1. Mose 19,1-29

Aufmerksam will ich darauf achten, einen guten Weg zu gehen. Wann kommst du, Gott, zu mir? Mit aufrichtigem Herzen will ich handeln in meinem Königshaus.

PSALM 101,2

Wie sieht es innen aus?

David war König in Israel um 1000 v. Chr. Er war auch Dichter von Liedern, in denen er seine Gedanken und Werte zum Ausdruck brachte. Im Psalm 101 drückt er aus, wie er darauf bedacht war, dass sich in seinem Land und in seiner Stadt nichts Unrechtes ausbreiten konnte. Richtigerweise fängt er bei sich selbst an, in seinem eigenen Königshaus. Und noch zentraler. Er begann in seinem Innersten. Es war ihm wichtig, eine verlässliche Person zu sein, die sich nichts zuschulden kommen lassen wollte. Daher achtete er auf die Einflüsse, die an ihn herangetragen wurden. Diese Klarheit sollte sein Handeln bestimmen.

Ja, könnte man denken, wer ein Land regiert, sollte ehrlich und aufrichtig sein. Es gibt genug böse Machenschaften und Korruption in dieser Welt. Ein Regent, der verlässlich ist, tut einem Volk gut. Was im Großen gilt, ist aber auch im Kleinen von Bedeutung. Jeder von uns hat gewissermaßen eine »Königsherrschaft«. Wir regieren unser eigenes Leben. Gott gibt uns dazu Freiheit und Verantwortung. Ob mein Leben gelingt, hängt sozusagen von meiner »Regierung« ab. Ich muss darauf achten, welche Gedanken in mir vor sich gehen, und selbst entscheiden, welche Einflüsse mein Tun bestimmen sollen. Entsprechend wird sich mein Lebensweg gestalten.

David versuchte täglich, sich vor Gott neu auszurichten. Jeden Morgen betete er, um den Tag mit Gott zu durchleben. Ihm war sehr bewusst, dass er viele Fehler machte, und er bekannte diese vor seinem Gott. Er las gerne in der ihm verfügbaren Bibel, um Gott besser kennenzulernen. Das sollten wir auch tun, um zu wissen, was unser Schöpfergott von uns möchte. Das wird unser Leben auf die Ewigkeit ausrichten, denn ohne Gott kommen wir nicht ans Ziel.

Manfred Herbst

? Welche Gedanken treiben Sie an?

! Aufrichtigkeit im Herzen wird Sie einen guten Weg führen.

† Psalm 101

… und seid wie neugeborene Kinder, begierig nach der vernünftigen, unverfälschten Milch – damit ihr durch sie wachset zur Rettung.

1. PETRUS 2,2

Davon bekommt man nie genug!

Was für ein Jammer: beide Lämmer tot! Es waren zwei außergewöhnlich kräftige, männliche Ziegenlämmer, die zwei Tage vorher geboren waren und sofort sicher standen und meckerten. Jetzt lagen sie tot im Heu, der Pansen fühlte sich leer an. Die Mutterziege war erfahren und im besten Alter, das Euter prall gefüllt. Warum nur haben die Böcke beide nicht genug getrunken? Im Nachhinein war es nicht sicher zu sagen, aber wahrscheinlich waren die Zitzen verstopft, die Tiere hätten »gieriger« saugen müssen!

Die ersten 30 Stunden sind für alle Säugetiere und auch für den neugeborenen Menschen, wenn er natürlich ernährt werden soll, überlebenswichtig. In dieser Zeit gibt der mütterliche Organismus die sogenannte Kolostralmilch ab, die im Gegensatz zur späteren Milch weniger Milchzucker, eine andere Fettzusammensetzung und erheblich mehr Eiweiß enthält. Sie bewirkt einen gesundheitlichen »Rundumschutz« für das Neugeborene. Darum haben neugeborene Kinder nur ein Interesse: die mütterliche Brust, die ihnen mit der Milch wirklich alles bietet, was sie brauchen.

Und im übertragenen Sinn müssen wir längst Erwachsenen genau das von den Allerjüngsten lernen: »begierig« sein nach der unverfälschten Milch, mit der hier das Wort Gottes gemeint ist. Es ähnelt total der oben beschriebenen Kolostralmilch: Es baut uns innerlich auf und macht immun gegen alle schädlichen Einflüsse von außen.

Die Voraussetzung, um diese heilsame Begierde (evtl. wieder neu?!) zu bekommen, wird einen Vers vorher beschrieben: böse Dinge, geheucheltes Verhalten und übles Nachreden aus unserem Leben zu verbannen. So etwas schleicht sich immer wieder ein und wirkt wie der »Pfropfen« im Ziegeneuter, der für die Lämmer tödlich war. *Erwin Kramer*

? Wie stark ist Ihr Bedürfnis, in der Bibel zu lesen?

! Wenn es nicht reicht, beten Sie wie David in Psalm 139!

✝ Psalm 139,23-24

Er hat ein Gedenken seiner Wunder gestiftet;
gnädig und barmherzig ist der HERR.
PSALM 111,4

Stiftung

Stiftungen sind eine feine Sache: Hierdurch wird Geld (häufig viel Geld) dauerhaft einem bestimmten, in der Regel gemeinnützigen Zweck gewidmet (also »gestiftet«). Durch die Erträge der gestifteten Vermögenswerte werden andere gefördert. So gelangen Notleidende in den Genuss des Geldes anderer, in der Regel wohlhabender Leute.

Stiftungen haben eine lange Tradition: Man kennt sie schon aus dem Altertum, und in Deutschland sind viele »Stifte« aus dem Mittelalter bekannt und existieren zum Teil bis heute fort.

Stiftungen sind in Mode: Seit den 90er-Jahren des vergangenen Jahrhunderts kann man bis heute im Durchschnitt einen stetigen Anstieg der jährlichen Stiftungsgründungen verzeichnen. Erstaunlich ist, dass die meisten privaten Stiftungen (4 von 5) zu Lebzeiten der Stifter gegründet werden, und nicht erst mit deren Tod. Durch eine solche Stiftung, die in der Regel an den Namen der Stifter gebunden ist, möchte man noch zu Lebzeiten – und über den Tod hinaus – dauerhaft ein Andenken schaffen und langfristig Gutes tun.

Eine viel größere, wirklich existenzielle Stiftung hat allerdings Gott eingerichtet. Er hat kein Geld gegeben, um uns in unserer Not zu helfen. Das hätte auch nicht ausgereicht, um Menschen von ihrem wirklichen Problem, der Sünde und dem Tod, zu erlösen. Er gab seinen eigenen, einzigen Sohn, Jesus Christus. An diesem hat Gott – anstatt an uns – sein gerechtes Urteil vollzogen, indem er das Todesurteil am Kreuz vollstreckte. Die Bibel macht deutlich: Der, der seine eigene Lebensschuld bekennt und glaubt, dass dieser Jesus auch für ihn jede Schuld gesühnt hat, hat ewiges Leben! Gottes Stiftungszweck ist also erreicht, wenn Menschen seine Gabe annehmen.

Markus Majonica

? Halten Sie sich in dem Sinne der göttlichen Stiftung für bedürftig?

! Ohne Gottes Gabe wären wir alle rettungslos verloren.

† Römer 5,12-19

Du kennst mein Sitzen und mein Aufstehen,
du verstehst meine Gedanken von ferne. ...
Denn das Wort ist noch nicht auf meiner Zunge,
siehe, HERR, du weißt es ganz.

PSALM 139,2-4

Gott weiß alles

Gottes Weisheit ist allumfassend, nichts ist vor ihm verborgen. Er kennt unsere Wege. Er kennt auch unsere Worte. Der Tagesvers geht aber noch einen Schritt weiter. Gott hört nicht nur unsere Worte, er hat unsere Worte schon vernommen, bevor wir sie ausgesprochen haben. Denn er kennt alle unsere Gedanken.

Diese Tatsache hat weitreichende Konsequenzen. Wenn ich mit Gott reden möchte, muss ich nicht weit laufen. Ich muss kein Kirchengebäude aufsuchen. Ich muss auch nicht einen stillen Platz aufsuchen (obwohl das schon sehr nützlich sein kann). Ich kann zu ihm reden in der Hektik des Alltags, mitten im Gespräch mit Vorgesetzten oder Mitarbeitern. In solchen Situationen sind es sicher keine langen Gebete, die ich an Gott richte. Manchmal ist es nur ein Satz oder nur ein Seufzer.

Denken wir an Nehemia, den Diener des Königs Artasasta (Artaxerxes). Er gibt uns ein eindrucksvolles Beispiel. Der König fragt Nehemia: »Warum ist dein Angesicht traurig?« (Nehemia 2,2). Und Nehemia antwortete: »Warum sollte mein Angesicht nicht traurig sein, da die Stadt, die Begräbnisstätte meiner Väter, wüst liegt ...?« Und der König sprach: »Um was bittest du denn?« Da betete ich zu dem Gott des Himmels; und ich sprach zum König ...« Zwischen Frage und Antwort blieben für Nehemia nur Sekunden. Aber diese kurze Zeit reichte aus, um ein Gebet zu Gott zu schicken. »Da betete ich zu dem Gott des Himmels.« Erst danach heißt es »... und ich sprach zum König.« Das weitere Gespräch beweist das Wohlwollen des Königs. Nehemias Gebet war also erhört worden, obwohl es nur kurz war. Das Verhalten Nehemias kann für uns eine Ermutigung sein, uns jederzeit an Gott zu wenden und mit seinem Eingreifen zu rechnen.

Rudolf Koch

? Kennen Sie Situationen, wie sie Nehemia erlebte?

! Fassen Sie Mut, auch in den Situationen des Alltags Gott anzurufen!

† Matthäus 6,5-15

Ja, mit ewiger Liebe habe ich dich geliebt;
darum habe ich dir meine Güte bewahrt.
JEREMIA 31,3

VIPs für Gott

VIPs, »very important persons», sehr wichtige Leute, kennen wir alle. Die werden auf Erden überall herumgereicht und hofiert und fotografiert, und ihnen wird oft eine »Extrawurst gebraten«.

Gott hat auch Leute, die er für besonders wertvoll hält und um die er sich in ausnehmender Weise kümmert. Die haben sich diese Ehre allerdings nicht selbst verdient. Gott, der allmächtige Schöpfer von Himmel und Erde, hat sie aus reiner Gnade und Barmherzigkeit dazu gemacht, weil sie seine Vergebung in Jesus Christus in Anspruch genommen haben.

Den meisten Leuten rings um uns her ist diese Ehre bei Gott leider überhaupt nichts wert, und andere halten Gott für ungerecht und parteiisch. Dadurch fühlen sie sich berechtigt, ihn abzulehnen oder gar seine Existenz zu leugnen. Aber wie klug ist ein solches Verhalten? Wir können Gott nicht sehen; aber seine gewaltige, höchst komplexe Schöpfung setzt für jeden vorurteilslos denkenden Menschen schon jahrtausendelang einen überaus klugen Schöpfer voraus. Und im Neuen Testament wird uns Jesus Christus vorgestellt, der sich jedem unvoreingenommen Urteilenden in seinem gesamten Verhalten und in dem, was er sagte und tat, als das Bild des heiligen Gottes darbietet.

Weil es nicht den geringsten Beweis dafür gibt, dass mit unserem leiblichen Tod auch unsere Seele und unser Geist ausgelöscht werden, ist es doch höchst fahrlässig, nicht alles zu versuchen, von Gott in Gnaden angenommen und so eine »very important person« in Gottes Augen zu werden. Gott selbst fordert uns Menschen auf: »Trachtet nach dem HERRN und seiner Stärke, sucht sein Angesicht beständig!« (1. Chronik 16,11). Er hat versprochen, sich dann auch von uns finden zu lassen. *Hermann Grabe*

? Für wie wichtig und bedeutend halten Sie sich?

! Bei Gott wird der erhöht, der sich vor ihm demütigt.

† 2. Chronik 29,1-17

Werft nun eure Zuversicht nicht weg,
die eine große Belohnung hat.

HEBRÄER 10,35

A. Grypius – Dichter und Dramatiker

»Wir sind doch nunmehr gantz, ja, mehr denn gantz verheeret!«, so beginnt der schlesische Dichter Andreas Gryphius ein Sonett, das er anlässlich der Zerstörung seiner Vaterstadt Glogau im Dreißigjährigen Krieg schrieb. Diese Aussage und die Geschichte seines Lebens haben scheinbar mit Zuversicht – wie sie der Tagesvers thematisiert – wenig zu tun: Als Kind aus lutherischem Hause hatte er erleben müssen, wie die katholisch-kaiserlichen Truppen die Stadt eroberten. Sein Vater war bereits früh gestorben. Seine Mutter erlag – nach erneuter Heirat – der Schwindsucht. Als die kaiserliche Armee mit der Zwangsrekatholisierung der Stadt begann, musste sein evangelischer Stiefvater fliehen; die Kinder unter 15 Jahren – darunter Gryphius – mussten zurückbleiben. Gryphius gelang es nach ungefähr zwei Jahren doch noch, zu seinem Stiefvater zu fliehen. Tatsächlich wurde er später als Dichter über Deutschland hinaus bekannt und machte als Jurist Karriere. Doch er geriet immer wieder in Konflikt mit der Politik des Kaisers. Zudem überschatteten der Tod seiner Geschwister und eigene Krankheit sein Leben.

Für uns ist heute schwer zu beurteilen, warum Gryphius dennoch seinen Lebensmut nicht verlor. Aber vielleicht geben folgende Zeilen aus einem seiner Gedichte doch einen Aufschluss: »Mich soll von Christi Kreuz kein Tod noch Teufel dringen. Ob mich gleich Ach und Not, Angst, Weh und Leid umbringen ... doch will ich fröhlich singen ... Herr Jesu, neig herab dein blutig Angesicht: Und heiß durch deinen Tod im Tod mich ewig leben.«

Tatsächlich hat der, der sich ganz an Jesus Christus festhält, trotz der widrigsten Lebensumstände jeden Grund zu einer klaren Zuversicht auf ein ewiges Leben.

Karl-Otto Herhaus

? Was gibt Ihnen Zuversicht?

! Halten Sie sich an dem fest, der alles in seiner Hand hat!

† Psalm 62

Tod, wo ist dein Stachel?
Totenreich, wo ist dein Sieg?

1. KORINTHER 15,55

In ständiger Lebensgefahr

Der tote Fuchs am Fahrbahnrand war wahrscheinlich von einem Fahrzeug überrollt worden. Dieser an sich nicht ungewöhnliche Anblick brachte mich zum Nachdenken: Wie nahe liegen Tod und Leben beieinander! Eben noch ist der Fuchs »kerngesund« durch die Büsche gesprungen, und im nächsten Augenblick ist alles Leben erloschen.

Bei Licht betrachtet ist auch der Mensch mitten im Leben vom Tod umgeben. Dennoch ist der Tod eher ein Tabuthema. Keiner redet gerne darüber. Selbst bei hochbetagten Menschen wird er verdrängt. Der Tod scheint noch weit, weit weg. Doch bereits mit dem Tag Ihrer Geburt ist eines sicher: Sie werden sterben. Wie das Leben »dazwischen« wird, hängt sicher auch von Ihnen selbst ab, aber es gibt unzählige Faktoren, die keiner von uns beeinflussen kann. Irgendwie befinden wir uns alle auf unwägbaren Lebenswegen, die jederzeit enden können. Trotzdem wollen wir von Gott, der uns das Leben geschenkt hat und es tatsächlich in seiner Hand hält, nichts wissen. Wir lehnen seine Führung ab und wollen unser Leben lieber (scheinbar) selbstbestimmt führen. Das ist völlig absurd, weil Gott doch viel besser weiß, was für mich richtig oder falsch ist. Und er weiß genau, wann unser Leben endet.

Wenn sich ein Mensch für Jesus als seinen Herrn und Retter entscheidet, ändern sich hinsichtlich des Todes (mindestens) zwei Dinge grundlegend. Natürlich haben auch Christen mit Alter und abnehmenden Kräften zu kämpfen. Auch für sie ist der physische Tod ein Stachel, mit dem man sich auseinandersetzen muss. Aber zum einen steht uns der Herr des Lebens im Tod zur Seite. Und zum anderen kann mit Jesus unser Blick zuversichtlich über den Tod hinausgehen, unabhängig davon, wann er eintritt.

Axel Schneider

? Haben Sie Angst vor dem Tod?

! Verdrängen Sie nicht, was auf jeden Fall eintreten wird!

† 1. Korinther 15,12-20

Wo ist Gott, mein Schöpfer, der Loblieder gibt in der Nacht ...?

HIOB 35,10

Loblieder in der Nacht

Endlich durfte ich mein Diplom als ausgelernter Elektriker in den Händen halten! Nach der feierlichen Übergabe und der Zeremonie hatte ich nur noch einen Gedanken: So richtig feiern! Doch es kam alles anders: Ein plötzlicher Anruf mit einer schrecklichen Nachricht ließ meine Partystimmung in den Keller stürzen. Ein guter Freund war mit dem Motorrad tödlich verunglückt! Bestürzt und tief traurig verließ ich die Feier und fuhr nach Hause, die Lust am Feiern war verschwunden.

Der plötzliche Verlust meines Freundes schlug bei mir wie ein Hammer ein! Ich hatte Tausende Fragen und keine Antworten, ich konnte es einfach nicht fassen! Warum musste er so früh die Welt verlassen? Wieso ließ Gott das zu? In der folgenden Nacht gingen mir viele Gedanken durch den Kopf. Nach einem unruhigen Schlaf, es war noch mitten in der Nacht, wachte ich auf, nahm die Gitarre und fing an, gedankenverloren einige Akkorde zu spielen. Einer folgte dem anderen, und nach kurzer Zeit schrieb ich Zeile um Zeile eines Liedes nieder, das in meine Situation hineinredete!

In dieser Nacht entstand ein Lied, das nicht nur der Trauerfamilie Trost gab, sondern darüber hinaus auf der Beerdigung meines Freundes gesungen wurde und dabei viele Herzen berührt hat. Der englische Prediger Charles Spurgeon sagte einmal: »Lobgesänge in der Nacht kommen nur von Gott; sie liegen nicht in der Kraft des Menschen.« Gott sprach mit einem neuen Lied in meine Betrübnis hinein und half vielen durch das Dunkel der Nacht hindurch! Es mag sein, dass Gott unser Leid und unsere Trauer nicht sofort wegnimmt, doch kann er uns großen Trost schenken, wenn wir uns ihm in unserer Not anvertrauen.

Tony Keller

? Woher kommt Ihnen Trost im Dunkel der Nacht?

! Gott kennt Ihre Situation und will Sie trösten.

† 2. Korinther 1,3-4

Christus in euch, die Hoffnung der Herrlichkeit.
KOLOSSER 1,27

Es gibt noch Hoffnung ...

Jürgen Habermas, einer der einflussreichsten deutschen Philosophen und Soziologen des 20. und beginnenden 21. Jahrhunderts schreibt: »Angesichts von Schuld, von Einsamkeit, von Leid und von Tod ist die Lage des Menschen prinzipiell trostlos.« Stimmt das? Ja, wenn diese Welt alles und der Mensch nur ein biologischer Algorithmus ist, dann haben wir tatsächlich keine tragfähige Hoffnung. Da können und wollen wir uns nichts vormachen. Rein subjektive Motive und Gefühle sind keine ausreichenden Gründe für Hoffnung. Hoffnung ist nur dann berechtigt, wenn sie in der Realität begründet ist. Deshalb sehen wir uns ein anderes Zitat an. Paulus schreibt im Brief an die Christen in Kolossä: »Christus in euch, die Hoffnung der Herrlichkeit« (Kolosser 1,27).

Hoffnung ist für uns Christen etwas anderes, als sie allgemein verstanden wird. Sie ist nichts Ungewisses. Sie ist kein frommer Wunsch. Sie ist kein Vertrösten auf bessere Zeiten. Sie ist Wirklichkeit. Denn für uns ist Hoffnung eine Person: Jesus Christus. – Jesus Christus ist vertrauenswürdig. Das hat er bewiesen, als er auf dieser Erde lebte. Er steht zu seinem Wort. Alles, was er während seines Lebens auf dieser Erde gesagt hat, stimmt. Seine Vorhersagen haben sich erfüllt bzw. werden in Erfüllung gehen. Er ist die Wahrheit. Außerdem haben sich unzählige Mut machende Verheißungen, die Jahrhunderte vorher von Propheten gemacht wurden, in ihm erfüllt. Das ist in der Geschichte einmalig.

Und jetzt das Besondere: Heute besteht bereits die Möglichkeit, ihn kennenzulernen und bewusst mit ihm zu leben. Außerdem freuen wir uns als Christen auf die Begegnung mit ihm. Denn ER wird kommen, um seine Leute zu sich zu holen. Das bedeutet Hoffnung über dieses Leben hinaus.

Hartmut Jaeger

? Was hindert Sie daran, mit Jesus Christus Kontakt aufzunehmen?

! Lesen Sie die Evangelien und sprechen Sie mit ihm im Gebet!

✝ Titus 2,11-15

Siehe, hier ist mehr als Salomo.

LUKAS 11,31

Sehen und Erleben

Es ist ein Unterschied, ob man etwas nur vom Hörensagen kennt oder ob man es selbst erlebt hat. Die Eindrücke und Gefühle, die beim unmittelbaren Erleben entstehen, können beschreibende Worte nicht annähernd auslösen. Wer könnte etwa einen Sonnenuntergang am Meer so beschreiben, wie er nur mit eigenen Augen in tiefster Ergriffenheit erlebt werden kann? Selbst eine Fotografie ist stets weniger ausdrucksstark als die persönlich erlebte Realität.

Und trotzdem kann man das Entscheidende verpassen, selbst wenn man dabei gewesen ist. Abgelenkt durch irgendetwas Nebensächliches, durch mangelnde Empfindsamkeit oder gar Gleichgültigkeit. So war es bei vielen Menschen, die damals mit eigenen Augen gesehen hatten, was Jesus tat, und mit ihren Ohren gehört hatten, was er sagte. Ihr Herz war verschlossen, empfindungslos, obwohl die Weisheit Gottes mehr und viel deutlicher aus diesem Jesus zu ihnen sprach als zu seiner Zeit durch König Salomo, den Inbegriff von Weisheit in Israel. Es war mehr als unverschämt, dass sie dann auch noch ein besonderes Zeichen verlangten, durch das sich Jesus ihnen als von Gott gesandt beweisen sollte.

Doch es gab auch Menschen, die Jesus glaubten, seine Worte annahmen und ihm nachfolgten. Überraschenderweise waren darunter auch solche, die man als viel zu weit entfernt von Gott einstufte: Zöllner, Sünder, Huren, Ehebrecher usw. So weit entfernt wie einst die Königin von Saba, die von Salomo gehört und sich auf den weiten Weg zu ihm gemacht hatte, um ihn und seine Weisheit zu erleben. Erfüllt von vielen erstaunlichen Eindrücken kehrte sie zurück. Bei Jesus war »mehr als Salomo« und bis heute hat niemand übertroffen, was er für uns tat und welche Worte der Hoffnung er uns gegeben hat.

Joachim Pletsch

? Wie weit entfernt sind Sie von Jesus?

! Machen Sie sich auf, um ihn kennenzulernen und zu erleben! Er hat mehr zu bieten als irgendjemand anderes.

† Lukas 11,27-32

Wer aber mich liebt, der wird von meinem Vater geliebt werden, und ich werde ihn lieben und mich ihm offenbaren.

JOHANNES 14,21

Blaise Pascal

Heute vor 400 Jahren, am 19. Juni 1623, wurde Blaise Pascal, einer der führenden Denker seiner Zeit, in Frankreich geboren. Neben seinen mathematischen und naturwissenschaftlichen Studien wurde auch seinen philosophischen Schriften große Beachtung geschenkt. Pascal entwickelte eine Rechenmaschine, wurde Begründer der Wahrscheinlichkeitsrechnung und war gleichzeitig ein tief gläubiger Mensch mit einer persönlichen Beziehung zu Jesus Christus. Glaube und Verstand waren für ihn kein Widerspruch, sondern gehörten unbedingt zusammen. Er wehrte sich gegen beide Extreme – sowohl die Vernunft in Glaubenssachen auszuschließen als auch den Glauben durch die Vernunft einzugrenzen. Er war davon überzeugt, dass das Denken die Größe des Menschen ausmacht, gleichzeitig wusste er aber auch, dass man Gott nicht beweisen kann: »Es ist das Herz, das Gott spürt, und nicht die Vernunft. Das Herz hat seine Gründe, die der Verstand nicht kennt.« Der Schlüssel für eine tiefere Gotteserkenntnis war für ihn die Liebe zu Gott: »Weltliche Dinge muss man erkennen, damit man sie lieben kann. Göttliche Dinge muss man lieben, damit man sie erkennen kann.«

Gott lieben können wir aber nur, weil Gott uns zuerst geliebt und diese Liebe unter Beweis gestellt hat, indem er seinen Sohn Jesus Christus für uns gegeben hat. Unsere Liebe zu Gott ist die einzig richtige Reaktion auf seine Liebe zu uns. Wer Gott liebt, der wird ihn immer mehr verstehen und erkennen. Eine ganz neue Welt tut sich diesem Menschen auf. Eine Welt, die anderen trotz aller Klugheit und Bildung verborgen bleibt. Blaise Pascal war sich trotz seines außergewöhnlich scharfen Verstandes bewusst, dass er in den wesentlichen Fragen des Lebens im Dunkeln tappen würde, wenn Gott sich ihm nicht zu erkennen gegeben hätte. *Thomas Pommer*

? Auf welchem Weg suchen Sie Gott zu erkennen?

! »Göttliche Dinge muss man lieben, damit man sie erkennen kann.« (Blaise Pascal)

† 1. Johannes 4,7-16

Denn Gott ist nicht ein Gott der Unordnung, sondern des Friedens.

1. KORINTHER 14,33

Meine Küchenschublade

Mit unserem Umzug vor einiger Zeit stand auch das Einräumen der neuen Küche an. Die leeren Schubladen und Schränke wollten mit Schüsseln, Töpfen, Geschirr und Besteck sinnvoll gefüllt werden. Nach reichlicher Überlegung hatte endlich jedes Teil einen festen Platz: die Teller neben den Gläsern, Schüsseln und Schälchen beisammen.

Doch dieser Zustand hielt leider nicht von alleine an. Wie schnell gesellte sich zu dem schönen Geschirr die kleine Vase und direkt daneben die offene Tüte Walnüsse! Bald gefolgt von der offenen Kekspackung. Irgendwann war von dem schönen Geschirr beim Öffnen der Schublade nicht mehr viel zu sehen.

Aufräumen – ständig verbringen wir Zeit damit, Ordnung zu schaffen und die Dinge wieder an ihren richtigen Platz zu bringen. Wir achten auf äußere Ordnung und wollen damit vielleicht auch bei anderen punkten. Aber räumen wir auch unser Inneres auf? Haben sich in unserem Leben vielleicht schlechte Angewohnheiten wie ein rauer Umgang mit unseren Mitmenschen oder das permanente Abgelenktsein durch soziale Medien eingeschlichen? Vielleicht kämpfen wir mit einem Geflecht aus Lügen, das bald aufzufliegen droht?

Gott möchte uns Menschen helfen, unser Leben in Ordnung zu bringen. Das ist nicht immer angenehm. Denn dabei kommt es auch vor, dass wir uns von Dingen trennen müssen. Es gibt nämlich Verhaltensweisen, die Gott nicht gefallen. Die Bibel nennt sie Sünde. Nur wenn wir diese Sünden Gott nennen und ihn bitten, uns zu vergeben, kann wahre Veränderung stattfinden, und unser Inneres wird wirklich grundlegend aufgeräumt. Diese neue Ordnung führt uns zu einem tiefen Frieden mit Gott.

Ann-Christin Bernack

? Sind Sie bereit, mit Gott Ihr Leben aufzuräumen?

! Aufräumen ist wichtig und – befreiend.

† Markus 10,17-28

Deshalb, wie durch einen Menschen die Sünde in die Welt gekommen ist und der Tod durch die Sünde, so ist der Tod zu allen Menschen durchgedrungen, weil sie alle gesündigt haben.

RÖMER 5,12

Dornröschenschlaf im Stahltank

Scottsdale – eine sterbenslangweilige Stadt in der Wüste Arizonas (USA). Aber dort warten fast 200 Tote auf ihre Wiederbelebung. Sie lagern in Stahltanks in Flüssigstickstoff bei minus 196 Grad Celsius. So werden sie vor dem biologischen Verfall bewahrt. Vorher wurde den frisch Verstorbenen das Blut abgepumpt und Frostschutzmittel in den Kreislauf geleitet, damit sich in den Zellen keine Eiskristalle bilden. Bis zu 200 000 Dollar haben diese Menschen vor ihrem Tod für ihren Aufenthalt in der »Kältekammer des ewigen Lebens« bezahlt. Ihre Hoffnung ist, dass die Wissenschaft irgendwann so weit sein wird, aufgetauten Körpern wieder Leben einhauchen zu können, und ein neuer Lebenszyklus folgen kann.

Was ist davon zu halten? Ist das eine echte Chance auf »ewiges Leben«? Wer sich für diese Form der Konservierung entscheidet, ignoriert grundlegende Wahrheiten der Bibel: Diese sagt, dass die eigentliche Ursache des Todes die Sünde ist. Und da alle Menschen sündigen, sind alle zum Tod verurteilt, ob eingefroren oder nicht.

Um den Tod wirklich zu besiegen, muss man daher die Sünde besiegen. Doch diese Fähigkeit besitzen wir nicht. Allerdings gibt es einen echten Ausweg. Der Sohn Gottes, Jesus Christus, wurde Mensch, blieb aber sündlos. Als Sündloser hat er die Sünden der Menschen auf sich genommen, dafür das Todesurteil am Kreuz ertragen und dort für jede Sünde bezahlt. Damit hat er tatsächlich den Tod besiegt, weil er das Problem der Sünde gelöst hat. Daher kann er zusagen: »Wahrlich, wahrlich, ich sage euch: Wer mein Wort hört und glaubt dem, der mich gesandt hat, hat ewiges Leben und kommt nicht ins Gericht, sondern er ist aus dem Tode in das Leben übergegangen« (Johannes 5,24).

Martin Reitz

? Wie wollen Sie das ewige Leben erreichen?

! Wer eine verlässliche Auskunft zum Leben haben will, muss den Erfinder des Lebens fragen.

† 1. Korinther 15,54-58

Denn die er vorher erkannt hat, die hat er auch vorherbestimmt, dem Bild seines Sohnes gleichförmig zu sein.

RÖMER 8,29

Gott ähnlich werden

Gott wusste schon von Ewigkeiten her, wer an ihn glauben würde, und wir wissen es nicht; aber wir sollen alle rufen, damit alle Berufenen hören, dass jetzt die Zeit zum Kommen angebrochen ist. Denn diese Leute sind zu nichts Geringerem berufen, als dass sie dem Sohn Gottes ähnlich werden sollen. ›Unmöglich!‹, denken viele. Der Sohn Gottes wird im Neuen Testament als der Schöpfer der Welt dargestellt. Er ist also größer als das von ihm erschaffene Universum, wie könnten wir ihm also ähnlich werden?

Das bedeutet sicher nicht, ihm an Macht und Allwissenheit zu gleichen, sondern seiner moralischen Herrlichkeit ähnlicher zu werden. Friedrich Rückert, ein deutscher Dichter, hat dafür ein schönes Bild geschaffen, wenn er sagt: »Schön ist der Tropfen Tau am Halm und nicht zu klein, / der großen Sonne selbst ein Spiegelglas zu sein.«

Wer schon einmal nach Aufgang der Sonne über eine Wiese gegangen ist, hat die endlose Zahl funkelnder Tautropfen gesehen, die je nach dem Winkel zur Sonne in allen Regenbogenfarben leuchten. Mag der Tropfen auch winzig klein sein, vielleicht nur einen Millimeter groß – oder noch viel kleiner –, er ist in der Lage, als Spiegelglas der riesigen Sonne zu dienen. Könnte man ihn mit einem Mikroskop untersuchen, so würde man ein genaues und vollkommenes Bild der Sonne entdecken, und die hat einen Durchmesser von 1,4 Millionen km.

So muss man unseren Tagesvers verstehen. Der Tropfen kann ein so vollkommenes Bild der Sonne liefern, weil er ganz und gar durchscheinend und ohne stumpfe Flecken ist. Doch gerade das ist unser Problem, diese zahllosen trüben Stellen, die nicht die Sonne widerspiegeln. Die müssen beseitigt werden, wozu uns Gott helfen möge. *Hermann Grabe*

? Wie heißen Ihre trüben Stellen?

! Durch das Anschauen von Christi Herrlichkeit werden wir verändert.

2. Petrus 1,3-11

Ich bin gesucht worden von denen, die nicht nach mir fragten; ich bin gefunden worden von denen, die mich nicht suchten.

JESAJA 65,1

Gefunden

Ich kenne Menschen, die immer wieder fühlen, dass ihnen etwas fehlt. Sie waren lange auf der Suche nach dem Sinn des Lebens, und schließlich hat Gott sie gefunden. Bei mir war das nicht so. Ich war nie auf der Suche nach Gott. Mir ging es eigentlich ganz gut in meinem Leben. Ich war verheiratet, hatte einen sicheren Job, Kinder und ein Haus. Die Frage nach dem Sinn des Lebens stellte sich mir nie. Und trotzdem – und dafür bin ich sehr dankbar – hat Gott mich gefunden, obwohl ich nicht nach ihm gesucht habe. Ich wurde durch den Glauben in die Familie Gottes aufgenommen, obwohl ich nie danach gestrebt hatte, zu dieser Familie zu gehören. Das ist schon etwas seltsam, aber Gottes Wege sind manchmal sehr ungewöhnlich.

Wie ist das zu erklären, und was sagt dies über Gottes Wesen aus? Die Feststellung Gottes in unserem Tagesvers erklärt, dass er mit seiner großen Liebe auf alle Menschen wartet. Gott hält Ausschau nach solchen, die nicht nach ihm fragen und ihn nicht suchen, sondern ihn ignorieren. Ich würde das nie tun, ich würde kein Interesse an solchen Menschen entwickeln, denen ich egal bin oder die mir nicht wohlgesonnen sind.

Welche Liebe muss Gott haben, damit er sich von solchen Menschen finden lässt, die ihn bewusst ablehnen, ihn belächeln und ignorieren?!

An einer Stelle sagt uns die Bibel, dass Jesus für Menschen gestorben ist, die seine Feinde waren (Römer 5,10). Wie konnte er so etwas tun? Offenbar hat die Liebe Gottes zu den Menschen eine so weite und tiefe Dimension, dass ich sie mit meinem Verstand nicht ausloten kann. Aber eines weiß ich: Gott sucht intensiv nach Menschen, die er von Feinden zu Freunden machen will.

Axel Schneider

? Spüren Sie eine innere Unruhe, oder sind Sie mit sich und der Welt zufrieden?

! Das Leben mit Gott bietet ungeahnte Perspektiven.

✝ Psalm 73

Demütigt euch vor dem Herrn,
so wird er euch erhöhen.
JAKOBUS 4,10

Selbst schuld!

Manchmal passieren Sachen im Leben, die uns ohne jede Mitschuld aus der Fassung bringen. So eine Pandemie zum Beispiel, mit der keiner wirklich gerechnet hat und die wir auch nicht verschuldet haben. Oder man wird Opfer eines Unfalls, der ganz und gar auf fremdem Verschulden beruht.

Aber häufig ist das ganz anders. An vielen Sorgen und Katastrophen bin ich nicht unschuldig: Ich bestehe die Prüfung nicht, weil ich zu faul war. Ich werde dick oder gar krank, weil ich zu viel esse und zu bequem bin, Sport zu treiben. Eine Beziehung geht kaputt, weil ich egoistisch und kompromisslos bin. Solche Situationen sind sehr bitter. Denn sie wären vermeidbar gewesen. Um dann noch das Steuer herumzureißen, ist es zunächst zwingend notwendig, mir (und auch dem anderen) den eigenen Anteil an der Misere zuzugestehen. Und dann muss ich mein Verhalten tatsächlich ändern.

In unserem Verhältnis zu Gott stecken wir auch in einer Krise, die wir ganz und gar selbst verschuldet haben. Es ist nicht Gottes Schuld, wenn wir schlechte Gedanken pflegen, eigensüchtig sind oder falsch handeln. Das machen wir alles selbst. Doch im Verhältnis zu Gott steht mehr auf dem Spiel als eine verpatzte Prüfung, schlechte Gesundheit oder eine verkrachte Beziehung. Unsere Fehler verspielen ein ewiges Leben bei Gott. Um hier das Steuer herumzureißen, gilt dasselbe wie in den alltäglichen, selbstverschuldeten Nöten: Ich muss mir und Gott mein Versagen eingestehen. Das nennt man Demut. Dazu ist Mut erforderlich, weil ich meinen Stolz überwinden und Gott recht geben muss. Doch wer das tut, der wird erleben, dass Gott sich trotz aller Fehler meiner erbarmt und mir hilft, mein Leben auf ein neues Gleis zu einem ewigen Ziel zu setzen. *David Kretz*

? An welcher Alltagskrise sind Sie selbst schuld?

! Seien Sie mutig: Gestehen Sie Fehler ein!

† Daniel 5,1-23

Das Schiff aber war schon mitten auf dem See und litt Not von den Wellen; denn der Wind stand ihnen entgegen. Aber um die vierte Nachtwache kam Jesus zu ihnen ...

MATTHÄUS 14,24-25

Achtung! Festhalten!

Herrlich dieser Urlaub! Wie genoss ich die Fahrt auf diesem schönen Dreimaster. Wir hatten die griechische Insel Rhodos hinter uns gelassen und segelten nun auf das offene Meer hinaus. Ich liebte es, vorne am Bug zu sitzen, um auf das himmelblaue Meereswasser hinabzuschauen. In der ersten Woche war das Wetter wie im Urlaubskatalog: herrlich sonnig, warm, mit einer leichten Brise.

Doch dies sollte sich anfangs der zweiten Woche ändern! Mit besorgter Miene berichtete uns der Kapitän von dem anstehenden Unwetter. Es wurde dann entschieden, in Küstennähe zu bleiben und bei schlimmerem Wellengang eine schützende Bucht aufzusuchen. Jedoch traf uns das Unwetter viel schneller als gedacht, und so wurde unser stolzer Dreimaster wie eine Nussschale von den Wellen hin und her geworfen. Das Schiff wackelte bedrohlich, und so mancher Passagier hing nach kurzer Zeit über der Schüssel. Was mir erst dann auffiel: Alles im Schiff war fest am Boden verankert. Mit Bolzen und Schrauben hatte man die Tische, Stühle, Schränke, ja, alles Mögliche, dingfest gemacht. Wie gut, dass solche Vorkehrungen getroffen worden waren – ansonsten wären wir in diesem Schiff nicht sicher gewesen!

Bei einer Krise stellt sich schnell heraus, was hält und was fällt! Ganz leicht kann uns dann alles auf den Kopf fallen, wenn es plötzlich drunter und drüber geht. Der Kapitän hatte im Falle eines Sturmes Vorkehrungen getroffen. Gibt es Vorkehrungen, die wir – wo möglich – für die nächste Lebenskrise treffen können? Die Bibel sagt uns in Hebräer 6,19, dass die Hoffnung auf Gott für unsere Seele ein sicherer und fester Anker ist! Denn er hat uns einen Retter gesandt, der uns aus jedem Sturm sicher herausbringen kann.

Tony Keller

? Welche Vorkehrung haben Sie im Fall einer Krise getroffen?

! Wir können unser Leben in Gott verankern.

† Matthäus 14,22-36

Die Betrübnis Gott gemäß bewirkt eine nie zu bereuende Buße zum Heil; die Betrübnis der Welt aber bewirkt den Tod.

2. KORINTHER 7,10

Zwei Arten von Traurigkeit

Kennen Sie die Geschichte von den beiden Weltreisenden, die von dem Guru in Pune gehört hatten, von dem es hieß, er könne in die Zukunft schauen? Er befahl ihnen, eine ganze Woche zu fasten und dabei unentwegt ein bestimmtes Mantra aufzusagen. Dann sagte er beiden eine großartige Zukunft voraus. Als Bezahlung verlangte er nur, dass die beiden jeder ein eng verschnürtes Päckchen durch den Zoll schmuggelten, um es an der anderen Seite an jemand abzugeben, der sie dort begrüßen würde. Leider hatten die Zollbeamten Drogenschnüffelhunde bei sich, und schon bald saßen beide im Untersuchungsgefängnis.

Da saßen sie nun und hatten Zeit zum Nachdenken. Dem einen wurde schnell klar, dass er nicht bis nach Pune zu reisen brauchte, um die Wahrheit des Spruches: »Unrecht Gut gedeiht nicht!« zu erfahren. Das hatte ihm seine Oma schon erzählt, wenn er als kleiner Junge von ihr zu Bett gebracht wurde, und sie hatte ihm auch erzählt, warum. Sie hatte gesagt: »Gott sieht alles und will nicht, dass wir Unrecht tun. Er vergibt aber alle Schuld, wenn wir ihn darum bitten.« Als er diesen Rat befolgt hatte, war er zwar noch immer der menschlichen Justiz ausgeliefert, hatte aber den viel wichtigeren Frieden mit Gott gefunden.

Die Gedanken des anderen gingen in eine ganz andere Richtung. Er hätte sich am liebsten selbst geohrfeigt, weil er so dämlich gehandelt hatte. Hätte er nicht, als sie am Grenzzaun entlanggingen, das Päckchen an einer geeigneten Stelle hinüberwerfen können? Dann wäre er unbelastet durch den Zoll gekommen und hätte es hinterher wieder an sich genommen. …

Das sind die beiden Arten von Reue, von denen unser Tagesvers spricht.

Hermann Grabe

? Wieso bringt die Betrübnis der Welt den Tod?

! Wenn Gott unsere Schuld nicht vergibt, werden wir ewige Strafe leiden.

† Psalm 51

Hören will ich, was Gott, was der HERR reden wird ...

PSALM 85,9

Zwei Ohren und einen Mund

Vor einiger Zeit hatte ich ein Gespräch mit einem Freund. Eigentlich war es gar kein richtiges Gespräch, sondern vielmehr ein Monolog, denn mein Freund redete wie ein Wasserfall. Am Anfang war ich ein bisschen irritiert, aber ich habe dann einfach zugehört. Er hatte schlicht das Bedürfnis zu reden. Auch wenn mir die Entscheidung, selbst nichts zu sagen, nicht leicht gefallen ist, war sie in diesem Fall hilfreich.

Sind Sie ein guter Zuhörer? Zuhören ist die Grundlage echter Kommunikation. Oft fehlt diese Komponente in unseren Beziehungen. Auch in der Beziehung zu Gott ist das so. Wir sind so in unserer Routine gefangen und auf uns selbst konzentriert, dass wir dem, was Gott uns mitteilen möchte, oft wenig Aufmerksamkeit schenken. Aber Gott möchte zu uns reden und uns auf den richtigen Weg führen. Es ist daher notwendig, innezuhalten und sich für das Zuhören zu entscheiden. Gott hat uns zwei Ohren und einen Mund gegeben, und es ist gut, dieses 2:1-Prinzip einzuhalten.

Aber wie geht das? Wie spricht Gott zu uns? Gott ist ein Gott der Kommunikation und hat uns ebenfalls die Fähigkeit zur Kommunikation geschenkt. Gott spricht durch die Bibel, durch Umstände und durch andere Menschen zu uns. Wir sind in der Lage, ihn zu hören und auf seine Stimme zu reagieren. In Jeremia 29,11 sagt Gott: »Denn ich kenne ja die Gedanken, die ich über euch denke, spricht der Herr, Gedanken des Friedens und nicht zum Unheil, um euch Zukunft und Hoffnung zu gewähren.« Gott hat das Beste für uns auf Lager, und wir sollten bereit sein, ihm wirklich zuzuhören. Die Entscheidung dazu wird unser Leben und unseren Alltag total verändern.

Thomas Kröckertskothen

? Sind wir bereit, den Mund zu- und die Ohren aufzumachen?

! Fragen Sie Gott heute: Was brauche ich, um ein besserer Zuhörer zu werden?

✝ Markus 7,31-37

Kommt und seht die Großtaten Gottes!
Sein Tun erfüllt alle mit Staunen und Furcht.

PSALM 66,5

Der größte Künstler

Stellen Sie sich vor, ein berühmter Künstler würde Sie persönlich einladen, seine Werke zu betrachten; er würde Sie durch eine Ausstellung führen, die er extra für Sie entworfen und realisiert hätte. Was für ein Privileg wäre das!

Im oben zitierten Bibelvers erhalten wir eine solche besondere Einladung, denn es geht dort um den Künstler par excellence: der Schöpfer all dessen, was wir um uns herum bewundern können. Wer kann sagen, dass ihn noch nie eines der vielen Wunder dieser Welt sprachlos gemacht hat? Zum Beispiel ein Sonnenaufgang in den Bergen oder ein Sonnenuntergang über dem Meer, die unglaubliche Vielfalt der Bäume und Blumen, der Sternenhimmel, das liebliche Zwitschern oder Trällern eines Vogels, die wunderschönen Formen und Farben von Schmetterlingen und nicht zuletzt die Geburt eines Kindes. All dies spricht zu uns von der Größe des Schöpfers. In Jesaja 40,28 lesen wir: »Hast du es nicht erkannt, oder hast du es nicht gehört? Ein ewiger Gott ist der HERR, der Schöpfer der Enden der Erde. Er ermüdet nicht und ermattet nicht, unergründlich ist seine Einsicht.«

Aber das größte Meisterwerk des Schöpfers, das wir bewundern können, ist die geistliche Geburt eines Menschen, der durch Gottes Liebe und Gnade von seinen Sünden gerettet und neugeboren wurde. Diese Errettung geschieht nicht durch Werke oder gute Taten, sondern einzig und allein durch den Glauben an Christus Jesus. So wird ein Mensch zu einer neuen Schöpfung (Epheser 2,8-9; 2. Korinther 5,17).

Wenn uns Gott also einlädt, auf seine »Großtaten« zu schauen, dann lädt er uns zuallererst ein, an uns selbst ein großes Werk geschehen zu lassen und das Wunder einer neuen Geburt zu erleben. Lassen Sie sich einladen!

Thomas Kröckertskothen

? Haben Sie schon diese geistliche Neugeburt erlebt?

! Der Schöpfer aller Dinge ist wirklich fähig, so etwas zu tun.

† Psalm 66

Darum sollt ihr nicht sorgen und sagen:
Was werden wir essen? Was werden wir trinken?
Womit werden wir uns kleiden?

MATTHÄUS 6,31

Sorgen

Wir haben einen Walnussbaum im Garten. Wenn er Früchte trägt, flitzen Eichhörnchen den Stamm herauf- und herunter, um sich Nüsse zu holen und diese zu knabbern. Doch die possierlichen Tierchen leben nicht nur im Hier und Jetzt. Sie sorgen für schlechte Zeiten vor, indem sie allerorten Nüsse horten. Offenbar meinen die Eichhörnchen es mit ihrer Vorsorge aber etwas zu gut. Denn wenn das nächste Frühjahr kommt, finde ich an allen möglichen Stellen (auch im Blumenbeet!) kleine Walnussbäume. Diese belegen, dass augenscheinlich bei Weitem nicht alle diese Vorräte wirklich notwendig waren.

Bei uns Menschen ist es ähnlich. Natürlich ist es vernünftig, wenn z. B. Eltern für ihre Kinder wirtschaftlich vorsorgen. Aber wie bei den Eichhörnchen gehen unsere Bemühungen in den meisten Fällen über das wirklich Notwendige deutlich hinaus. Wir sammeln alle lieber Schätze hier auf der Erde, anstatt uns beispielsweise in erster Linie auf den Himmel auszurichten. Was steckt dahinter? Letztlich bewegt uns dabei der Wunsch, von allen Unwägbarkeiten – und damit letztlich auch von Gott – unabhängig zu werden. Wir möchten unser Lebensglück selbst in der Hand haben. Wir möchten durch eigenes Vermögen sorgenfrei leben. Das ist allerdings ein Trugschluss. Bonhoeffer hat einmal treffend formuliert: »Die Sorge schafft sich Schätze, und die Schätze schaffen wieder die Sorge. Wir wollen unser Leben durch die Güter sichern, wir wollen durch Sorgen sorglos werden.«

Wie verrückt! Tatsächlich legen wir uns durch dieses Sorgen selbst nur neue Fesseln an. Denn wer viel hat, hat viele Sorgen. Wenn ich aber meine Zukunft ganz in die Hand Gottes lege, bin ich wirklich gesichert. Denn er will für morgen sorgen.

Markus Majonica

? Um was sorgen Sie sich?

! Gott ist besorgt um uns.

✝ Psalm 127

Und er [der HERR] ließ sich von ihm erbitten und erhörte sein Flehen und brachte ihn nach Jerusalem in seine Königsherrschaft zurück. Da erkannte Manasse, dass der HERR der wahre Gott ist.

2. CHRONIK 33,13

Der Nachruf

Ich lese in der Zeitung gerne und regelmäßig auch die Familienanzeigen. In einer Todesanzeige las ich: »Das Schönste, was ein Mensch hinterlassen kann, ist ein Lächeln im Gesicht derjenigen, die an ihn denken.« Dann folgte der Name. Und ich zuckte zusammen. Denn dieser Mann war viele Jahre mein direkter Vorgesetzter gewesen. Ich *denke* an ihn, aber *lächeln?* Nein, bei bestem Willen nicht, ganz im Gegenteil. Dann hieß es weiter in der Anzeige: »Wir lieben und vermissen dich! In tiefer Dankbarkeit.« Dann folgte der Name der Tochter. Da ich nicht denke, dass sie gelogen hat, muss dieser Mann sich gegen Ende seines Lebens sehr zum Guten verändert haben. Ob er noch Christ geworden ist, weiß ich allerdings nicht.

Dazu fällt mir der jüdische König Manasse ein. Zwölf Jahre war er alt, als er König wurde. Und er tat, was böse war in den Augen des HERRN, nach den Gräueln der Nationen. Manasse war ein ausgesprochen böser König. Er verführte das Volk, mehr Böses zu tun als alle Völker um Israel herum. Doch der HERR griff ein, und Manasse wurde nach Babel geführt. Da kam er zur Einsicht und flehte sehr zum HERRN. Der erhörte ihn und brachte ihn wieder zurück nach Jerusalem. Er durfte sogar wieder König sein. – Die Geschichte Manasses endet mit dem Nachruf: »Da erkannte Manasse, dass der HERR der wahre Gott ist.«

Wer die Geschichte Manasses liest, wird kaum mit solch einem Ende gerechnet haben. Doch Gottes Gnade ist so groß, dass selbst die größten Sünder nach ehrlichem Gebet und Buße wieder mit Gott Gemeinschaft haben können. Wie auch immer unser Leben gelaufen ist, wir dürfen auch dann noch zu Gott kommen, wenn wir schon sehr spät dran sind – damit am Ende doch noch alles gut wird.

Herbert Laupichler

? Wann haben Sie sich Gott zugewendet?

! Auf das Ende unseres Lebens sollten wir gut vorbereitet sein.

† 2. Chronik 33,1-13

Ich reinige sie von all ihren Sünden, die sie gegen mich begingen, und vergebe ihnen die bösen Taten ihrer Auflehnung gegen mich.

JEREMIA 33,8

Schwamm drüber

Fast habe ich ihn noch in der Nase. Diesen leicht säuerlichen Geruch eines feuchten Schwamms zum Abwischen der Schultafeln. Ich fand das immer sehr befreiend, wenn am Ende der Schulstunde der Tafeldienst anrückte und die Tafel abwischte. Einschließlich der Fehler. Da wurde einfach alles weggewischt. Eben Schwamm drüber und weg mit allem. Dabei hat diese Redewendung eine lange Tradition. So wurde früher in den Rasthäusern die Anzahl der Mahlzeiten und der Getränke vom Wirt mit Kreide auf eine große Tafel geschrieben. Mit der Pflicht für den Gast, am Ende den Gesamtbetrag auch zu bezahlen. Erst dann konnten die Schulden mit einem Schwamm ausgelöscht werden.

Auch Gott schätzt solche Reinigungsprozesse. Um ca. 600 v. Chr. war im Nahen Osten das Königreich Juda in eine bedrohliche Lage geraten. Mächtige Kriegsheere aus Babylon belagerten die Stadt Jerusalem. Die Situation war aussichtslos. Damals lebte der Prophet Jeremia. Er richtete den Menschen in Jerusalem die Botschaft Gottes aus: »Schuld an der Lage seid ihr selbst. Ihr habt euch von eurem Gott abgewendet, der euer Schutz ist.« Und dann sagt Jeremia voraus, dass Gott gewissermaßen selbst zum »Schwamm« greifen würde, wenn das Volk von seinem Weg umkehren würde.

Doch genau wie damals in den Wirtshäusern gilt bei Gott das Prinzip: Zuerst muss die Schuld beglichen werden. Die Worte Jeremias weisen damit auf etwas hin, was 600 Jahre später passiert: Gott sendet seinen Sohn Jesus Christus. Er nimmt die unfassbare große Schuld der ganzen Menschheit auf sich. Er stirbt dafür am Kreuz. Seitdem gilt für jeden, der auf Jesus Christus vertraut: »Schulden getilgt!« Nicht mit einem Schwamm, aber mit dem Blut Jesu.

Herbert Laupichler

? Wie bekommen Sie Ihre Sündenschuld beglichen?

! Schulden müssen beglichen werden, bevor der Schwamm zum Einsatz kommt.

✝ 1. Johannes 1

Und als er auf den Weg hinausging, lief einer herbei, fiel vor ihm auf die Knie und fragte ihn: Guter Lehrer, was soll ich tun, damit ich ewiges Leben erbe?

MARKUS 10,17

Die größte aller Fragen

Diese Frage wurde von einem reichen Mann gestellt, der Jesus über den Weg lief. Offenbar brannte sie ihm unter den Nägeln, und er hatte sich endlich auf den Weg gemacht, um sie dem bekannten Rabbi Jesus zu stellen, der im Land unterwegs war und vieles tat und lehrte, was ihn als jemanden auswies, der von Gott gesandt war. Ob er nun darauf eine gute Antwort bekam?

Jedenfalls hatte er sie demjenigen gestellt, der sie am besten beantworten konnte, denn dieser Jesus wusste wie kein anderer Bescheid über Gott, denn er war Gottes Sohn. Was antwortete ihm dieser nun? Jesus wusste natürlich, worauf dieser Mann sich stützte, und gab ihm zunächst Gelegenheit, das auszusprechen: Von seiner Jugend an habe er sich an die Gebote Gottes gehalten, und er meinte das ehrlich. Aber Sicherheit hatte er dadurch offenbar nicht. Es war ihm eine echte Not, Gewissheit zu erlangen. Jesus erkannte das und gewann ihn lieb. Und dann sprach er den Punkt an, woran es ihm mangelte: »Geh hin, verkaufe alles, was du hast, und gib den Erlös den Armen, und du wirst einen Schatz im Himmel haben, und komm, folge mir nach!«

Nichts behalten, alles geben und Jesus nachfolgen! Sollte das etwa der Weg sein, um ewiges Leben zu gewinnen? Der junge Mann war entsetzt. Er hatte auf Bestätigung gehofft, und nun bekam er eine Bedingung, die ihm aus seiner Sicht Unmögliches abverlangte. – Jedenfalls zeigt die Antwort, dass es darum geht, Jesus selbst zu haben und dafür alles zu geben, letztlich sich selbst. Rechtschaffen zu leben, reicht nicht aus. Nur Jesus ist der Garant für das ewige Leben. An ihn muss man sich hängen und alles loslassen, was einen daran hindert. Bei dem reichen Mann war es sein Geld. Was ist es ist bei Ihnen?

Joachim Pletsch

? Brennt Ihnen diese größte aller Fragen auch unter den Nägeln?

! Von unserem Verhältnis zu Jesus hängt alles ab.

✝ Lukas 14,25-27

Nur Güte und Gnade werden mir folgen alle Tage meines Lebens; und ich kehre zurück ins Haus des HERRN für immer.

PSALM 23,6

Christi Spur folgen

Als nach dem Sündenfall für Adam und Eva die Paradieses-Herrlichkeit zu Ende war, wurde alles zur Mühsal, was vorher Spaß gemacht hatte. Ein nicht abreißender, schweißtreibender Kampf gegen Dornen und Disteln wurde nötig, um das Nötigste zum Leben zu erwerben. Früher harmlose Tiere zeigten jetzt Giftstacheln, scharfe Krallen und Reißzähne. Und alles, was die Menschen sich aufbauten, war dem Gesetz der Vergänglichkeit unterworfen. Es gab jetzt auch Krankheiten, und Eva konnte nur unter großen Schmerzen Kinder zur Welt bringen, die ihrerseits zeigten, dass der Frieden von der Erde genommen war.

Aber Gott hatte seine Menschen nicht vergessen. Er kam schließlich sogar selbst in der Person seines Sohnes zu ihnen, um Versöhnung für sie zu erwirken. Was das unter anderem zu bedeuten hatte, zeigte Jesus Christus bereits in seinen Erdentagen. Er kam in eine Welt voller Krankheit, Not und Herzeleid, doch wohin er auch ging, folgte ihm eine Spur des Segens, folgten ihm Güte und Huld. So heißt es im Matthäusevangelium: »Er heilte alle.« In einem alten Lied heißt es: »Das hat er alles uns getan, sein groß Lieb zu zeigen an.«

Alle, die ihre Hoffnung auf ihn setzen, sollten nun auch wirklich seine Nachfolger werden und ebenfalls eine Spur des Segens hinter sich herziehen, also Güte und Huld verbreiten. Das ist keine Aufgabe, die wir aufs Rentenalter verschieben müssten, sondern ein Werk, mit dem wir heute anfangen können, wenn wir Gott um Hilfe bitten. Was meinen Sie, wie sich diejenigen, die ihnen am nächsten stehen, erfreut wundern werden, wenn Sie von heute an zuerst an sie und dann erst an sich selbst denken. Und dasselbe gilt auf allen Beziehungsebenen. Also frisch ans Werk!

Hermann Grabe

? Warum fällt uns so schwer, was eigentlich eine Selbstverständlichkeit sein sollte?

! Wie man in den Wald hineinruft, so schallt es zurück.

✝ Apostelgeschichte 4,32-37

Stimmt ein Lied an und nehmt das Tamburin zur Hand, die liebliche Laute samt der Harfe!

PSALM 81,3

Was ist Musik?

Überall auf der Welt gibt es Musik. Alle Völker und Kulturen haben ihre Art, Musik zu machen. Sie ist wesentlicher Bestandteil und Ausdruck der menschlichen Kultur. Musik ist vergleichbar mit einer Sprache – eine Sprache, die mit Emotionen arbeitet, eine Sprache, die nicht übersetzt werden muss. Sie kann Stimmungen in mir hervorrufen, verändern oder verstärken. Musik wirkt vermutlich mehr oder weniger auf alle Menschen.

Warum kann ich Musik als schön empfinden? Warum kann sie mich berühren? Warum kann der Musiker sich Melodien ausdenken, komponieren, Gefühle und Stimmungen damit ausdrücken? Warum kann ich als Hörer diese Musik hören, verstehen, ihre Stimmung empfinden, mich ihr hingeben? – Musik lässt sich nicht durch Materie erklären. Töne werden zwar über Instrumente nach physikalischen Gesetzmäßigkeiten erzeugt und übertragen. Aber sie erklären die Musik nicht. Ebenso wenig, wie man Schönheit, Sinn und Liebe wissenschaftlich erklären kann. Die Wissenschaft kann untersuchen und beschreiben, aber nicht Sinn und Warum ergründen. Selbst wenn Gehirnaktivitäten untersucht werden können, lässt sich durch die gewonnenen Erkenntnisse nicht erklären, was Musik ist und warum sie wirkt. Musik ist für mich auch ein Hinweis, dass Gott da ist und da sein muss. Dass er jemand ist, der Musik kennt, in sich trägt, sie empfindet und sie als Gabe dem Menschen mitgibt. Eine schöpferische Gabe, vom Schöpfer selbst übertragen. Ein Geschenk, das alleine zu unserer Freude gegeben ist. Musik ist ein Hinweis dafür, dass es mehr gibt als Materie. Sie ist etwas Übermaterielles, etwas, was nur mit unserer Seele wahrgenommen werden kann. Musik ist somit auch ein Grund, Gott dankbar zu sein, und ein Mittel, um ihn zu ehren.

Manfred Herbst

? Was empfinden Sie beim Hören von Musik?

! Musik ist ein Geschenk Gottes an uns alle.

✝ Psalm 150

Du sollst ihm den Namen Jesus (Retter) geben, denn er wird sein Volk retten von ihren Sünden.
MATTHÄUS 1,21

»Unser Ende ist nahe«

Im Sommer 2021 sind die Nachrichten voll von Meldungen über Naturkatastrophen. Die Tagesschau spricht von Waldbränden im »apokalyptischen« oder »biblischen« Ausmaß. Auf der griechischen Insel Euböa klagt der Bürgermeiser Kotzias angesichts der Flammen: »Wir sind allein. Unser Ende ist nahe.« Teile von NRW und Rheinland-Pfalz werden nach Starkregen überflutet. Ein Landarzt kommentiert: »Es ist wirklich Apokalypse. Das kann ich nicht anders beschreiben.« Der Weltklimabericht spricht von einer beschleunigten Erderwärmung mit vorhersehbarer Häufung von Extremwetterlagen. »Unsere Erde schwebt in Lebensgefahr«, urteilt die Umweltministerin. »Die Alarmglocken sind ohrenbetäubend«, resümiert der UN-Generalsekretär.

Warum werden Menschen durch die bedrohlichen Ereignisse an die Bibel und das biblische Buch der Offenbarung (Apokalypse) erinnert? Weil in der Bibel eine ähnliche Situation voraussagt wird wie im Weltklimabericht. Vor dem Wiederkommen Jesu Christi wird die Welt erschüttert werden durch ein Häufung globaler Krisen: Seuchen, Hungersnöte (Matthäus 24,7), Erderwärmung (Offenbarung 8,7) und Überschwemmungen (Lukas 21,25). Allerdings wird in der Bibel auch die »Innenweltverschmutzung« durch Gottlosigkeit und Übertreten der Gebote des Höchsten beschrieben: »Und die Menschen wurden von großer Hitze versengt; und sie lästerten den Namen Gottes, der die Gewalt über diese Plagen hat, und taten nicht Buße, ihm Ehre gebend« (Offenbarung 16,9). Die Lösung der Probleme liegt im Letzten nicht in der Reduktion des CO_2-Ausstoßes. Sowohl bei der Rettung unseres Planeten als auch bei der Reinigung von unserer inneren Verschmutzung sind wir auf das Eingreifen des einen angewiesen, der den Namen Retter trägt: Jesus Christus.

Gerrit Alberts

? Wie gehen Sie mit Ihrer »Innenweltverschmutzung« um?

! Veränderung sollte immer von innen nach außen geschehen.

† Offenbarung 16,1-11

Wer den Sohn hat, hat das Leben;
wer den Sohn Gottes nicht hat, hat das Leben nicht.

1. JOHANNES 5,12

Tatsachen und Meinungen

Hannah Arendt war eine deutschstämmige jüdische Publizistin. Aufgrund ihrer Herkunft musste sie vor dem Nationalsozialismus fliehen. Über Umwege emigrierte sie in die USA. Bereits wenige Jahre nach dem Ende des Zweiten Weltkriegs kehrte sie wiederholt nach Deutschland zurück. Zu uns Deutschen schrieb sie einmal: »Der wohl hervorstechendste und auch erschreckendste Aspekt der deutschen Realitätsflucht liegt in der Haltung, mit Tatsachen so umzugehen, als handele es sich um bloße Meinungen.«

Diese Aussage bekommt in vielen Diskussionen, die wir heute zum Zeitgeschehen führen, eine erschreckende Aktualität. Wenn mir die *Tatsachen*, die mein Gesprächspartner vorträgt, nicht gefallen, degradiere ich sie einfach zu *Meinungen*. Eine Meinung muss ich nämlich nicht teilen. Über Meinungen kann man streiten. Bei Tatsachen liegen die Dinge anders. Ich kann diese vielleicht etwas anders deuten und gewichten oder schlicht leugnen. Aber sie behalten ihren Anspruch auf Gültigkeit, einfach, weil sie wahr sind. Und irgendwann komme ich nicht mehr um sie herum.

Im Zusammenhang mit der Bibel begegnet uns dieser merkwürdige Umgang mit Tatsachen und Meinungen ebenfalls sehr oft. Nehmen wir z. B. den Tagesvers. Er ist an sich einfach zu verstehen. Aus dem biblischen Kontext ergibt sich, dass mit Leben das ewige Leben bei Gott gemeint ist und dass mein Verhältnis zum Sohn Gottes, Jesus Christus, entscheidend dafür ist, ob ich die Ewigkeit bei Gott verbringe oder nicht. Nun kann ich sagen: Das ist nur eine Meinung, die muss ich nicht teilen. Wenn ich aber einsehe, dass Johannes hier eine Tatsache bezeichnet, dann kann ich sie nur akzeptieren oder leugnen – mit ewigen tatsächlichen Konsequenzen.

Markus Majonica

? Wie gehen Sie mit Meinungen und Tatsachen um?

! Tatsachen schafft man nicht dadurch aus der Welt,
dass man sie ignoriert.

† 2. Korinther 1,18-20

07 JULI — FREITAG
Globaler Tag der Vergebung

Der Gottlose verlasse seinen Weg und der Übeltäter seine Gedanken; und er kehre um zu dem Herrn, so wird er sich über ihn erbarmen, und zu unserem Gott, denn bei ihm ist viel Vergebung.

JESAJA 55,7

Das verzeihe ich dir nie!

Was Menschen anderen Menschen antun können, ist manchmal kaum vorstellbar. So viel Leid in der Welt ist allein durch Menschen verursacht! Psychotherapeuten haben oft mit Patienten zu tun, die ihr Leben lang mit schweren Traumata kämpfen, die von schlimmen Erlebnissen aus der Kindheit herrühren. Menschen leiden und fügen anderen Leid zu. Das ist traurige Realität. Es klingt sehr nachvollziehbar, wenn ein Verbrechensopfer seinem Peiniger die Pest an den Hals wünscht, diesen zur Hölle verflucht und Rachegedanken hegt. Niemand erwartet, dass das Opfer dem Täter von Herzen vergibt; dies wäre übermenschlich.

Aber schon bei kleinen »Alltagsvergehen«, zum Beispiel dem vergessenen Geburts- oder Hochzeitstag, dem geliehenen Geld, das nicht zurückgezahlt wurde, dem weggeschnappten Parkplatz oder einem bösen Wort, tun sich viele Menschen schwer, Vergebung auszusprechen – selbst wenn die Entschuldigung auf dem Fuß folgt. Das menschliche Ego ist schnell verletzt und leicht eingeschnappt.

Gottes Wesen ist völlig anders. Was aus menschlicher Sicht total unverständlich und wirklich übermenschlich ist, sind Jesu Worte, als er am Kreuz unschuldig hingerichtet wurde: »Vater, vergib ihnen; denn sie wissen nicht, was sie tun!« (Lukas 23,34). Hier beweist Christus seine himmelweit reichende Vergebungsbereitschaft, die er selbst den schlimmsten Sündern zuspricht, wenn sie ihn darum bitten. »Das verzeihe ich dir nie!«, wird Gott niemals zu jemandem sagen, der in echter Reue zu ihm kommt.

Niemand erwartet, dass ein Opfer seinem Peiniger vergibt. Niemand ist verpflichtet, eine Entschuldigung anzunehmen. Mit Gottes Hilfe aber ist beides möglich!

Daniela Bernhard

? Wem sollten Sie vergeben?

! Hass und Rachegefühle sind wie ein schwerer Klotz auf der Seele. Vergebung befreit und öffnet das Herz für neue Lebensfreude.

† Matthäus 18,21-35

Das wahre Licht, welches jeden Menschen erleuchtet, sollte in die Welt kommen.

JOHANNES 1,9

Beleuchtet

Wer kennt sie nicht: die illustrierte Zeitschrift! Die vielen Bilder aus aller Welt, die solche Zeitschriften bunt und interessant machen, lächeln uns bei jedem Arztbesuch im Wartezimmer entgegen. Wir lieben gute Illustrationen, denn sie helfen uns, einen Text zu verstehen. Das lateinische Wort »illustrare«, von dem das Wort Illustration abstammt, beinhaltet die Bedeutung »erleuchten«. So bringt eine gute Illustration, z. B. ein erklärendes Bild, Licht in unseren verfinsterten Verstand, wenn wir zum Beispiel eine 30-seitige Gebrauchsanweisung durchlesen müssen!

Als Jesus Christus auf der Erde war, wollte er die Menschen bei seinen Predigten nicht im Dunkeln lassen. Mit vielen Illustrationen aus dem Alltagsleben verdeutlichte er seine Botschaften. Seine Geschichten beleuchteten die göttlichen Wahrheiten, die Jesus seiner Zuhörerschaft vermitteln wollte. Und das Erstaunlichste ist: Sie sind heute noch genauso passend, verständlich und sprechen uns an wie die Menschen damals.

Das Kapitel 15 im Lukasevangelium beispielsweise enthält drei Geschichten, die Jesus erzählte und die alle die gleiche Aussage haben. Zuerst erzählt er von einem *verlorenen* Schaf, dann von der *verlorenen* Drachme (einer Münze) und zuletzt vom *verlorenen* Sohn. Drei anschauliche Illustrationen, die Jesus benutzte, um ein wichtiges Thema der Bibel zu beleuchten: Der Mensch ist verloren und muss gesucht und gefunden bzw. gerettet werden! Das Jesus drei verschiedene Geschichten erzählt, um diese Wahrheit zu verdeutlichen, zeigt, wie wichtig es ihm war, dass seine Zuhörer ihn verstanden. Bei allen drei Geschichten wird auch noch etwas anderes deutlich: Es ist Freude im Himmel über jeden Menschen, der zu Gott umkehrt und sich von ihm retten lässt!

Tony Keller

? Haben Sie sich schon finden lassen?

! Gott will auch Sie retten und in den Himmel bringen.

✝ Lukas 15

All dieses Böse kommt von innen heraus
und verunreinigt den Menschen.
MARKUS 7,23

Außen hui und innen pfui

Unser fünfjähriger Sohn soll die im Kinderzimmer verstreuten Socken ordentlich in den Schrank räumen, bevor er hinaus auf den Spielplatz darf. Kurz darauf stürmt er nach draußen, das Zimmer tipptopp aufgeräumt. Meine Erziehung trägt Früchte, freue ich mich. Doch ein kurzer Blick in den Schrank zerstört meine Illusion: Socken tummeln sich wild durcheinander zwischen Unterhosen, T-Shirts und Hosen. Zimmer hui, Schrankinnenleben pfui. Ich ärgere mich über sein Verständnis von Ordnung, über die zusätzliche Erziehungsarbeit für mich und über meine Gutgläubigkeit.

Die Situation erinnert mich an den oben zitierten Bibelvers. Er beschreibt das Innere des Menschen als Schaltzentrale, als Ausgangspunkt für jedes Handeln, Denken und Empfinden. Die Moralapostel zur Zeit Jesu führten äußerlich betrachtet ein mustergültiges Leben. Sie hielten an Traditionen und religiösen Ritualen fest, betonten Gutestun und gaben großzügige Spenden. Doch Jesus verurteilte ihre Fassade aufs Schärfste, denn ihr Herz war voller Boshaftigkeit, Habsucht, Neid, Streit, Hochmut, Geiz, Egoismus. Außen hui, innen pfui. Es wird klar: Gott ist nicht gutgläubig und hat keinen Gefallen an einem äußerlich vorbildlichen Leben, wenn das Innere des Menschen schmutzig ist.

Jetzt mal ehrlich, wenn wir die Schranktüren unserer Herzen öffnen, sieht es da nicht auch bei uns unaufgeräumt aus? Vielleicht ist da sogar mehr als nur ein Durcheinander, vielleicht kommen schlimme und üble Dinge ans Licht. Doch Gott möchte an unser Innerstes, um dort gründlich aufzuräumen und sauber zu machen. Und dann werden wir nicht nur von außen, sondern auch von innen »hui« sein. Das macht mir Mut, mit allem Dreck zu ihm zu gehen. Kommen Sie mit! *Dina Wiens*

? Wie halten Sie es mit Aufräumen und Saubermachen?

! Vergessen Sie Ihr Inneres nicht; lassen Sie Gott alles aufdecken und beseitigen!

† Psalm 101,1-4

Und seine Jünger traten zu ihm, weckten ihn auf und sprachen: Herr, rette uns! Wir kommen um!

MATTHÄUS 8,25

Anita

Es war der 10. Juli 2002. Ich erinnere mich an diesen Tag, als sei es gestern gewesen. Es war ein sehr heißer Sommertag, und nichts deutete darauf hin, dass ein Gewitter die ersehnte Abkühlung bringen sollte. Es gab keinerlei meteorologische Vorwarnung auf einen Sturm. Mein Mann und ich verbrachten die Nacht in unserem Gartenhäuschen in Berlin-Konradshöhe, als es gegen Abend plötzlich windig wurde und sich dieser Wind rasend schnell zu einem Orkan entwickelte, der später den Namen »Anita« bekam.

Die Folgen dieses Orkans waren verheerend. Es kamen acht Menschen ums Leben, riesige Bäume stürzten um, Teile der Stadt wurden verwüstet. Da saßen wir nun in unserem kleinen Häuschen und bekamen wirklich Angst. Wir riefen zu Jesus, unserem Gott. Wir beteten um Schutz und Bewahrung und dass er den Sturm stillen möge, so wie er es damals für seine Jünger auf dem See Genezareth getan hatte.

Und Gott erhörte unser Gebet. Zwar stillte er nicht den Orkan, aber er nahm uns die Angst, sodass wir beruhigt schlafen konnten. Am nächsten Morgen stellten wir voller Dankbarkeit fest, dass kaum Äste herabgestürzt waren, obwohl im Garten eine große Birke stand. Aber das Beste war, dass Gott nicht nur uns, unser Häuschen, sondern sogar unsere Fahrzeuge beschützt hatte! Der Motorroller meines Mannes parkte auf der Straße zwischen zwei Autos und hat keinen Kratzer abbekommen, während andere Autos durch umfallende Bäume beschädigt worden waren. Wir konnten kaum glauben, was wir sahen, und haben als Beweis von diesem Wunder erst einmal Fotos gemacht.

In dieser Nacht haben wir erfahren: Gott ist gut, und er lässt niemanden im Stich, der ihn um Hilfe bittet.

Sabine Stabrey

? An wen wenden Sie sich, wenn Sie in Not sind?

! Gott hört Gebet, auch wenn er nicht immer so hilft, wie wir uns das vorstellen.

✝ Matthäus 8,23-27

Eines Mannes Geist erträgt seine Krankheit; aber einen niedergeschlagenen Geist, wer richtet den auf?
SPRÜCHE 18,14

Bibellesen macht Mut

Da saß er vor mir. Die Hände vor dem Gesicht, die Tränen liefen. Als er aus seiner Vergangenheit erzählte, konnte er nicht anders. Zu viel Schmerz war in seinem Herzen. Seine Frau hatte ihn verlassen, die er so liebte. Ich ließ ihn einfach weinen und sagte, dass dies völlig in Ordnung sei. Nach ein paar Minuten konnte er sich besinnen und wischte sich mit einem Taschentuch die Tränen aus dem Gesicht.

Wir haben Bernd (Name geändert) mitten in unserer Stadt kennengelernt und spontan in unser Café eingeladen. Als wir dann gemeinsam am Tisch saßen und Kaffee tranken, platzte seine ganze Not aus ihm heraus. Er erzählte uns seine Lebensgeschichte, wie es ihn aus Rostock in unsere Stadt verschlagen hatte, dass er arbeitssuchend und einsam ist, weil sich niemand so recht für ihn interessierte. Ein kleines Häuschen am Ortsrand war sein Rückzugsort. Dort dachte er immer wieder über den Sinn des Lebens nach und was die ganzen Anstrengungen und Erschwernisse eigentlich für einen Nutzen hatten.

Ich fragte ihn, ob er an Gott glaube. Er bejahte und sagte, dass er auch immer wieder beten würde. Schließlich lasen wir gemeinsam etwas aus der Bibel. Er blickte auf, und er nickte zustimmend, als er die Worte Jesu aus dem Evangelium nach Matthäus 9,12 hörte. Dort ging es um einen Arzt, der für die Kranken gekommen war. Das interessierte ihn. Schließlich nahm er eine Bibel mit und wollte zu Hause darin weiterlesen. Wir haben ihn schon bald wieder gesehen. Er erzählte uns, dass er nun regelmäßig in der Bibel liest und merkt, dass dies seiner Seele guttut.

Und so, wie es Bernd ergangen ist, wird es jedem gehen, der die Bibel liest. Denn sie zeigt uns den, der uns von unserer Schuld erlösen und uns neue Hoffnung geben kann!

Thomas Lange

? Wann nehmen Sie einmal wieder die Bibel zu Hand?

! Lesen Sie doch jeden Tag ein paar Verse! Sie werden merken, wie es auch Ihnen guttut.

† Psalm 119,129-136

Denn der Gerechte fällt siebenmal und steht wieder auf, aber die Gottlosen stürzen nieder im Unglück.
SPRÜCHE 24,16

Eine lebenswichtige Entscheidung

Eine Alternative zu haben, bedeutet, zwischen zwei unterschiedlichen Dingen entscheiden zu können. Vor solchen Entscheidungen steht jeder im Leben. Jeder von uns hat schon falsche Entscheidungen getroffen. Ich schon häufig und leider immer wieder. Manches ist nicht mehr rückgängig zu machen und hallt ein Leben lang nach. Irgendwann stand ich an einem Scheidepunkt. Ich wusste, dass sich etwas verändern musste. Ein Leben mit Gott zu führen, meine zahlreichen Sünden zu bekennen und Jesus als meinen Herrn anzuerkennen, war ein schwerer, aber richtiger und vor allem befreiender Schritt.

In unserem Tagesvers wird zwischen dem Gerechten und dem Gottlosen klar unterschieden. Dabei geht es nicht darum, wer der bessere Mensch von beiden ist, sondern es kommt einzig und allein darauf an, ob man glaubt oder nicht. Durch den Glauben wird man gerecht, nicht dadurch, dass ich besser oder schlechter bin. Das ist Gottes Sicht der Dinge!

Den Gottlosen kann nichts retten, wenn er gottlos bleibt. Sein Fall ist gewiss, ein Aufstehen nicht mehr möglich. Anders ist es bei dem Gerechten. Gott weiß, dass der Gerechte immer wieder fallen kann. Und es ist logisch, dass auch Christen immer wieder in die Falle der Sünde tappen. Gott kennt diese Schwäche, er toleriert nicht die Sünde, aber er vergibt sie, wenn man sie aufrichtig bekennt. Gott sei Dank! Jesus ist für meine Sünden gestorben und hat das Problem meines häufigen Versagens gelöst. So werde ich, der von Gott aufgrund des Glaubens gerecht Gesprochene, immer und immer wieder fallen und mit der Hilfe meines Retters Jesus immer und immer wieder aufstehen. Mein Fallen ist sicher, mein Aufstehen ist noch sicherer! Das ist Gnade!

Axel Schneider

? Welche Entscheidung in Bezug auf Gott haben Sie getroffen?

! Beschäftigen Sie sich mit der Gerechtigkeit Gottes!

† Römer 5,1-11

Wer Dank opfert, verherrlicht mich und bahnt einen Weg; ihn werde ich das Heil Gottes sehen lassen.

PSALM 50,23

Gott handelt gerecht

Friedrich der Große war ein absoluter Herrscher. Sein Wort war Befehl. Er wollte seine neue Residenz Potsdam mit herrlichen Schlössern und Gartenanlagen zieren, doch auf dem dazu vorgesehenen Gelände stand eine alte, schwarze Windmühle. Es wird erzählt, dass er den alten Müller rufen ließ und ihm sagte, er solle ihm die Mühle verkaufen. Der Müller wollte aber das Erbe seiner Väter und seine Erwerbsquelle nicht hergeben. »Weiß er nicht, dass ich der König bin?«, herrschte er den Müller an. Der aber blieb ganz ruhig und antwortete: »In Berlin gibt es das Appellationsgericht!« Friedrich überlegte. Dann sagte er: »Die Mühle soll er behalten.«

Das ist ein schönes Beispiel von einem mächtigen, aber gerechten König, der sich an seine eigenen Einsetzungen hält und auf den man sich daher verlassen und sich darauf berufen kann.

Christen haben es noch viel besser als der Potsdamer Müller. Gott ist sogar allmächtig, und sie brauchen sich trotzdem nie auf Gottes Einsetzungen gegen ihn berufen. Im Gegenteil, alles, was Gott gesagt hat, ist seinem guten Willen seinen Leuten gegenüber entstanden, und darauf können sie sich felsenfest im Leben und beim Sterben verlassen.

Wenn welche kommen, seien es Menschen oder der Teufel selbst, die immer wieder Zweifel an Gottes Liebe und Treue und Zuneigung zu uns säen wollen, so dürfen wir getrost sagen, was der Sohn Gottes dem Teufel bei der Versuchung in der Wüste sagte: »Weg mit dir, Satan! Denn es steht geschrieben ...« (Matthäus 4,10; LUT). Und dann dürfen sie alle Verheißungen Gottes zitieren, die in der Bibel stehen. Gott hält sich an alle und wird sie zu seiner Zeit alle einlösen. Ich würde es einmal ruhig darauf ankommen lassen.

Hermann Grabe

? Was halten Sie von Gottes Zusagen?

! Zunächst muss natürlich das Verhältnis zu Gott geklärt sein.

† Psalm 50

Größere Liebe hat niemand als die,
dass einer sein Leben lässt für seine Freunde.

JOHANNES 15,13

Der Fallschirmsprung

Etwas wagen! Zu zweit hängen sie in dem Gurt, den Rucksack auf dem Rücken, und dann geht es los Richtung Erde. Nervenkitzel, imposante Ausblicke. Der Fluglehrer zieht am Seil – doch nichts geschieht. Sie werden schneller und schneller. Entsetzen und Panik machen sich breit. Der Tod scheint unausweichlich zu sein. Die Überlebenschance: minimal. Keine Möglichkeit, sich von den Liebsten zu verabschieden …

Was wie der Anfang eines dramatischen Films erscheinen mag, wurde für zwei Männer in Australien im August 2021 Wirklichkeit. Sowohl der Haupt- als auch der Ersatzschirm öffneten sich bei ihrem Tandemsprung nicht richtig, und sie flogen fast ungebremst auf die Erde zu. Und doch: Einer von ihnen überlebt. Der Fallschirmlehrer, ein echter Profi, positioniert sich so, dass sein Passagier bei der Landung auf ihn prallt und die Wucht des Aufpralls so stark abgemildert wird, dass er überlebt. Der Lehrer selbst stirbt.

Welch eine Entscheidung! Der Fluglehrer wusste, dass er sterben wird, wenn er diese Entscheidung trifft. Hätte ich mich so verhalten? Wäre ich so selbstlos gewesen? Wäre mir das Leben eines mir im Grunde unbekannten Menschen so viel wert gewesen? Hätte ich versucht, mich selbst zu retten?

Ein Mensch stirbt, damit ein anderer leben kann. Mich hat diese Geschichte tief berührt und neu zum Nachdenken gebracht. Denn auch in der Bibel wird von einem Menschen berichtet, der den Tod wählt, damit andere leben können: Jesus Christus. Er wusste von Anfang an, dass er qualvoll sterben würde. Er starb nicht für ein zeitlich begrenztes Leben, sondern um uns die Möglichkeit auf ein ewiges Leben in Frieden mit Gott zu eröffnen. Was für eine Aussicht, was für ein Geschenk! *Ann-Christin Bernack*

? Sind Sie bereit, sich von Jesus Christus retten zu lassen, oder wehren Sie sich dagegen?

! Vertrauen Sie sich Jesus bedingungslos an!

✝ 1. Johannes 3,11-24

15 | JULI SAMSTAG

… meine Verschuldungen sind dir nicht verborgen.

PSALM 69,6

»Ein Toter hat mein Leben gerettet«

Ein Feuerwehrmann konnte sich bei der Hochwasserkatastrophe 2021 in Ahrweiler soeben noch auf eine zwei Meter hohe Mauer retten. Als diese von der Menge des Wassers ebenfalls überflutet und zum Einsturz gebracht wurde, rissen ihn die Wassermassen mit fort. Die Strömung trieb ihn auf einen Friedhof, wo er sich mit letzter Kraft an einem hohen steinernen Grabkreuz festhalten konnte. Ganze sechs Stunden klammerte er sich daran, bis er in der Nacht schließlich aufgespürt und gerettet wurde. Als er kurz darauf das Grab aufsuchte, hielt er für sich fest: »Ein Toter hat mein Leben gerettet.«

Diese Rettungsgeschichte bietet einen schöne Illustration in Bezug auf eine Tatsache, die uns alle betrifft. Die Bibel berichtet, dass wir Menschen aufgrund unserer Schuld und Sünde ebenfalls Rettung benötigen. Am Anfang von Psalm 69 ruft der Psalmist David: »Rette mich, Gott, denn Wasser ist bis an die Seele gekommen. Ich bin versunken in tiefen Schlamm, und kein fester Grund ist da; in Wassertiefen bin ich gekommen, und die Flut schwemmt mich fort.« Dem König David sind dabei seine eigenen Fehltritte und Verschuldungen bewusst. Er fühlt sich, als ob ihm der Boden unter den Füßen weggerissen wird, und schreit lauthals zu Gott um Hilfe.

Doch genau wie bei dem Feuerwehrmann aus Ahrweiler gibt es ein Kreuz, an das wir uns klammern dürfen und wo wir Rettung finden. Jesus selbst wurde Mensch und starb an einem Holzkreuz für uns. Er zahlte für unsere Vergehungen und Schuld und bietet uns nun Rettung und ewiges Leben an. Wer das annimmt und darauf fest vertraut, wer sich an dieses Kreuz klammert, darf dann im Blick darauf ebenfalls für sich festhalten, dass durch den Tod eines anderen sein Leben gerettet wurde.

Alexander Strunk

? An was halten Sie sich fest?

! Lesen doch einmal ganz bewusst die Texte über die Kreuzigung Jesu in der Bibel!

✝ Johannes 19,17-37

Siehe, zum Heil wurde mir bitteres Leid.

JESAJA 38,17

Wo ist Gott in all dem Leid?

Schreckliche Ereignisse begleiten unser Leben. Vulkanausbrüche, Flutkatastrophen, unheilbare Krankheiten, Hungersnöte usw. Und wo ist Gott? Das ist wohl die am häufigsten gestellte Frage. Und zweifellos ist es auch die rätselhafteste Frage unseres Daseins. Denn wir werden sie nie umfassend beantworten können. Es bleiben immer Aspekte offen. Denn könnten wir diese Frage bis ins Letzte klären, müssten wir ja Gott in allem verstehen. Aber das geht nicht. Die Tatsache, dass Gott Gott ist, schließt aus, dass wir ihn in allem verstehen können.

Aber heute wollen wir die Frage einmal umdrehen. Und vielleicht bringt uns das neu ins Nachdenken. Wir wollen nicht immer sofort Gott den Schwarzen Peter zuschieben. Fragen wir uns also: Wie kann der Mensch das alles zulassen? Angesichts schlimmster Folgen einer Flut im Ahrtal im Juli 2021 fragen wir: Hat Gott die Böden versiegelt und in den natürlichen Wasserlauf eingegriffen? Hat Gott die Sirenen abgestellt, die die Menschen vor den Wassermassen gewarnt hätten? Viele unserer Probleme sind doch hausgemacht.

Ich wünsche mir einen differenzierteren Umgang mit der Leidfrage. Denn es gibt selbst verschuldetes Leid. Dafür können wir Gott nicht verantwortlich machen. Wer trotz wiederholter Warnungen riskante Überholmanöver fährt und dann im Graben landet, sollte nicht Gott die Schuld geben. Dann gibt es offensichtlich Leid, das Menschen anderen Menschen zufügen. Auch hier ist nicht Gott der Verursacher. Denken wir nur an die vielen Missbrauchsfälle. Vielleicht fordern wir schnelleres Eingreifen von Gott. Aber hätte Gott alles Unrecht gleich gerichtet, wäre die Erde längst menschenleer. Leid ist und bleibt der Anruf Gottes an diese Welt. Wenn wir ihn nicht überhören, kann Leid zum Heil führen. *Hartmut Jaeger*

? Warum machen wir immer wieder Gott für all das Leid verantwortlich?

! Leid ist ein Ruf zum Vertrauen.

† Jesaja 38,1-22

Denn des HERRN Wort ist wahrhaftig, und was er zusagt, das hält er gewiss. Er liebt Gerechtigkeit und Recht; die Erde ist voll der Güte des HERRN.

PSALM 33,4-5

Recht in der Bibel (1): Rechtssicherheit

Die Bibel nimmt oft auf Rechtsverhältnisse Bezug, die wir aus unserem Alltag kennen, z. B. Verträge, bei denen beide Parteien wechselseitige Verpflichtungen eingehen; die Ehe als Bund zwischen zwei Menschen; das Verhältnis von Kindern gegenüber ihren Eltern; die Adoption usw.

Anhand dieser verständlichen juristischen Beziehungen versucht Gott, biblische Wahrheiten zu verdeutlichen, insbesondere dann, wenn er sich selbst in solche rechtlichen Beziehungen einbindet. Wiederholt spricht die Bibel davon, dass Gott einen Bund, also einen Vertrag, mit einzelnen Menschen (z. B. Abraham), mit einem ganzen Volk (z. B. Israel) oder gar mit der ganzen Menschheit (nach der Sintflut) schließt. An anderer Stelle beschreibt Gott sein Verhältnis zu Israel als Ehe. Schließlich ist von Kindern Gottes und sogar von seinen Erben die Rede.

In all diesen Bildern geht es um juristisch verbindliche Beziehungen. Aus dem weltlichen Rechtssystem sind wir allerdings daran gewöhnt, dass unsere Erwartungen oft enttäuscht werden. Denn die Beteiligten verhalten sich nicht immer rechtstreu: Verträge werden nicht eingehalten, Ehen gebrochen, Kinder vernachlässigt, verleugnet und im Stich gelassen. Wie kann man da seines Rechts sicher sein?

Ist Gott jedoch an einem Rechtsverhältnis beteiligt, besteht für den anderen Teil vollkommene Rechtssicherheit: Seine Zusagen sind hundertprozentig wahr, und er hält sie verlässlich ein. Seine Rechtstreue ist nicht lästige Pflicht, sondern sein innerstes Verlangen. Wenn Gott also auf einer Seite steht, dann kann ich mich völlig auf ihn verlassen. Diesen Grundsatz müssen wir im Hinterkopf behalten, wenn wir in den nächsten Tagen einige biblische Rechtsverhältnisse betrachten. *Markus Majonica*

Sind Sie an einer Beziehung zu Gott interessiert?

In der Hinwendung zu Jesus Christus kann sie zustande kommen.

2. Korinther 5,14-17.21

So viele ihn aber aufnahmen, denen gab er das Recht, Kinder Gottes zu werden, denen, die an seinen Namen glauben.

JOHANNES 1,12

Recht in der Bibel (2): Vollmacht

Der Tagesvers spricht einen juristischen Zusammenhang an, ein »Recht«, nämlich das Recht, Kind Gottes zu werden. Das macht zunächst deutlich, dass nicht jeder Mensch automatisch ein Kind Gottes ist, sonst müsste man es ja nicht erst werden. Dieses Recht steht einem Menschen offenbar auch nicht automatisch zur Verfügung. Es muss vielmehr gegeben oder – vielleicht besser – verliehen werden. Davon zeugt auch das im Urtext verwendete griechische Wort »exousia«, das häufig mit »Recht« wiedergegeben wird. Dieser Begriff bezeichnet nämlich kein Recht, über das man selbst originär verfügt. Es bezeichnet vielmehr ein abgeleitetes Recht, so etwas wie ein Privileg, ein von höherer Stelle gegebenes, verliehenes Vorrecht.

Wie komme ich in den Genuss dieses Vorrechts, ein Kind Gottes zu werden? Wer ist befugt, dieses Privileg zu vergeben? Der vorhergehende Text dieses Evangeliums beschreibt, dass der Sohn Gottes, Jesus Christus, durch den alle Dinge geschaffen sind, als Mensch auf diese Erde gekommen ist. Diese Erde wird als sein Eigentum bezeichnet (wieder ein Rechtsbegriff), doch erstaunlicherweise haben die meisten Menschen den Eigentümer nicht als Eigentümer akzeptiert. Denjenigen allerdings, die ihn aufnahmen, gab er – also Jesus – dieses Vorrecht. Dass der Sohn Gottes befugt ist, dieses Recht zu vergeben, ist klar. Denn er ist hierzu ausdrücklich von Gott selbst autorisiert, da dieser ihm alle Vollmachten im Himmel und auf der Erde übertragen hat.

Um jedoch dieses Recht zu erhalten, muss man – wie die Zeitzeugen Jesu – diesen als den Sohn Gottes aufnehmen und an ihn glauben. Wenn man das aber tut, hält Gott sich an diese Zusage gebunden! Hier herrscht Gottes Rechtssicherheit!

Markus Majonica

? Möchten Sie auch dieses »Recht« verliehen bekommen?

! Wenden Sie sich Jesus zu und geben Sie sich bedingungslos in seine Verfügungsgewalt!

† Johannes 1,35-42

19 | JULI — MITTWOCH

So viele ihn [Jesus, den Sohn Gottes] aber aufnahmen, denen gab er das Recht, Kinder Gottes zu werden, denen, die an seinen Namen glauben.

JOHANNES 1,12

Recht in der Bibel (3): Kindschaft

Gestern haben wir gesehen, dass ich Jesus, den Sohn Gottes, aufnehmen und an ihn glauben muss, um die Vollmacht zu erhalten, ein Kind Gottes zu werden. Aufnehmen und an ihn glauben bedeutet praktisch, dass ich Jesus meine Vergangenheit offenlege, ihm meine Gegenwart anvertraue und ihm von nun an für die Zukunft nachfolge. Betrete ich diesen Lebensweg, werde ich ein Kind Gottes.

Dies unterstreicht auch der auf den Tagesvers folgende Bibeltext, in dem davon die Rede ist, dass ein Kind Gottes in diesem Sinne tatsächlich aus Gott geboren wird. Durch unsere natürliche Geburt sind wir die Kinder unserer Eltern geworden, mit allen damit zusammenhängenden Rechten. Durch diese neue Geburt aus Gott werde ich das Kind Gottes in vollem Rechtssinn. Hierauf deutet auch der Umstand hin, dass der griechische Urtext hier für »Kind« nicht das Wort verwendet, das *Kind nach dem Alter* meint, sondern *Kind nach der Abstammung*. Mit dieser Kindschaft und den damit verbundenen Vorzügen ist es Gott sehr ernst.

Im Brief an Christen in Rom schreibt der Apostel Paulus: »Wenn wir aber Kinder sind, so sind wir auch Erben, nämlich Erben Gottes und Miterben des Christus!« Ich kann diese Zusage nicht vollends erfassen, aber wir werden – sofern wir Kinder Gottes sind – wirklich in einem Atemzug mit dem Sohn Gottes aufgeführt, und zwar als legitime Erben. Der Sohn Gottes selbst stellt diesen Status keinesfalls in Abrede: Nachdem er von den Toten auferstanden ist, beauftragt er Maria, zu seinen Jüngern zu gehen, die er »meine Brüder« nennt. Diesen soll sie von Jesus sagen: »Ich fahre auf zu meinem Vater und eurem Vater« (Johannes 20,17). Habe ich dieses Kindschaftsrecht erhalten, bleibe ich ewig Gottes Kind. *Markus Majonica*

Sehnen Sie sich nach dieser ewigen Familienzugehörigkeit?

Kind Gottes sein ist für ewig geborgen sein.

Johannes 14,18-23

Doch er war durchbohrt um unserer Vergehen willen, zerschlagen um unserer Sünden willen. Die Strafe lag auf ihm zu unserm Frieden, und durch seine Striemen ist uns Heilung geworden.

JESAJA 53,5

Recht in der Bibel (4): »Ne bis in idem«

»Ne bis in idem« bedeutet: »Nicht zweimal in derselben Sache«. Es handelt sich um einen sehr alten juristischen Grundsatz, der schon im antiken Griechenland formuliert worden ist: Für ein und dieselbe Sache kann man nicht zweimal bestraft werden. Dieses Verbot der Doppelbestrafung hat es bis in unser Grundgesetz geschafft. Dieser strafrechtliche Gedanke ist auch im Zivilrecht vorhanden: Eine Schuld, z. B. ein Kaufpreis, muss nur einmal bezahlt werden. Ist die Schuld beglichen, kann ich dem Gläubiger entgegenhalten: Du hast dein Geld schon bekommen. Ich muss nicht noch einmal zahlen.

Im Verhältnis zu Gott ist der Mensch beides, sowohl Straftäter als auch Schuldner. Wie das? Na ja, zeigen Sie mir einen Menschen, der nicht bereits gelogen, nicht schlecht über andere geredet, nicht in seinem Herzen die Ehe gebrochen, seinen Nächsten wie sich selbst und Gott von ganzem Herzen geliebt hätte. Wir verdanken Gott unser Leben, doch wir sind nicht bereit, ihm hierfür den Dank zu geben, den wir ihm schulden. Wir haben daher Strafe verdient und eine Schuld auf uns geladen, die wir niemals abzahlen könnten.

Doch was wäre, wenn ein anderer an meiner Stelle die Strafe auf sich genommen und meine Schuld bereits bezahlt hätte? Dann wäre die Strafe vollzogen, die Schuld getilgt. Man könnte sie nicht noch einmal fordern – »ne bis in idem«. Der Prophet Jesaja macht genau das deutlich: Ein anderer wird um meiner Vergehen willen bestraft. Dieser andere ist Jesus Christus, der am Kreuz auch für die größte Schuld ein für alle Mal bezahlt hat. Nun ist es an mir anzuerkennen, dass eigentlich ich diese Strafe hätte tragen müssen. Wer glaubt, dass Jesus auch für ihn starb, erlebt Frieden und Heilung.

Markus Majonica

? Sind Sie dazu bereit, die Begleichung der Schuld durch einen anderen anzunehmen?

! Gott weiß, dass wir zahlungsunfähig sind. Deshalb hat er selbst die Schuld beglichen.

† Römer 3,21-26

Denn sein unsichtbares Wesen, sowohl seine ewige Kraft als auch seine Göttlichkeit, wird seit Erschaffung der Welt in dem Gemachten wahrgenommen und geschaut, damit sie ohne Entschuldigung sind.

RÖMER 1,20

Ein wunderbares Erlebnis

Ausspannen, Wandern, Radfahren, das ist für mich und meine Frau Urlaub. In meinem Heimatort Oberammergau finden wir das alles. Berge, die reine Luft, die vielen Wanderwege. Wir genossen unsere zwei Wochen Urlaub in einer schönen Ferienwohnung. Diese herrliche Zeit war schnell vorbei. Die Vorfreude darauf dauerte länger als der Urlaub. Den Heimweg machten wir von Oberammergau über Linderhof. Von dort nach Reutte ist es nicht weit, und man ist schnell am Grenztunnel nach Füssen. Wenn man diese Strecke fährt, kommt man auch am Plansee vorbei. Herrlich! Umrahmt von Bergen liegt er malerisch und fast immer still da. Doch dann dichter Nebel. So am See entlangzufahren, ist nicht gerade prickelnd. Abgesehen davon führt die kurvenreiche Straße direkt am See entlang ohne Leitplanken. Ich fuhr langsam und war etwas angespannt.

Dann erlebten wir etwas, was für mich bis dahin unvorstellbar war. Am Ort Plansee hörte der Nebel auf. Rechts der See und links der Nebel wie eine hohe Wand. Es sah aus, als hätte man ihn mit dem Tapeziermesser abgeschnitten. Der See lag ruhig vor uns im Sonnenlicht, und wir genossen die Reise wieder in vollen Zügen.

Doch mich bewegte etwas in meinen Gedanken. Wie ist das mit meinem Leben? Man irrt manchmal durch das Leben und sieht vor lauter Nebel nichts von der Herrlichkeit Gottes. Wir ahnen etwas von unserem Schöpfer, aber wir sehen ihn nicht. Und doch ist er da, und er ist bereit, sich jedem von uns zu offenbaren. Er möchte uns so gerne seine wunderbare Schönheit zeigen, wovon wir in der Schöpfung schon eine Ahnung bekommen. Seine Liebe, seine Güte und Barmherzigkeit, auch seine Wahrheit und Gerechtigkeit sind so wunderbar, dass wir uns vor Staunen die Augen reiben!

Joschi Frühstück

Tappen Sie auch noch im Nebel herum, oder sehen Sie schon etwas von Gottes Werken?

Wenn Sie ehrlich nach Gott fragen, wird er sich Ihnen offenbaren. Warten Sie nicht länger, fangen Sie an zu beten!

Psalm 19

Denn ihr wart wie Schafe, die sich verlaufen haben. Jetzt aber seid ihr zu eurem Hirten, dem Hüter eurer Seelen, zurückgekehrt.

1. PETRUS 2,25

Zurück

Unsere Autos waren geparkt, und wir marschierten los, nach einem letzten Check unserer Ausrüstung. Das erste Ziel war die Almhütte *Triglavski dom*, die Hütte unter dem höchsten Gipfel Sloweniens, dem *Triglav* mit 2864 Metern Höhe. Dort wollten wir übernachten und dann am nächsten Tag auf den Gipfel steigen. Während des ca. sechsstündigen Aufstiegs versuchten unsere Blicke, möglichst viele Eindrücke aufzusaugen. Der *Triglav* war aber nicht unser einziges Ziel. Wir hatten geplant, das Gebirge dieses Nationalparks in drei Tagen zu überschreiten, und daher mussten wir uns vorher gründlich Gedanken darüber machen, wie wir am Ende wieder zurück zu unseren Autos kommen können. Mit einer Taxifahrt von ca. eineinhalb Stunden fanden wir eine gute Lösung.

Als ich den oben zitierten Vers las, musste ich automatisch an diese und ähnliche Situationen denken. »Zurückgekehrt« heißt es dort, also wieder dorthin, wo man ursprünglich wegging. Wenn jemand noch nie in China war, wird er kaum sagen: »Ich fahre zurück nach China.« Das ergibt keinen Sinn. Wenn Petrus seinen Briefempfängern schreibt, dass sie »zurückgekehrt« sind, dann drückt er damit aus, dass sie ursprünglich Gott gehörten. Denn Gott hat den Menschen geschaffen.

Bei unserer Wanderung hatten wir tatsächlich einmal kurz den Weg verloren, aber wir irrten nicht umher, weil wir uns orientieren konnten. Der Mensch, der ohne Gott lebt, lebt sein Leben aber wie ein Schaf, das sich verlaufen hat. Wir Menschen brauchen Gott als Hüter und Beschützer unserer Seele genau so, wie ein Schaf einen Hirten braucht. Deshalb ist es eine notwendige Maßnahme, »zurückzukehren« zu Gott, von dem wir ursprünglich alle kommen. *Andreas Wanzenried*

? Hatten Sie in Ihrem Leben schon das Gefühl, sich »verlaufen« zu haben?

! Kehren Sie zurück zu Gott und lassen Sie sich von ihm leiten!

† Jeremia 24,5-7

Das Herz des Menschen erdenkt seinen Weg,
aber der HERR lenkt seine Schritte.

SPRÜCHE 16,9

Nein, Papa!

Mein dreijähriger Sohn spielt gerne mit Duplosteinen und erfindet immer neue Konstruktionen. Ihm macht es eine Riesenfreude, wenn der Papa mitmacht. Doch natürlich weiß er am besten, was und wie gebaut wird. Sobald ich einen Baustein falsch setze, korrigiert er mich vehement: »Nein Papa! Ich will das anders bauen.« Je nach Situation gebe ich nach oder erkläre ihm meine Idee des Baus. Außerdem ist er sehr begeistert von der Polizei, der Feuerwehr und von Krankenwagen. Er würde die Fahrzeuge gerne einmal im Einsatz sehen und hat aus Kinderbüchern bereits die Information, dass diese Kräfte bei Unfällen ausrücken. So sagte er mir neulich, als wir in unser Auto einstiegen: »Papa, ich wünsche mir einen Unfall.«

Als Erwachsener bekam ich bei diesem Wunsch einen leichten Schreck. Dennoch erinnert mich diese Situation an die Beziehung zwischen mir und meinem himmlischen Vater. Oft habe ich Vorstellungen von meinem Leben, die jedoch durch unerwartete Ereignisse durchkreuzt werden. Die Corona-Krise macht einen Strich durch meinen Urlaubsplan, schlechtes Wetter verhindert unsere Gartenparty. Es gibt immer wieder Situationen, in denen ich denke: »Nein Papa!« Ich meine, es besser zu wissen als Gott, und möchte sein Handeln korrigieren. Doch weiß ich es wirklich besser?

Gott allein ist ewig und allwissend. Er hat einen viel besseren Blick als ich. Oft gehen wir Schritte und wissen nicht, wo und wie der Weg endet. Doch Gott weiß es! Wenn ich sein Kind bin, hat er ein gutes Ziel für mein Leben. Er sieht die ganze Wegstrecke und weiß, welcher Weg für mich der richtige ist. Wer sein Leben diesem Gott anvertraut, ist in den besten Händen. Ein »Nein, Papa!« ist dann wirklich nicht mehr angezeigt.

Jens Bergmüller

? Wissen Sie, ob Ihre Pläne zustande kommen?

! Gott hat einen guten Plan auch für Ihr Leben.

† Apostelgeschichte 21,1-14

Wenn ich anschaue deine Himmel, deiner Finger Werk, den Mond und die Sterne, die du bereitet hast ...

PSALM 8,4

Leben auf dem Mars?

Der Mars rückt immer mehr in den Fokus der Raumfahrt. Seit 2012 ergründet ein Marsmobil allen Widrigkeiten zum Trotz die unwirtlichen Krater unseres entfernten Nachbarn. Dabei bohrt es Löcher, schießt Selfies und versorgt die Erdbewohner, darunter seine vier Millionen Follower auf Twitter, mit verblüffenden Erkenntnissen über diesen Planeten. Neben Spekulationen darüber, ob sich auf dem Mars Hinweise auf Leben finden, läuft das Rennen, wer zuerst Menschen zum »Roten Planeten« schickt. Mittlerweile beteiligen sich private Investoren an den extrem teuren Entwicklungen für die bemannte Raumfahrt. Und Elon Musk hat den großen Traum, eines Tages eine Kolonie auf dem Mars zu gründen.

Die Erfolgsaussichten solcher Visionen sind allerdings äußerst fraglich. Doch was sind die Beweggründe für diese interplanetaren Ambitionen? Vielleicht ist es die Erkenntnis, dass wir im Begriff sind, unseren eigenen Planeten langsam, aber sicher unbewohnbar zu machen, sowohl ökologisch als auch durch Gewalt und Krieg. Vielleicht ist es die tiefe Sehnsucht nach einer zweiten Chance für uns Erdbewohner mit neuen, besseren Rahmenbedingungen.

Über diese ehrgeizigen Pläne geraten allerdings zwei Dinge leicht aus den Augen: Zum einen lehrt uns die Bibel, dass der Schöpfer des ganzen Universums, aller Sterne und Planeten uns gerade diese Erde als Wohnort mit an sich idealen Bedingungen als Lebensraum geschenkt hat. Zum anderen müssen wir für eine wirkliche zweite Chance für die Menschheit nicht nach den Sternen greifen. Der Sohn Gottes selbst hat unseren Planeten aufgesucht, um uns neues Leben unter wirklich idealen Bedingungen zu ermöglichen: ewiges Leben, nicht auf dem Mars, sondern im Himmel bei Gott.

Martin Reitz

? Leben auf dem Mars – eine Option für Sie?

! Auf dieser Erde kann man ewiges Leben finden.

† Römer 10,6-13

Ihr habt gehört, dass gesagt ist: Du sollst deinen Nächsten lieben und deinen Feind hassen. Ich aber sage euch: Liebt eure Feinde, und betet für die, die euch verfolgen …

MATTHÄUS 5,43-45

Feindesliebe

Heute vor genau 30 Jahren wurde die St.-James-Gemeinde im südafrikanischen Kapstadt während des Gottesdienstes überfallen. Dabei wurde geschossen und mit Nägeln und Blechstücken gefüllte Handgranaten in die Menge geschleudert. So gab es elf Tote und über 50 zum Teil irreparabel verstümmelte Verwundete.

Während rings um den Globus die Medien immer wieder darüber berichteten und ihre unterschiedlichsten Vorstellungen zur Bewältigung dieses Traumas verkündeten, stellte sich der Gemeinde die Frage, wie Christen mit einer solchen Tragödie umzugehen haben.

Schon bald zeigte sich, dass der Überfall nicht nur körperliche Schäden angerichtet hatte, sondern dass fast ebenso viele unterschiedliche seelische Schäden entstanden waren, wie es beteiligte Personen gab. Das galt – so wurde ihnen im Nachhinein klar – sowohl für die Leidtragenden als auch für die Verursacher.

Menschen, die nach dem Überfall Nacht für Nacht von schrecklichen Albträumen aufgeschreckt wurden oder wegen dauernder Schmerzen keinen Schlaf finden konnten, durfte man nicht einfach zumuten, »Ich vergebe dir!« zu sagen. Da wäre selbst bei bestem Willen der Beteiligten viel Nacharbeit, viel intensive, biblisch begründete Seelsorge nötig, bis sie das aus voller Überzeugung sagen könnten.

Die St.-James-Gemeinde kam schließlich zu dem Ergebnis: Christliche Feindesliebe verzichtet auf jede persönliche Rache und wünscht den Räubern, dass sie gefasst und bestraft werden, um Gelegenheit zu erhalten, ihr Verhalten zu bereuen und Gott um Vergebung zu bitten, damit auch sie in den Himmel kommen. Denn Christen wünschen auch ihren ärgsten Feinden nicht, für alle Ewigkeit verloren zu sein. *Hermann Grabe*

? Wie denken Sie darüber?

! Eine Sache ist erst in Ordnung, wenn sie von Gott vergeben wurde.

† Matthäus 5,43-45

Dies habe ich euch geschrieben, damit ihr wisst, dass ihr ewiges Leben habt, die ihr an den Namen des Sohnes Gottes glaubt.

1. JOHANNES 5,13

Überraschungen

Die meisten Menschen lieben Überraschungen. Ich nicht. Ich möchte immer auf alles vorbereitet sein. Ich möchte immer wissen, was mich erwartet. Wenn wir in ein Restaurant essen gehen, in dem wir vorher noch nie waren, dann studiere ich die Speisekarte bereits im Internet und suche mir zu Hause schon aus, was ich essen möchte. Genauso verhält es sich mit Urlaubsreisen. Haben wir einen schönen Ort in dieser Welt entdeckt, dann zieht es uns immer wieder dorthin, und meistens buchen wir auch genau dieselbe Unterkunft, in der wir uns wohlfühlen. Einfach deshalb, weil wir schon öfter unliebsame Überraschungen erlebt haben.

Deshalb bin ich auch so froh, dass Gott uns bezüglich der Zukunft nicht im Unklaren gelassen hat. Er hat uns in der Bibel vieles ganz genau erklärt. Dort lesen wir, woher wir kommen und wohin wir gehen. Wir lesen von einem Leben nach dem Tod, das niemals enden wird. Wir lesen von zwei verschiedenen Orten, die es dort gibt und die Gott Himmel und Hölle nennt. Und wir lesen, dass wir uns entscheiden müssen, wo wir die Ewigkeit verbringen möchten.

Ja, man kann tatsächlich wissen, ob man in den Himmel kommt. Man kann wissen, dass man ewiges Leben hat, sagt unser Tagesvers. Wissen ist mehr als eine Ahnung oder eine vage Hoffnung, es ist eine feste Überzeugung, auf die man sein Leben baut. Ich habe mich für den Himmel entschieden, für den Ort, an dem es keinerlei Leid und Schmerz mehr gibt, nur noch Frieden und Freude. Ich habe mich für Jesus Christus entschieden. Und ich freue mich jetzt schon darauf, ihn eines Tages leibhaftig zu sehen. Ich bin so dankbar, dass ich nach meinem Tod keine unliebsame Überraschung erleben werde, sondern mir jetzt schon meines Heils gewiss sein darf.

Sabine Stabrey

? Was glauben Sie, was nach dem Tod passieren wird?

! Glaube ist ein Überzeugtsein von Dingen, die man nicht sieht.

† Hebräer 10,38–11,3

Wer der Gerechtigkeit und Gnade nachjagt,
findet Leben, Gerechtigkeit und Ehre.

SPRÜCHE 21,21

Jesus finden

Selbstfindung ist das Balancieren auf dem schmalen Grat zwischen Individualität (ich bin einmalig und tue Einmaliges) und Konformität (ich bin wie alle, ich tue das Gleiche wie alle). Es gibt Selbstfindungskurse, die es ermöglichen sollen, seinen Charakter und seine Persönlichkeit zu entwickeln und dadurch zu lernen, glücklich zu sein. Das Motto der Selbstfindung lautet: lebendig statt funktionierend. Es gilt, die Lebenskraft zu finden, das Vertrauen in sich selbst zu stärken, inneres Wachstum und größere Lebensqualität und Herzensfreude zu erlangen. Das alles hört sich gut an, verlangt jedoch von jedem, der es tut, viel Egoismus und endet nicht selten in einer noch größeren Unzufriedenheit.

Der Glaube an Jesus Christus zeigt völlig andere Perspektiven der Selbstfindung auf. Wenn ich Christus finde, dann finde ich mich selbst. Dadurch finde ich ein Leben, das lebenswert ist und gerne von mir gelebt wird, weil Jesus an meiner Seite ist. Ich bin lebendig und funktioniere! Ich wachse innerlich zu Jesus hin. Christsein bedeutet niemals Konformität. Als Menschen sind wir alle verschieden, und gerade das will Gott, und es gefällt ihm auch. Jeder von uns ist von und vor Gott ein besonderes und einmaliges Individuum.

Es ist bedauernswert, dass sich viele Menschen auf dem Selbstfindungs- und Egotrip befinden. Obwohl sie es abstreiten, sind ihnen die anderen im Grunde genommen gleichgültig. Dagegen steht die Lebensfreude durch Jesus, der ein Vorbild des Liebens und Gebens ist.

Ich selbst habe erfahren, dass Jesus mich so liebt, wie ich bin, mit all meinen Schwächen und Fehlern. Ich brauche mich nicht mehr selbst zu finden, Jesu hat mich gefunden.

Axel Schneider

? Sind Sie unzufrieden und auf der Suche?

! Es gilt, beim richtigen Angebot zuzugreifen.

† Matthäus 10,39-42

Jesus spricht zu ihm: Ich bin der Weg
und die Wahrheit und das Leben.
Niemand kommt zum Vater als nur durch mich.

JOHANNES 14,6

Nur eine Wahrheit?

Letzte Woche hatte ich während meiner Behandlung ein interessantes Gespräch mit der Osteopathin. Wir sprachen über das, was wir in unserem Leben erlebt haben, und kamen schnell zu der Feststellung, dass wir beide Gott in unserem Leben schon erfahren haben und er uns in schwierigen Situationen geholfen hat. Dann fragte ich die Frau, was sie über Jesus denkt, und da hörten unsere Gemeinsamkeiten auf. Jesus war für sie einfach nur ein Vorbild und sicher nicht die *eine* Wahrheit. Dafür habe sie schon zu viele andere Religionen kennengelernt.

Man erlebt so etwas immer wieder: Über Gott können viele Menschen reden. Aber wenn es um Jesus geht, dann scheiden sich die Geister. Woran liegt das? Ein allgemeiner Glaube an Gott fordert noch keine Veränderung. Man kann Gott als Helfer, Richter, Beschützer oder Schöpfer sehen oder einfach als jemanden, der wohlwollend auf uns Menschen herabblickt. Einer, der da ist, wenn man Not hat, und die Menschen mit Gutem segnet. Manche denken auch, Gott wäre in jeder Religion ein und derselbe.

Doch der Gott der Bibel ist ganz anders. Wer diesen Gott kennenlernen will, der kommt an Jesus nicht vorbei. Jesus sagt über sich, dass er *der* Weg, *die* Wahrheit und *das* Leben ist und dass man nur durch ihn zu Gott kommt. Das ist ein deutlicher Absolutheitsanspruch, oder? Jesus macht klar, dass es falsch verstandene Toleranz ist, wenn jeder sich seinen eigenen Glauben zusammenbastelt. Denn es gibt eine absolute Wahrheit; aber die fordert eine Entscheidung von mir: Glaube ich an den Sohn Gottes oder nicht? Nehme ich den Weg über ihn zu Gott, oder probiere ich es selbst? Jesus verspricht jedem, der an ihn glaubt, das Leben in Fülle. Es lohnt sich also, ihn kennenzulernen!

Ann-Christin Ohrendorf

? Kennen Sie Gott eher nur allgemein oder ganz persönlich?

! Nur Jesus macht eine innige Beziehung zu Gott möglich.

† Johannes 14,1-9

Darum richte dem Volk von mir, dem allmächtigen Gott, aus: Kehrt um, kommt zu mir zurück! Dann wende auch ich mich euch wieder zu. Denn ich bin der HERR, und mein Wort gilt!

SACHARJA 1,3

Was tut Gott aktuell in der Welt?

Naturkatastrophen, Überschwemmungen, Hungersnöte, Heuschreckenplagen, Tsunamis, Krankheiten und Kriege. Es gibt so viel Leid auf der Welt! Warum geschieht das alles? Was ist der Sinn dahinter?

Diese Unglücke sind Aufrufe Gottes an uns, unser Leben zu hinterfragen. Gott hat für die Menschheit in ihrem Elend eine barmherzige und gnädige Botschaft. Gleichzeitig ist diese Botschaft sehr persönlich und gilt jedem Einzelnen. Das wird klar, wenn wir eine Begebenheit aus dem Lukasevangelium lesen. Einige Leute kamen zu Jesus und berichteten ihm von einer Gräueltat des Statthalters Pilatus, bei der eine Reihe Menschen ums Leben gekommen waren. Sie wollten wissen, warum so etwas Schreckliches passiert war. War das vielleicht eine Strafe Gottes?

Jesu Antwort ist erstaunlich. Der Sinn, den Jesus in dieser Katastrophe sieht, betrifft nicht die Getöteten, sondern die Lebenden. Jesus stellt fest, dass diejenigen, die ermordet wurden, keine größeren Sünder waren als diejenigen, die gerade vor ihm stehen. Jesus sagt ihnen: Lasst uns nicht mehr über die Toten sprechen. Lasst uns über euch und euer Leben sprechen! Das ist viel dringender!

Bis heute haben alle Menschen dasselbe Problem: Wir alle haben uns nicht nach Gott gesehnt, er spielt in unserem Leben kaum eine Rolle. Wir sind schuldig vor ihm. Gott aber will uns immer wieder wachrütteln, damit wir erkennen, dass wir ihn brauchen. Krisen und Katastrophen sind eine Chance zu realisieren, dass uns diese Welt weder Sicherheit noch Erfüllung geben kann. Gott will uns durch diese Ereignisse aufwecken, damit wir zu ihm umkehren, ihm unsere Schuld bekennen und von nun an auf ihn vertrauen.

Sebastian Weißbacher

? Lassen Sie sich wachrütteln?

! »Gott flüstert in unseren Freuden, er spricht in unserem Gewissen, aber er schreit in unserem Leid. Leid ist sein Megafon, eine taube Welt aufzuwecken.« (C. S. Lewis)

† Lukas 13,1-5

Warum bin ich so mutlos? Warum so traurig? Auf Gott will ich hoffen, denn eines Tages werde ich ihn wieder loben, meinen Retter und meinen Gott.

PSALM 42,6

Einsamkeit

In einer schriftlichen Stellungnahme zum Thema Einsamkeit, die im Jahr 2021 für den Deutschen Bundestag verfasst wurde, ist zu lesen, dass 10 bis 20 % der Deutschen von chronischer Einsamkeit betroffen sind. Was für eine erschreckend hohe Zahl! Einsamkeit ist ein Tabuthema, insbesondere in unserer Zeit, die von den sozialen Medien und den dortigen Interaktionen über Likes und Kommentare geprägt ist. Die virtuelle Welt ersetzt zunehmend analoge Kontakte und Freundschaften. Wer mag schon gerne zugeben, dass er in Wirklichkeit allein hinter seinem Bildschirm sitzt? Wer will sich eingestehen, dass von seinen einhundert Facebook-Freunden im Ernstfall niemand kommen würde, um ihm zu helfen?

Einsamkeit verursacht gravierende Gesundheitsschäden, wodurch wiederum hohe Kosten für das Gesundheitssystem entstehen. Es erscheint nur logisch, dass diesem Phänomen entgegengewirkt werden muss. Aber die Wartelisten bei Ärzten und Psychotherapeuten sind lang. Viele haben eine lange Odyssee hinter sich, bevor sie überhaupt Hilfe erwarten können.

Auch in der Bibel finden wir Menschen, die traurig, mutlos und einsam waren. Die Psalmen, eine Liedersammlung aus dem Alten Testament, sind voll davon. Doch wie sind die Schreiber mit ihrem Leid umgegangen? Sie haben sich an Gott gewandt. Sie haben versucht, ihn trotz aller Widrigkeiten zu loben, und sie haben sich von ihm Hilfe und Beistand erbeten. Oft endet ein Psalm zuversichtlich und hoffnungsvoll, obwohl er traurig begonnen hat. Ja, Vertrauen in Gott kann einem neuen Mut geben. Das wirkt sich positiv auf Körper und Seele aus. Wie gut, dass es Gott als Ansprechpartner gibt. Wer sich in seiner Einsamkeit an ihn wendet, ist niemals völlig allein.

Annegret Heyer

? Wann haben Sie das letzte Mal Gott um Hilfe gebeten, wenn keine menschliche Unterstützung in Sicht war?

! Auch in schweren Situationen kann man jeden Tag etwas Gutes und einen Grund zum Danken finden.

† Psalm 42

Stiege ich zum Himmel hinauf, so bist du da!

PSALM 139,8

Gott auf dem Mond erlebt

»Sag, wo wohnt der liebe Gott? / Wohnt er weit, weit hinterm Mond? / Nein, Gott wohnt nicht weit von hier, / er ist nah bei dir und mir.« So hat es Margret Birkenfeld einmal in einem ihrer Kinderlieder beschrieben. Es gibt tatsächlich keinen Winkel im Universum, an dem ein Mensch nicht Gottes Nähe erfahren könnte. Er ist für keinen von uns in unerreichbarer Ferne, egal, wo wir uns gerade aufhalten oder in welcher Lage wir uns befinden. Überall kann er uns begegnen.

Dass Gott quasi nur ein Gebet weit von uns entfernt ist, das erlebte der US-amerikanische Astronaut James Irwin (1930–1991) heute vor 52 Jahren ausgerechnet auf dem Mond. Irwin startete im Jahr 1971 als Pilot der Mondlandefähre der Apollo-15-Mission ins Weltall. Er war der achte Mensch, der jemals den Mond betrat. Während der gefährlichen Arbeiten auf der Mondoberfläche wollte ein Experiment der Astronauten nicht gelingen. Da kam ihm die Idee, wie in seinen Kindheitstagen zu beten: »Gott, ich brauche jetzt deine Hilfe!« Daraufhin geschah etwas Seltsames. Er berichtete später: »Ich empfand ein Gefühl der Inspiration, dass da jemand mit mir war, der über mich wachte und mich beschützte. Rund um uns war so viel Schönheit, dass wir uns gar nicht vorkamen wie an einem fremden Ort. Aber was mich tief in der Seele bewegte und meinem Leben eine Wende gab, war, dass ich Gottes Gegenwart spürte.«

Dieses Erlebnis hat sein Leben umgekrempelt. Nach seinem Ausscheiden aus der NASA wurde es sein größter Wunsch, dass Menschen Jesus Christus kennenlernen. Er bereiste viele Länder, um seine Erlebnisse und seinen Glauben an Jesus weiterzugeben. Er war überzeugt: »Dass Jesus auf dieser Erde gegangen ist, ist so viel wichtiger, als dass der Mensch auf dem Mond war.«

Arndt Plock

? An welchem Ort haben Sie schon einmal Gottes Gegenwart gespürt?

! Für jeden von uns gilt: »Naht euch zu Gott, so wird er sich zu euch nahen!« (Jakobus 4,8)

† Jesaja 57,15

Und Gott der HERR rief Adam und sprach zu ihm: Wo bist du?

1. MOSE 3,9

Gott sucht uns (1)

Die ersten Menschen hatten nur eine Regel zu beachten, die Gott ihnen gesetzt hatte. Ihnen standen im Paradies alle Früchte als Nahrung zur Verfügung. Nur die Frucht eines einzigen Baumes war davon ausgenommen. Sollten Adam und Eva hiervon essen, müssten sie sterben. Dennoch griffen sie genau zu dieser Frucht, nachdem der Teufel sie in Gestalt einer Schlange hierzu verleitet hatte.

Was nun vermutlich in ihnen vorging, könnte man so umschreiben: Wir haben etwas getan, was wir vorher nicht kannten. Wir haben unsere Beziehung zu Gott verletzt. Wie wird er reagieren? Und was hat es mit der angedrohten Sanktion auf sich, dem »Sterben«? Voller Angst zogen sie sich zurück und fürchteten sich, Gott unter die Augen zu treten.

Nun hätte Gott, der alles weiß, sie in ihrer Ungewissheit über das, was der Tod bedeuten würde, alleinlassen können. Doch das Gegenteil geschah. Gott suchte nach Adam und Eva, als dieser schicksalsschwere Tag sich dem Ende zuneigte. Ja, er wollte sie mit ihrem Versagen konfrontieren und ihnen die Konsequenzen ihrer Tat vor Augen führen.

Aber Gott offenbarte dann auch etwas davon, dass er das Problem der Schuld und des Todes, das der Mensch verursacht hatte, lösen würde, und zwar durch einen anderen Menschen, der den Verführer, die Schlange, besiegen und die Macht des Todes durchbrechen würde. Das ist der erste Fingerzeig Gottes auf seinen Sohn Jesus, der als Mensch stellvertretend die Strafe auch für diese Sünde auf sich nehmen würde. Das Ergreifende ist: Gott wollte seine Geschöpfe nicht eine Nacht alleinlassen, ohne ihnen dieses tröstliche Versprechen zu geben. Darin zeigt sich seine Fürsorge für eine Menschheit, die sich ihm von Anfang an widersetzt hat.

Markus Majonica

? Was denken Sie: Hat Gottes Interesse an uns Menschen etwa aufgehört?

! Das Kommen seines Retters Jesus Christus beweist das genaue Gegenteil.

† 1. Mose 3,1-21

Denn der Menschensohn ist gekommen, zu suchen und selig zu machen, was verloren ist.

LUKAS 19,10

Gott sucht uns (2)

Die Bilder und Vorstellungen von Gott sind vielfältig: Gott, der Drohende, Gott, der Strafende, Gott, der Richter, Gott, der Spielverderber, Gott, der Aufpasser, usw. Viele dieser Vorstellungen haben etwas mit Sanktion und Angst zu tun. Nun, diese Angst ist nicht unberechtigt. Ich kenne kaum einen Menschen, der sich nicht davor fürchtet, für das, was er denkt, sagt oder tut, zur Rechenschaft gezogen zu werden. Glücklicherweise können die irdische Justiz und unsere Umwelt in der Regel nur das sehen und hören, was wir tun oder reden. Unsere Gedanken bleiben unseren Mitmenschen zumeist verborgen. Und auch unsere Handlungen, zumindest, wenn sie nicht rechtens oder zumindest moralisch verwerflich sind, versuchen wir, so gut es geht, zu kaschieren.

Kein Wunder also, wenn uns der Gedanke an einen Richter, der die tiefsten und dunkelsten Geheimnisse unseres Lebens kennt, zutiefst erschreckt. Dabei kann dieser Schrecken sehr heilsam sein. Ich habe es an mir und auch an anderen Menschen erlebt, was geschieht, wenn einem schlagartig klar wird, wie abgrundtief egoistisch, stolz und selbstverliebt, kurz, wie verderbt man ist. Es ist, als ginge ein Scheinwerfer an, und der Abgrund des eigenen Herzens wird bis in den dunkelsten Winkel ausgeleuchtet. In einer solchen Situation hat man nicht viele Optionen. Man kann die Augen schließen und verschreckt zurück in die Dunkelheit fliehen. Oder man kann anerkennen, dass man in den Augen der absoluten Gerechtigkeit Gottes verloren ist.

Doch halt! Sagt der Tagesvers nicht, dass der Sohn Gottes gerade dazu gekommen ist, die zu suchen, die verloren sind? Was soll mit einem solchen Verlorenen geschehen? Das Todesurteil? Nein. Er soll selig werden!

Markus Majonica

? Welches Bild haben Sie von Gott?

! Jesus hat uns klar gezeigt, dass Gott die Menschen liebt und sie retten will.

✝ Johannes 3,16-21

Mein Auge auf dich richtend, will ich dir raten.

PSALM 32,8

Blickkontakt

Gott hatte den Menschen mit Gaben ausgestattet, die ihn weit über alle anderen Geschöpfe erhoben. Aber er wollte auch eine persönliche Beziehung zu ihm haben. So heißt es in der Geschichte vom Paradies, dass Gott bei der Kühle des Tages seine Menschen besuchte, um Gemeinschaft mit ihnen zu pflegen. Doch dann ließen sich diese so hoch begnadeten und begabten Menschen vom Teufel zum Ungehorsam verleiten, und von da an versteckten sie sich vor Gott. Der aber bot ihnen trotzdem seinen Frieden an, wenn sie ihre Schuld einsahen und zu ihm umkehrten.

Unser Tagesvers ist der beste Beweis dafür, wie gut es Gott mit uns meint. Jeder, der aufhört, sich zu verstecken, darf sich der Liebe und Annahme durch Gott sicher sein. Mit allen, die zu ihm umkehren, will er wieder in die gleiche Beziehung treten, die er für uns Menschen von Anfang an vorgesehen hat. Dazu gehört, dass wir nach seinem Willen fragen und uns seinen Rat für unsere Lebensführung einholen, den er uns mitteilen will. Wir selbst können nämlich die durch den Sündenfall immer verworrener werdenden Zustände in dieser Welt nicht durchschauen und lassen uns auch allzu oft »hinters Licht führen«. Und deshalb haben wir die Leitung durch unseren allwissenden, himmlischen Freund nötig.

Und was wäre erfreulicher, wenn wir dann im Alltag unsere Blicke zu dem uns ununterbrochen liebenden Gott erheben? Wo könnten wir uns denn sicherer fühlen als unter seinem gnädigen, weisen und unser Glück fördernden Blick? Die einzige Voraussetzung zu dieser glücklichen Stellung und beständigen Beziehung mit Gott ist das Eingeständnis, Gottes Vergebung unbedingt nötig zu haben. Weder Scham noch falscher Stolz sollten uns davon abhalten.

Hermann Grabe

? Wer ist Ihr maßgeblicher Ratgeber?

! Die richtigen Maßstäbe für Gut und Böse hat allein der Schöpfer festgelegt.

† Psalm 32

Deine Werke sind wunderbar! ... tief unten auf der Erde wurde ich kunstvoll zusammengefügt .... Du sahst mich schon, als ich ein Knäuel von winzig kleinen Zellen war.

PSALM 139,14-16

Mein Körper – ein Kunstwerk

Stellen Sie sich vor: Sie sind am Meer und schlendern am Strand. Während Sie Ihren Gedanken freien Lauf lassen, fällt Ihnen auf, dass eine größere Anzahl Muscheln einen exakten Halbkreis bildet. Als Sie näher kommen, erkennen Sie ein wiederkehrendes Muster aus vier unterschiedlichen Farbtönen. Genau vierzig Muscheln sind kombiniert. Zufall? Oder würden Sie einen Designer dahinter vermuten? Die exakte Anordnung, das Muster aus vier Farben mit denselben Muschelarten sprechen dafür. Wollte der kleine Künstler Ihnen vielleicht eine unbekannte Botschaft übermitteln? Wenn die Anzahl der Muscheln 400 oder sogar 4 Millionen wären, würde das noch stärker für einen intelligenten Schöpfer des Gebildes sprechen. Und wenn dieser Muschel-Halbkreis immer wieder in ähnlicher Form auftaucht? Vielleicht würden Sie dann untersuchen, ob es dafür eine unentdeckte Gesetzmäßigkeit gibt. Ansonsten werden sie daraus sicher schließen, dass der Ideengeber »Hand anlegte« oder dass er viele Leute inspirierte, diese Halbkreise genau so zu bilden.

Der Psalmdichter David wusste: Mein Leben ist keine rein materielle Ansammlung funktionierender Organe und Gliedmaßen. Hier gibt es einen Planer. Heute wissen wir: Jede unserer Zellen enthält einen genauen Bauplan dessen, was unseren Körper ausmacht. Das menschliche Genom mit seinen ca. 3,2 Millionen Basenpaaren ist ein genialer Code in Miniaturform. Er besteht aus nur vier unterschiedlichen »Zeichen«. Die exakte Position innerhalb des DNA-Strangs »befiehlt« der Materie, welche Organe oder Enzyme sie hervorbringen soll. Wer schrieb liebevoll in mir den Code, damit das Kunstwerk eines einmaligen Körpers entstand? Der Tagesvers gibt Auskunft darüber: Es ist Gott, zu dem man sogar eine persönliche Beziehung haben kann.

Winfried Elter

? Sehen Sie sich als ein Zufallsprodukt oder als ein Geschöpf, für das ein guter Plan bereitsteht?

! Schauen Sie einen Videoclip an, der die Genialität einer einzigen Zelle erläutert!

† Psalm 139

Ein Mann aber in Cäsarea mit Namen Kornelius ..., fromm und gottesfürchtig mit seinem ganzen Haus, der dem Volk viele Almosen gab und allezeit zu Gott betete.

APOSTELGESCHICHTE 10,1-2

Knapp daneben ist auch vorbei!

Die Westküste der USA zu besuchen, war schon länger mein Traum gewesen. Nun war es endlich so weit! In einer Woche ging unser Flug. Alles war vorbereitet. Wir hatten Reiseführer und Internetforen gelesen, mit Leuten, die schon dort waren, gesprochen und schließlich die perfekte Route geplant: Der Half Dome im Yosemite National Park, die Mammutbäume im Redwood Forest, Death Valley, Venice Beach, San Francisco – all das würden wir bald live erleben. Doch dann kam alles anders. Es stellte sich heraus, dass uns trotz aller Vorbereitungen das Entscheidende fehlte: Mein Freund hatte keinen gültigen Reisepass. Er hatte übersehen, dass er schon abgelaufen war, und wir konnten die Reise nicht antreten.

Wenn man die Beschreibung von Kornelius in unserem Tagesvers liest, meint man auch: Da ist alles vorbereitet für die »Reise in den Himmel«. Kornelius ist fromm, gottesfürchtig, spendet Geld für die Armen und betet *allezeit* zu Gott. Doch auch ihm fehlt das Entscheidende: Er hat keine Vergebung seiner Sünden. Sicher hatte er durch sein vorbildliches Leben weniger Sünden als so mancher andere, aber trotzdem trennten seine Sünden ihn von Gott und würden ihn trotz aller Frömmigkeit von Gottes ewiger Herrlichkeit ausschließen.

Doch Gott sieht das aufrichtige, suchende Herz dieses Mannes und schickt ihm Petrus vorbei. Der gibt ihm in seiner Ansprache das fehlende Puzzle-Stück: »Diesem [Jesus] geben alle Propheten Zeugnis, dass jeder, der an ihn glaubt, Vergebung der Sünden empfängt durch seinen Namen« (Apostelgeschichte 10,43).

Kornelius hört diese Botschaft und glaubt sie sofort. Im selben Moment kommt der Heilige Geist auf ihn – als Bestätigung dafür, dass er jetzt wirklich gerettet ist (vgl. Epheser 1,13). *Stefan Hasewend*

? Kennen Sie auch Leute, denen das Entscheidende zur Rettung noch fehlt?

! Wer aufrichtig nach Gott sucht, dem gibt Gott mehr Informationen.

† Apostelgeschichte 10,1-48

Wendet euch zu mir und lasst euch retten, alle ihr Enden der Erde! Denn ich bin Gott und keiner sonst.

JESAJA 45,22

An der Realität vorbei

Vor einiger Zeit hatte ich das Privileg, eine Nacht in Südamerika bei einem Kaffeebauern in seinem Haus zu übernachten. Es war umgeben von vielen bunten Blüten, Kaffeepflanzen und Bananenbäumen. Grandios war der Moment, als ich am nächsten Morgen aus der Haustür trat: Da das Haus oberhalb eines Tals lag, konnte ich den Blick über den Wald unterhalb des Hauses schweifen lassen. Nebel umspielte die tropischen Pflanzen, exotische Vögel kündeten den neuen Tag an, und die Luft war angenehm kühl.

Aufgrund der Schönheit der Natur war ich erstaunt, als ich bemerkte, womit die Kinder der Familie ihre Zeit verbrachten: Schon mit sehr jungem Alter waren sie im Besitz eines eigenen Smartphones. Ständig konnte ich den Lichtschein der Bildschirme in ihrem Gesicht flackern sehen. Anstatt draußen mit anderen Kindern zu spielen und Abenteuer zu erleben, wurden die Kinder gedanklich von einer Scheinwelt gefangen genommen, die mit der großartigen Realität direkt vor ihrer Haustür nicht viel gemein hatte.

Viele Erwachsene machen sich zu Recht Sorgen über die Entwicklung der nächsten Generation, doch bemerken sie nicht, dass sie genau wie die Kinder an der wahren Realität des Lebens vorbeileben. Wenn unser Universum nicht nur das Produkt blinden Zufalls ist – wofür es sehr viele Indizien gibt –, sondern das großartige Werk eines brillanten Schöpfers, dann gibt es eine Realität jenseits der Materie, nämlich einen Gott, der uns Menschen dazu geschaffen hat, in Gemeinschaft mit ihm zu leben. Doch wie so viele Kinder nur auf den Bildschirm ihres Smartphones schauen, sehen viele Menschen nur ihr alltägliches, kleines Leben. Sie verpassen die Schönheit einer Beziehung zu Gott. Denn nur mit ihm findet unser Leben seine wahre Bestimmung.

Jonathan Loos

? Lassen auch Sie Gott in Ihrem Leben außer Acht?

! Verpassen Sie nicht die Rettung, die er gerne allen Menschen zukommen lassen will – auch Ihnen!

† Hebräer 2,3-4

Und er rief zu sich das Volk samt seinen Jüngern und sprach zu ihnen: Will mir jemand nachfolgen, der verleugne sich selbst und nehme sein Kreuz auf sich und folge mir nach.

MARKUS 8,34

»Ich will so bleiben, wie ich bin!«

Erinnern Sie sich noch an diese Werbebotschaft? Darin vermittelte ein Lebensmittelhersteller den Eindruck, man könne die von ihm auf den Markt gebrachten Produkte unbeschwert ohne Gefahr der Gewichtszunahme genießen. Diese Werbung richtete sich an alle, die »auf nichts verzichten« wollten und sich gerne an allem satt essen, worauf sie gerade Lust haben. Allerdings schob die Justiz dieser Werbung einen Riegel vor. Im Jahr 2012 urteilte das Landgericht Hamburg: »Ein Werbespot, der darauf ausgerichtet ist, die Botschaft zu vermitteln, der Verbraucher könne kalorienreduzierte Lebensmittel einer Marke unbeschwert genießen, also ohne die bei anderen Produkten bei unkontrolliertem Verzehr bei vielen Menschen zu beobachtende Gewichtszunahme, ist irreführend.«

Im Bereich der christlichen Botschaft von der Vergebung der Sünde grassiert eine ähnlich irreführende Werbung: Du kannst so bleiben, wie du bist. Hauptsache, du glaubst an Jesus, dann ist alles gut. Gott wird schon niemanden ablehnen, der sich auf seinen Sohn beruft. – Ist das nicht die wahre Gnade? Weiterleben wie bisher, befreit von der Last der Schuld? Doch das ist nur die halbe Wahrheit, es ist eine falsche, eine billige Gnade. Dass Gott aus Gnade Schuld vergibt, war für Gott selbst nicht billig. Es erforderte den Tod seines Sohnes unter unsäglichem Leiden und Verachtung. Dieses Leiden seines Sohnes soll Menschen dazu befreien, ein Leben in der Nachfolge Jesu zu führen. Das bedeutet, das alte ichbezogene Leben abzulegen und ein neues, auf Christus bezogenes Leben anzunehmen. Selbstverleugnung statt Selbstverwirklichung. Die wahre, teure Gnade Gottes rechtfertigt den Sünder, aber nicht das Beibehalten der Sünde. *Markus Majonica*

Wo liebäugeln Sie mit Sünde?

Die Gnade Gottes gilt nur für Sünder, die ihre Sünden bereuen und loslassen.

Römer 3,5-8

Denn Gott ließ sie (die Straußin) die Weisheit vergessen und hat ihr keinen Verstand zugeteilt. Kommt aber die Zeit, da sie in die Höhe schnellt, so verlacht sie Ross und Reiter.

HIOB 39,17-18

Nicht schnell genug?

Auf Youtube gibt es einen amüsanten Videoclip, in dem ein Athlet gegen einen Strauß antritt. Der Athlet, durchtrainiert und bestens vorbereitet, tritt gegen einen urwüchsigen, interessant proportionierten, schwerfälligen und flugunfähigen Vogel an! Man könnte meinen, eine klare Sache. Doch als der Pistolenschuss erschallt, prescht der Vogel Strauß ohne Mühe vor und läuft dem Menschen mit Leichtigkeit um einige Meter davon!

Auch die Bibel beschreibt den Strauß als einen schnellen Sprinter (siehe Tagesvers). Ja, selbst ein Usain Bolt, der beste Sprinter der Welt, würde von einem Strauß verlacht werden, was seine Schnelligkeit betrifft! Was der Strauß in den Füßen hat, das hat er jedoch anscheinend nicht im Kopf. Denn nur einen Vers vorher heißt es, dass Gott ihm die Weisheit versagt und ihm keinen Verstand zugewiesen hat. Der Vogel Strauß kann nur »Hals über Kopf« wegrennen (oder den Kopf in den Sand stecken), für mehr reicht sein Verstand nicht. Gott hat ihn eben »einfach gestrickt« geschaffen.

Gott sei Dank, sind wir anders geschaffen als der Strauß. Wir müssen nicht kopflos durch die Gegend rennen oder im Sand unsere Zuflucht nehmen! Schnelligkeit reicht nämlich bei Weitem nicht aus, um der größten Gefahr, dem ewigen Tod, zu entfliehen. Dazu braucht man schon eher Weisheit und Einsicht, z. B. darüber, wie man Gottes Rettung in Anspruch nehmen und ewiges Leben gewinnen kann. Darüber informiert uns die Bibel ebenfalls: »So sehr hat Gott die Welt geliebt, dass er seinen einzigen Sohn gab, damit jeder, der an ihn glaubt, nicht verlorengeht, sondern ewiges Leben hat« (Johannes 3,16).

Nur der Glaube an Jesus zählt. Alles, was Sie und ich in unserem ganzen Leben leisten könnten, reicht auf keinen Fall aus. *Tony Keller*

? Ist Ihnen klar, dass Sie ohne Gott in höchster Gefahr sind?

! Bitten Sie ihn um Einsicht in seinen Rettungsplan und folgen Sie dann seinen Anweisungen!

† Johannes 3,16-21.31-36

Denn das Wort Gottes ist lebendig und wirksam.
HEBRÄER 4,12

Ein lebendiges Buch

»Irgendwie ist das komisch«, sagte meine Freundin erstaunt, »immer, wenn wir zusammen in der Bibel lesen, kommt etwas zur Sprache, was mich gerade sehr bewegt. Woran liegt das? Suchst du immer die entsprechenden Verse heraus?« Natürlich tat ich das nicht, denn ich weiß ja gar nichts über ihre persönlichen Gedanken. Dass uns ein Bibelwort oft so direkt trifft, liegt einfach daran, dass die Bibel ein besonderes Buch ist. Sie ist lebendig und wirksam. Gott spricht durch sie zu unserem Herzen.

Der Prediger Paul Deitenbeck war nach dem Zweiten Weltkrieg als junger Mann in russischer Kriegsgefangenschaft. Das bedeutete harte Arbeit, Hunger, Kälte. Zusammen mit einem Freund schmiedete er einen Fluchtplan. Sie sammelten Brot und organisierten sich eine Landkarte. »Gott, bitte verhindere unser Unternehmen, wenn es nicht sein soll«, betete er. Am Tag vor der geplanten Flucht versuchten drei andere Häftlinge ihr Glück. Sie wurden geschnappt, fürchterlich bestraft und die Sicherheitsvorkehrungen im Lager massiv verstärkt. An Flucht war nun nicht mehr zu denken. Hungrig nach Trost las Deitenbeck an diesem Abend in seinem Losungsbuch, das für jeden Tag einen Bibelvers vorgab, folgende Worte: »Der HERR wird deine Sache selbst ausführen, und du darfst stille sein.« Da wusste er, dass Gott alles im Griff hatte und ihm eines Tages die Freiheit schenken würde. Drei Jahre später war das dann der Fall.

Nicht jeden Tag erlebe ich Gottes Reden durch die Bibel so ganz direkt wie Paul Deitenbeck an diesem Abend. Aber immer wieder trifft mich ein Wort so passgenau, dass ich merke, es ist Gott selbst, der da zu mir redet. Deswegen liebe ich die Bibel mehr als alle anderen Bücher.

Elisabeth Weise

? Haben Sie Gottes Reden durch einen Bibelvers schon einmal erlebt?

! Wer mit offenem Herzen in der Bibel liest, wird erstaunliche Entdeckungen machen.

† Psalm 19,8-15

Bis in euer Greisenalter bin ich derselbe,
und bis zu eurem Ergrauen will ich euch tragen.
Ich habe es getan, und ich will auch fernerhin
euch heben, tragen und erretten.

JESAJA 46,4

Wenn die Kräfte schwinden

Da ist noch Gartenarbeit zu erledigen, und das kleine Bauprojekt im Haus muss jetzt auch endlich angegangen werden. Ich mache mir Gedanken und bin in Unruhe über das, was da auf mich zukommt. Schaffe ich das, bin ich dem gewachsen?

Je älter ich werde, desto mehr spüre ich, wie meine Kräfte nachlassen. Interessant, aber auch beklemmend ist, dass offenbar nicht nur die körperlichen, sondern auch die seelischen Kräfte schwinden. Bei körperlichen Arbeiten bin ich längst nicht mehr so belastbar wie noch vor ein paar Jahren, und ich merke, dass mich diese Arbeiten auch psychisch mehr belasten. Ich mache mir zu viele Gedanken um eigentlich einfache Dinge und werde viel schneller ungeduldig als früher. Damit belaste ich oft meine Umgebung und auch meine Familie. Selbst meine Liebsten sind oft ratlos wegen meiner körperlichen, aber vor allem meiner seelischen Erschöpfungszustände.

Meine abnehmenden Kräfte machen mir zu schaffen, ich bin unzufrieden und in gewisser Weise in einer Lebenskrise. Wie geht es weiter? Wird das alles noch schlimmer werden? Ich denke, ja! Vielleicht können Sie sich als jüngerer Leser nicht vorstellen, dass auch Sie Ihr Alter irgendwann deutlich spüren werden. Doch ich kann Ihnen versichern, dass das auch bei Ihnen der Fall sein wird.

Ich bin dankbar, dass ich mich in dieser Situation immer wieder von Gott trösten und tragen lassen kann. Ich darf Zuflucht zu Gott nehmen und ihm meine Gedanken, meine Unruhe und Schwächen bringen. Er hat versprochen, mich bis zum Greisenalter zu tragen. Er hat zugesagt, sich um mich zu kümmern, auch wenn Körper und Seele mehr und mehr erschöpft sind. Deshalb will ich Gott beim Wort nehmen und zuversichtlich meinen Weg bis zum Ende gehen.

Axel Schneider

? Spüren Sie schon das Nachlassen Ihrer Kräfte?

! Die Lasten werden nicht kleiner, aber Jesus will sie mit Ihnen tragen.

† Psalm 92,13-16

Denn ihr habt um den Preis eurer Seelen geirrt.
JEREMIA 42,20

Das Ziel verfehlt

Wenn man sich in einem Land aufhält, dessen Sprache man nur sehr lückenhaft beherrscht, kommt es im Gespräch mit den Einheimischen immer wieder zu lustigen Situationen, aber auch zu Missverständnissen. Dies habe ich vor einiger Zeit, als ich mich in Kolumbien aufhielt, mehrmals erlebt. Einmal unterhielt ich mich mit ein paar jungen Leuten und versuchte, ihnen etwas auf Spanisch mitzuteilen. Nach einem Satz begannen meine Zuhörer, plötzlich zu lachen, doch ich wusste nicht, was ich falsch gemacht hatte. Sie klärten mich anschließend über meinen Fauxpas auf: Ich wollte »Fisch« sagen (spanisch: *pescado*), sagte aber stattdessen »Sünde« (spanisch: *pecado*).

Als ich später nochmals darüber nachdachte, wurde mir klar, wie gering der Unterschied zwischen den Wörtern war: nur durch einen einzigen Buchstaben. Durch diesen einen falschen Buchstaben ergab sich jedoch ein völlig anderer Sinn, der die Bedeutung des Wortes und damit des Satzes, in dem das Wort verwendet wurde, völlig veränderte. Durch meinen »kleinen« Fehler hatte ich das eigentliche Ziel meiner Aussage verfehlt, da der Sinn entstellt wurde.

In der Bibel ist diese »Zielverfehlung« auch die eigentliche Bedeutung des Wortes »Sünde«. Wenn man sündigt, verfehlt man laut Aussage der Bibel das Ziel, das Gott mit unserem Leben hat, nämlich zu seiner Ehre zu leben. Manchmal denkt man vielleicht, dass man ein guter Mensch sei und Gott mit einem schon zufrieden sein könne. Aber in Wirklichkeit lebt man an dem Ziel, das Gott den Menschen gegeben hat, völlig vorbei. Eines der Ziele Gottes mit uns Menschen ist beispielsweise, dass wir in ständiger Dankbarkeit ihm gegenüber leben sollen. Dieses Ziel verfehlen wir sicher oft, ohne uns dessen bewusst zu sein. *Jonathan Loos*

? Wie steht es mit Ihnen in Bezug auf Gott?

! Bitten Sie ihn darum, dass er Ihnen hilft, sich auf ihn auszurichten, statt das Ziel zu verfehlen.

† 1. Thessalonicher 1,8-10

Denn ich erinnere mich des ungeheuchelten Glaubens in dir, der zuerst in deiner Großmutter Lois und deiner Mutter Eunike wohnte, ich bin aber überzeugt, auch in dir.

2. TIMOTHEUS 1,5

Wenn Jesus in ein Leben kommt

Ihre Mutter hatte als junges Dienstmädchen in einer fremden Stadt gearbeitet und war einige Zeit später von einem verheirateten Mann schwanger geworden. Ihr Baby Luise musste sie zur Adoption freigeben. Ein älteres, kinderloses Ehepaar nahm das Mädchen auf. Doch kaum war es zwölf Jahre alt, starben beide Pflegeeltern. Luise kam zu ihrer »Tante«, nicht wissend, dass diese oft so harte Frau ihre eigentliche Mutter war. Sie hatte inzwischen geheiratet und ließ die kleine Luise, die sie wohl an ihre demütigende Zeit als Dienstmädchen erinnerte, ihre Ablehnung spüren. Luise wuchs zu einer jungen Frau heran, hungrig nach Liebe und Annahme. Als sich ein charmanter Mann für sie interessierte, Inhaber einer Bäckerei, schienen sich ihre Mädchenträume doch noch zu erfüllen. Doch schon kurz nach der Hochzeit spürte sie, dass weniger die große Liebe als mehr das Erbe ihrer Pflegeeltern und ihre jugendliche Arbeitskraft bei der Partnerwahl die entscheidende Rolle gespielt hatten.

In dieser schwierigen Zeit lernte sie Menschen kennen, die ihr von Jesus Christus erzählten. Die vaterlose, oft vom Leben enttäuschte Luise fand bei Gott die Liebe und Annahme, nach der sie sich sehnte. Sie erkannte, dass sie Jesus brauchte, und schenkte ihm ihr Leben. Treu besuchte sie die Gottesdienste, auch als diese während der Nazi-Zeit verboten wurden und ihr Mann ihr das Leben deswegen oft schwer machte.

Luise starb mit 91 Jahren. Sie war meine Urgroßmutter und die Erste aus unserer Familie mit einem persönlichen, lebendigen Glauben an Jesus Christus. Sie liebte ihn bis an ihr Lebensende, und ich erinnere mich, wie sehr ihre blauen Augen strahlten, wenn sie von ihm redete. Jesus war ihr Halt, ihre Freude, ihre Hilfe und ihr Lebensinhalt – bis zum Schluss.

Elisabeth Weise

? Was kann einen durch die Höhen und Tiefen des Lebens tragen?

! Wer Jesus in seinem Leben hat, weiß sich trotz aller Schwierigkeiten geliebt und geborgen.

† Philipper 2,1-11; 3,8-15

Den, der Sünde nicht kannte, hat er für uns zur Sünde gemacht, damit wir Gottes Gerechtigkeit wurden in ihm.

2. KORINTHER 5,21

Verursacher gesucht – Stellvertreter gefunden

Die ersten Gedanken nach einer Corona-Infizierung gelten natürlich auch der Frage, bei welcher Gelegenheit man sich wohl angesteckt hat. Wem habe ich das zu verdanken? Damit einher geht der Drang, das aufzuklären, was sich aber meist als aussichtsloses Unterfangen herausstellt.

Der Grund für den Drang nach Aufklärung ist vielleicht der, dass wir uns für ungerechtfertigt Betroffene halten, für solche, denen das eigentlich nicht hätte widerfahren dürfen. So will man wenigstens denjenigen finden, der mutmaßlich dafür verantwortlich ist. Das steckt tief in uns drin, dass ein Schuldiger gefunden wird und für das geradesteht, wofür er verantwortlich ist. Im Rechtswesen ein durchaus üblicher Vorgang. Was aber, wenn es alle gleichermaßen betrifft? Weil sich schließlich jeder anstecken kann und auch selbst dazu ein Stück weit beiträgt. Wenn alle betroffen sind, macht es keinen Sinn mehr, einen einzelnen Verursacher festzustellen, weil potenziell jeder so einer sein oder werden kann. Jeder hat dann mit sich selbst genug zu tun.

So ist es im Grunde auch mit der Sünde – oder sogar noch mehr als das. Jeder ist so sehr selbst darin verstrickt, dass es keinen Sinn ergibt, einen Einzelnen dafür verantwortlich zu machen. Das Schreckliche ist: Sünde führt immer zum Tod. Sie tötet jeden, es sei denn, sie ließe sich »isolieren«, d. h. eingrenzen auf maximal eine Person, die von ihrer tödlichen Wirkung betroffen ist. Und tatsächlich ist das geschehen. Jesus wurde am Kreuz für uns zur Sünde gemacht (2. Korinther 5,21). Sie wurde auf ihn konzentriert. Er starb an unserer statt. Nicht in einem Krankenhausbett, dahinsiechend, sondern für alle sichtbar am Kreuz, sozusagen im Mittelpunkt des Weltgeschehens.

Joachim Pletsch

? Ist das nicht aller Annahme und ewiger Erinnerung wert?

! Jesus starb für uns, damit wir ewig leben können. Das setzt wahrlich Kräfte frei, sich für ihn einzusetzen.

† 1. Timotheus 1,12-17

Die aber auf ihre krummen Wege abbiegen, die wird der Herr dahinfahren lassen.

PSALM 125,5

Gefährliche Abkürzungen

Sie waren auf der Hochzeitsreise und besahen sich an einer Raststätte die nächste Reiseetappe. Die Straße machte einen gewaltigen Umweg, bevor sie die beiden an ihr Ziel brachte. Aber dann war auf der Karte noch eine viel kürzere Strecke zu erkennen, die außer einigen kleinen Kurven direkt auf ihr Ziel zulief. »Die nehmen wir«, beschlossen beide.

Als sie an die bewusste Abzweigung kamen, lasen sie ein Schild: »Schlechte Wegstrecke«. Die Frau riet, auf der großen Straße weiterzufahren. Er aber dachte, dies sei eine Gelegenheit, seiner jungen Frau zu zeigen, welch tüchtigen und mutigen Mann sie geheiratet hatte. So achtete er nicht auf ihre Warnung und fuhr einfach los. Weil es viel geregnet hatte, versanken die Räder schon bald in tiefem Matsch. Es ging auch nicht rückwärts, noch konnte man wenden. Zum Glück ließ sich die Tür noch öffnen. So wateten sie durch den tiefen Matsch zur Straße zurück. Wie die Stimmung der beiden frisch Vermählten nun war, lässt sich erahnen. Hoffentlich hat die Achtung der jungen Frau vor ihrem Mann hier keinen dauerhaften Schaden erlitten, und hoffentlich hat er gelernt, nicht »aus dem Bauch heraus« zu handeln, sondern reif und besonnen zu werden.

Hätten sie unseren Tagesvers gekannt, so wäre ihnen wenigstens klar geworden, dass sie nicht die Einzigen waren, denen es so erging. Aber dieser Spruch enthält – wie viele andere Bibelworte trotz der Negativaussage noch einen Trost, indem er Gott ins Spiel bringt. Gott lässt zwar Stolz, Überheblichkeit und Hochmut gerade bei denen kläglich scheitern, die sich von ihm abwenden; aber solche, die auf ihn vertrauen, lässt er nicht fallen, sondern hilft ihnen wieder auf die Beine, wenn sie ihr Versagen vor ihm bekennen.

Hermann Grabe

? Was musste der junge Mann noch lernen?

! Mancher Schaden lässt sich vermeiden, wenn man sich beraten lässt.

† Sprüche 1,20-33

Denn dies ist der Wille meines Vaters, dass jeder, der den Sohn sieht und an ihn glaubt, ewiges Leben hat; und ich werde ihn auferwecken am letzten Tag.

JOHANNES 6,40

Der Gutschein

Vor Jahren bekamen wir einen Gutschein für ein Erholungsbad. Der Wert des Gutscheins war nicht gering. Es handelte sich um ein großzügiges Geschenk. Es umfasste alle Möglichkeiten, die dieses Bad bot: Sauna, Massagen – und natürlich auch das Schwimmen. Eigentlich gehen meine Frau und ich gerne ins Schwimmbad. Doch wir legten den Gutschein erst einmal beiseite. Wir wollten dieses schöne Angebot durchaus wahrnehmen. Für den Besuch hätten wir allerdings ins Auto steigen und rund eine Stunde fahren müssen. Also wurde dieser Ausflug immer wieder aufgeschoben. Monate vergingen. Und der Gutschein versank unter immer neuen Briefen. Ab und an, beim Aufräumen, stießen wir wieder auf ihn. »Ach, das wollten wir doch immer einmal machen ...« Und wieder wurde er wegsortiert. Bis er nach Jahren wieder auftauchte. Doch da war das Angebot längst abgelaufen. Der wertvolle, mit besten Wünschen geschenkte Gutschein war verfallen. Für uns war das wirklich peinlich. Denn der Schenker hatte sich viele Gedanken gemacht und uns wirklich etwas Gutes tun wollen. So achtlos waren wir mit diesem Geschenk umgegangen.

Gott ist auch ein wohlmeinender Schenker. Es ist sein ausdrücklicher Wille, dass wir Menschen in den Genuss seiner Herrlichkeit kommen. Er will uns nichts weniger als die Ewigkeit schenken! Dafür hat er schon alles vorbereitet und den vollen Preis bezahlt. Er übermittelt sein Angebot durch seinen Sohn Jesus Christus. Allein der Glaube an diesen ist nötig, um dieses Angebot anzunehmen. Doch ich fürchte, dass viele Menschen mit diesem einzigartigen Angebot umgehen wie wir mit unserem Gutschein. Und irgendwann, mit dem Ende unseres irdischen Lebens, verfällt dieses Angebot für immer und ewig.

Markus Majonica

Wo liegt der »Gutschein Gottes« bei Ihnen, und wann werden Sie ihn einlösen?

Nichts ist wertvoller als selbstlose Liebe.

2. Samuel 9,1-13

Er will ihn vor dem Grab bewahren,
sein Leben vom Lauf in den Tod.

HIOB 33,18

Anhalten-Sehen-Hören-Leben

Wer in Amerika an einen ungesicherten Bahnübergang kommt, wird trotzdem durch ein merkwürdiges Zeichen darauf hingewiesen, dass an dieser Stelle Gefahr droht. In seiner Form ist es ein Kreuz, denn hier kreuzen sich ja Schiene und Straße. Das ist also nichts Besonderes. Aber dieses Kreuz ist beschriftet. »Stop, Look, Listen, Live« ist zu lesen. Anhalten, sehen, hören und leben. In einigen Ländern wird durch diese Worte ebenfalls vor dem Überqueren einer Straße gewarnt. Und da viele Leute nur noch über ihr Handy gebeugt durch die Straßen gehen, wurde »Stop, Look, Listen, Live« zusätzlich auch auf den Gehweg gemalt.

Diesen Hinweis können wir auch gut in unser Leben mit hineinnehmen. Immer einmal wieder anhalten und auf das gelebte Leben zurückschauen. Vielleicht auf Warnsignale hören und sich neu ausrichten. Mose, der Anführer des Volkes Israel, hat das so ausgedrückt: »Herr, lehre uns bedenken, dass wir sterben müssen, auf dass wir klug werden« (Psalm 90,12; LUT). Die Menschen setzen sich allerdings ungern mit dem Tod auseinander. Terroranschläge, Massenunfälle, Wirbelstürme; täglich müssen wir zur Kenntnis nehmen, dass Menschen sterben. Trotzdem wird diese Tatsache verdrängt.

Auch Christen dürfen immer mal wieder innehalten, Bilanz ziehen, sich fragen: Lebe ich als Kind des großen Gottes? Kann ich danken für das gelebte Leben? Habe ich alles richtig sortiert? Meine Zeit, meine Kraft und mein Geld? Denn auch für Christen gilt, dass ihr natürliches Leben irgendwann zu Ende ist. Bin ich mir da noch bewusst, dass die ewige Herrlichkeit mein Ziel und der Himmel meine eigentliche Heimat ist? Denn Christen wissen, dass sie durch das Blut Jesu Christi Frieden mit Gott haben und ein ewiges Leben bei Gott auf sie wartet.

Herbert Laupichler

? Achten Sie in Ihrem Leben auf Warnsignale?

! Nutzen Sie Stopp-Signale im Sinne von Psalm 90,12! Fragen Sie sich: Was wäre, wenn ich morgen sterben müsste?

† Psalm 90

Mein Gott, nun rufe ich dich an. Ich bin sicher, du antwortest mir. Lass mich bei dir ein offenes Ohr finden und höre mein Gebet!

PSALM 17,6

Weltweit immer erreichbar

Ich warf einen Blick aus dem Fenster unserer Wohnung. Eine herrliche Gegend, in der wir zu Hause sind. Das Tal ist umgeben von Bergkuppen. Auf einem Hügel blieb mein Blick hängen. Oben auf der Kuppe steht ein Handymast, und ich dachte: Mobilfunksendeanlagen überall. Die Sende- und Empfangsanlagen werden bevorzugt dort gebaut, wo viele Menschen wohnen.

Meine Gedanken schweiften zurück in die Zeit, in der es in unserem kleinen Ort nur einzelne private Festnetzanschlüsse gegeben hat. Wer damals keinen Telefonanschluss besaß, konnte nur über Brief oder persönlichen Besuch kontaktiert werden. Diesen Zustand können wir uns heute nicht mehr vorstellen. Von Jung bis Alt besitzen wir ein Mobiltelefon, es gehört inzwischen zur lebensnotwendigen Sache. Beruflich wie privat wird vorausgesetzt, dass wir überall telefonieren können und jederzeit erreichbar sind. Ganz besonders in Notsituationen kann ein Mobiltelefon lebensrettend sein. Manches Mal ist jedoch Sendeausfall, dann können wir außer über Notfallnummern niemanden erreichen.

Als mein Blick auf dem Hügel hängen blieb, dachte ich an den Psalm 121: »Ich schaue hinauf zu den Bergen – woher kann ich Hilfe erwarten? Meine Hilfe kommt vom HERRN, der Himmel und Erde gemacht hat! Der HERR wird nicht zulassen, dass du fällst; er, dein Beschützer, schläft nicht« (HFA). Ich bin sehr froh, dass die »Funkverbindung« zu Gott nie ausgeschaltet ist. Bei ihm gibt es keinen Sendeausfall. Er ist immer erreichbar für alle, die ihn erreichen wollen. Gott kennt keine Ruhepausen. Nie werden wir von ihm hören: »Bitte versuchen Sie es später.« Der Glaubende erlebt, dass Gott durch Jesus immer ansprechbar und da ist, bis das Ende dieser Welt gekommen ist (Matthäus 28,20). *Sebastian Weißbacher*

? Welche Gelegenheiten haben Sie wahrgenommen, um Gott anzurufen?

! Rufen Sie Gott an! Er will in Jesus Christus Ihr Retter sein.

† Römer 10,9-13

Es ist aber der Glaube ein zuversichtliches Vertrauen auf das, was man hofft, ein festes Überzeugtsein von Dingen, die man (mit Augen) nicht sieht.

HEBRÄER 11,1

Feste Erwartung oder nur Hoffnung?

Der Vater zum Sohn: »Ich erwarte von dir, dass du heute dein Zimmer aufräumst!« Der Chef zum Untergebenen: »Ich erwarte von Ihnen, dass Sie diese Aufgabe gewissenhaft erfüllen!« Vergleichen Sie diese Aussagen mit den folgenden: Der Vater zum Sohn: »Ich hoffe, dass du heute dein Zimmer aufräumst!« Der Chef zum Untergebenen: »Ich hoffe, dass Sie diese Aufgabe gewissenhaft erfüllen!«

Nach allgemeinem Sprachgebrauch würde ich mehr »Hoffnung« darauf haben, dass die ersten Aufforderungen sich erfüllen als die zweiten. Wenn ich etwas erwarte, spricht daraus ein klarer Auftrag, eine konkrete Erwartung, fast schon ein Anspruch. Dem »Hoffen« hingegen haftet das Ungewisse an, das Wunschhafte. »Ich hoffe, morgen gibt's gutes Wetter.« Na ja. Hoffentlich!

In der Bibel finden wir in deutschen Übersetzungen (wie im Tagesvers) häufig das Wort Hoffnung. Ein sehr prominentes Beispiel findet sich im Brief von Paulus an die Korinther, wo dieser von Glaube, Liebe und Hoffnung schreibt. Wenn wir hier unser gängiges Verständnis von »Hoffnung« einsetzen, dann haben all diese Aussagen etwas Unsicheres. Man hofft eben. Vielleicht bleibt das aber nur ein frommer Wunsch. Es kann auch anders kommen wie beim Hoffen auf gutes Wetter.

Das mit Hoffen übersetzte griechische Wort »elpis«, das die Bibel oft verwendet, ist allerdings stärker. Es drückt tatsächlich kein ungewisses Wünschen, sondern ein gewisses, berechtigtes Erwarten aus. Darauf weist auch der Tagesvers, der sozusagen die Definition von Glauben im biblischen Sinne enthält und klarer übersetzt lautet: »Es ist aber der Glaube ein zuversichtliches Vertrauen auf das, was man erwartet, ein festes Überzeugtsein von Dingen, die man nicht sieht!« *Markus Majonica*

? Hoffen Sie noch, oder erwarten Sie schon?

! Was Gott verspricht, trifft sicher ein.

Römer 8,19-25

Jede Träne wird Gott von ihren Augen abwischen.
Es wird keinen Tod mehr geben, auch keine Traurigkeit,
keine Klage, keinen Schmerz.

OFFENBARUNG 21,4

Leid, Schmerzen und Trost

Jedes Leben ist mit Leid verbunden. Die beeindruckenden Errungenschaften der Wissenschaft haben zwar manche Leiden mindern, aber sie nicht abschaffen können. Blaise Pascal (1623–1662) war genialer Mathematiker, Naturwissenschaftler, Philosoph und Christ. Von Kind an war er kränklich. Ab seinem 18. Lebensjahr verlebte er keinen Tag ohne Schmerzen. Zudem litt er unter depressiven Verstimmungen. Erstaunlich, wie viel er trotz seiner Einschränkungen in seinem kurzen Leben geleistet hat. Mit 39 Jahren starb er.

In seinem *Gebet zu Gott um den rechten Umgang mit Krankheiten* bat er: »Verleihe mir die Gnade, Herr, deinen Trost mit meinen Schmerzen zu verbinden, damit ich leide als ein Christ. Ich bitte darum, den Schmerzen der Natur nicht ausgeliefert zu sein ohne die Tröstungen deines Geistes. Ich bitte nicht darum, eine Überfülle des Trostes zu haben ohne irgendeinen Schmerz. Ich bitte auch nicht darum, in einer Überfülle von Leiden zu sein ohne Tröstung. Aber ich bitte darum, Herr, miteinander fühlen zu dürfen die Schmerzen der Natur und die Tröstungen deines Geistes. Denn das ist der wahre Stand des Christseins. Möge ich nicht fühlen ohne Trost, sondern Schmerzen und Trost miteinander, um am Ende dorthin zu gelangen, nur noch deine Tröstungen zu empfinden ohne irgendeinen Schmerz.«

Pascal hat sich realistisch klargemacht, dass Leiden in dieser gefallenen Schöpfung unvermeidlich sind. Aber er wusste um den Trost, dass für ihn als Christ über allem das Wirken Gottes steht und die Gewissheit einer himmlischen Zukunft ohne Leid. Sein Schlüssel zu dieser imponierenden Lebenshaltung war, wie er selbst schreibt: »Es ist für uns einzig und allein wichtig zu erkennen, dass wir elend sind, verdorben, getrennt von Gott, aber erlöst durch Jesus Christus.« *Gerrit Alberts*

? Welchen Trost erleben Sie im Leid?

! Der Glaube an Gott gibt uns eine begründete Hoffnung.

† Offenbarung 21,1-4

20 AUGUST SONNTAG

Gott ist Licht, und gar keine Finsternis ist in ihm.

1. JOHANNES 1,5

Versteckspiel im Dunkel

Als Kinder haben wir gerne Verstecken im Dunkeln gespielt. Das Kinderzimmer wurde verdunkelt, sodass man nichts mehr sehen konnte. Obwohl es uns vertraut war, konnten wir im Dunkeln nur langsam und sehr vorsichtig vorankommen. Beim Suchen waren wir nun völlig auf unsere Ohren und unsere Kenntnis des Kinderzimmers angewiesen. Aber im Dunkeln konnte man sich auch gut verstecken. Es reichte, sich neben das Bett oder hinter einem Stuhl zu hocken. Allerdings passierte es nicht selten, dass unsere Mutter die Zimmertür öffnete und so Licht in das Zimmer fiel. Sofort konnte man alles sehen, und wir waren entdeckt.

Im Dunkeln Verstecken zu spielen, macht Kindern Spaß. Wenn wir uns jedoch länger in der Dunkelheit aufhalten müssten, würden wir uns auf Dauer nicht mehr wohlfühlen. Irgendwann zieht es uns zum Licht zurück. Wenn ich ehrlich bin, möchte ich mich immer wieder wegen mancher Dinge verstecken und vermeiden, dass sie ans Licht kommen! Dazu muss ich mir nur vorstellen, was wäre, wenn jeder wüsste, was ich in der vergangenen Woche gedacht habe! Ich bin sehr froh, dass kein Mensch meine Gedanken sehen kann.

Doch Gott kennt alles. Vor ihm ist nichts verborgen. Er ist Licht und in seiner Gegenwart bleibt nichts verborgen. Das kann uns Angst machen, wenn wir etwas zu verbergen haben. Doch wenn wir mit Gott im Reinen sein wollen, dann müssen wir in sein Licht treten und alles von ihm aufdecken lassen. Wir dürfen ihm unsere dunkelsten und schlimmsten Gedanken und Taten bringen, denn er kann uns davon reinwaschen, weil Jesus Christus für unsere Sünden die Strafe am Kreuz erduldet hat. Wir müssen sie ihm nur bekennen und um Vergebung bitten. Dann brauchen wir das Licht nicht mehr zu scheuen.

Jens Bergmüller

? Was verstecken Sie vor Gott?

! Gott lädt Sie ein, in sein Licht zu kommen.

† 1. Johannes 1,5–2,2

Jesus Christus ist derselbe gestern und heute und in Ewigkeit.

HEBRÄER 13,8

Hat Jesus jemals gelebt?

Es gibt nicht nur Corona-Leugner, es gibt auch Menschen, die leugnen, dass Jesus jemals gelebt hat. So findet sich im Internet so manche Seite, auf der genau dieses behauptet wird. Geht man jedoch den Hinweisen und Argumenten näher nach, dann stellt man fest, dass es doch sehr glaubwürdige Informationen über Jesus gibt. Z. B. die historische genauen und gut überlieferten Evangelien im Neuen Testament. Darüber hinaus gibt es auch außenbiblische Hinweise. Der jüdische Historiker Josephus z. B. erwähnt in seinem Werk *Jüdische Altertümer (Antiquitates Iudaicae)* sowohl Jesus Christus als auch seinen Bruder Jakobus als historische Personen. Auch in den *Annalen* des römischen Historikers Tacitus, gibt es eine kurze Passage, die von »Christus« als Gründer einer Gruppe, die Christen genannt wird, spricht.

Die Wahrnehmung der Person Jesu in der Antike kann man natürlich nicht nach heutigen Maßstäben bewerten. Heute kann man leicht Popularität erreichen. Sie ist aber kein wesentliches Kriterium für die Bedeutung einer Person, denn die kann enorm hoch sein, selbst wenn die Person nur wenigen bekannt ist. Denken wir z. B. an Nobelpreisträger.

Bei Jesus liegen die Anfänge in einem zunächst sehr kleinen Personenkreis und in einem doch recht unscheinbaren Land der Erde – aus weltpolitischer Sicht betrachtet. Aber vor allem die Ereignisse rund um seine Kreuzigung und Auferstehung haben dann eine Bewegung ausgelöst, die die ganze Welt erfasst hat und viele Jahrhunderte das Weltgeschehen geprägt haben. Bis heute ist ein wichtiges Prinzip dieses Erlösers wirksam geblieben: Er wendet sich dem Einzelnen zu und bietet ihm Heil und Leben an. Wer das annimmt, kann ihn auch heute noch persönlich erfahren.

Uwe Harald Böhm

? Wie denken Sie über Jesus?

! Lesen Sie selbst, was in der Bibel über Jesus steht!

† Lukas 3,21-23

Aber er entäußerte sich und nahm Knechtsgestalt an, indem er den Menschen gleich geworden ist, ... wie ein Mensch befunden, erniedrigte er sich selbst und wurde gehorsam bis zum Tod, ja, zum Tod am Kreuz.

PHILIPPER 2,7-8

Die Botschaft Jesu

Jedem Schüler, jedem Studenten und jedem Existenzgründer wird gesagt, wie wichtig angeblich Durchsetzungsstärke ist. Man vergleicht Fähigkeiten und Leistungen und ist in ständiger Konkurrenz mit anderen. »Er oder ich, es kann nur einen geben!« Es ist wie ein Auslese-Denken, das die Spreu vom Weizen trennt. Genau das findet – von frühester Kindheit an geprägt – auf sämtlichen Ebenen des Lebens statt: angefangen im Kindergarten, fortgesetzt in Schule, Beruf und Privatleben, in Politik und Unternehmertum.

Wie erstaunlich anders und wohltuend ist dagegen das Evangelium, die Gute Nachricht über Jesus, den Sohn Gottes. Jesus hat sich erniedrigt, er war demütig und hat seine Kraft nur gezeigt, um Menschen zu helfen. Er wollte nicht beweisen, wer besser ist, sondern er wurde zum Diener für Menschen. Er, der Starke, wurde schwach und arm, damit der Mensch reich werden kann.

Jesus hat mit seinem Verhalten seinen Nachfolgern, also den Menschen, die an ihn glauben, ein Beispiel hinterlassen. Wahre Freude und Zufriedenheit erwirbt man letztlich nicht, indem man fähiger und klüger ist als andere, Karriere macht und viel Geld verdient oder es in den Augen anderer im Leben zu etwas gebracht hat. Das Wunder der Erlösung für verlorene Menschen kam durch etwas anderes zustande, gegen alle Erwartung.

Gott schaut bei uns Menschen nicht auf Durchsetzungsstärke und Leistung, sondern auf Glauben und Treue. Er will nicht, dass wir konkurrieren, sondern einander lieben. Es geht nicht nur um mich allein. Keiner, der Jesus sein Herz übergibt, fällt durchs Raster. Das Beispiel Jesu ist anziehend und vielversprechend und führt zum wirklichen Lebensziel. Mit Jesus hat man nichts zu verlieren, aber alles zu gewinnen. *Axel Schneider*

? Worauf setzen Sie? Auf Stärke und Durchsetzungskraft?

! Jesus nimmt sich der Schwachen an.

† 1. Korinther 1,18-31

Meine Hilfe kommt vom HERRN, der Himmel und Erde gemacht hat. Er wird nicht zulassen, dass dein Fuß wanke. Dein Hüter schlummert nicht. Siehe, nicht schläft noch schlummert der Hüter Israels.

PSALM 121,2-4

Die beste Rückendeckung

Auf meinem Smartphone hatte ich eine Zeit lang ein Tierfoto als Profilbild platziert: Es war ein kleiner Löwe, dessen Gesicht geradeaus in die Kamera blickte. Man sah ganz eindeutig, dass es ein noch verspieltes Jungtier war. Das knuffige, weiche Fell lud zum Streicheln ein. Direkt hinter ihm stand – in gebückter, lauernder Haltung – seine Mutter. Ihre Augen funkelten hinter dem drolligen Anblick des Junglöwen in die Kamera. Was für ein Foto! Niemand würde es wagen, dem Jungtier zu nahe zu kommen. Dieses Foto sagte viel über die enge Beziehung zwischen Mutter und Kind aus. Man erkannte, dass dieser Kleine von seiner Löwenmutter geliebt ist. Aber vor allem schwang Respekt vor dem starken, schützenden Muttertier mit.

Irgendjemand hatte dieses Foto bearbeitet und darüber den Satz geschrieben: »Es ist völlig egal, wer vor dir steht, wenn du weißt, wer hinter dir steht.« Mit dieser Aussage wird der Betrachter eingeladen, einen Vergleich zu seinem Leben zu ziehen. Auch ein Mensch kann gelassen bleiben, wenn eine schützende Autorität hinter ihm steht. So sollte z. B. ein Kind wissen, dass es geliebt ist und seine Eltern hinter ihm stehen – egal, in welche Situation es stolpert. Oder ein noch unerfahrener Auszubildender kann in seiner Berufsausbildung mutig agieren, wenn er weiß, dass sein Meister für die geleistete Arbeit geradesteht.

Der Tagesvers spricht von genau diesem Verhältnis zwischen Mensch und Gott. Unser Fuß mag »ins Wanken« geraten. Auch werden wir immer wieder vor unerwartete Herausforderungen gestellt. Entscheidend ist aber dieses Wissen: Es ist völlig egal, was vor mir passiert, wenn ich weiß, dass Gott hinter mir steht und ich meine Hilfe von IHM erwarten darf.

Stefan Taube

? Auf welche Autorität möchten Sie sich im Leben verlassen?

! Wir können uns nicht auf jede Eventualität vorbereiten.
Es genügt, Gott hinter sich zu haben.

† 2. Könige 6,15-17

Wer ist, der den Rat verhüllt ohne Erkenntnis?
So habe ich denn beurteilt, was ich nicht verstand,
Dinge, die zu wunderbar für mich sind,
die ich nicht kannte.

HIOB 42,3

Der rechte Maßstab

›Was macht der Kerl da bloß?‹, dachte sich ein Spaziergänger im Kurpark, der einem Angler zusah, der nur kleine Fische behielt und die großen in den Teich zurückwarf. Endlich fragte er ihn und bekam zur Antwort, er habe zu Hause nur eine kleine Pfanne, darum könne er die großen Fische nicht gebrauchen.

Sie sind sicher mit mir einer Meinung, dass ein solches Denken und Verhalten nicht sonderlich klug ist. Und doch handelt die Mehrzahl der Menschen so, wenn es um Dinge geht, die ihren geistigen Horizont übersteigen. Sobald sie zugeben müssten, dass etwas nur möglich geworden ist, wenn eine höhere Absicht dahintersteht, müsste es ja etwas Größeres – oder was noch schlimmer wäre – einen Größeren geben, als sie selber sind. Und dann kommt Christian Morgensterns Weisheit zum Tragen: »Weil, so schließt er messerscharf, nicht sein kann, was nicht sein darf.«

Hier geht es allerdings nicht um messerscharfes Denken, sondern um den Horror des Menschen, jemanden anerkennen zu müssen, der größer, viel größer, als er selber ist. Dass dadurch unser menschlicher Stolz dann aber einen tödlichen Schlag erhält, das wird messerscharf begriffen. Deshalb glaubt man viel lieber an Zufälle, milliardenfache Zufälle, die alle in die »richtige« Richtung zielten und so eine Welt schufen, in der wir die Herren sind. Na prima, das Rätsel wäre also gelöst! Jetzt muss man nur noch dafür sorgen, mit dieser Ansicht die »Lufthoheit« im Fernsehen, in Talkshows, Schulen und Büchern zu erobern und zu behaupten.

Aber stimmt das wirklich? Wird etwas wahr oder möglich, wenn ich es nur fest genug behaupte? Ob solche Ansicht stimmt, müsste allerdings messerscharf entschieden werden.

Hermann Grabe

? Was ist Ihr Maßstab dafür, um zu entscheiden, was möglich ist oder nicht?

! Lassen Sie den Gedanken zu, dass es Dinge gibt, die Ihren Verstand übersteigen.

✝ Psalm 131

Verflucht ist jeder, der am Holz hängt!
GALATER 3,13

Der Pranger

Der »Pranger« war im Gerichtswesen des Mittelalters eine Art Pfahl auf einem öffentlichen Platz, an dem jemand wegen einer Straftat angebunden und dort oft über Tage der allgemeinen Verachtung ausgesetzt wurde. Daher kommt unsere Redewendung »jemanden an den Pranger stellen«. In einem Sauerland-Wochenkalender sah ich einen solchen Pranger, der noch heute in Obermarsberg (Hochsauerlandkreis) vor dem alten Rathaus steht. Zuletzt wurde dort um 1808 ein Mann, der bei dem Diebstahl eines Stücks Speck erwischt wurde, zwei Stunden lang dem Gespött der Bevölkerung ausgesetzt. Auch wenn er die Tat begangen haben mag, so war das doch eine völlig unverhältnismäßige Demütigung.

Viel schlimmer ist es allerdings, wenn man tatsächlich zu Unrecht so einem Spott ausgesetzt wird! So wird es schon im Mittelalter oft vorgekommen sein: Eine falsche Verdächtigung, und man fand sich am Schandpfahl wieder. Heute genügt manchmal ein Gerücht in der digitalen Welt, und schon wird man durch die (sozialen) Medien an den Pranger gestellt. Ein Rudel von empörten Anklägern fällt öffentlich über den Betroffenen her. Der Wahrheitsgehalt des Verdachts spielt dabei oft keine große Rolle. Das ist schnell ein Stempel, den man nicht mehr los wird.

Noch dramatischer war es allerdings mit Jesus Christus. Wegen einer falschen Anklage stand der Sohn Gottes nicht nur am Pranger, sondern er wurde an das todbringende Folterinstrument des Kreuzes angenagelt. Dort hing er – abgestempelt, gebrandmarkt, dem Spott und Hass der Menschen ausgesetzt und dem Tod ausgeliefert. Sogar nach dem Urteil seines Richters und seines Henkers war er wirklich absolut unschuldig. Aber er ertrug diese Strafe und die damit verbundene Schande bewusst für Ihre und meine Schuld.

Martin Reitz

? Standen Sie schon einmal »am Pranger«?

! Wichtig ist zu verstehen, dass einer für uns (stellvertretend) »am Pranger« stand.

† Matthäus 27,31-44

Denn der HERR gibt Weisheit, aus seinem Mund kommen Erkenntnis und Einsicht.

SPRÜCHE 2,6

Elite-Universitäten

Was ist eigentlich die beste Universität der Welt? Diese Frage kann man natürlich nicht ganz objektiv beantworten, aber es gibt nur einige wenige Einrichtungen, die dafür infrage kommen. Da sind zum einen die beiden über 800 Jahre alte Schulen in England: Oxford und Cambridge. Weiter gibt es noch die vor ca. 300 Jahren in den USA gegründeten Schulen, die in einer eigenen Liga der Elite-Unis zusammengefasst werden: Harvard, Yale, Princeton, Columbia, Brown und Dartmouth. Einige der größten Wissenschaftler und besten Manager, etliche Präsidenten und viele Nobelpreisträger waren auf einer ihrer Fakultäten.

Was die meisten nicht wissen: Alle diese Hochschulen wurden ausnahmslos von Christen gegründet. Sie starteten als Missionarsschulen, und daraus entstand das Beste, was es an Bildungsstätten weltweit gibt. Zu erkennen ist dies heute immer noch an den Logos oder Slogans der Unis. Auf den meisten ist ein aufgeschlagenes Buch zu sehen, das die Bibel darstellt. Und auch die Mottos, meist in Latein, sind Verse aus der Bibel oder Hinweise auf Gott: »Der Herr ist mein Licht« (Oxford), »Unter Gottes Macht gedeiht sie« (Princeton) oder »Auf Gott hoffen wir« (Brown).

Es ist sicher kein Zufall, dass aus diesen kleinen Schulen, die ihren Ursprung und ihre Grundlage in der Bibel hatten, allesamt die besten Elite-Unis der Welt wurden. Die Bibel wird das Buch der Bücher genannt! Aus diesem Buch kommt wirklich Weisheit und Erkenntnis. Haben Sie schon einmal darin gelesen? Sie müssen nicht auf eine dieser exklusiven Schulen gehen, um das meistverbreitete Buch der Welt zu studieren. Sie können in Ihrem Wohnzimmer einen Blick hineinwerfen und selbst feststellen, warum dieses Buch so besonders ist.

Tim Petkau

? Wann haben Sie das letzte Mal das Buch der Bücher aufgeschlagen?

! Es ist keine Schande, wenig zu wissen, wohl aber, nichts lernen zu wollen.

† Sprüche 10,16-23

Denn das Wort vom Kreuz ist eine Torheit denen, die verloren werden; uns aber, die wir selig werden, ist es Gottes Kraft.

1. KORINTHER 1,18

Kreuz Wort Rätsel

»Lebensbund mit drei Buchstaben«, so heißt es oft in Kreuzworträtseln. Solche Rätsel sind mit etwas Anstrengung und einem Lexikon in der Regel gut lösbar. Und selbst wenn man die Lösung nicht findet, was soll's?!

Anders sieht es mit dem Rätsel um das Kreuz aus, an dem vor rund 2000 Jahren ein Mensch namens Jesus, aus Nazareth, gebürtig in Betlehem, von römischen Soldaten hingerichtet wurde. Schon bei seinen Zeitgenossen löste diese Hinrichtung Kopfschütteln aus. Sie unterschied sich äußerlich wenig von all den anderen Kreuzigungen, die unter Roms Herrschaft an der Tagesordnung waren. Jerusalem war im Römischen Reich nicht einmal ein Ort von besonderem Interesse. Ein Mann, Tischler von Beruf, wird getötet. Er hatte von sich reden gemacht – u. a. durch Wunder. Er sei der Sohn Gottes, so hieß es. Nun findet seine Existenz ein denkbar grausames Ende.

Doch bereits unter dem Kreuz, unter den Zeugen dieser Hinrichtung, gibt es auch andere Stimmen. Ein hartgesottener römischer Hauptmann, der schon viel erlebt hatte, bezeugt angesichts dieses Gekreuzigten: Wahrlich, dieser war Gottes Sohn!

Bis heute scheiden sich an diesem rätselhaften »Wort vom Kreuz« die Geister: Für die einen ist es »Torheit«, also absurd, zu meinen, dieses Kreuz habe etwas mit uns zu tun. Wer aber erkennt, dass hier am Kreuz tatsächlich der Sohn Gottes unsere Schuld und Schande trägt, die durch dieses Kreuz ein für alle Mal getilgt, gesühnt, abgebüßt ist, für den eröffnet sich in diesem Kreuz Gottes Kraft: die Kraft der Vergebung und Erneuerung, die später in der Auferstehung sichtbar wird. Dieses Rätsels Lösung ist also nicht nebensächlich, sondern hat Konsequenzen: auf der einen Seite *Verlorenheit,* auf der anderen Seite *Seligkeit.* *Markus Majonica*

? Auf welcher Seite stehen Sie?

! Ringen Sie darum, selig zu werden!

† Offenbarung 22,14-17

Ich bin der Weg, die Wahrheit und das Leben; niemand kommt zum Vater als nur durch mich.

JOHANNES 14,6

Mein Geschwätz von gestern

Konrad Adenauer soll diesen Satz gesagt haben: »Was interessiert mich mein Geschwätz von gestern.« Ob er dieses Zitat so gesagt hat, ist mittlerweile umstritten. Wie dem auch sei, es scheint so, dass diese Worte für uns Menschen ziemlich zutreffend sind: Roland Koch versprach in den 2000ern, keine Studiengebühren einzuführen. Nach seinem Wahlsieg wurden Studiengebühren eingeführt. Politiker der SPD, FDP und Grünen versprachen 2020, dass es mit ihnen keine Impfpflicht geben wird – danach wurde nur noch diskutiert, *wann* diese durchgesetzt wird. Walter Ulbricht sagte: »Niemand hat die Absicht, eine Mauer zu errichten.« Wir wissen alle, was kurze Zeit später Ost- und Westdeutschland voneinander trennte. Bill Clinton gab die Zusicherung, dass er keine Affäre mit Monika L. hatte, musste es jedoch später zugeben. Diese Liste könnte man endlos weiterführen.

Wir nehmen es oft mit der Wahrheit nicht so ernst. Wie oft ertappen wir uns selbst dabei, Dinge zu sagen oder zu versprechen, die wir selbst nicht halten können; oder wir lügen sogar bewusst, um uns einen Vorteil zu verschaffen. Dabei ist es von entscheidender Bedeutung, in den wirklich wichtigen Fragen des Lebens verlässliche Antworten zu finden, die jederzeit gültig sind. Doch wer gibt sie uns? Und wem können wir diesbezüglich vertrauen?

Jesus hat gesagt: »Ich bin der Weg, die Wahrheit und das Leben; niemand kommt zum Vater als nur durch mich.« Auf ihn ist wirklich Verlass, weil *er* selbst die Wahrheit ist. Wer also verlässlich wissen möchte, wie man ewiges Leben bekommt, der muss zu Jesus gehen! Indem er von den Toten auferstand, was er ebenfalls über sich sagte, hat er überwältigend deutlich bewiesen, dass er zuverlässig ist.

Daniel Zach

? Ist Ihnen Wahrheit wichtig? Freuen Sie sich über jemanden, auf den Sie sich stets verlassen können?

! Setzen Sie Ihr Vertrauen auf Jesus!
Seine Worte haben ewige Gültigkeit.

† Johannes 4,43-54

Ich weiß: Gott ist mein Helfer!
Ja, der HERRR gibt meinem Leben Halt!
PSALM 54,6

Der Halt im Leben

Die letzten Jahre waren geprägt von Corona, Krieg in Europa und Naturkatastrophen. Das hat uns viel abverlangt. Wir lebten angepasst an die Entscheidungen, die für uns getroffen wurden. Nichts war mehr sicher – was konnte man noch planen? Auf was war Verlass? Dieser Zustand hat sich bis heute kaum geändert. Man könnte wirklich verzweifeln! Vermutlich tun das viele Menschen, aus verschiedenen Gründen: Angst und Sorgen prägen das Leben, Gefühle der Benachteiligung, Trauer, Wut, Frustration. Erst war Gesundheit das neue Nonplusultra, dann rückten Freiheit und Frieden mit dem Ausbruch des Ukrainekriegs ins Zentrum.

Wir spüren mehr denn je, dass unser Leben sehr fragil ist. Gesundheit ist ein hohes Gut, aber was passiert, wenn man krank wird? Gibt die Familie den ersehnten Halt im Leben? Oder was sonst?

Ich kann Ihnen sagen, was mir Frieden gibt. Einen Frieden, den ich nirgendwo anders finde, auch in meiner Familie nicht. Eine Zuversicht, die so groß ist, dass ich in aller Unsicherheit ruhig sein kann. Es ist das Wissen, dass alles, was hier passiert, an Gott vorbei muss. Ohne ihn könnte man wirklich verzweifeln, keinen Sinn im Leben sehen. Und auch wenn man Gott kennt, ist man nicht völlig frei von Sorgen und Fragen. Aber da ist ein tiefer Frieden in mir, der unabhängig von den Umständen bleibt, denn Gott hat die Kontrolle. Auf ihn ist immer Verlass! Er steht fest, auch wenn alles andere fällt. Das habe ich oft persönlich erfahren. Ich erlebe Gott in meinem Alltag, und er gibt mir die Perspektive der Ewigkeit, weil ich an ihn glaube. Das ist der echte, wahre Halt im Leben! In diesen stürmischen Zeiten sollten wir nicht auf die Wellen schauen, sondern auf den einzigen festen Anker – Jesus Christus.

Ann-Christin Ohrendorf

? Was gibt Ihnen Frieden in einer verrückt spielenden Welt? Was gibt Ihnen echten Halt?

! Nur bei Jesus Christus finden wir Sinn, Halt und die Hoffnung auf die Ewigkeit.

† Matthäus 14,22-33

Es ist die Hoffnung auf ein ewiges, von keiner Sünde beschmutztes und unzerstörbares Erbe, das Gott im Himmel für euch bereithält.

1. PETRUS 1,4

Das Testament

Der Tod meiner Mutter, die sieben Jahre nach meinem Vater starb, hat mir gezeigt, wie wichtig es ist, ein Testament zu machen. Meine Mutter hatte alles wunderbar geregelt. Sie hat uns sämtliche Vollmachten ausgestellt und gemeinsam mit meinem Vater ein Testament verfasst.

Dieses Testament war wirklich völlig unspektakulär, ein handschriftlich geschriebener DIN-A4-Zettel. Allerdings hat er uns sehr dabei geholfen, den Nachlass zu regeln, denn hätten wir diesen Zettel nicht gehabt, hätten wir uns beim Amtsgericht für viel Geld einen Erbschein besorgen müssen. So blieb uns das erspart. Und auch die Vollmachten waren ein Segen und erleichterten uns, bei aller Trauer, vieles. Dafür bin ich meiner Mutter sehr dankbar.

Nachdem wir nun diese Erfahrung gemacht hatten, setzten sich mein Mann und ich auch eines Tages hin und ordneten unseren Nachlass. Wir suchten uns sämtliche wichtigen Formulare im Internet zusammen und füllten diese mühevoll aus. Dazu gehörten eine Generalvollmacht, eine Vorsorgevollmacht, eine Bankvollmacht und eine Patientenverfügung. Und dann setzten auch wir, ziemlich unspektakulär, ein handschriftliches Testament über unser Erbe auf.

Auch Gott hat sein Testament verfasst. Es steht in der Bibel und ist für jedermann zugänglich. Dort lesen wir, was wir tun müssen, um in der Genuss des göttlichen Erbes zu kommen. Dies ist gar nicht kompliziert, denn Jesus sagt, dass er der Weg und die Wahrheit und das Leben ist. Nur annehmen muss dieses Geschenk der Gnade, die Vergebung der Sünden durch das Blut Jesu, jeder Mensch persönlich. Erst dadurch werden wir zu Kindern Gottes und somit auch zu Erben. Was für eine Gnade! *Sabine Stabrey*

? Haben Sie für Ihre Zukunft vorgesorgt?

! Das himmlische Erbe kann einem niemand wegnehmen.

† Römer 11,29-36

Und wenn ihr heute seine Stimme hört,
verschließt euch seinem Reden nicht …

PSALM 95,8

Eine wichtige Entscheidung

Ein Pastor aus Bremen hielt in einer Stadt eine Evangelisationsveranstaltung. Mit seiner direkten, ansteckenden Art hatte er den Zuhörern das Leben mit Jesus Christus und auch das Leben nach dem Tod in der herrlichen Ewigkeit bei Gott so schmackhaft gemacht, dass einer nach der Veranstaltung zum Pastor kam und sagte: »Wenn man das glaubt, was Sie eben verkündet haben, dann ist man akut selbstmordgefährdet.« Er wollte damit betonen, dass der Pastor den Himmel so einladend beschrieben hatte, dass man auf den Gedanken kommen könnte, dort so bald wie möglich hinzugelangen.

Doch das gilt nicht automatisch für jeden. Im Gegenteil, die Bibel klärt uns darüber auf, dass es zwei extrem gegensätzliche Möglichkeiten gibt, wie es für uns nach dem Tod weitergeht:

1. Über solche, die *ohne* Jesus leben und sterben, heißt es in Matthäus 25,30: Werft sie »hinaus in die äußerste Finsternis. Dort wird das Heulen und Zähneknirschen sein.« **2.** Über solche, die *mit* Jesus leben und sterben, heißt es in Offenbarung 21,4: »Und Gott wird abwischen alle Tränen von ihren Augen, und der Tod wird nicht mehr sein, noch Leid noch Geschrei noch Schmerz wird mehr sein.« Und: »Gott der Herr wird sie erleuchten, und sie werden herrschen von Ewigkeit zu Ewigkeit« (22,5).

Das ist, was Sie erwarten können. Es liegt in Ihrer Hand, wo Sie die Ewigkeit verbringen: in ewiger Finsternis oder bei Gott. Jetzt ist die Zeit, zu Gott umzukehren und um Vergebung zu bitten. Denn Jesus hat mit seinem Leben für die Schuld aller Menschen bezahlt. Wer das im Glauben annimmt, erfährt Vergebung. Übergeben Sie deshalb Ihr Leben Jesus, nur er kann Ihnen ewiges Leben schenken. Nur durch ihn ist auch für Sie der Himmel offen.

Robert Rusitschka

? Welche Möglichkeit wählen Sie?

! Es gibt ein »zu spät«. Entscheiden Sie sich heute noch für Jesus!

† Hebräer 3,12-19

Er hat Frieden gemacht durch das Blut seines Kreuzes.

KOLOSSER 1,20

Bereit für das Verdienstkreuz?

Letztes Jahr fand ich beim Sperrmüll eine Schachtel voller Orden aus zwei Weltkriegen – samt Verleihungsurkunden. Warum wurden sie weggeworfen? Weil man vielen Soldaten den Orden an die Stelle heftete, an der früher ihr Herz war? Weil sie leider zum Anreiz für den zigtausendfachen späteren »Heldentod« wurden?

Heutzutage gelten Orden immerhin als höchste Anerkennung, die ein Land für Verdienste zu verleihen hat. So werden Personen geehrt, die Herausragendes leisteten. Für die Verleihung kann jeder jeden vorschlagen. Tipp: Wer sich selbst vorschlägt, hat wenig Aussicht auf eine Auszeichnung.

Orden sind billige Belohnungen, denn ein Preisgeld ist mit ihrer Verleihung nicht verbunden. Die Deutsche Gesellschaft für Ordenskunde beklagt, dass sich die Verleihung von Verdienstkreuzen zeitweise zum Automatismus entwickelte. »In bestimmten Positionen – Minister, Diplomaten, Professoren – konnte man sich vor dem Bundesverdienstkreuz quasi nur durch Selbstmord retten.«

Es gibt nur einen Orden, der noch *nach* dem Tod verliehen wird: die Rettungsmedaille – als öffentlicher Dank für eine beachtliche Rettungstat bzw. die Abwendung einer erheblichen Gefahr. Sie wird dem verliehen, der unter Einsatz seines Lebens zum Retter wurde. Diese Ehrung kann ausdrücklich auch *postum* erfolgen, wenn der Retter bei seiner Rettungstat umkam. Das führt uns unmittelbar zu Jesus: Ihm wurde keine Rettungsmedaille verliehen. Ihm wurde kein Verdienstkreuz um den Hals gehängt, sondern ein Holzkreuz auf die Schulter gelegt. Dann wurde er selbst daran aufgehängt. Für ihn gab es das Verbrecherkreuz – aber für jeden, der an ihn glaubt, wird dieses Kreuz zum Verdienstkreuz – denn sein Verdienst ist meine Rettung.

Andreas Fett

? Wen kennen Sie, den Sie fürs Verdienstkreuz vorschlagen könnten?

! Versäumen Sie heute nicht, ein aufmerksames Lob auszusprechen!

† Jesaja 53,1-9

... und sehe ich das Blut,
so werde ich an euch vorübergehen.

2. MOSE 12,13

Sperrstunde

Kriege erschüttern unser Sicherheitsgefühl immens. Solange die anderen betroffen sind, ist die Besorgnis relativ. Aber was, wenn es uns persönlich trifft? Viele Bürger in der Ukraine haben diese Unsicherheit im vergangenen Jahr kennengelernt. Häufiger Fliegeralarm, laute Explosionen und Ausgangssperren in der Nacht – »wegen der Sicherheit ...« Aber wie sicher ist sicher, wenn man sich eng zusammengekauert in den Keller zurückziehen muss, weil es um 21.00 Uhr Bomben hagelt?

Das Volk Israel hat in seiner Geschichte auch eine Ausgangsperre erlebt. Nur waren die Umstände anders. Versklavung, Zwangsarbeit und die harten Strafen des ägyptischen Pharaos plagten es. In ihrer Not rief es zu Gott, der das Unheil sah und reagierte. Er forderte den Pharao auf, das Volk freizulassen. Dieser weigerte sich. Nach einer Reihe von Plagen, die ihn ereilten, stand noch eine weitere aus. Diese letzte Plage sollte den sturen Pharao zur Vernunft bringen. Sie beinhaltete den Tod jedes erstgeborenen Menschen im ganzen Land – auch in den Familien der Israeliten. Doch es gab eine Möglichkeit, von dieser harten Plage verschont zu bleiben. Diese Sache erforderte allerdings eine große Portion Glauben. Gott verordnete für diese Nacht eine Ausgangssperre. Außerdem sollte jede Familie ein Lamm schlachten, sein Blut an die Türpfosten und den Türsturz streichen und das Haus bis zum Morgen nicht verlassen. Das Blut verdeutlichte, dass in diesem Haus schon »jemand« gestorben war – stellvertretend.

Das erinnert an Jesus. Auch sein stellvertretender Tod am Kreuz sorgte für echte Sicherheit. Gott macht einen Unterschied, wenn sich Menschen unter den Schutz seines Blutes begeben, das dort am Kreuz floss. Jeder, der das tut, ist für ewig gerettet.

Rudi Löwen

? In welcher Situation haben Sie schon existenzielle Bedrohung erlebt?

! Uns sollte bewusst sein, dass aufgrund unserer Schuld vor Gott so eine Bedrohung für jeden besteht.

† 2. Mose 12,1-14

Da bedeckte die Wolke die Stiftshütte,
und die Herrlichkeit des HERRN erfüllte die Wohnung.

2. MOSE 40,34

Ein merkwürdiges Heiligtum

Heiligtümer der Antike haben in der Regel eines gemeinsam: Sie waren ortsfest, aufwendig und zielten durch Größe und Pracht darauf ab, den Betrachter zu beeindrucken. Doch konnte man darin Gott näher kommen?

Das Heiligtum der Israeliten, die Stiftshütte, war in jeder Richtung anders. Ihr Konstruktionsplan war von Gott selbst autorisiert. Es war weder ortsfest noch besonders groß. Es handelte sich um ein Zelt, das man forttragen konnte. Die Hülle bestand aus vier Zeltschichten, wobei die schönste innen und die unscheinbarste außen lag. Diese äußere Schicht wird sich von der Wüste ringsumher kaum abgehoben haben. Die eigentliche Schönheit dieses Heiligtums lag in seinem Inneren. Dort war man umgeben von purem Gold. Doch das wesentlichste Kennzeichen war: Die Herrlichkeit des HERRN selbst erfüllte dieses Zelt. Dort wohnte Gott inmitten seines Volkes. Doch auch hier gab es eine wesentliche Einschränkung: In dieses Heiligtum durften nur Priester und Leviten hinein, und in das sogenannte Allerheiligste nur der Hohepriester, und das nur einmal im Jahr.

Doch diese Stiftshütte spricht bildlich von dem, der uns Gott wirklich nahe gebracht hat: Jesus Christus. Er wird auch »Immanuel« – »Gott mit uns« – genannt. Denn in ihm wurde Gott selbst Mensch und »zeltete« (!) – so die wörtliche Übersetzung aus Johannes 1,14 – unter uns. Dieser Jesus war auch nicht ortsfest, sondern stets unterwegs, um den Menschen Gott zu zeigen. Dabei wies er keine beeindruckende äußere Pracht oder Gestalt auf. Sein wahrer, unermesslicher Wert war sein Wesen: ganz Mensch und doch wahrer Gott. Und das Beste ist: Durch diesen Jesus haben Menschen nun die Möglichkeit, unmittelbaren Zugang zu Gott selbst zu erhalten.

Markus Majonica

? Welche Vorstellung hatten Sie bisher von Gott?

! Betrachten und studieren Sie die Person Jesu im Neuen Testament!

† Johannes 1,14-18

Und rufe mich an am Tag der Not,
so will ich dich erretten, und du sollst mich ehren!
PSALM 50,15

Hilf mir!

Meine Viertklässler stürmen begeistert auf den leeren Schulhof. Jetzt haben sie ein paar Minuten Zeit, bevor sie die Spielgeräte in der großen Pause mit den anderen teilen müssen. Besonders beliebt ist das Klettergerüst, auf dem sich mehr als ein Dutzend der Schüler tummelt. Plötzlich schreit panisch ein Schüler nach mir: »Hilf mir!« Mit einem großen Schritt bin ich bei Emilio und atme auf. Das T-Shirt des Jungen hat sich durch das häufige und schnelle Drehen um die Reckstange geschlungen, sodass er sich nun nicht mehr bewegen kann. Er ist eng an die Stange gefesselt – aber es ist nichts Schlimmes passiert. Zumindest aus dem Blickwinkel eines Erwachsenen. Emilio sieht das anders. In seinem Blick steht das blanke Entsetzen. Er kann nicht vor und zurück. Mit wenigen Handgriffen befreie ich den Jungen. Für mich war das nur eine Kleinigkeit, für Emilio ein riesiges Problem.

Mich hat dieser Hilfeschrei an viele Berichte der Bibel erinnert: Männer und Frauen geraten in große Probleme und schreien zu einem, der größer ist als sie selbst. Zu Gott. Petrus und die anderen Jünger Jesu, die mit Todesangst auf die Wellen schauen, die drohen, ihr Schiff zu versenken. David, der alttestamentliche König, dessen Leben immer wieder von seinen Feinden bedroht wird. Daniel und seine Freunde, denen die Todesstrafe droht. Gott greift ein und handelt auf erstaunliche Weise, um aus der Not zu retten.

Manchmal geraten auch wir in kleine und große Katastrophen. Wir können nicht mehr vor und zurück. Wie gut, dass wir die Möglichkeit haben, zu Gott zu rufen! Er verspricht zu helfen. Vielleicht geschieht das nicht immer so, wie wir es uns vorstellen. Aber Gott lässt unser Gebet nicht unbeantwortet.

Janina und Philipp Strack

? Wie gehen Sie in Notsituationen vor?

! Wenden Sie sich im Gebet an Gott, der Ihr Retter sein möchte!

† Daniel 6,1-29

So seid nun nicht besorgt um den morgigen Tag; denn der morgige Tag wird für sich selbst sorgen.

MATTHÄUS 6,34

Zwei Weltanschauungen

Sie kennen sicher die Geschichte von der Arche, die Noah baute. Wenn nicht, können Sie sie in der Bibel im ersten Buch Mose, Kapitel 6 bis 9, nachlesen. Da wird gesagt, dass Noah, bevor er mit seiner Familie und den Grundtypen aller Tiere in den riesigen, von ihm erbauten Kasten stieg, Nahrung für Mensch und Tier anhäufen sollte.

Nach monatelanger Fahrt über das Wasser der Sintflut ging es allmählich mit dem Futter zu Ende. Aber wir lesen nichts davon, dass Noah sich Sorgen gemacht hätte, dass das Futter nicht ausreicht und die Tiere dann auf die Menschen losgingen. Vielmehr war ihm klar, dass Gott weiß, was er tut, und er nur das tun muss, was Gott sagt. So war der schwindende Futtervorrat eher ein Zeichen dafür, dass diese Fahrt bald ein Ende haben musste. Das beruhigte alle Befürchtungen und erfüllte die Insassen der Arche sogar mit großer Hoffnungsfreude.

In dieser Welt geht es jedoch meistens anders zu. Dasselbe Phänomen, das den einen ein Grund hoffnungsvoller Erwartung ist, ist den anderen ein Grund tiefster Bestürzung. Für das Ende dieser Weltzeit werden uns in der Bibel wirre und verwirrende Zeichen angekündigt, genau wie wir sie rings um uns her erleben. Die Lage wird für viele immer bedrohlicher. Anscheinend wissen die Politiker selbst keinen Rat mehr. Außerdem laufen die Propaganda-Maschinen auf Hochtouren. Und wer die propagandistische »Lufthoheit« hat, sagt uns, was wir glauben sollen, da es absolute Wahrheit angeblich nicht gebe.

Doch die Bibel hat genau das vorhergesagt, und wenn es stimmt, dürfen solche, die dem Wort Gottes vertrauen, auch glauben, dass der Rest stimmen wird, nämlich, dass Gott selbst dem Treiben ein Ende machen wird, einerlei, wie selbstherrlich die »Macher« auftreten. *Hermann Grabe*

? Wem glauben Sie: hilflosen Politikern oder dem Wort des allwissenden Gottes?

! Die Bibel wurde schon seit Jahrtausenden immer wieder bestätigt.

† Matthäus 24,1-44

... und mit Ausdauer laufen den vor uns liegenden Wettlauf, indem wir hinschauen auf Jesus, den Anfänger und Vollender des Glaubens.

HEBRÄER 12,1-2

Lebenslauf

Unser Leben ist wie ein Wettlauf. Nein, es ist kein 100-Meter-Sprint, eher ein Langlauf. Da muss man Geduld haben, und man weiß, man ist nicht gleich am Ziel. Bei dem einen dauert es länger, bei dem anderen ist der Lauf schon sehr früh beendet. So mancher, der mitläuft, wird von Ihnen überholt oder er überholt Sie. Vielen begegnen Sie gar nicht, aber sie sind mit Ihnen auf der Strecke. Alle haben aber das gleiche Ziel: Gut durchkommen, keine großen Risiken eingehen! Und manchmal ist vielleicht auch ein bisschen Schummeln dabei, oder man fährt die Ellbogen aus, damit der andere nicht überholen kann.

Auf diesem Lauf kann es stark regnen, ein bisschen weiter kommt Ihnen ein heftiger Wind entgegen. Sie werden müde, haben ab und zu einen »Durchhänger«. Sie denken vielleicht: Ich schaffe es nicht! Sie kommen an Ihre Grenzen. Aber Sie geben nicht auf. Es geht über holprige Straßen, durch enge ungemütliche Gassen, durch furchteinflößende Gegenden. Ihr Weg führt Sie durch dunkle Wälder, durch tiefe Täler, aber auch auf lichte Höhen. Da ist manchmal große Freude und Zuversicht und gleich darauf Trauer und Schmerz. Bei alledem gilt es, durchzuhalten und den Weg nicht aus den Augen zu verlieren. Wer beharrlich und mit Herz läuft, wird schließlich auch ankommen – oder?

Für viele Menschen heute scheint der bekannte Spruch zu gelten: Der Weg ist das Ziel. Hier hat ein Umdenken stattgefunden, das jeden sportlichen Wettbewerb unsinnig machen würde. Warum also sollte er für das Leben sinnvoller sein? Letztlich kommt es auf das Ziel an. Wo werde ich sein, wenn mein Leben zu Ende ist? Und dann ist tatsächlich auch der Weg entscheidend, den ich wähle. Jesus ist der Weg zu Gott. Ohne ihn werde ich dort nicht ankommen.

Axel Schneider

? Auf welchem Weg sind Sie unterwegs?

! Sie können Ihren Lebenslauf ändern.

† Sprüche 2

Und er nahm ein Kind und stellte es in ihre Mitte;
und er nahm es in seine Arme.

MARKUS 9,36

»Likes« als Währung für die Beliebtheit

So lautet die Überschrift eines Artikels über die Wichtigkeit von »Likes« und »Followern« in den sozialen Medien. Die eigene Beliebtheit wird an der Anzahl der Reaktionen auf eigene Posts gemessen. Das kann Selbstwert und Selbstbewusstsein fördern oder reduzieren. Im Freundeskreis kann das zu einem regelrechten »Konkurrenzkampf« um die meisten »Likes« führen. Um einen noch besseren Eindruck zu machen, kann man sich sogar Likes kaufen. Das Thema der Suche nach Bedeutung ist nichts Neues. Heute geben die sozialen Netzwerke das besonders deutlich wieder. Wenn wir von Menschen Zustimmung suchen, wird das eine nie endende Suche bleiben.

Die Frage nach »Likes« taucht auch auf, als Jesus mit seinen Jüngern unterwegs ist. Sie streiten darüber, wer der Größte von ihnen ist. Wer hat mehr Bedeutung? Wer ist wichtiger? Was Jesus ihnen zeigt, verblüfft. Er stellt ein Kind in ihre Mitte und nimmt es in den Arm. Das Kind ist (noch) nicht besorgt um seine Bedeutung und Wichtigkeit. Jesus stellt es in die Mitte und schenkt ihm so Bedeutung und Wertschätzung. Er drückt Liebe und Annahme aus, indem er es in den Arm nimmt. Den Jüngern begegnete Jesus genauso, als er sie rief, ihm zu folgen. Sie brauchten »Ansehen« nicht mehr voreinander und voneinander suchen.

Jesus will uns gerne das allergrößte »Like« schenken. Wir dürfen und sollen erkennen, dass er uns seine Aufmerksamkeit schenken will. Wir sollen begreifen, dass er uns bedingungslos liebt, denn das hat er am Kreuz bewiesen, als er für uns starb. Er allein kann geben, was kein Mensch wirklich geben kann. Bei ihm endet unsere Bedürftigkeit und Sucht nach Anerkennung. Wenn wir zu ihm kommen und seine Vergebung in Anspruch nehmen, wird er uns auf ewig annehmen. *Manfred Herbst*

? Woran versuchen Sie Ihre Bedeutung festzumachen?

! Jesus schenkt uns das, wonach wir suchen:
Bedeutung, Wert, Annahme.

† Matthäus 11,28-30

Öffne deinen Mund für den Stummen,
für die Rechtssache aller Unglücklichen.
SPRÜCHE 31,8

Beten und Protestieren

Seit 2009 organisiert Gerda Ehrlich jede Woche die »Beständige Mahnwache vor der nordkoreanischen Botschaft« in Berlin (idea vom 2.6.21). Die gelernte Außenhandelsökonomin will damit auf die brutale Diktatur und das Leid der Christen in dem kommunistischen Land aufmerksam machen. Das tut sie, ob es stürmt oder schneit, ob es in Strömen regnet oder die Sonne scheint. Die Nordkoreaner beschweren sich regemäßig beim Auswärtigen Amt und der Polizei über diese Mini-Demonstration. Einmal in der Woche gibt es diesen kleinen Protest, von vielen nicht registriert, aber in Treue und Beharrlichkeit durchgeführt.

Die mutige Frau ist in der DDR aufgewachsen und hatte wegen ihrer Haltung und ihrer Mithilfe in der Jugendarbeit einer christlichen Gemeinde berufliche Nachteile in Kauf genommen. In den 90er-Jahren hörte sie einen Vortrag von »Open Doors« über die extrem schlimme Situation der Christen in Nordkorea, u. a. von brutalen Vergewaltigungen, Zwangsabtreibungen, Folter, Erschießungen und den Konzentrationslagern. Zwei Bibelworte ließen sie nicht mehr los. Das im Tagesvers zitierte Bibelwort sowie zwei weitere Verse aus den Sprüchen: »Errette, die zum Tode geschleppt werden, und die zur Würgung hinwanken, o halte sie zurück! Wenn du sprichst: Siehe, wir wussten nichts davon – wird nicht er, der die Herzen wägt, es merken? Und er, der auf deine Seele achthat, es wissen? Und er wird dem Menschen vergelten nach seinem Tun« (Sprüche 24,11-12).

Diese unmissverständlichen Bibelworte machen deutlich, dass Gott das Schicksal von Menschen, die verfolgt und bedrängt werden, nicht egal ist. Und er stellt uns in die Verantwortung, die Stimme zu erheben und sich für sie einzusetzen.

Martin Reitz

? Wo tun Sie Ihren Mund für den Stummen auf?

! Gott fordert uns auf, uns für die Benachteiligten und Verfolgten einzusetzen.

✝ Johannes 18,1-11

Und die ganze Erde hatte ein und dieselbe Sprache und ein und dieselben Wörter.

1. MOSE 11,1

Wenn Gott spricht

Heute ist »Tag der deutsche Sprache«. Dieser Aktionstag wurde 2001 durch den Verein Deutsche Sprache e.V. initiiert. Er soll ein Sprachbewusstsein fördern, das den unkritischen Gebrauch von Fremdwörtern, insbesondere die Sucht, überflüssige englische Ausdrücke zu benutzen, eindämmt oder verhindert. Zudem soll bei den Bürgern der Sinn für die Schönheit und Ausdruckskraft der deutschen Sprache geweckt und der Wille gestärkt werden, gutes und verständliches Deutsch in Wort und Schrift zu gebrauchen. Ich selbst bin ein Fan der deutschen Sprache, und ich genieße es, immer wieder Texte zu kreieren, Formulierungen zu benutzen und ausdrucksstarke Wörter zu finden, die den Leser in Verstand und Herz erreichen. Unsere Sprache in ihrer Vielfältigkeit ist geeignet, vieles zu lehren und zu studieren, Menschen zu heilen und zu verletzen, sie zum Lachen und zum Weinen zu bringen.

Die Bibel, das Wort Gottes an uns Menschen, ist in vielen unterschiedlichen deutschen Übersetzungen erhältlich. Darin ist die Sprache der Bibel zwar verständlich, jedoch oft in einem Deutsch geschrieben, wie es heute nur noch selten gesprochen wird. Andererseits ist gerade diese Art der deutschen Sprache so ausdrucksstark, so tiefgründig, so allumfassend, so herzergreifend und letztlich so klar, dass ich immer wieder erstaunt bin, wie klar und deutlich ich spüren kann, wie Gott durch sein Wort zu mir redet. Das inspirierte Wort Gottes vermag auch in Übersetzungen das zu bewirken, was Gott damit beabsichtigt hat: ihn kennenzulernen und das, was er getan hat, um den Menschen eine Leitlinie für ihr Leben zu geben und ihnen den Weg zu ihm zu weisen. Wir haben mit der Bibel in unserer Muttersprache einen unfassbaren Schatz, den es zu bergen und zu nutzen gilt.

Axel Schneider

? Wie empfinden Sie die »Sprache« der Bibel?

! Lassen Sie die Worte der Bibel zu Ihnen reden!

† Psalm 119,56-68

Unser Gott ist im Himmel;
alles, woran er Gefallen hat, tut er.

PSALM 115,3

Inder verklagt Eltern ...

Der 27-jährige Raphael Samuelaus dem indischen Mumbai hatte seine Existenz satt – und zwar so sehr, dass er plante, seine Eltern zu verklagen. Er warf ihnen vor, ihn ohne seine Zustimmung zur Welt gebracht und dem Schrecken des Daseins ausgesetzt zu haben. Seine Forderung: »Wenn wir schon ohne unser Einverständnis in die Welt gesetzt worden sind, sollte man uns wenigstens ein Leben lang versorgen. Unsere Eltern müssen dafür bezahlen, dass wir leben.« Seine Mutter Kavita Karnad Samuel erklärte in einem Interview mit dem Fernsehsender BBC: »Ich bewundere die Dreistigkeit meines Sohnes, gegen seine Eltern vor Gericht zu ziehen – wo er doch weiß, dass wir beide Anwälte sind.«

Eigentlich müsste Raphael Samuel nicht Vater und Mutter, sondern seinen Schöpfer anklagen. Immerhin ist er es, »der den Menschen den Atem gab und den [Lebens]hauch denen, die auf der Erde gehen« (Jesaja 42,5). Um Erlaubnis bitten muss er niemanden – nicht einmal Raphael Samuel aus Mumbai in Indien.

Vielleicht haben Sie sich auch schon mal, wie Hiob, die Frage gestellt: »Warum starb ich nicht von Mutterleib an, verschied ich nicht, als ich aus dem Schoß hervorkam?« (Hiob 3,11). Der Kirchenlehrer Augustinus sagte dazu: »Die Sehnsucht Gottes ist der Mensch.« Wie Raphaels Eltern ihren Sohn gewollt und sich nach ihm gesehnt haben, verlangt es Gott nach einer Beziehung mit uns. Nicht nur, dass er Tag für Tag für uns sorgt – Jesus gibt »sich selbst als Lösegeld« für uns (1. Timotheus 2,6) und bezahlt für unsere Sünden, damit wir leben können! Nicht Gott schuldet uns etwas, sondern wir ihm! In einem Lied heißt es: »Was ich zum Dank auch gebe dir, / die ganze Welt ist noch zu klein. / Der Dank für diese Liebe hier, / kann nur mein eignes Leben sein.« *Peter Güthler*

? Wie gehen Sie mit dem Wissen um, ein Geschöpf Gottes zu sein?

! Dankbarkeit gibt Dingen und Menschen Wert.

† Hiob 38,1-21

11 SEPTEMBER MONTAG

Tag der Wohnungslosen (Deutschland)

Im Haus meines Vaters gibt es viele Wohnungen. Wenn es nicht so wäre, dann hätte ich es euch gesagt. Ich gehe jetzt voraus, um einen Platz für euch vorzubereiten.

JOHANNES 14,2

Ein neues Zuhause

Tiere und Insekten sind oft beeindruckende Baumeister. *Bienen* und *Wespen* können mit ihrem Wachs kunstvolle Waben bauen. *Ameisen* errichten beeindruckende Hügel mit unzähligen Gängen. Ganzen Völkern bereiten sie auf diese Weise ihre Unterkunft vor. *Termiten* erbauen gemessen an ihrer Körpergröße so hohe Häuser, dass eine menschliche Behausung im gleichen Verhältnis zu ihrer Körpergröße fast 5000 m hoch sein müsste. – Oder nehmen wir den *Biber*. Er fühlt sich in Teichen wohl. Dort legt er Dämme an. Seine Unterkunft ist eine richtige Burg und hat Zugänge, die unter Wasser liegen. Danach folgen trockene Bereiche, in denen er schlafen kann und Nahrung für die kalte Jahreszeit lagert. *Dachse* wiederum graben über Generationen an ihren unterirdischen, oft Hunderte Meter umfassenden Bauten. *Webervögel* konstruieren z. B. um Telegrafenmasten riesige Gemeinschaftsnester, die jahrzehntelang bewohnt werden können.

Als der Sohn Gottes vor 2000 Jahren mit seinen Jüngern in Israel unterwegs war, sprach er mit ihnen über ihr zukünftiges Zuhause. Sie sollten wissen, dass sie nach dieser Erdenzeit ein neues Heim bei ihm haben würden. Er versicherte ihnen: »Und wenn ich dann alles vorbereitet habe, komme ich zurück und werde euch zu mir holen, damit ihr auch da seid, wo ich bin« (Johannes 14,3). Diese Zusage gilt auch heute für jeden, der ein Jünger Jesu ist. Wenn wir unsere Sündenlast bei Jesus abladen und uns ihm anvertrauen, erhalten wir dieses Wohnrecht bei ihm.

Wenn Gott nun schon Tiere und Insekten in nur sechs Tagen als so ausgezeichnete Baumeister geschaffen hat, wie viel schöner muss dann dieses neue Zuhause sein, an dem Jesus, durch den alles geschaffen ist, nun schon 2000 Jahre baut.

Stefan Taube

? Wo wird Ihr Zuhause nach dieser Erdenzeit sein?

! Gott lädt Sie ein, bei ihm zu wohnen.

† 1. Chronik 17,1-14

Simon Petrus antwortete ihm: Herr, zu wem sollen wir gehen? Du hast Worte ewigen Lebens.
JOHANNES 6,68

Biografien

In den letzten Wochen habe ich die Biografie von Elon Musk gelesen. Beeindruckend, was er geschafft hat: PayPal, SpaceX, Tesla. Ein Mann, der polarisiert, der angriffslustig ist, speziell – aber es reden sehr viele über ihn. Nachhaltig hat er unsere Vorstellungen verändert, was die Banken, den Weltraum und das Automobil betrifft. Vor Jahren las ich die Biografie von Steve Jobs. Unglaublich genial, innovativ, ein wahrer Visionär. Was wird man in 50 Jahren über die beiden denken? Werden sie in Erinnerung bleiben?

Ich habe schon viele Biografien gelesen. Von Musikern, Politikern, Nobelpreisträgern, Forschern. Viele haben mich, was die Lebensleistung betrifft, überrascht und herausgefordert. Große Leute mit starkem Ende, aber viele hatten auch große Schwächen. Wenn das Geld nicht mehr das Ziel war, wurden es dann Einfluss und Macht. Die Ehen und Beziehungen blieben häufig auf der Strecke, was mir sehr missfallen hat, trotz herausragender Lebensleistung.

Doch meine »Lieblingsbiografie« befindet sich in der Bibel. So gerne lese ich jedes Jahr die Evangelien durch und sehe den Sohn Gottes. Immer wieder entdecke ich neue Herrlichkeiten an ihm. Kein anderer Mensch hat die Welt nachhaltiger geprägt und verändert als ER! Kein Buch wurde öfter gedruckt und mehr gelesen worden als sein Wort! Schon vor 2000 Jahren starb er (bevor er wiederauferstand), sein äußerlicher Nachlass war nichts als ein Gewand, und doch ist er immer noch in aller Munde.

Vielleicht können Sie auch einmal wieder die Bibel zur Hand nehmen. Sie haben recht, es gibt darin Abschnitte, die schwere Kost sind, aber ich kann Ihnen sagen, wenn Sie im Neuen Testament beginnen, wird es Ihnen schwer werden, dieses Buch wieder aus der Hand zu legen. *Peter Lüling*

? An wem orientieren Sie sich?

! Prüfen Sie, ob die Worte dieser Person mit ihrem Leben übereinstimmen.

† Johannes 7,40-53

Siehe, ich mache alles neu.

OFFENBARUNG 21,5

Generalumbau

07:30

Wir mussten umbauen. Warum? Unsere kleine Eigentumswohnung besaß ein völlig veraltetes Bad und WC. Die zwei Räume waren extrem eng. Sanierung allein reichte nicht aus. Deshalb haben wir uns entschlossen, einen Generalumbau in Auftrag zu geben: Die trennende Zwischenwand wurde niedergerissen. Alle alten Installationen mussten herausgerissen und durch neue ersetzt werden. Nach dem ersten Tag des Umbaus sah es aus, als ob eine Bombe eingeschlagen hätte. Alles war zerstört. Das musste so sein, damit etwas Neues, Schöneres entstehen konnte.

Während dieser Wartezeit erinnerte ich mich an einen Lebensabschnitt, in dem alles zusammengebrochen war. Beruflich überschritt ich meine Kompetenzen. Knapp entging ich einer fristlosen Entlassung. Durch eigene Schuld zerbrach meine erste Ehe. In meiner Seele wurde es dunkel, Depressionen überfielen mich, Todesängste umgaben mich, Selbstmordgedanken waren an der Tagesordnung. Die »Räume meines Lebens« wurden sehr, sehr eng. Später begriff ich, dass Gott an mir arbeitete, damit etwas Neues entstehen konnte – so wie mit unserem Bad.

Durch das Evangelium der Bibel stand Jesus vor mir und sagte: »Ich bin die Tür. Wenn jemand durch mich eingeht, wird er gerettet werden« (Johannes 10,9). Dieses Angebot nahm ich an, und – oh Wunder – alles wurde neu! Jesus Christus wurde das Zentrum meines Lebens. Er hat am Kreuz die trennende Zwischenwand der Sünde niedergerissen, die mich von Gott trennte. Jesus heilte alle Wunden, die ich mir selbst zugefügt hatte, und machte aus meinem kaputten Leben ein neues Leben, mit einem weiten Raum. Neue Gedanken wurden »installiert«. Voller Vorfreude warte ich nun auf eine noch viel schönere Wohnung bei Gott im Himmel.

Sebastian Weißbacher

? Was macht Ihnen das Leben unerträglich?

! Jeder Mensch braucht einen Generalumbau durch Jesus Christus.

† Offenbarung 21,1-8

Und Jesus sah ihn an und gewann ihn lieb und sprach zu ihm: Eines fehlt dir. Geh hin, verkaufe alles, was du hast, und gib's den Armen, so wirst du einen Schatz im Himmel haben, und komm, folge mir nach!

MARKUS 10,21

Mach den ersten Schritt

In der Geschichte, die diesem Vers vorangeht, stellt ein reicher junger Mann Jesus die Frage, wie man ewiges Leben erhalten kann. Diese Frage ist gut. Sie ist die einzig wichtige, die existenzielle Frage für jeden Menschen. In dem Dialog, der sich anschließt, verweist der junge Mann zunächst auf seinen religiösen Lebensstil. Doch hierauf lässt sich Jesus nicht ein. In knappen Worten macht er deutlich: Die Frage nach dem ewigen Leben entscheidet sich ausschließlich an deinem Verhältnis zu Jesus. Seine Worte sind unmissverständlich: Komm, folge mir nach! Diese Nachfolge ist aber nicht nur ein theologisches Denkmodell. Sie ist verbunden mit einem sicht- und spürbaren ersten Schritt: Lass los, was dich von mir abhält, und komm, folge mir nach! Jetzt!

Das, was zurückhält, muss nicht Wohlstand sein. Es kann die Sucht, der verlogene Lebensstil, es können die falschen Beziehungen oder die Angst vor dem Verlust des Ansehens sein. Aber wenn der Ruf des Sohnes Gottes dich trifft, dann entscheide dich.

Der Zollbeamte Levi verließ auf den Ruf Jesu in die Nachfolge seinen Schreibtisch im Zollamt und ließ alles stehen und liegen. Den Fischer Petrus traf der Ruf Jesu, als er gerade die Netze auswerfen wollte. Auch er ließ seine Arbeit los und folgte ihm nach. Auch den reichen jungen Mann trifft der Ruf Jesu. Bezeichnend finde ich hierbei, dass dieser Ruf nicht kalter Befehl ist. Er wird getragen von der Liebe Jesu zu diesem Mann. Jesus weiß: Deine Erfüllung und dein Ziel – ewiges Leben – kannst du ausschließlich bei mir finden, wenn du dich mir bedingungslos und vorbehaltlos anschließt und mir nachfolgst. Der junge Mann hat diese absolute Frage verstanden – und das Angebot abgelehnt.

Markus Majonica

? Aus welchen Gründen würden Sie so ein Angebot ablehnen?

! Überdenken Sie, was Sie dabei verlieren würden!

† Philipper 3,4-7

Eine Leuchte für meinen Fuß ist dein Wort,
ein Licht für meinen Pfad.

PSALM 119,105

Verlässliche Ratgeber?

Manchmal muss ein Besuch bei einem Arzt einfach sein. Vielleicht sogar aus akutem Anlass. Ich melde mich an, und freundlich sagt die Arzthelferin zu mir: «Nehmen Sie doch bitte noch im Wartezimmer Platz!«

Dort finde ich viele Zeitschriften, die ich mehr oder weniger interessiert durchblättere. Ich habe ja Zeit. In einem der Hochglanzmagazine entdecke ich erstaunliche Ratschläge: Die ersten zehn Seiten stehen unter der Überschrift: »Akzeptiere dich, wie du bist.« Aha, das klingt gut! Dem kann ich leicht folgen. Doch dann kommen die nächsten zehn Seiten mit dem Thema »So verlieren Sie zehn Kilo in zwei Wochen«. Was denn jetzt: Selbstakzeptanz auch mit ein paar Kilos zu viel oder doch besser Sport, Abnehmen und dauerhaft den Lebensstil verändern? Dann geht es wieder in eine andere Richtung: Es folgen nämlich Restauranttipps und die leckersten Rezepte. Also doch eher Freude am Genuss statt kalorienarmer Askese?

Die Bibel ist da anders. Sie ist ohne Widersprüche und hat eine klare Linie. Sie sagt niemals erst das eine und dann das andere. Vielmehr gibt sie echte Orientierung und macht den Weg hell. Allerdings lautet ihre Botschaft nicht »Akzeptiere dich selbst!«, sondern »Kehre um!«. Jesus Christus steht mit offenen Armen bereit, um uns Menschen wieder auf den Weg zurück zu Gott zu bringen. Durch die Sünde Adams und Evas sind wir nämlich zu Gottes Feinden geworden. Doch das sollte nicht so bleiben. So genial, wie Gott den Menschen geschaffen hat, so erstaunlich ist auch sein Plan zur unserer Rettung und dessen Durchführung. Von der ersten bis zur letzten Seite erzählt die Bibel davon. Aber lesen Sie doch selbst! Vielleicht spätestens bei der nächsten langen Zeit im Wartezimmer? *Herbert Laupichler*

? An welche Ratgeber halten Sie sich?

! Die Bibel ist einzigartig. Es wäre fatal, wenn man sie einfach »links« liegen lässt.

† 2. Timotheus 3,15-17

Seid still und erkennt, dass ich Gott bin;
ich werde erhaben sein unter den Völkern,
ich werde erhaben sein auf der Erde!

PSALM 46,11

Seid still!

Neulich las ich in einer Statistik, dass wir Deutschen 7 Stunden pro Tag mit Medien verbringen. Dabei haben mit 202 Minuten den größten Anteil sogenannte »Bewegtbilder« und mit 186 Minuten Audioinhalte. Diese Zahl fand ich sehr erschreckend. Eine Generation, die ständig »online« ist, immer erreichbar für andere. Dabei soll die Digitalisierung immer weiter ausgebaut werden. Auch in Schulen wird mehr und mehr digitaler Unterricht eingeführt. Die Corona-Krise hat die Digitalisierung unserer Gesellschaft noch beflügelt. Manches davon mag sicherlich sinnvoll und nützlich sein.

Doch ist es nicht besorgniserregend, wie wenig Zeit wir uns heute im Alltag nehmen, um wirklich einmal »stille« zu sein, innezuhalten und über unser Leben nachzudenken? Unsere heutige Generation ist »online« – immer erreichbar und stets gut unterhalten und abgelenkt. Doch im Bezug auf »Gott« sind wir »offline«. Wir fragen nicht mehr nach dem, der uns geschaffen hat – wir denken viel zu wenig darüber nach, was der eigentliche Sinn unseres Daseins ist. Was wird nach dem Tod sein? Diese wichtige Fragen blenden wir aus, weil wir zu »abgelenkt« sind.

Der Tagesvers ist eine echte Herausforderung und Ermutigung. Gott möchte, dass wir einmal stille werden, ins Nachdenken kommen! Dieser Text wurde weit vor der Zeit geschrieben, in der es digitale Medien gab. Auch damals hatten die Menschen offenbar ähnliche Probleme – sie dachten nicht an den, der alles geschaffen hat. Es wäre doch wirklich schade, wenn wir am Ende unseres Lebens feststellen würden, dass wir an unserer eigentlichen Bestimmung vorbeigelebt haben, weil wir zu »beschäftigt«, zu »abgelenkt« waren, um auf die wirklich wichtigen Fragen unseres Lebens eine Antwort zu finden.

Daniel Zach

? Haben Sie sich schon einmal mit den zentralen Fragen des Lebens beschäftigt?

! Werden Sie einmal stille und denken Sie über das nach, was Gott Ihnen dann zu sagen hat.

† Psalm 46

Der Herr verzögert nicht die Verheißung, wie es einige für eine Verzögerung halten; sondern er hat Geduld mit euch und will nicht, dass jemand verloren werde, sondern dass jedermann zur Buße finde.

2. PETRUS 3,9

Wann ist endlich »bald«?

»Ich komme wieder und hole dich ab«, sagte die Mutter ihrer kleinen Tochter, als sie sie morgens in den Kindergarten brachte. Die Stunden vergingen und kamen dem Mädchen endlos lang vor. Wann würde die Mutter endlich kommen?

»Ich komme wieder und werde euch zu mir nehmen« (Johannes 14,3), hatte Jesus seinen Jüngern vor seinem Tod am Kreuz gesagt. damit meinte er, dass er sie irgendwann zu sich in den Himmel holen würde. Knapp 2000 Jahre ist es nun schon her, seit er uns Christen das Versprechen gab: »Siehe, ich komme bald« (Offenbarung 22,20). In der Zwischenzeit ist sehr viel passiert. Viele Millionen Menschen haben gelebt und sind gestorben. Und noch immer ist nichts von der Wiederkunft Jesu zu sehen. Sowohl ungeduldige Kinder Gottes als auch Skeptiker fragen sich: Warum ist Jesus immer noch nicht wiedergekommen? Worauf wartet er? Oder ist das alles doch nur ein Märchen?

In unserem Tagesvers finden wir die Antwort. Der Herr hat sein Versprechen nicht vergessen, sondern er wartet geduldig, weil er noch vielen Menschen die Gelegenheit geben will, umzukehren und an ihn zu glauben. Jede Minute, die verstreicht, ohne dass er zurückkommt, ist einzig und allein Gnade, denn sie bietet die Chance, Jesus noch als Retter anzuerkennen. Jeder, der das tut, kann den Tag seiner Wiederkunft freudig erwarten.

Niemand weiß den genauen Zeitpunkt, wann Jesus wiederkommen wird. Es könnte schon heute sein. Oder nächste Woche. Oder vielleicht erst zur Zeit unserer Urenkel. Aber eines steht fest: Einmal wird Jesus wiederkommen. So, wie die Mutter auf jeden Fall ihre Tochter aus dem Kindergarten abholen wird. Wer jetzt noch zögert, umzukehren und an Jesus zu glauben, verpasst am Ende das Entscheidende. *Carolin Nietzke*

? Was hält Sie davon ab, zu Gott zu kommen?

! Gott möchte, dass auch Sie dabei sind, wenn Jesus kommt, um seine Leute zu sich zu holen.

✝ Johannes 14,1-11

Deshalb nehmt einander auf, wie auch der Christus euch aufgenommen hat, zu Gottes Herrlichkeit!

RÖMER 15,7

Grenzüberwindung

Es gibt Orte auf dieser Welt, die einen gewissen »Gruselfaktor« für sich gepachtet zu haben scheinen. Einer dieser Orte ist Panmunjeom, der bekannte Grenzpunkt zwischen Nord- und Südkorea, an dem sich nun schon seit Jahrzehnten Soldaten verfeindet gegenüberstehen. Als Tourist kann man diesen Ort von der südkoreanischen Seite aus besuchen. Allerdings wird man vor dem Besuch vor hektischen Bewegungen gewarnt: Hierdurch könnte jederzeit eine Katastrophe in dieser angespannten Atmosphäre ausgelöst werden.

Dieser nun schon so lange anhaltende Konflikt zwischen den beiden Ländern ist mehr als tragisch, weil Korea ja ursprünglich ein zusammengehörendes Land war. Doch im Rahmen des Korea-Krieges vor rund 70 Jahren brach es auseinander. Seitdem haben die Koreaner keinen Weg zum Frieden gefunden. Und an eine Wiedervereinigung ist schon gar nicht zu denken. Keiner wagt den ersten Schritt.

Nicht nur auf Länderebene, auch im privaten Bereich kann es sein, dass etwas auseinanderbricht, was eigentlich zusammengehört: Freundschaften und Ehen können zerbrechen und Misstrauen und Entfremdung einen Neuanfang behindern. Doch das muss nicht so bleiben. Der Tagesvers fordert dazu auf, mutig Versöhnungsinitiativen zu ergreifen, indem man bereit ist, den anderen trotz aller Hindernisse wieder ganz neu ins eigene Leben aufzunehmen. Dazu muss man oft mutig den ersten Schritt machen. Das größte Vorbild hierzu ist Gott selbst. Schließlich zerbrach bereits durch die Schuld der ersten Menschen die Verbindung zwischen ihm und uns. Doch er ergriff die Initiative, ging den ersten Schritt und schickte uns Jesus Christus als den Erlöser, damit wir wieder echte Gemeinschaft mit ihm haben können.

Stefan Nietzke

? Haben Sie Sehnsucht nach einer Beziehung zu Gott?

! Dann nehmen Sie sein Rettungsangebot in Jesus Christus an!

† 1. Mose 3,1-19

Wer hat euch bezaubert, denen Jesus Christus als gekreuzigt vor Augen gemalt wurde?

GALATER 3,1

Nichts Wichtiges vergessen!

In unserer Firma läuft fast alles digital. Kundenwünsche zu Hauskäufen und -verkäufen werden aufgenommen, geordnet, abgespeichert und kommentiert, um sie möglichst zeitnah zu bearbeiten. Sie werden in verschiedene Immobilienportale »hochgeladen«, und schon werden wir von Nachfragen überflutet. Tatsächlich hatten wir eine Zeit lang so viele Kontakte, dass wir in Gefahr waren, einzelne, wichtige Anliegen zu vergessen. In unseren Teamsitzungen wurde uns klar, dass wir den Überblick am besten mit der alten Methode der Tafel – mit »Whiteboard« und Edding – behalten würden. Anbieter und Interessenten schreiben wir nun zusätzlich auch noch auf die Tafel, jederzeit für alle gleichzeitig sichtbar. Man könnte auch sagen: »Wir stellen sie uns vor Augen.«

Auch im privaten Bereich merke ich, dass der Alltag mich schnell vom Wesentlichen ablenkt und manches in Vergessenheit gerät. Auch hier hilft es mir, das zu dokumentieren, was wirklich wichtig ist. Meine Frau und ich führen deshalb immer in den Ferien ein Update durch: Was ist von Bedeutung? Wofür wollen wir unsere Zeit einsetzen? Das schreiben wir auf, »wir stellen es uns vor Augen«.

Gott macht es ähnlich: Für ihn ist das Wesentliche, dass wir sehen und verstehen, wer sein Sohn Jesus ist. Daher hat er uns in der Bibel einen sehr eindrücklichen Bericht davon aufgeschrieben, wie dieser lebte und arbeitete, sich Menschen gegenüber verhielt und wie er redete. So wie an einer Tafel haben wir damit sein Leben vor Augen – bis zu seinem Tod am Kreuz und seiner Auferstehung. Damit haben wir das Wichtigste überhaupt im Blick, denn nur durch Jesus können wir Hilfe im Alltag, aber vor allem ewiges Leben haben. Deshalb malt Gott »uns Jesus vor die Augen«.

Klaus Spieker

? Haben Sie manchmal den Eindruck, dass Ihnen der Überblick über Ihr Leben verloren gegangen ist?

! Lassen Sie sich nicht verzaubern und vom Wesentlichen ablenken: Jesus.

✝ Matthäus 17,1-8

Denn das Wort des HERRN ist zuverlässig,
treu ist er in allem, was er tut.

PSALM 33,4

Gott hält, was er verspricht

Eine Mutter fragt ihren Sohn: »Wie viel Geld hast du in deinem Sparschwein schon angespart?« Der Junge öffnete das Sparschwein und zählt sein Erspartes. »70 Euro, Mama«, sagte er. Darauf antwortete seine Mutter: »Zähl noch mal nach.« Er zählt nochmals ganz genau nach, damit er keinen Fehler reinbringt, und sagt wieder: »70 Euro, Mama.« Seine Mutter daraufhin erneut: »Du hast aber doch nur 60 Euro.« Der Junge sagt: »Ich hörte heute Morgen ganz genau, wie Papa zu dir sagte: ›Heute Abend gebe ich dem Jungen 10 Euro.‹ Und wenn Papa das sagt, dann stimmt es auch. Auf sein Wort kann ich mich verlassen.«

Wenn nur alle Kinder das von ihren Vätern und Müttern behaupten könnten, wäre das schön. Doch leider machen Kinder oftmals genau die gegenteilige Erfahrung. Ihnen wird etwas versprochen, um sie ruhig- oder zufriedenzustellen, aber wirklich ernst gemeint war es nicht. Durch solche Dinge geht wertvolles Vertrauen verloren.

Es gibt aber einen Vater, der alle seine Zusagen hält. Auf ihn können wir uns 100 % verlassen. Bei ihm gibt es kein »Tut mir leid, habe ich vergessen« oder »Es war nicht so gemeint«. Nein, er macht keine leeren Versprechungen. Wenn er dem, der ihm vertraut, Hilfe, Trost, Geborgenheit, Vergebung der Sünden und ein ewiges Leben in seiner Herrlichkeit ohne Tränen, Leid, Krankheit und Tod verspricht, dann können wir uns darauf verlassen. Wir können diesen Vater kennenlernen – es ist der lebendige Gott, der Himmel und Erde erschaffen hat. Durch seinen Sohn Jesus Christus können wir, freigesprochen von aller Sünde, zu dem heiligen Gott kommen. Jesus ist der Weg zum Vater. Und durch ihn gilt uns unwiderruflich dieses Versprechen: »Wer seine Sünden bekennt und lässt, der wird Erbarmen finden« (Sprüche 28,13). *Robert Rusitschka*

? Wie halten Sie es mit Ihren Versprechen?

! Es ist gut, dass es jemanden gibt, der in Bezug auf uns hält,
was er verspricht.

† Psalm 33

... denn für den Mann des Friedens gibt es eine Zukunft!

PSALM 37,37

Ein Kreuz als Friedenssymbol?

Die damals zweijährige Sadako Sasaki überlebte 1945 den Atombombenabwurf über Hiroschima. Zehn Jahre später erkrankte sie an Leukämie – als Folge der Verstrahlung. Im Krankenhaus fing das zwölfjährige Mädchen an, hunderte Origami-Kraniche zu falten, denn der Kranich gilt in Japan auch als Symbol des Friedens. Durch die Medien wurde Sadakos Geschichte bekannt, und so wurden Origami-Kraniche weltweit zum Zeichen des Weltfriedens.

Für den Weltfriedenskongress in Paris 1949 gestaltete der berühmte Künstler Picasso das Zeichen der Friedenstaube, die im Schnabel einen Olivenzweig trägt. Es soll an die biblische Geschichte von Noah in der Arche erinnern. Durch die zurückkommende Taube bekam Noah Hoffnung. Über 700 Jahre, bevor Jesus Christus auf die Welt kam, lebte der Prophet Jesaja. Dieser prophezeite, dass eines Tages der Friedefürst geboren werden sollte (Jesaja 9,5). Als Jesus geboren wurde, hörten die Hirten von seiner Geburt. Die Nachricht, die den Hirten überbracht wurde, lautete, dass es durch jenes Kind Frieden auf Erden geben wird (Lukas 2,14). Das Symbol für den Frieden, den Jesus Christus in die Welt gebracht hat, ist kein Origami-Kranich oder eine Taube mit einem Olivenzweig im Schnabel, sondern ein Kreuz! Die Kreuzigung war eine abscheuliche Foltermaschinerie der Römer, die den Menschen auf grausamste Art verenden ließ.

Wieso ein Foltersymbol benutzen, um auf den Friedensbringer hinzuweisen? Das Kreuz soll uns daran erinnern, dass erst durch den Tod von Jesus Frieden mit Gott möglich ist. Christen haben die Hoffnung, dass bald, in naher Zukunft, der Mann des Friedens, Jesus Christus, wiederkommen wird, um den Frieden auf dieser Welt endlich herzustellen. Und nur er wird das fertigbringen!

Tony Keller

? Haben Sie schon mal über das »Friedenssymbol« Kreuz nachgedacht?

! Der Weltfriede wird dann sein, wenn Jesus Christus als Friedefürst zurückkommen wird.

† Jesaja 9,1-6

Und Petrus erinnerte sich an das Wort Jesu, der zu ihm gesagt hatte: Ehe der Hahn kräht, wirst du mich dreimal verleugnen. Und er ging hinaus und weinte bitterlich.

MATTHÄUS 26,75

Schlaf weiter!

Unsere Freunde leben im idyllischen Mecklenburg. Ich erinnere mich gerne an unsere Übernachtungen auf ihrem landwirtschaftlichen Hof. Unter unserem Fenster befand sich der Hühnerhof. In aller Frühe ertönte jeden Morgen ein lautes »Kikeriki! Kikeriki!« Damals sagte ich meinen Kindern nicht ganz ernsthaft: »Lasst euch nicht stören. Der Hahn ruft nur: ›Schlaf weiter! Schlaf weiter!‹« Das taten wir dann auch. Schließlich hatten wir ja Ferien.

Petrus hörte damals auch einen Hahnenschrei, der ihn aber richtig wachrüttelte. Er hatte gerade dreimal seinen besten Freund verleugnet und beteuert, Jesus nicht zu kennen. Dabei hatte er kurz vorher noch vollmundig beteuert, das würde ihm niemals passieren. Und dann traf ihn Jesu Blick, der Hahn krähte, und Petrus bereute bitterlich weinend sein Versagen.

Manchmal gibt es auch in unserem Leben so einen aufrüttelnden »Hahnenschrei Gottes«. Das kann ein Unfall sein, den man knapp überlebt, ein Insolvenzverfahren, eine zerrüttete Ehe oder eine schwere Krankheit. Manchmal ist es die Warnung eines Freundes, die unser Versagen aufdeckt, oder ein Bibelwort, das unser Gewissen trifft. Was tun wir bei so einem Hahnenschrei? Schlafen wir einfach weiter? Tun wir lächelnd so, als würde uns das gar nicht betreffen, und leben einfach weiter wie bisher?

Nehmen wir uns lieber Petrus zum Vorbild. Haben Sie schon einmal wie er vor Gott geweint, weil Sie Ihre Fehler eingesehen haben? Haben Sie ihm von Ihrer Schuld und Ihrer Not erzählt? Eins ist ganz sicher: Gott möchte uns nur zu unserem Besten wachrütteln! Daher sollten wir nicht weiterschlafen, sondern unbedingt auf seinen Weckruf reagieren. *Paul Wiens*

? Wann hat Gott Sie das letzte Mal wachgerüttelt?

! Bekennen Sie Gott aufrichtig jede Sünde, die Ihnen bewusst wird!

Lukas 22,54-62

23 | **SEPTEMBER**
Herbstanfang

SAMSTAG

Siehe, jetzt ist die hochwillkommene Zeit,
siehe, jetzt ist der Tag des Heils.

2. KORINTHER 6,2

Der perfekte Moment

Seoul im Herbst 1988: Die 24. Olympischen Sommerspiele beginnen. 8391 Sportler aus 159 Ländern ringen um olympisches Gold. Jeder verfolgt seinen Traum, wenigstens einmal ganz oben auf dem Treppchen zu stehen, einmal diesen einen perfekten Moment zu erleben, in dem sich beweist, dass sich das jahrelange Training wirklich auszahlt. Ein Song, der diese Sehnsucht vielleicht am besten ausdrückte, war Whitney Houstons Lied »One Moment in time«. Darin singt sie (frei übersetzt): »Gib mir einen Moment in meinem Leben, wenn ich mit dem Schicksal laufe. Dann, in diesem einen Moment, werde ich die Ewigkeit fühlen.« Doch auch der Ruhm eines Olympiasieges verblasst schnell. Und die tiefe Sehnsucht des Menschen nach dem einen entscheidenden Augenblick der Bedeutung, ja, der Unsterblichkeit, wird dadurch nicht dauerhaft gestillt.

Die Bibel kennt tatsächlich diesen perfekten Moment, der unsere Sehnsucht nach Ewigkeit wirklich zu stillen vermag. Im Griechischen mit *kairos* bezeichnet, beschreibt er den »rechten Zeitpunkt«, die »günstige Zeit«, den »Augenblick« oder die »besondere Gelegenheit«. Dieses Wort kommt im Neuen Testament besonders dann vor, wenn es um ein punktuelles Ereignis, eine »Entscheidungszeit« geht. Von diesem entscheidenden Moment spricht der Tagesvers. Hier geht es um Heil. Damit ist nichts weniger gemeint als Vergebung aller Schuld und Frieden mit Gott. Dieses Heil gilt nicht nur für einen kurzen Moment, sondern für die Ewigkeit. Der hier angesprochene Tag des Heils verspricht wirklich Unsterblichkeit. Um diese zu ergreifen, darf ich aber den entscheidenden Moment nicht verpassen. Und dieser hochwillkommene Moment, diese Entscheidungszeit ist jetzt!

Markus Majonica

? Was hält Sie von einer Ewigkeit mit Gott ab?

! Keine Entscheidung ist auch eine Entscheidung.

✝ 1. Thessalonicher 5,1-11

Blinde werden sehend und Lahme gehen,
Aussätzige werden rein und Taube hören.

MATTHÄUS 11,5

Blinde sehen und Taube hören

»Es gibt keine medizinische Erklärung dafür«, sagte die Ärztin ganz sachlich. Wir waren bereits in der dritten Klinik innerhalb von sechs Monaten. Hier teilte man uns mit, dass unsere Tochter hören könne. Erst einmal nichts Außergewöhnliches, aber man muss die Vorgeschichte bedenken: Geboren mit nur einem gesunden Ohr, teilten uns die Ärzte früh mit, dass unsere Tochter wohl kaum bis gar nicht hören kann: Das rechte Ohr fehlgebildet, der äußere Gehörgang fehlte vollständig, das linke war zwar ausgebildet, aber als schwerhörig eingestuft. »Sie wird Hörgeräte benötigen, auf beiden Seiten«, so die Aussage der Experten. Wir beobachteten unsere Tochter die nächsten Monate genau und hofften, dass sie doch besser hören könne, als behauptet wurde. Also suchten wir weitere Spezialkliniken auf. Die zweite Klinik bestätigte, dass wohl doch etwas Hörvermögen auf dem linken Ohr da wäre. Aber das konnte ja nicht sein, da nach der Geburt die Schwerhörigkeit festgestellt wurde. So fuhren wir zur dritten Klinik. Nach langen und ausgiebigen Tests teilte uns die Ärztin mit: »Ihre Tochter kann links einwandfrei hören!« Wie war das möglich?! Es gab keine medizinische Erklärung dafür, es war unlogisch. Es konnte einfach nicht sein. Die Tests zu Beginn waren umfangreich und deutlich, die Tests zum Schluss auch. Irrtum ausgeschlossen. Irgendwo dazwischen muss es geschehen sein – das Wunder!

In der Bibel lesen wir von Jesus, der von den Menschen geachtet wurde, weil er viele Wunder tat. Er machte Blinde sehend und Lahme gehend. Das gibt es heute nicht mehr. Oder doch? Die Ärzte und Experten können unserer kleinen Familie nicht erklären, wie das Hörvermögen unserer Tochter zustande gekommen ist. Aber die Bibel erklärt es uns ganz deutlich.

Tim Petkau

? Was trauen Sie dem allmächtigen Gott zu?

! Wo unsere Hilfe zu Ende geht, ist Gott am Zug.

† Markus 5,25-34

… ich gehe hin, euch eine Stätte zu bereiten.

JOHANNES 14,2

Umzug

Neben dem Haus meiner Schwiegereltern steht ein altes Bauernhaus. Bis vor ein paar Jahren wohnte in diesem Haus eine nette Frau, die ich nur als alte Dame kennengelernt habe. Neben vielem, was man über sie schreiben könnte, sticht heraus, dass sie niemals einen Umzugskarton füllen musste, zumindest nicht für sich selbst. Ihr gesamtes Leben, Kinderbett, Kräutergarten und Keramik-Teetassen, lebte sie in diesem einen Haus. Verblüffend, oder?

Gerade leben meine Frau und ich in Amerika. Mit 25 Jahren ist dies schon meine siebte Bleibe mit mindestens einem halben Jahr Aufenthalt. Als wir ankamen, war für uns alles fremd. Aber wir wurden überschüttet mit Freundlichkeit. Jemand brachte ein Kinderbett für unsere kleine Tochter und baute es auf, jemand anderes brachte Spielzeug, und sogar ein Auto stand vor unserer Tür, das wir kostenlos nutzen durften – für unseren gesamten Aufenthalt – neun Monate! Wie wir später erfahren sollten, waren viele bis kurz vor unserer Ankunft mit Streichen, Säubern und Möblieren der Wohnung beschäftigt. Wir waren überwältigt. Was für ein Service!

Ohne dass wir es wussten, waren Leute dabei gewesen, uns eine »Stätte«, eine Wohnung zu bereiten. Ich musste an die Worte Jesu denken: »Ich gehe hin, euch eine Stätte zu bereiten.« Jesus Christus spricht hier davon, dass er in den Himmel geht, um einen Ort für seine Nachfolger zu bereiten. Das tat er nicht, indem er ein Willkommensschild an die Himmelstür hing, sondern indem er durch sein Sterben an einem blutigen Kreuz die Tür zu Gott öffnete, die uns bis dahin verschlossen war. Wir alle werden eines Tages umziehen müssen, unser Leben auf der Erde ist begrenzt. Aber es kommt darauf an, wo wir empfangen und einziehen werden.

Jannik Sandhöfer

? Wissen Sie, wo Sie ankommen werden?

! Es gibt nur zwei Orte in der Ewigkeit, die für Menschen bestimmt sind: Himmel oder Hölle.

✝ Offenbarung 21,9-14

Und er hat uns befohlen, dem Volk zu predigen und eindringlich zu bezeugen, dass er der von Gott verordnete Richter der Lebenden und der Toten ist.

APOSTELGESCHICHTE 10,42

Die Dorflinde

Durch einen Zeitungsartikel »Wenn Dorflinden erzählen könnten« wurde mein Interesse geweckt, mich mit Linden zu beschäftigen. Diese Bäume können sehr alt werden, tauchen des Öfteren in Bezeichnungen von Gaststätten (z. B. »Zur Linde« oder »Unter den Linden«) auf und haben in Dörfern als markante Punkte früher eine bedeutende Rolle gespielt. So war in Kierspe-Rönsahl (Sauerland) 1824 eine uralte Dorflinde gefällt worden, unter der von der dortigen Gerichtsbarkeit etliche Schicksale von Menschen entschieden worden waren. Manche Bäume wurden daher auch »Gerichtslinde« genannt. An der Göttinger Gerichtslinde wurde am 20. Januar 1859 die letzte öffentliche Hinrichtung durch das Schwert in Norddeutschland vollzogen.

Wie froh bin ich, dass ich heute eine Linde bewundern kann, ohne dies gleich mit einem solchen Gericht zu verbinden! Und doch erinnert mich eine Linde daran, dass es einmal durch den von Gott verordneten Richter Jesus Christus ein gerechtes Gericht geben wird, was zeitliche Dinge betrifft, die aber ewige Auswirkung haben. Er, der selbst am Kreuz für unsere Sünden, also Straftaten, starb, damit wir unbehelligt bleiben können, er wird auch der gerechte und unbestechliche Richter aller Menschen sein!

Wer jedoch vorher die Schuldfrage mit ihm geklärt hat, der wird schon jetzt freigesprochen und muss gar nicht mehr vor diesem »letzten Gericht« erscheinen. Denn der zukünftige Richter ist jetzt noch unser Retter, wenn wir mit allem zu ihm kommen, ihm unsere Sünden bekennen und für uns in Anspruch nehmen, dass er an unserer Stelle im Gericht am Kreuz bestraft wurde. Dann wird der Freispruch wirksam, und unsere Gedanken können sich darauf richten, wie viel Gutes uns daraus noch erwachsen wird.

Martin Reitz

? Sind Sie schon freigesprochen?

! Nur wenn der Richter Ihr Retter ist, entkommen Sie dem Gericht.

† Prediger 12,13-14

Es ist besser für dich, einäugig in das Reich Gottes hineinzugehen, als mit zwei Augen in die Hölle geworfen zu werden, »wo ihr Wurm nicht stirbt und das Feuer nicht erlischt«.

MARKUS 9,47-48

Ist die Hölle eine Sehenswürdigkeit?

In New Mexico, USA, gibt es einen Nationalpark mit den sogenannten *Carlsbad-Caverns*, Tropfsteinhöhlen mit einer Tiefe bis zu rund 500 Metern. Im Eingangsbereich einer der Haupthöhlen wurde ein Weg in steilen Serpentinen errichtet, um den Zugang zur Höhle zu erleichtern, die jährlich von Tausenden von Besuchern besichtigt wird. Interessanterweise wird dieser Zugang zur Höhle auch als *Road to Hell* (Straße zur Hölle) bezeichnet.

So verständlich dieser Bezug auf die biblische Hölle auch ist, um den Anreiz für die Touristen etwas zu erhöhen, so wenig passend ist er, wenn man bedenkt, was die Hölle laut Bibel wirklich ist. Sie ist ein Ort, an den eigentlich keiner herantreten will. Sie ist auch keine Sehenswürdigkeit, die man nur besuchsweise in Augenschein nehmen könnte, um dann wieder unbehelligt ins Leben zurückzukehren. Die Hölle ist ein Ort ohne Wiederkehr. Sie ist den Menschen bestimmt, die für ihre Sünde und Schuld keine Vergebung und keinen Fürsprecher in Anspruch genommen haben.

Wenn die Bilder für die Hölle schon so drastisch sind (siehe Tagesvers), wie schreckenerregend wird dann ihre Wirklichkeit erst sein! Die Bibel lässt keinen Zweifel daran, dass es der schlimmste Ort ist, den man sich vorstellen kann. Und sie mahnt dazu, ihn ernst zu nehmen als tatsächliche Bedrohung für jeden, der es versäumt, sich in seinem Leben hier auf Gottes Seite ziehen zu lassen. Das eigentlich gute Leben, das wir hier auf Erden zumeist genießen können, sollte uns nicht drüber hinwegtäuschen, dass es diesen schrecklichen Ort tatsächlich gibt. Keiner hat öfter davor gewarnt als Jesus selbst. Aber er ist auch derjenige, der uns vor der Hölle bewahren kann, denn er will jeden, der zu ihm kommt, retten und ihm ewiges Leben schenken.

Joachim Pletsch

? Wie ernst nehmen Sie es mit der Wahl zwischen Himmel und Hölle?

! Stellen Sie am besten sofort die Weichen auf den richtigen Kurs!

✝ Offenbarung 14,7-13

Und als er vorüberging, sah er Levi, den Sohn des Alphäus, am Zoll sitzen und sprach zu ihm: Folge mir nach! Und er stand auf und folgte ihm nach.

MARKUS 2,14

Nachfolge

Die Reaktion des Zöllners Levi auf die Aufforderung Jesu, ihm nachzufolgen, ist so einfach wie konsequent: Er steht auf und folgt ihm nach. Mit dieser Begebenheit macht Jesus sehr deutlich, wie man ein Jünger Jesu wird und was Nachfolge bedeutet: Auf den Ruf folgt die Tat. Hier finden wir keinen langen Dialog, kein Ausräumen von Bedenken, kein Abwägen von Für und Wider. Es geht Jesus auch nicht um ein Lippenbekenntnis, sondern um eine Entscheidung und folgerichtiges Handeln. Wir finden hier keine Aufspaltung in Glauben einerseits und Tun andererseits. Das Vertrauen in den, der hier ruft, kommt darin zum Ausdruck, dass Levi das, was er bisher getan hat, beendet und alles aufgibt, um Jesus nachzufolgen.

Levi folgt hierbei keinem Programm, keinem Lehrsystem, keiner allgemeinen religiösen Erkenntnis oder einer Idee, ja, noch nicht einmal einer bestimmten Glaubensgemeinschaft, sondern der Person Jesu. Der deutsche Theologe Dietrich Bonhoeffer hat zu diesem Bibelvers in seinem Buch über die Nachfolge deshalb geschrieben: »Der Ruf in die Nachfolge ist also die Bindung an die Person Jesu Christi allein.«

Nachfolge ist also nicht kompliziert. Sie ist nicht nur eine Sache für besonders gute, religiöse oder kluge Menschen. Der Zöllner Levi war eher Sinnbild für einen egoistischen, raffgierigen, diesseitsbezogenen Menschen. Nachfolge ist einfach: Den Ruf Jesu hören und diesem Jesus gehorsam folgen. Und da dieser Jesus der Sohn Gottes ist, der Christus, hat er auch das Recht, zu rufen und Gehorsam einzufordern. Jesus muss hier nichts erklären oder sich irgendwie legitimieren. Er ruft aus der alten Existenz, die zurückbleibt, in eine neue Beziehung, in der er absolute Priorität hat.

Markus Majonica

? Wie hätten Sie reagiert, wenn Sie an Levis Stelle gewesen wären?

! Nichts könnte wichtiger sein, als dem Ruf Jesu zu folgen.

† Matthäus 9,9-13

Darum lebe nicht mehr ich, sondern Christus lebt in mir! Mein vergängliches Leben … lebe ich im Glauben an Jesus Christus, den Sohn Gottes, der mich geliebt und sein Leben für mich gegeben hat.

GALATER 2,20

Die »Virtuelle Maschine«

07:30

Bei manchen Aufgaben im Arbeitsalltag stößt mein Arbeitscomputer an die Grenzen seiner Leistungsfähigkeit. Wenn das passiert, nutze ich eine sogenannte »Virtuelle Maschine«, die mir erlaubt, auf die Ressourcen eines leistungsstärkeren Gerätes an einem anderen Ort zuzugreifen. Mein eigener Computer dient in diesem Moment lediglich als physisches Hilfsmittel und Schnittstelle. Und so können Probleme gelöst werden, mit denen mein Gerät eigentlich überfordert ist.

In meinem persönlichen Leben geht es mir manchmal genau so wie meinem Rechner. Auch ich stoße immer wieder an die Grenzen meiner Leistungsfähigkeit. Im Umgang mit bestimmten Menschen oder Situationen fehlt mir zum Beispiel oft die nötige Liebe und Geduld. Egal, wie sehr ich mich auch bemühe, ich schaffe es einfach nicht, so zu reagieren, wie es eigentlich richtig wäre. Die »Virtuelle Maschine« aus meinem Arbeitsalltag erinnert mich dann aber immer wieder daran, dass ich als Christ nicht auf meine eigenen Kräfte und Tugenden beschränkt bin. Als Kind Gottes kann ich auf übernatürliche, göttliche Kräfte zugreifen! Ich muss meine Probleme nicht alleine lösen, sondern kann von dem unendlichen Gott Weisheit, Liebe und Geduld bekommen.

Situationen, in denen wir überfordert sind und spüren, dass unsere eigenen Kräfte nicht ausreichen, sind eine Chance, uns nach Gott auszustrecken. Es ist gut, wenn wir merken, dass wir ihn brauchen. Wenn Sie Jesus Christus Ihre Schuld bekennen und glauben, dass er für Sie am Kreuz gestorben ist, dann stehen Sie Ihren Problemen, Begrenzungen und Herausforderungen nicht mehr allein gegenüber. Sie können dann Gottes übernatürliche Kraft in Ihrem Leben erfahren. Etwas Besseres gibt es nicht!

Kathrin Stöbener

? Steht Ihnen diese übernatürliche Kraft schon zur Verfügung?

! Treten Sie durch Jesus in Verbindung zu Gott und bitten Sie ihn ganz bewusst um seine Kraft, wenn Sie an eigene Grenzen stoßen.

† 2. Korinther 12,7-10

Freut euch und dankt ihm, dem Vater, dass er euch das Recht gegeben hat, an dem Erbe teilzuhaben, das er in seinem Licht für sein heiliges Volk bereithält.

KOLOSSER 1,12

»Danke!« sagen

Wer beim Bäcker eingekauft hat, sagt der Verkäuferin auch wohl: »Dankeschön!« Aber so richtig dankbar ist man nur, wenn man etwas bekommt, was man nicht erwartet hat und für das man nichts bezahlte oder das man überhaupt nicht bezahlen konnte – wenigstens sollte man dankbar dafür sein.

Leider ist Dankbarkeit heute keine Selbstverständlichkeit mehr; eher steht sie auf der »Roten Liste aussterbender Arten« wie die Blauwale und die Goldregenpfeifer. Besonders in Wohlstandszeiten kommt man je länger, je mehr zu der Ansicht, täglich leckeres Essen, schicke Kleidung, eine großzügige Wohnung und ein flottes Auto ständen einem zu. Wieso sollte man dann dankbar dafür sein? Ja, man kann bei allem Wohlergehen sogar zum notorischen Nörgler werden. So gab es einmal nach Jahren mäßiger Ernten endlich auch wieder eine reiche Kartoffelernte mit vielen großen Kartoffeln. Ein Bauer stand vor dem riesigen Berg großer »Erdäpfel« und wusste nichts Besseres zu sagen als: »Was für ein Jammer. Jetzt fehlen die Kleinen für die Schweine!«

Aber unser Tagesvers bleibt nicht beim Sichtbaren stehen, sondern spannt den Rahmen noch viel weiter. Gott, der allmächtige Schöpfer aller irdischen Reichtümer, hat für die an ihn Glaubenden noch weit Besseres vorgesehen. Er hat ihnen ein Erbteil in seinem Himmel versprochen. Das ist nun wirklich ein völlig unverdientes, riesengroßes Geschenk, zu dem wir nicht das kleinste bisschen zugezahlt haben und es auch gar nicht konnten, und das Gottes Sohn, Jesus Christus, uns erworben hat. Bei dem Dank dafür sollten wir es nicht bei Worten belassen, sondern ihm in Gehorsam zu dienen versuchen. – Möge Gott uns allen die Augen dafür öffnen, sodass wir tief dankbare Menschen werden! *Hermann Grabe*

? Wem danken Sie, wenn es Ihnen gut geht?

! Dankbarkeit ist die beste Arznei gegen Trübsinn.

† Psalm 136

Freut euch jeden Tag, dass ihr mit dem Herrn verbunden seid! Ich sage es noch einmal: Freut euch!

PHILIPPER 4,4

Erntedankfest – so etwas gibt es?

In der Schweiz nennen wir diesen Tag schlicht Dank-, Buß- und Bettag. Als meine Tochter, während ich diese Zeilen schrieb, mitbekam, dass am morgigen Sonntag dieser Tag gefeiert wird, war sie ganz erstaunt, dass es so etwas gibt. Ich habe sie dann daran erinnert, dass wir an der deutschsprachigen evangelischen Kirche in Addis Abeba Erntedank gefeiert haben und immer noch feiern. Dabei werden allerhand Gemüse, Früchte und Getreide, Teigwaren, Speiseöl etc. von den Kirchgängern mitgebracht und vor den Altar gelegt. Am folgenden Montag werden diese Gaben dann an die Familien der Kinder in der Schule der Gemeinde verteilt. Ich finde, das ist ein sehr schöner Brauch. Der Erntedank-Gottesdienst, angesichts all dieser Gaben, macht uns so richtig bewusst, wie dankbar wir sein können für all diesen Segen Gottes, den wir das ganze Jahr über empfangen dürfen – und der nicht selbstverständlich ist.

Womit haben wir diesen Segen verdient? Gott hat seinem Volk Israel den Segen landwirtschaftlichen Ertrags, der Vermehrung des Viehs und der Existenzsicherung durch ausreichende Vorräte an Nahrungsmitteln versprochen, wenn es ihm gehorchen würde. Wenn sie sich jedoch von ihm abwenden würden, würde sie statt Segen der Fluch treffen. Doch Gottes Gnade ist so groß, dass er auch allen übrigen Menschen seit jeher viel Gutes zukommen ließ (vgl. Apostelgeschichte 14,17), obwohl sie sich diesen Segen nicht verdient haben.

Gott hat in seiner unendlichen Gnade noch viel mehr getan: Er hat unsere Schuld am Kreuz auf seinen Sohn geladen, der für uns gestorben ist, und damit allen Fluch von uns abgewendet. Wenn wir Jesus Christus in unser Leben aufnehmen, werden wir zu Kindern Gottes gemacht und können allen Segen Gottes dankbar in Anspruch nehmen. *Martin Grunder*

? Feiern Sie Erntedank? Nur an einem Tag im Jahr oder immer wieder?

! Wir haben allen Grund, das ganze Jahr über Gott dankbar zu sein.

† Psalm 103,1-5

Rufe mich an, dann will ich dir antworten und will dir Großes und Unfassbares mitteilen, das du nicht kennst.
JEREMIA 33,3

Offline

Ob Verabredung, Einkaufsliste oder Standortmitteilung, ob Bilder, Sprachnachrichten oder Telefonate: Wir verschicken eine Menge Nachrichten und Informationen mit unserem Handy. Die verschiedenen Nachrichtendienste sind aus unserem täglichen Leben nicht mehr wegzudenken. Am 4. Oktober 2021 allerdings konnten plötzlich keine Whatsapp-Nachrichten mehr empfangen und verschickt werden. Die kleine graue Uhr in der rechten unteren Ecke zeigte an, dass das Gegenüber die Mitteilung nicht erhalten hatte. Gar nicht so einfach, diese eingeschränkte Erreichbarkeit und Kommunikationsfähigkeit hinzunehmen und zu akzeptieren! Nach einiger Zeit war damals klar, dass der Nachrichtendienst offline war und ein technisches Problem vorlag. Nichts ging mehr.

Später erinnerte ich mich an diesen Vorfall und musste an meine Beziehung zu Gott denken. Gott hat uns Menschen erschaffen. Er liebt uns und möchte mit uns Gemeinschaft haben. Viele Erlebnisse, die Menschen mit Gott hatten, können wir in der Bibel nachlesen und daran sehen, wie Gott ist. Wir stellen dabei fest, dass Gott sich um jeden einzelnen Menschen bemüht und mit ihm eine persönliche Beziehung haben möchte.

Sind Sie gerade offline? Vielleicht haben Sie die Sorge, dass Gottes Angebot nicht für Sie, sondern nur für die anderen gelten würde. Oder Sie haben kein Interesse an Gott und seine Nachricht, im übertragenen Sinn, einfach weggeklickt. Wie wunderbar ist es, dass Gott niemals offline ist, sondern dass wir ihn jederzeit ansprechen dürfen! Mit jedem Thema dürfen wir zu ihm kommen.

Wie gut, dass Gott so anders ist als unsere technischen Hilfsmittel und es von seiner Seite keine Kommunikationsprobleme gibt!

Ann-Christin Bernack

? Sind Sie bereit, Gottes Nachrichten zu empfangen, oder sind Sie gerade offline?

! Gott kennt keine Offline-Zeiten. Er ist immer erreichbar.

✝ Psalm 50,7-15

03 OKTOBER **DIENSTAG**
Tag des offenen Singens/Tag der deutschen Einheit

Singt dem HERRN ein neues Lied, singe dem HERRN, ganze Erde!

PSALM 96,1

Gib mir Musik!

Das Radio im Auto, der Soundtrack im Hollywood-Streifen, die Kopfhörer im Bus: Ständig werden wir von Musik beschallt. Musste man in vergangenen Zeiten extra dorthin gehen, wo Musiker, Orchester und Opernsänger auftraten, kommt die Musik heute zu uns. Ein Abo bei einem der großen Musik-Streamingdienste verschafft uns per Fingertip Zugriff auf Millionen von Titeln aus aller Welt. Dauerbeschallung ist angesagt. In der Stadt begegne ich oft Leuten, die mit zwei kabellosen Knöpfen im Ohr herumlaufen, in ihrer Musik-Blase abgekapselt vom Rest der Welt. Der Musikgeschmack wandelt sich über die Zeit. Doch die besondere Wirkung, die von Musik ausgeht, nicht. Ein fröhlicher Song hebt unsere Stimmung, ein melancholisches Lied macht uns traurig. Und ein tiefer, wummernder Bass bringt Zehntausende von Menschen auf einmal zum Tanzen.

Seit jeher haben Menschen musiziert. Die vielleicht ausführlichste Aufzeichnung über Musik aus alter Zeit finden wir in der Bibel im Buch der Psalmen. Die Psalmen sind eine Sammlung von 150 Liedern über Gottes Größe, Freude und Trauer, Hoffnung und Verzweiflung. Da das längste Buch in der Bibel eine Liedersammlung ist, ist es Gott offenbar wichtig, dass wir Musik wertschätzen. Sie ist ein Geschenk Gottes an uns. Doch allzu oft macht man sich von der modernen Musik-Dauerbeschallung abhängig. Konzentriert arbeiten geht ohne Hintergrundmusik kaum noch. Ruhe zum Nachdenken und Innehalten wird uns fremd. Daher mein Vorschlag an Sie, bevor Sie den nächsten Titel einschalten: Lesen Sie stattdessen einmal einen Psalm. Sie können ganz vorne bei Psalm 1 anfangen. Halten Sie dabei bewusst inne vor Gott, der uns das Geschenk der Musik gemacht hat, damit wir ihm in unseren Herzen etwas vorsingen können. *Jan Klein*

? Haben Sie ein absolutes Lieblingslied? Wenn ja, warum?

! Nehmen Sie sich bewusst Auszeiten von der Dauerbeschallung!

✝ Psalm 1

Da gerieten alle außer sich vor Staunen und priesen Gott; voll Ehrfurcht sagten sie: »Heute haben wir unglaubliche Dinge erlebt.«

LUKAS 5,26

Großes Staunen

Im Tierpark durften wir erneut Zeugen der unglaublichen Schönheit des Tierreiches werden. Das wunderschöne Pfauen-Männchen wollte dem sich nähernden, sehr unscheinbaren Pfauen-Weibchen imponieren und spannte seine herrlich bunte Federpracht rund um seinen majestätisch blau leuchtenden Vogelkopf. Wie ein prachtvoll geschmückter König erregte der Vogel nicht nur das Aufsehen seiner Artgenossen, sondern besonders das der ihn beobachtenden Besucher.

Obwohl wir dieses Spektakel schon häufig bewundert haben, verschlug es uns wieder neu die Sprache. Wir staunten darüber, wie schön und beeindruckend ein »einfacher« Vogel doch sein kann. Man kann sich nicht sattsehen an ihm.

Ganz ähnlich ergeht es mir mit dem Kreuz. Ich habe es schon oft angeschaut und viel über dieses Thema nachgedacht, aber jedes Mal staune ich aufs Neue über die unfassbare Liebe, die Jesus dort zeigt: Ein Unschuldiger hängt am Kreuz und stirbt einen qualvollen Tod für mich. Aus Liebe und Barmherzigkeit gibt sich der Schöpfer selbst hin, um seine Geschöpfe von ihrer Schuld zu erretten.

Wenn ich das Kreuz anschaue und Jesus Christus danke, dass er dort auch meine Schuld getragen hat, dann erlöst er mich, und ich darf ein Kind Gottes sein. Wie wunderbar ist das!

Wenn ich einen herrlichen Pfau oder andere beeindruckende Tiere sehe, dann staune ich über Gott, der eine Natur voller Schönheit erschaffen hat. Aber wenn ich die Geschichte der Kreuzigung lese, dann staune ich noch mehr über Gott. Er ist nicht nur mein Schöpfer, sondern auch mein Erlöser, der seinen Sohn für mich gegeben und mir ewiges Leben geschenkt hat.

Kathrin Stöbener

? Wenn Sie das Kreuz anschauen, können Sie dann auch über das Werk Jesu staunen?

! Gott verdient unsere Bewunderung nicht nur als unser Schöpfer, sondern vor allem als unser Erlöser.

† Johannes 19,16-27

Erziehe den Knaben seinem Weg gemäß;
er wird nicht davon weichen, auch wenn er älter wird.

SPRÜCHE 22,6

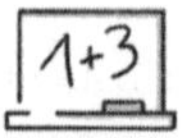

Helikopter-Erziehung

An der Bonner Universität wurden im vorigen Jahr »Informationen« an die Lehrenden verteilt, wie sie die Inhalte ihrer Fächer den Studenten vermitteln sollten. Den Dozenten wurde nahegelegt, ihre Vorlesungen so zu gestalten, dass keine seelisch belastenden Inhalte zur Sprache kommen, damit die zarte Studentenseele keinen Schaden nimmt. Das ist ein Haupttrend in unserer deutschen Erziehungslandschaft. Ob Eltern, Fachkräfte in Kitas, Lehrer oder Professoren, alle sollen erziehen, aber es darf auf keinen Fall wehtun, nicht anstrengen oder »Unlustgefühle« erzeugen. Alles hat sanft und rücksichtsvoll vonstatten zu gehen.

Die Bibel dagegen erzählt uns zum Beispiel, was passiert, wenn ein unvernünftiger Jakob seinen Lieblingssohn gegenüber seinen Brüdern bevorzugt, oder wenn ein König wie David wegschaut bei den Taten seiner Söhne. Doch sie erwähnt auch, wie segensreich eine kindgemäße aktive Erziehung sein kann, zum Beispiel bei der Großmutter und Mutter des Timotheus. »Du aber bleibe in dem, was du gelernt hast ... da du weißt, *von wem* du gelernt hast, und weil du von Kind auf die heiligen Schriften kennst« (2. Timotheus 3,14-15).

In nur *einem* Satz bringt die Bibel den Kern allen Erziehens auf den Punkt (siehe Tagesvers): Das Wort »Erziehen« deutet nicht nur grammatisch Aktivität an, es ist auch so gemeint. Als Menschen mit einem Erziehungsauftrag sollen wir »aktiv« sein und auf die uns anvertraute Person einwirken. Wir sollen allerdings immer *im Interesse des Kindes* handeln, es für *seinen* Weg erziehen, nicht für unseren. Josef und Maria haben den kleinen Jesus mit in den Tempel genommen und nicht auf irgendeinen Abenteuerspielplatz geschickt. Dort im Tempel hat er das Wort Gottes gehört.

Karl-Otto Herhaus

? Wie erziehen Sie Ihre Kinder?

! Es gibt nichts Besseres, als ihnen davon etwas mitzugeben, was uns Gott gelehrt hat.

† 5. Mose 4,4-9

FREITAG — OKTOBER **06**

Unser Leben ... ist doch nur vergebliche Mühe;
denn es fähret schnell dahin, als flögen wir davon.

PSALM 90,10

Die »Ulmer Schachtel«

Sie verließen ihre Heimat in Scharen, weil sie keine Zukunft für sich sahen. Getrieben von der Willkür ihrer Landesfürsten brachen sie in großen Trecks auf ins ferne »Hungarland« – 1000 Kilometer entfernt. Miserable Verhältnisse zwangen sie auf schwankende »Ulmer Schachteln«. Die kostengünstige Flussfahrt auf diesen primitiven Kähnen war auch für Arme erschwinglich. Kein Kiel, kein Segel, keine Ruder, ein grobes Floß mit Holzverschlag an Deck als Wetterschutz. Die »Schachteln« waren nur zur einmaligen Fahrt flussabwärts geeignet, nur zu diesem Zweck zusammengezimmert. Die Fugen zwischen den Brettern wurden mit Moos abgedichtet. Dann ließ man sich die Donau abwärts treiben – nach Regensburg, Passau, Linz, Wien, bis Budapest oder gar ans Schwarze Meer.

Diese »Ulmer Schachteln« wurden für viele zum nassen Sarg, weil sie schwer überladen in Stromschnellen leicht kenterten. Ende des 17. Jahrhunderts gelangten über 200 000 auf diese Weise in die von den Habsburgern neu eroberten Gebiete. Im heutigen Rumänien, Ungarn und Serbien entstanden die Volksgruppen der Ungarndeutschen und Donauschwaben. Am Ende der Fahrt zog man die »Ulmer Schachteln« ans Ufer und machte aus ihnen Kleinholz. Sie dienten nur noch als Brennmaterial für ein erstes Lagerfeuer.

Auch wenn es deprimierend klingt: Unser Leben gleicht der »Ulmer Schachtel«. Wir sind auf einer »Einwegreise«. Es geht »den Bach runter«. Daher wäre die Frage wichtig, wo wir wohl ankommen (wollen)? Der Liederdichter G. Tersteegen, ein Mann voller Gottvertrauen, hatte darauf folgende gute Antwort: »Ein Tag, der sagt dem andern, mein Leben sei ein Wandern zur großen Ewigkeit. O Ewigkeit, so schöne, mein Herz an dich gewöhne, mein Heim ist nicht von dieser Zeit.« *Andreas Fett*

? Hat sich Ihr Herz schon an das Ende Ihrer Lebensreise, an die Ewigkeit, gewöhnt?

! Ohne das Ziel der Ewigkeit bleibt unser Leben vergebliche Mühe.

† Prediger 11

Auf, wir wollen uns eine Stadt und einen Turm bauen, und seine Spitze bis an den Himmel! So wollen wir uns einen Namen machen, damit wir uns nicht über die ganze Fläche der Erde zerstreuen!

1. MOSE 11,4

Projekte mit Nebenwirkungen

Wenn man sich die Entdeckungen der letzten 200-300 Jahre anschaut, ist das Staunen vorprogrammiert. Schließlich praktizieren wir in unserer modernen Zeit wie selbstverständlich Dinge, die für die Menschen des Mittelalters nun wirklich Science-Fiction waren: Wir fliegen zum Mond, wir spalten Atome ... Und doch ergibt sich zuweilen die Frage, inwieweit manche dieser »Fortschritte« für die Menschheit wirklich etwas Gutes gebracht haben. So hat die Raumfahrt uns zwar viele neue Erkenntnisse gebracht, aber auf der anderen Seite nutzen längst viele Länder ihr Wissen, um den Weltraum in ihre militärische Strategie einzubeziehen. Und die Kernforschung hat (neben der friedlichen Nutzung) dazu geführt, dass die Atombombenspeicher der Welt gefüllt sind. Die Menschheit muss nun mit einem »atomaren Damokles-Schwert« leben.

In unserem Tagesvers wird beschrieben, wie Menschen vor langer Zeit zu Babel einen Turm bauten, der die Menschheit vereinen sollte, damit sie künftig alle an einem Strang ziehen. Aber das Gegenteil geschah: Ihr Vorhaben scheiterte, weil Gott ihre Sprache verwirrte; sie erlebten genau das, was sie eigentlich vermeiden wollten, und wurden über die ganze Erde verstreut.

Zu solchen möglichen Nebenwirkungen kommt noch etwas hinzu: Viele große Projekte haben ihren Ursprung in der menschlichen Überheblichkeit, sich selbst sozusagen den Himmel erobern zu können. Das war schon mit dem Turmbau zu Babel der Fall, der »bis an den Himmel« reichen sollte. Ähnlich kommt es mir mit der Raumfahrt vor. Doch auch dann, wenn die gesamte Menschheit ihre Energie zusammennimmt, kommt sie dem Himmel, in dem Gott wohnt, aus eigener Anstrengung kein Stück näher. Das kann allein Gott schenken! *Stefan Nietzke*

? Was ist die beste Strategie, um den Himmel zu erreichen?

! Fragen Sie dazu den Gott des Himmels und der Erde!

† 5. Mose 30,11-20

Denn der Lohn der Sünde ist der Tod,
die Gnadengabe Gottes aber ewiges Leben
in Christus Jesus, unserem Herrn.

RÖMER 6,23

Deutschlands giftigster Baum

Unser Sohn hatte vergangenes Jahr Früchte einer Eibe gegessen. Wahrscheinlich hatte die rote Farbe ihn dazu verleitet. Da wir wussten, dass die Pflanze hochgiftig ist, machten wir uns sofort auf den Weg ins Krankenhaus. Eine der ersten Fragen der Ärztin war, ob er die Kerne zerbissen und wie viele er gegessen hätte. Da wir es nicht wussten und er noch nicht reden konnte, musste er unter Beobachtung eine Nacht im Krankenhaus bleiben. Dann konnte er dankbarerweise entlassen werden. Bei weiteren Recherchen über diesen Baum erfuhren wir, dass in allen Bestandteilen, von den Wurzeln über das Holz bis hin zu den Nadeln und insbesondere den Kernen das tödliche Taxin enthalten ist, außer im roten Fruchtfleisch der kleinen Frucht.

Diese Eigenschaft der Pflanze erinnerte mich an unsere Welt. Denn in unserem Leben werden wir immer und überall mit Sünden konfrontiert: Ungerechtigkeiten, Lügen, Lästern, Mobbing, Gewalt etc. Jeder von uns tut das täglich. Anscheinend ist alles von der Wurzel aus durchtränkt vom Gift der Sünde, das den ewigen Tod zur Folge hat. Doch ähnlich wie bei der Eibenfrucht gibt es doch etwas, was nicht vom Gift der Sünde kontaminiert ist: Jesus, der so gar nicht in unsere Welt passte, weil er nichts Böses tat. Da er keinen Anteil an der Sündenvergiftung hat, konnte er etwas ganz Einzigartiges tun. Er hat sein unverdorbenes (sündloses) Blut aus Liebe fließen lassen, damit jeder, der sein Vertrauen auf ihn setzt, von der Sünde und ihren Auswirkungen geheilt wird. Wer an ihn glaubt, bei dem hat das Gift der Sünde keine ewig tödliche Wirkung mehr, weil Gott ewiges Leben schenkt. Auch wenn alles verdorben erscheint, dann gibt es diese eine Hoffnung der Liebe, JESUS.

Gabriel Herbert

? Haben Sie die Gnadengabe Gottes schon angenommen?

! Das Blut Jesu ist das einzige Mittel gegen Sünde.

† 2. Korinther 5,14-21

Eine Leuchte für meinen Fuß ist dein Wort,
ein Licht für meinen Pfad.

PSALM 119,105

»Vor der Hacke ist's dunkel«

Als ich dieses Zitat im Infoblatt einer angesehenen Anwaltskanzlei des Ruhrgebietes las, dachte ich: Wie wahr! Und nicht nur im Bergbau!

Meine Gedanken wanderten sofort zu Max, einem meiner fleißigsten Kollegen aus der Finanzbranche. Immer selbstbewusst und kompetent war er erfolgreich in ein zweites Berufsfeld hineingewachsen: das Bauträgergeschäft. Eines Tages aber kam er ziemlich angeschlagen zu unserem Arbeitsessen. Ein Baugrundstück war fertig vorbereitet gewesen zum Baubeginn eines großen Mehrfamilienhauses. Der erste Betonmischer war angerückt. Alles war bestens geplant. Doch dann kam ein aufgeregter Anruf des Bauleiters: Auf dem Grundstück hatte sich über Nacht ein riesiges Loch im Boden aufgetan. Offenkundig handelte es sich um einen Bergbauschaden. Im Ruhrgebiet ist das nicht ungewöhnlich. Durch den früher üblichen Bergbau gibt es dort viele Flächen, die noch nicht aufgefüllt wurden und absacken können. Um das Problem zu lösen, musste Max Beton in das Loch füllen lassen, und zwar nicht wenig. Über zwanzig Sattelzüge waren schließlich nötig, um weiterarbeiten zu können.

Menschen im Ruhrgebiet und anderen Bergbauregionen wissen seit Generationen: »Vor der Hacke ist's dunkel.« Man wusste nämlich nie, welche Gefahren im Dunkeln »vor der Hacke« auf einen lauern. Und was im Bergbau gilt, gilt auch in meinem Leben. Denn letztlich weiß ich nie, welche Probleme und Gefahren auf mich warten. Auch vor meiner »Hacke ist's dunkel«. Ich weiß aber, dass Gott Bescheid weiß über alles, was vor mir liegt, und dass er mir in jeder Situation beisteht. Und sein »Wort«, die Bibel, ist besser als jede Grubenlampe. Seine Wahrheit führt mich Schritt für Schritt durchs Leben.

Klaus Spieker

? War es »vor Ihrer Hacke« auch schon einmal dunkel?

! Vertrauen Sie sich dem an, der Licht in jedes Dunkel bringen kann!

† Psalm 25

»Weil er sich an mich klammert,
darum will ich ihn erretten.«

PSALM 91,14

Absolute Treue

Wer schon einmal einem Schäfer bei seiner Arbeit zugeschaut hat, der hat auch dessen gute Beziehung, ja, man könnte sagen, sein inniges Verhältnis zu seinen Hunden bewundern können. Diese Tiere sind einerseits unerlässlich, wenn er eine große Schafherde beieinanderhalten will, andererseits hat man den Eindruck, die Hunde wollten um jeden Preis ihrem Herrchen dienstbar sein. Wo gibt es dieses gegenseitige Abhängigkeits- und Treueverhältnis heute noch unter den Menschen?

Auch Friedrich der Große wusste die Treue seiner Hunde zu schätzen, weil er sie bei den Menschen je länger, umso weniger entdecken konnte. Er wollte sogar bei seinen Hunden beerdigt sein. In Sichtweite seines Schlosses Sanssouci ist er heute auch zu ebener Erde mit ihnen begraben worden. Dort liest man auf der rechten Seite seiner Grabplatte seinen Namen, während auf der linken Seite Biche, Alcmène, Thisbe, Superbe, Pax und Hasenfuß, die Namen seiner Hunde, zu lesen sind.

Aber bei aller Tierliebe dürfen wir nicht sentimental werden. Hunde als Rudeltiere können, wenn sie nicht psychische Schäden haben, gar nicht anders, als dem zu folgen, den sie als Rudelführer anerkennen. Das ist bei Menschen ganz anders. Sie können seit dem Sündenfall kaum noch treu sein, sondern müssen Eigenwillen, Egoismus und Herrschsucht zeigen. Das sind alles Eigenschaften, die für ein friedliches Füreinander tödlich sind.

Auch um das zu ändern, kam Gott selbst in der Person Christi zu uns. In seinem liebenden und für uns leidenden Vorbild zeigte er wahre Treue, und durch sein Sterben am Kreuz erwarb er den an ihn Glaubenden die Kraft, auch treu und liebevoll sein zu können, wenn sie in seiner Nähe bleiben.

Hermann Grabe

Wie ist es bei Ihnen um bedingungslose, lebenslange Treue bestellt?

Wir brauchen gute Vorbilder. Am besten werden wir selbst eins.

2. Samuel 15,19-29

Im Hause meines Vaters sind viele Wohnungen. Wenn es nicht so wäre, würde ich euch gesagt haben: Ich gehe hin, euch eine Stätte zu bereiten? … und werde euch zu mir nehmen, damit auch ihr seid, wo ich bin.

JOHANNES 14,2-3

Gerdauen ist schöner

In meiner Kindheit gab es noch Lesebücher, die von der Schule gestellt wurden. Eine Geschichte, an die ich mich noch heute erinnere, hieß »Gerdauen ist schöner«. Durch den Krieg war Marie, ein kleines Mädchen aus Ostpreußen in den Westen verschlagen worden. Man half ihr, so gut es ging. Sie wohnte in einer schönen Gegend, im Oberbergischen. Doch was immer sie auch an Schönheit sah, immer wieder sagte sie »Gerdauen ist schöner.« Dieser Satz kam ihr sehr oft von den Lippen. Wenn sie von ihrer Heimatstadt erzählte, mochte man meinen, es gäbe nichts Schöneres auf der Welt.

Der Schreiber der Geschichte berichtete dann, dass er einmal Gelegenheit hatte, nach Ostpreußen zu reisen. Er besuchte auch Gerdauen. Tatsächlich war es ein kleiner, unscheinbarer Ort. Nichts von alledem, was Marie gesehen hatte, sah er. Eine kleine Reihe von Häusern, mehr war es nicht. Aber ihm wurde bewusst: Für die kleine Marie war es die Heimat. Die ist immer am schönsten, egal, wohin man auch kommen mag.

Die Bibel sagt, dass Menschen, die an Jesus Christus glauben, ebenfalls eine ganz besondere Heimat haben. Wie die kleine Marie leben sie aktuell nicht in ihrer Heimat. Aber anders als bei Marie liegt diese Heimat nicht in der Vergangenheit, sondern sie ist ihre Zukunft. Und anders als bei Marie bleibt dort die Realität nicht hinter der eigenen Vorstellung oder Erinnerung zurück. Die himmlische, ewige Heimat, das neue Zuhause, von dem Jesus Christus im Tagesvers spricht, ist so wunderschön, dass der Apostel Paulus hierüber einmal sagte: »Was kein Auge jemals sah, was kein Ohr jemals hörte und was sich kein Mensch vorstellen konnte, das hält Gott für die bereit, die ihn lieben« (1. Korinther 2,9). *Joschi Frühstück*

? Kennen Sie auch Heimatgefühle?

! Fragen Sie sich einmal, wo Sie Ihre Ewigkeit verbringen werden!

† 1. Mose 12,1-8

Verfehlungen – ach, wer nimmt sie wahr?
Von den unbewussten Fehlern sprich mich los!

PSALM 19,13

Bochums teuerster Strafzettel

Eigentlich sollte es nur ein Knöllchen wegen Falschparkens geben: **20 Euro**. Die Bochumer Polizei kontrollierte im Januar 2021 einen Lkw, der verbotenerweise auf einem Radweg parkte. Aber wegen patziger Uneinsichtigkeit wurde dieser Strafzettel um einiges länger und teurer.

Denn bei der Überprüfung zeigte sichder 57-jährige Lkw-Fahrer völlig uneinsichtig. Lautstark polterte er gegen den Strafzettel der Polizei. Daraufhin schauten die Beamten genauer hin und kontrollierten auch noch seinen Fahrtenschreiber. Das Ergebnis machte die Polizei sprachlos: In den letzten 28 Tagen hatte er so viele Geschwindigkeitsüberschreitungen und Verstöße gegen Lenk- und Ruhezeiten angesammelt, dass eine Rekord-Bußgeld zusammenkam: **14 220 Euro**!

»Mit allen aufgelisteten Vergehen der teuerste Strafzettel, den die Polizei Bochum bisher ausgestellt hat«, so ein Polizei-Sprecher.

Werde ich auf schuldhaftes Verhalten angesprochen, geht es mir oft so, wie dem Lkw-Fahrer: Ich reagiere trotzig und uneinsichtig. Unsere eigenen Verfehlungen kehren wir gerne unter den Teppich. Im Bereich eigenen Versagens haben wir einen blinden Fleck. Bei anderen jedoch sehen wir Fehler übergroß. Wir alle verfügen über ein eingespieltes Repertoire an Ausreden, an erfolgreichen Strategien zur Selbstentlastung. Statt eines reuevollen Geständnisses reagieren wir zunächst mit Uneinsichtigkeit, Selbstbehauptung und Rechthaberei. Und so wird unsere Schuld größer und größer. Doch Gottes »Fahrtenschreiber« läuft immerzu mit: Er kennt sogar die Einzelheiten unserer Gedankenwelt (Psalm 139,2). Aber Schuld erledigt sich nicht von selbst. Sie muss bekannt, beglichen, bezahlt werden.

Andreas Fett

? Was käme bei meinem »Knöllchen« heraus, wenn man nur genau hinsähe?

! Beten Sie aufrichtig den Wortlaut des heutigen Tagesverses!

† Psalm 38

Hört das Wort, das der HERR zu euch redet, Haus Israel!
JEREMIA 10,1

Hör auf! Hör zu!

Wenn der Wecker klingelt, hören wir auf zu schlafen. Wenn wir satt sind, hören wir auf zu essen. Und wenn der Feierabend gekommen ist, hören wir auf zu arbeiten. Ist es nicht merkwürdig, dass wir davon sprechen, dass wir mit einer Sache »aufhören«, wenn wir sie beenden? Was hat das denn bitteschön mit »hören« zu tun?

Unser Wort »aufhören« kommt wahrscheinlich daher, dass man z. B. bei Gefahr aufhorchte und sich regungslos verhielt. Man »hörte auf«, um die Gefahrenquelle zu entdecken. Oder man musste mit einer Beschäftigung aufhören, um auf jemanden zu hören. Wer gerade laut hämmert, muss damit aufhören und den Hammer ruhen lassen, wenn ein anderer ihm etwas mitteilen will. Daher hängen aufhören und aufhorchen unmittelbar zusammen. Dass zum aufmerksamen Zuhören volle Konzentration notwendig ist und Nebentätigkeiten stören, ist also offensichtlich so elementar, dass dieser Zusammenhang Eingang in unsere Sprache gefunden hat und wir ihn fast täglich zum Ausdruck bringen, ohne darüber nachzudenken.

Dieses Prinzip gilt aber nicht nur in unserem menschlichen Miteinander, sondern auch in Bezug auf Gott. Um auf Gottes Reden hören zu können, braucht es Ruhe und Aufmerksamkeit. Der lebendige Gott möchte sich uns mitteilen und in unser Leben sprechen, insbesondere durch die Bibel. Aber wenn unser Leben so laut und voll ist, dass wir nichts mehr hören, dringt sein Wort kaum durch. Daher ist es am besten, wenn man bewusst mit den alltäglichen Beschäftigungen aufhört, die Musik ausschaltet, das Handy weglegt und die Tür schließt, um in Gottes Wort zu lesen. Dann hat Gott die Möglichkeit, zu Ihnen zu sprechen – nicht akustisch hörbar, aber dennoch unmissverständlich zu Ihrem Herzen. *William Kaal*

? Womit müssen Sie aufhören, um auf Gott zu hören?

! Wer aufhört, kann zuhören.

† Johannes 10,27-30

Der das Ohr gestaltet hat, sollte der nicht hören?
Der das Auge gebildet hat, sollte der nicht sehen?
PSALM 94,9

Ist Gott taub?

Unser Gehör ist äußerst komplex. Doch die akustische Aufnahmefähigkeit einer Eule stellt unser menschliches Ohr in den Schatten. Sie nimmt Geräusche in einem viel größeren Frequenzbereich wahr als wir Menschen. Aufgrund ihres sensiblen Gehörs kann die Schleiereule im Dunkeln auf Futterjagd gehen. Die ringförmig um die Augen angeordneten Federn bilden den sogenannten Schleier. Sie sind eine Art Schalltrichter, damit Geräusche direkt zu den Ohröffnungen geleitet werden. Diese Ohröffnungen sind asymmetrisch am Kopf angeordnet. Damit hört die Eule in unterschiedliche Richtungen. Das Zusammenspiel zwischen dieser Ohrsymmetrie und dem Gesichtsschleier verleiht der Eule ihre besondere Hörfähigkeit.

Auch Delfine hören 14-mal besser als wir Menschen. Sie nutzen ein akustisches Echo-Ortungssystem sowohl zur Orientierung als auch zum Aufspüren ihrer Beute. Die ausgestoßenen Signale treffen auf ein Gegenüber oder auf ein Hindernis und werden reflektiert. Dieses Echo wird vom Unterkiefer des Delfins aufgefangen und an das Innenohr weitergeleitet. Sogar der Herzschlag seines Gegenübers ist für den Delfin wahrnehmbar.

Im heutigen Tagesvers ist eine ganz einfache Logik enthalten: Der Schöpfer von Auge und Ohr kann weder taub noch blind sein. Es ist gar nicht möglich, dass diesem großen Gott etwas verborgen bleibt. Wir Menschen schlussfolgern leider allzu leicht, dass Gott uns nicht hört. Vielleicht haben Sie auf eine bestimmte Gebetserhörung gewartet, aber Gott hatte eine andere Absicht. Nicht immer handelt Gott so, wie wir uns das wünschen. Denn er hat den vollständigen Überblick über unser Leben. Schenkt oder versagt er uns etwas, meint Gott es immer gut mit uns. Deshalb sollten wir mit ihm über alles reden, was unser Leben betrifft. *Stefan Taube*

? Haben Sie Gottes Handeln schon einmal ganz anders als erwartet erlebt?

! Man kann nur über Gott staunen, der Auge und Ohr erschaffen hat.

† Psalm 65

Und als er auf den Weg hinausging, lief einer herzu, fiel vor ihm auf die Knie und fragte ihn: Guter Lehrer, was soll ich tun, damit ich ewiges Leben ererbe?

MARKUS 10,17

Was muss ich tun?

Die Geschichte um den Tagesvers beschreibt einen reichen jungen Mann, der zu Jesus kommt und eine konkrete Frage hat: Er will ewiges Leben! Das ist keine Kleinigkeit. Und ein echt erstrebenswertes Ziel. Irgendwie geht er, wie seine Frage zeigt, davon aus, dass das Erreichen dieses Ziels von seinem Verhalten abhängt. »Was soll ich *tun*?« Dieser Gedanke ist vielen religiösen Menschen nicht fern: Wenn ich die Regeln einhalte, komme ich ans Ziel. Doch wann reichen meine Bemühungen? Hierzu möchte der junge Mann verlässliche Informationen von Jesus. Denn offenbar ahnt er, dass ihm noch etwas Entscheidendes fehlt. Aber was?

Jesus geht vordergründig auf seine Sicht ein. Er nennt ihm verschiedene Gebote, die alle das Wohl des Nächsten zum Gegenstand haben. Dazu sagt der Mann: Das habe ich alles erfüllt. Kein Problem. Dann geht Jesus einen Schritt weiter: Gib deinen ganzen Reichtum auf! Diese Forderung schlägt ein wie eine Granate! Was? Das kann ich nicht. Und traurig geht er weg. Warum reagiert Jesus so? Sagt er nicht an anderer Stelle (Johannes 5,24): »Wer mein Wort hört und dem glaubt, der mich gesandt hat, hat ewiges Leben und kommt nicht ins Gericht, sondern ist aus dem Tod in das Leben übergegangen«? Hätte er diesem ernsthaften jungen Mann nicht diese Antwort geben können? Widerspricht sich Jesus selbst, wenn er hier Taten fordert, dort »nur« Glauben?

Tatsächlich war der junge Mann noch der Auffassung, es irgendwie selbst zu schaffen. Jesus zeigt ihm auf, dass er mit seiner Kraft aber – was das ewige Leben angeht – sehr bald am Ende sein wird. Er musste erst an seinen eigenen Fähigkeiten verzweifeln. Wer an diesen Punkt kommt, dem gilt Jesu Wort: Fürchte dich nicht; glaube nur. *Markus Majonica*

? Wollen Sie auch das ewige Leben gewinnen?

! Bitten Sie Gott um die richtige Herzenseinstellung!

† Markus 10,17-27

Sucht, und er lässt euch finden.
MATTHÄUS 7,7

Wie wir finden, wonach wir suchen

Ein Archäologe sucht nach Spuren alter Kulturen und versucht, sie zu verstehen. Ein Astronom strebt nach mehr Verständnis des Universums und seiner Entstehung. Ein Anthropologe versteht sich auf die Erforschung des Menschen und seiner Abstammung, körperlichen Beschaffenheit, seines Wesens und Verhaltens. Hinter diesem Suchen, Streben und Forschen steht die Frage nach unserer Identität. Wer sind wir? Woher kommen wir? Und wie geht es mit uns weiter? Die Wissenschaft meint vielleicht, dass diese Fragen auf der Grundlage dessen zu beantworten sind, was sichtbar und greifbar ist. Aber führt das wirklich zu einem umfassenden und schlüssigen Ergebnis?

Wenn wir alles Leid der Welt, alles Übel, die vielen Probleme und auch alles Hoffen und Träumen berücksichtigen, so zeigt das doch ziemlich klar, dass unser Dasein mehr ausmacht als nur Materie. Wie viele Träume werden in dieser turbulenten und auf den Kopf gestellten Welt geträumt! Unzählige Fragen hören nicht auf, bis … ja, bis wir vielleicht Antworten auf unsere Fragen gefunden haben. »Was ist Wahrheit?«, fragte sich auch der Statthalter von Judäa, Pontius Pilatus, als Jesus ihm gegenüber den Ausspruch tat: »Ich bin dazu geboren und dazu in die Welt gekommen, dass ich für die Wahrheit Zeugnis gebe. Jeder, der aus der Wahrheit ist, hört meine Stimme« (Johannes 18,37-38). Eine zuverlässige Quelle, die uns verlässliche Auskunft gibt, ist also der Sohn Gottes selbst.

Wenn wir beginnen, ihm zuzuhören, dann fällt uns bald auf, dass Jesus über das Leben hier hinaus auf ein Ziel weist, das es zu erreichen gilt, nämlich ewiges Leben durch den Glauben an ihn. Die freiwillige Bindung an ihn eröffnet uns einen ganz neuen Horizont: ewige Gemeinschaft mit ihm und Gott, dem Vater.

Sebastian Weißbacher

? Wonach suchen Sie?

! Wenn Sie nach Antworten auf Ihre Lebensfragen suchen, werden Sie sie bei Jesus Christus finden.

† Johannes 17,6-12.24-26

Dann aber schrien sie zum HERRN in ihrer Not:
Und er führte sie heraus aus ihren Bedrängnissen. ...
Sie sollen den HERRN preisen für seine Gnade,
für seine Wunder an den Menschenkindern.

PSALM 107,28-31

Das Wunder vom Hudson River

Auf dem LaGuardia Airport in New York startet der US-Airways-Flug 1549 mit 155 Menschen an Bord. Knapp zwei Minuten später erreicht der Airbus A320 eine Höhe von 1000 Metern. Doch plötzlich gerät eine Schar Kanada-Gänse in den Flugweg – es gibt keine Chance mehr, den Tieren auszuweichen. Der Vogelschlag lässt beide Triebwerke ausfallen. Kein Flughafen kann bei dieser Flughöhe ohne Triebwerke noch erreicht werden. Flugkapitän Sullivan entschließt sich zur Notwasserung auf dem Hudson River. Das waghalsige Manöver gelingt. Alle Insassen werden gerettet. Diese fliegerische Meisterleistung ist als das »Wunder vom Hudson« in die Geschichte eingegangen. Auf Youtube sind einige Statements der Geretteten wiedergegeben:

Vor der Notwasserung: »Das ganze Leben zieht in so einem Augenblick an dir vorbei. Du fragst dich, ob du diese oder jene Person noch einmal sehen oder sprechen wirst. Wenn jetzt alles zu Ende ist: War ich der Mensch, der ich sein wollte? Ich war noch nicht bereit zu sterben, ich hatte noch so viel zu tun. Es kann einfach nicht wahr sein. Es war wie ein böser Traum. Ich hatte Angst vor einem zweiten ›11. September‹«. **Nach der Rettung:** »Seitdem weiß ich, dass es so vieles gibt, was ich im Leben noch tun sollte. Ich weiß jetzt, dass ich mit meinem Leben anders umgehen muss. Ich sehe das als zweite Chance. Mein Mann und ich werden ein Baby adoptieren ... Ich wäre fast gestorben. Jeden Morgen sehe ich meine Frau jetzt mit anderen Augen, umarme meine Kinder anders.«

Manchmal braucht es eine Katastrophe, um zur Besinnung zu kommen; und nichts wäre dann wertvoller, endlich zu begreifen, dass Gott uns vor dem ewigen Verderben retten will, und diese Rettung auch anzunehmen.

Martin Reitz

? Was bringt Sie zur Besinnung über die Versäumnisse Ihres Lebens?

! Tragisch wäre es, auf so wunderbare Weise gerettet worden zu sein, aber die ewige Errettung zu verpassen.

† 1. Timotheus 4,9-10

Auf dich vertrauten unsere Väter; sie vertrauten, und du rettetest sie. Zu dir schrien sie um Hilfe und wurden gerettet; sie vertrauten auf dich und wurden nicht zuschanden.

PSALM 22,5-6

I do it yourself

Vertrauen ist die Überzeugung in das Handeln von Personen. Wie oft wird dieses Vertrauen missbraucht, und wie oft ist jeder von uns schon enttäuscht worden? Vertrauen in Gott ist die Überzeugung und somit der Glaube, dass er alles in unserem Leben in der Hand hält und zu seiner Ehre und unserem Nutzen verwendet. Gott ist der Einzige, dem man absolut vertrauen kann.

Aber mal ehrlich, wie oft fehlt uns das vollkommene Vertrauen in unseren Schöpfer? Es gibt so viele Dinge, die wir selbst regeln und nicht einem »fernen« Gott überlassen wollen. Warum auch, wir haben doch alles im Griff – oder? Da gibt es Umstände und Herausforderungen, die trauen wir Gott nicht zu. Vielleicht wollen wir Gott gar nicht in unsere Entscheidung einbinden, weil es sein könnte, dass er etwas anderes von uns will, als wir es eigentlich beabsichtigt haben. Soll Gott etwa unsere Pläne durchkreuzen? Lieber legen wir selbst Hand an, damit alles zu unserer Zufriedenheit erledigt wird. Sicher ist sicher! Andere Meinungen können dabei nur hinderlich sein.

Lange habe ich auch so gedacht, und auch heute noch fällt es mir schwer, Gott bei jeder Entscheidung mit einzubeziehen. Ich fühle mich intelligent und fähig genug, alles alleine zu regeln, ohne die Hilfe anderer. Aber ich spüre auch, dass diese Einstellung oft naiv ist und mit Selbstüberschätzung einhergeht. Ich handle auch oft autonom und selbstbewusst, anstatt bewusst auf Jesus zu blicken, der selbstverständlich alles besser weiß als ich.

So bin ich immer noch ein Lernender. Ich muss lernen, Jesus in allem zu vertrauen. Aus diesem Vertrauen und mit seiner Hilfe und Führung kann ich meine alltäglichen Pflichten »selbstbewusst« erfüllen. *Axel Schneider*

? Wie weit geht Ihr Vertrauen in Gottes Führung in Ihrem Leben?

! Die Beziehung zu ihm zu vertiefen, wird das Vertrauen stärken.

Jesaja 12,1-6

Wirf dein Anliegen auf den HERRN,
und er wird für dich sorgen!

PSALM 55,23

Wie werde ich meine Sorgen los?

Als der Arzt mir meine Schwangerschaft bestätigt, strahle ich vor Glück – jedoch nur kurz. Nach einer vorangegangenen Fehlgeburt rollt in den nächsten Wochen und Monaten eine Lawine von Sorgen über mich hinweg. Vor allem in den ersten Wochen lässt sich kaum etwas dafür tun, dass sich das kleine Leben gesund weiterentwickelt. Es liegt außerhalb meiner Kontrolle. Was, wenn das Herz aufhört zu schlagen? Wenn das Kind nicht normgerecht wächst? Wie werde ich die Geburt überstehen und kann ich überhaupt eine gute Mutter sein?

Sorgen beschäftigen sich mit der Zukunft, aber sind dabei nicht neutral. Eine Gefahr oder Not wird in Betracht gezogen und immer wieder durchdacht. Die Aufmerksamkeit verschiebt sich auf Befürchtungen, die vielleicht niemals eintreten. So war es letztendlich auch bei meiner sehr glücklich verlaufenen Schwangerschaft. Alles Sorgen war umsonst.

Jesus Christus thematisiert Sorgen in Matthäus 6,27 mit der Frage: »Wer von euch kann sich denn durch Sorgen das Leben auch nur um einen Tag verlängern?« Er fordert uns auf, uns nicht um die Zukunft zu sorgen, und weist als Beispiel auf die Vögel hin, die sich keine Vorräte für den nächsten Tag anlegen und doch von Gott, dem Vater, versorgt werden. Dieser wird sich umso mehr um uns kümmern, weil wir ihm so viel wertvoller sind als Vögel. Doch was tun, wenn die Sorgen über uns hereinbrechen? David, ein Mann, der viele Jahre seines Lebens unter Verfolgung lebte, fordert dazu auf: »Wirf dein Anliegen auf den HERRN, und er wird für dich sorgen!«

Wir müssen unsere Sorgen nicht verdrängen. Denn es gibt einen Ort, wo sie gut aufgehoben sind! Dorthin können wir sie bringen. Gott selbst möchte sich um sie kümmern.

Janina und Philipp Strack

? Was tun Sie, wenn Sorgen Sie belasten?

! Bringen Sie die Sorgen zu Gott! Er wird sich darum kümmern.

† Matthäus 6,25-34

Du aber, Herr, bist ein barmherziger und gnädiger Gott, langsam zum Zorn und groß an Gnade und Treue.
PSALM 86,15

Freundlich und geduldig

07:30 Meine Kinder helfen bei uns im Haushalt mit, ihrem Alter entsprechend. Ganz ehrlich – alleine wäre ich meistens schneller! Wenn der Kleinste voller Tatendrang den großen Esstisch wischen möchte, freue ich mich über seine Begeisterung und seinen Willen zu helfen. Auch, wenn der Tisch hinterher nicht richtig sauber ist. Mich macht froh, wenn die Großen mir beim Staubsaugen oder bei der Spülmaschine helfen – auch, wenn ich danach noch Krümel sehe oder viel Geschirr einfach daneben steht, weil sie noch nicht an die hohen Schränke kommen oder unsicher sind, wohin sie es räumen sollen.

Mich erinnert das immer wieder an Gottes Handeln mit uns. Wir sind wie kleine Kinder, machen Fehler, stehen wieder auf, lernen stetig dazu und sind uns unserer Abhängigkeit vom Vater im Himmel oft gar nicht bewusst. Würde Gott nicht viel schneller ohne uns ans Ziel kommen? Genau genommen braucht er uns nicht. Er als Schöpfer aller Dinge ist absolut allmächtig und zu allem fähig! Doch er gebraucht uns trotz all seiner Größe. Er möchte, dass wir lernen. Er möchte unseren Glauben stärken, unseren Charakter und unser Herz verändern. Er freut sich, wenn uns etwas gelingt, und trägt uns durch die schweren Zeiten. Er lässt uns bildlich den Tisch wischen, obwohl wir Krümel hinterlassen und das vielleicht nicht einmal bemerken. Aber darauf kommt es auch gar nicht an, denn Gott sieht unser Herz! Er weiß vorher, ob wir Fehler machen oder »langsam« sind, ob wir aushalten oder zweifeln. Und dennoch gibt er uns nicht auf.

Wo mir die Geduld mit meinen Kindern ausgeht, ist Gottes Langmut unendlich viel größer. Er stellt uns in seinen Dienst und ist dabei viel freundlicher und geduldiger, als wir es je könnten. *Ann-Christin Ohrendorf*

? Sehnen Sie sich nach einer solchen Leitung im Leben?

! Gott braucht uns nicht, aber er möchte uns gebrauchen. Lassen Sie ihn »Chef« Ihres Lebens sein!

† Psalm 103,10-18

Liebt eure Feinde, und betet für die, die euch verfolgen.

MATTHÄUS 5,44

Unglaublich

Geglaubt habe ich schon immer an Gott. Zumindest glaubte ich daran, dass er die Welt erschaffen hat und wir nicht durch Zufall entstanden sind oder gar vom Affen abstammen. Allerdings wollte ich nie etwas mit Gott zu tun haben, denn für mich war er ein Langweiler und Spielverderber, bei dem ohnehin alles verboten ist.

Als Baby wurde ich katholisch getauft, als Teenager evangelisch konfirmiert, mit 18 Jahren bin ich, wegen der Kirchensteuer, aus der Kirche ausgetreten und habe viel über Gott gelästert. Weil ich keine Heuchlerin sein wollte, lehnte ich es ab, kirchlich zu heiraten, und auch in meinem Berufsleben habe ich bei der Vereidigung auf die Formel »so wahr mir Gott helfe« verzichtet. Ich war mächtig stolz auf mich. Niemals hätte ich oder irgendjemand sonst gedacht, dass ich eines Tages an Gott glauben würde, aber bei Gott sind tatsächlich alle Dinge möglich.

Dann ging es ziemlich schnell bergab in meinem Leben. Ich wurde sehr krank, und es gab wirklich niemanden, der mir helfen konnte. Die Arbeit, bei der ich so stolz war, sie ohne Gottes Hilfe zu schaffen, verlor ich letztendlich auch noch. Aber Gott gab mich nicht auf. Heute weiß ich, dass es die Gebete einer Freundin waren, die mich zu Jesus gezogen haben. Allerdings war sie damals eher eine Feindin, weil ich sie, wie so viele andere Menschen auch, sehr verletzt hatte. Aber sie tat genau das, was Jesus in unserem Tagesvers sagt: »Liebt eure Feinde und betet für sie.«

Danke Margret, diese Geschichte ist dir gewidmet, denn Jesus kennenzulernen, war das Beste, was mir jemals in meinem Leben passiert ist. Er hat mir meine Schuld vergeben und meinem Leben Sinn, Halt und Freude geschenkt.

Sabine Stabrey

? Kennen Sie Menschen, die für Sie beten?

! Gott kann jedes Herz verändern.

† Apostelgeschichte 26,9-19

Denn der Sohn des Menschen ist gekommen,
zu suchen und zu retten, was verloren ist.

LUKAS 19,10

Verlorene Generation?

Seit 2008 organisiert der Verlag Langenscheidt jedes Jahr die Wahl »Das Jugendwort des Jahres«. Bis einschließlich 2018 erfolgte die Wahl durch eine Jury unter der Leitung des Verlages, danach änderte sich der Modus, und nachdem die Wahl 2018 ausfiel, kann sich seit 2019 jeder online an der Wahl beteiligen.

2020 war das Jugendwort des Jahres »lost«, was übersetzt ins Deutsche »verloren« bedeutet. Gemeint ist damit, dass jemand ahnungslos, unsicher oder unentschlossen ist. Dieses Wort erhielt 48 % der Stimmen. Man kann davon ableiten, dass eine große Zahl aller Jugendlichen in Deutschland orientierungslos ist, wenn es um Berufswahl, Partnerwahl, Urlaubsplanung, Freizeitgestaltung usw., aber auch um die Antwort auf existenzielle Fragen geht. Soll man sich in einem Sportverein ehrenamtlich betätigen oder in einer Kirchengemeinde? Oder soll man sich doch lieber der Querdenker-Szene anschließen oder freitags für den Klimaschutz demonstrieren, statt zur Schule zu gehen? – *I am lost* – ich bin verloren! Offenbar empfindet sich der Großteil einer ganzen Generation als »lost«.

Das ist eine belastende Erkenntnis. Es muss aber nicht dabei bleiben. Denn der Tagesvers spricht davon, dass es gerade die Mission des Sohnes Gottes war, Menschen zu suchen und zu retten, die verloren sind. Die Erkenntnis der eigenen Verlorenheit trifft hier auf den, der sich kompetent dieser Verlorenheit annehmen will: Jesus Christus. Gott möchte nicht, dass wir diesbezüglich im Dunkeln tappen, sondern erkennen, dass eine Lebensübergabe an Jesus Christus das Verlorensein beendet. Gott will nicht, dass jemand verlorengeht, sondern sich – am besten schon als junger Mensch – von ihm retten lässt.

Hartmut Ulrich

? Sind Sie auch »lost«?

! Das beste Mittel gegen Verlorensein: sich finden lassen.

† Lukas 19,1-10

Aber mir hast du Arbeit gemacht mit deinen Sünden und hast mir Mühe gemacht mit deinen Missetaten.

JESAJA 43,24

Mühsame Heilung

Durch unser Wohnzimmerfenster sehe ich, wie drei Arbeiter nun schon seit zwei Tagen die Einfahrt unserer Nachbarin neu pflastern. Eine mühsame Arbeit, alles von Hand. Gleichzeitig höre ich in den Nachrichten, wie in der Ukraine täglich Hunderte von Einfahrten, Häuser und Straßen zerstört werden. ›Was wird das für eine enorme Arbeit sein, alles wieder aufzubauen!‹, muss ich unwillkürlich denken. Es ist so leicht, etwas zu zerstören, aber so schwer, es wieder ganz zu machen! – Meine Freundin hat sich letzte Woche das Sprunggelenk gebrochen. Ein kurzer Moment der Unachtsamkeit, und dann war es passiert. Zwei Operationen, viele Verbandswechsel und mehrere Wochen Krankengymnastik wird es brauchen, bis alles wieder verheilt und gebrauchsfähig ist.

Wie schnell geht etwas kaputt, und wie kostspielig ist die Heilung! Genauso war es auch in unserer Beziehung zu Gott. Die erste Sünde des Menschen im Paradies hat unsere Beziehung zu einem heiligen, völlig guten Gott zerstört. Alles war kaputt, lag in Trümmern. Und wir waren völlig überfordert damit, diesen Schaden wieder in Ordnung zu bringen. Doch Gott nahm die mühsame Arbeit der Wiederherstellung auf sich. Sie kostete ihn alles, nämlich das Leben seines geliebten Sohnes. Jesus Christus starb am Kreuz qualvoll für unsere Sünde. Wer daran glaubt, der darf sich an einer wiedergutgemachten, intakten Beziehung zu Gott erfreuen.

Unsere Nachbarin ist glücklich, dass die schweren Pflasterarbeiten nun fertig sind. Meine Freundin war so dankbar, dass sich gute Ärzte um ihr Bein kümmerten. Genauso froh sollten wir über Gottes Einsatz sein und sein Angebot, auch unsere ganz persönliche Beziehung zu ihm wiederherzustellen, nicht verstreichen lassen. *Elisabeth Weise*

? Haben Sie schon einmal erlebt, wie eine Beziehung durch Schuld zerstört wurde?

! Gott kann in Ordnung bringen, was hoffnungslos kaputt zu sein scheint.

† Matthäus 26,36-46

Da bildete der HERR, Gott, den Menschen aus Staub vom Erdboden und hauchte in seine Nase Atem des Lebens; so wurde der Mensch eine lebende Seele.

1. MOSE 2,7

Was ist Leben?

Stellen Sie sich vor, ein Sterbender würde in seinem Bett auf eine ganz genaue Waage gestellt. Wenn nun der Oszillograf keinen Ausschlag mehr zeigt, der Tod also eingetreten ist, würde sich dann der Zeiger auf der Waage auch nur ein kleines bisschen bewegen, so als sei etwas fortgegangen? Nein, das entflohene Leben wiegt einfach nichts – und doch ist alles, was diesen Menschen ausmachte, plötzlich entschwunden. Das, was da im Bett liegt, enthält zunächst noch alles, was zum Leben notwendig war, und doch ist es vom Zeitpunkt des Todes an wehrlos allen Auflösungserscheinungen ausgeliefert. Einerlei, ob der Verstorbene ein edler Mensch oder ein Verbrecher war, ob ein guter Ehemann, Familienvater oder Künstler, alles hat mit dem Tod seinen endgültigen Abschluss gefunden.

Im Gegensatz zu unserem Körper ist das Leben nicht den Naturgesetzen unterworfen, genauso wenig wie die Information in unserer DNS. Unser Tagesvers sagt uns, das Leben sei etwas Göttliches, und dieses Leben leiht der Schöpfergott seinen Geschöpfen für die von ihm zugemessene Zeit aus und nimmt es dann wieder zu sich.

Stellen Sie sich das doch einmal richtig vor. Sie tragen etwas Göttliches in sich, etwas, was weder dem Zweiten Hauptsatz der Thermodynamik noch der Schwerkraft, noch Zeit und Raum unterworfen ist. Welchen Adel verleiht Ihnen das! Dann gilt aber auch: Wie sehr sollten wir, die noch Lebenden, für diese unvorstellbar große Gabe dankbar sein, und wie sorgfältig sollten wir darum mit uns selbst und mit unseren Mitgeschöpfen umgehen! Vor allem aber: Wie sollten wir danach trachten, den Geber des Lebens durch unser Verhalten zu ehren. Denn wie wir mit diesem Geschenk des Lebens hier umgehen, entscheidet darüber, ob wir ewiges Leben in der Gegenwart Gottes erleben.

Hermann Grabe

? Wie gedenken Sie, den Forderungen Gottes gerecht zu werden?

! Gottes Wort sagt uns, dass denen, die an Christus glauben, Christi Gerechtigkeit zugerechnet wird.

† Römer 3,20-26

Denn das Leben ist für mich Christus,
und das Sterben Gewinn.

PHILIPPER 1,21

Nicht Reichtum, sondern Christentum

Im 17. und im 18. Jahrhundert machten sich Männer auf die gefährliche Reise, um Wale zu fangen. Zwei bis vier Jahre waren sie unterwegs, um das kostbare Walrat zu gewinnen. Es ist eine wachsartige, fettige Masse, die man für Öllampen nutzte, oder um Kerzen herzustellen, zur damaligen Zeit ein sehr kostbares Produkt. Der Wohlstand der Seeleute hing von ihrem Fang ab, den sie erzielen konnten.

In der Bibel lesen wir von dem Apostel Paulus, der sich auch auf die Reise machte. Er sah viele verschiedene Länder und Kulturen. Auch seine Unternehmungen waren nicht ungefährlich. Er wurde geschlagen, er saß im Gefängnis, man wollte ihn umbringen, er erlebte Schiffbruch und wurde sogar von einer giftigen Schlange gebissen. Paulus' Leben war geprägt von Schwierigkeiten und Risiken. Aber wozu? Was war seine Motivation? Er tat das alles nicht für Reichtum und Wohlstand wie die Seeleute, sondern um Menschen für Jesus zu gewinnen, ohne den sie doch verloren waren. Von ihm hatte er den Auftrag erhalten, seinen Namen unter den Nationen, sogar vor Königen und Herrschern, bekannt zu machen (Apostelgeschichte 9,15). Paulus handelte nicht aus Zwang oder um seinen Lebensunterhalt zu verdienen, er war beseelt davon, seinem Herrn zu dienen, selbst wenn es ihm das Leben kosten würde. Die Seeleute waren von vergänglichen Dingen angetrieben. Paulus war bereit, für einen ewigen Namen zu sterben, um dafür das Höchste zu gewinnen: ewiges Leben bei Gott.

Ist Paulus' Leben nur eine spannende Geschichte, oder ist es ein Vorbild für uns heute? Auch heute macht eine Beziehung zu Jesus den Unterschied. Nur mit ihm haben wir eine Perspektive für die Ewigkeit. Und die wünschen wir dann auch anderen und können dazu beitragen, dass sie das ewige Leben gewinnen.

Theo Schelenberg

Ist Ihr Leben eine Reise auf eigene Rechnung oder leben Sie, um Christus zu gewinnen?

Leben Sie für etwas Unvergängliches!

Jakobus 5,1-11

Gleichwie du nicht weißt, was der Weg des Windes ist, noch wie die Gebeine im Bauch der Schwangeren bereitet werden, so kennst du auch das Werk Gottes nicht, der alles wirkt.

PREDIGER 11,5

Unendlich groß

Die Naturwissenschaft hat im Laufe der Jahrhunderte große Fortschritte erzielt und ist doch immer wieder an ihre Grenzen gestoßen. Obwohl der Mensch sich gerne seiner Fähigkeiten und seines Wissens rühmt, weiß er letztlich doch wenig. Er kann weder die Natur beeinflussen (»den Weg des Windes«) noch das Entstehen neuen Lebens im Körper einer Frau vollständig nachvollziehen. Wir alle, auch die Klügsten unter uns, sind in unserem Wissen mehr oder weniger beschränkt.

Das gilt erst recht in Bezug auf das Werk Gottes, das wir nur ansatzweise erkennen und niemals ganz verstehen. Durch Glauben kann man wissen, dass Gott die Welten durch seine Hand gemacht hat (Hebräer 11,3), und in jedem kleinsten Lebewesen kann man ein Wunder Gottes sehen. Der menschliche Körper ist so komplex, dass es unmöglich ist, ihn nachzubilden. Unsere Haut zum Beispiel ist ein absolutes Wunderwerk Gottes. Sie ist das vielseitigste Organ des menschlichen Körpers. Sie schützt, atmet, ist robust, kann Feuchtigkeit aufnehmen und nach Sekunden wieder trocken sein. Man kann nur staunen über Gottes Genialität und sein hochkomplexes Schöpfungswerk.

Über die Schöpfung der Natur und den menschlichen Körper hinaus geht aber das Werk der Erlösung, das Gott ebenso geplant, in Gang gesetzt hat und noch vollenden wird: In seinem geliebten Sohn begnadigt Gott Sünder mittels eines einfachen und schlichten Glaubens an Jesus Christus. Durch diesen Glauben wird der Mensch mit Gott versöhnt und kann mit seinem übermächtigen Schöpfer kommunizieren. Dann ist der Weg gebahnt, den Zweck zu erfüllen, zu dem der Mensch letztlich geschaffen wurde, nämlich seinen Schöpfer zu preisen und ihn anzubeten. Wahre Naturwissenschaft ist solche, die den Menschen zu diesem Ziel führen will. *Axel Schneider*

? Wie naheliegend ist es für Sie, als Geschöpf den Schöpfer zu preisen?

! Wenn man nüchtern die Vielfalt der Schöpfung betrachtet, kommt man zu einem logischen Fazit.

† Jesaja 40,12-26

Vom Ende der Erde werde ich zu dir rufen, wenn mein Herz verschmachtet; du wirst mich auf einen Felsen leiten, der mir zu hoch ist.

PSALM 61,3

Immer weiter hoch hinaus

Tim Bendzko, ein bekannter Deutsch-Pop-Musiker, stürmte 2019 mit seinem Song »Hoch« die Charts. Das Lied ist ein Ohrwurm, der im Gedächtnis bleibt: »Immer weiter hoch hinaus ...«

Bendzko singt, dass er sich selbst in vielerlei Hinsicht kasteit, um möglichst »hoch hinaus« zu kommen. Er drückt aus, was Tausende denken. Mich eingeschlossen. Doch wohin wollen wir eigentlich? Sind Erfolg, Anerkennung und Macht wirklich erstrebenswerte »Höhen«? Und was werden wir finden, wenn wir oben sind?

Oft ist unser Streben nach »mehr« doch nur ein Zeichen von Unzufriedenheit mit den aktuellen Lebensumständen und unserer Mittelmäßigkeit. Gibt es nicht immer einen, der es besser hat und der besser ist als wir? Um etwas Besonderes zu sein, ist Bendzko bereit, große Opfer zu bringen. Er singt in einer Liedzeile: »Kann das nächste Level nicht erwarten, auch wenn ich dann wieder keinen Schlaf krieg.« Das »hoch hinaus« mag nach Freiheit klingen, aber bei genauerem Hinhören wird deutlich, dass es Gefangenschaft bedeutet.

Dabei gibt es einen, der verspricht, uns auf »Höhen« zu führen, ohne dass wir uns selbst kasteien müssen. Jemanden, der ein »Ja« zu unserer »Mittelmäßigkeit« gefunden hat, vor dem wir uns nicht erst beweisen müssen.

Dieser Jemand ist Gott. Er kann unser Streben nach Glück, nach dem »hoch hinaus« verstehen. Dieses Streben kommt aus einem ungestillten Seelendurst. Unsere Seele ist auf Ewigkeit angelegt – sie verlangt danach, ewig mit dem Höchsten, mit Gott verbunden zu sein. Nur dann wird der Durst unserer Seele gestillt werden. Haben Sie das schon erlebt?

Rudi Löwen

? Was sind die größten Ziele Ihres Lebens?

! Wer den Höchsten kennt, dessen Seele kommt zur Ruhe.

✝ Philipper 3,7-14

Doch in deinen großen Erbarmungen hast du nicht ein Ende mit ihnen gemacht und sie nicht verlassen. Denn ein gnädiger und barmherziger Gott bist du!

NEHEMIA 9,31

Ein lieber Gott?!

Als Kasachstans Präsident Tokajew mit Waffengewalt gegen Demonstranten vorging und Unruhen blutig niederschlagen ließ, fand ich in unserer Tageszeitung eine interessante Karikatur. Tokajew wurde in drei Bildern an einem Rednerpult dargestellt. Über dem ersten Bild stand: »Ich liebe mein Volk!« Über dem zweiten stand: »Wenn es mich nicht gleichermaßen liebt ...« und über dem dritten, auf dem er mit erhobenem Zeigefinger und grimmiger Miene dargestellt war, stand: »... lasse ich es erschießen!«

Beim Betrachten der Karikatur kam mir der Gedanke, dass viele Menschen auch so von Gott denken. Sie haben den Eindruck, dass Gott uns sagt, dass er uns liebt, aber gleichzeitig vermittelt er uns: Wenn wir nicht gehorsam sind, kommen wir in die Hölle. Nun ist es tatsächlich so, dass wir in der Bibel viele Aussagen finden, die von Gericht und Strafe sprechen. Gott ist ein heiliger und gerechter Gott, der Sünde Sünde nennt und sie nicht duldet bis hin zu der Feststellung: »Der Lohn der Sünde ist der Tod« (Römer 6,23). Allerdings hat dieser Vers noch eine Fortsetzung: »... die Gnadengabe Gottes aber ist ewiges Leben in Christus Jesus, unserem Herrn.«

Hier eröffnet sich nun der große Unterschied zwischen einem Gewaltherrscher und dem großen Gott. Gott ist ein gnädiger und barmherziger Gott. Er liebt die Menschen aus dem tiefsten Grund seines Wesens. Er will nicht den Tod des Sünders, sondern dass er sich bekehrt und lebt. Dafür hat Jesus stellvertretend für uns das Gericht Gottes auf sich genommen und unsere Schuld getilgt. Gott wendet sich uns zu und lässt uns wissen, dass die Frage unserer Schuld geklärt ist. Er lädt uns voller Liebe ein, zu ihm zu kommen und mit ihm zu leben. Wir brauchen das nur noch voll Vertrauen annehmen.

Bernhard Volkmann

? Haben Sie sich auch schon manchmal über Gottes vernichtendes Urteil geärgert?

! Das Problem liegt tatsächlich nicht bei dem barmherzigen Gott, sondern bei dem, der sich von ihm abwendet.

† Hesekiel 33,10-20

Das sagte er aber nicht, weil er sich um die Armen kümmerte, sondern weil er [Judas] ein Dieb war und als Kassenführer die Einlagen veruntreute.

JOHANNES 12,6

Judas oder Petrus?

Judas und Petrus hatten eine ganze Menge gemeinsam. Sie waren beide unter den zwölf Menschen, die Jesus Christus sich zu seinen engsten Begleitern und Gesandten ausgewählt hatte. Sie verbrachten beide etwa drei Jahre mit Jesus. Sie wurden beide von ihm ausgesandt, um Menschen von Jesus zu erzählen, in seinem Namen Krankheiten zu heilen, böse Geister zu vertreiben, usw. Vielleicht gehörten sie gemeinsam zu einem der Zweierteams, die Jesus losschickte.

Nach außen war zwischen beiden kein Unterschied zu erkennen. Auch in ihrem Inneren hatten sie eine wesentliche Gemeinsamkeit: Sie wiesen beide eine bestimmte, große Schwäche auf. Bei Petrus war es, dass er mehr von sich hielt, als er halten konnte. Bei Judas war es das Geld. Beide Schwachpunkte waren nicht ohne Weiteres erkennbar. Doch irgendwann brachen diese Schwächen bei beiden hervor und führten dazu, dass sie als jahrelange Nachfolger von Jesus versagten. Judas wegen des Geldes, Petrus aus Feigheit. Schließlich erkannten beide ihre Fehler und zeigten Reue.

Und doch gibt es, vom Ende ihres Lebens betrachtet, einen ganz erheblichen Unterschied: Judas endet in Verzweiflung und nimmt sich das Leben. Petrus gerät auch in Verzweiflung, sodass er bittere Tränen über sein Versagen weint. Und doch verhält er sich anders. Während Judas mit seinem Versagen Jesus fernbleibt, hält Petrus an diesem Jesus fest. Er offenbart Jesus sein Versagen, er bekennt ihm seine innere Schwachheit und erlebt, dass Jesus ihm vergibt. Jedem von uns bleiben nur diese beiden Wege: Entweder allein bleiben mit unserer Verlorenheit und das Leben verlieren – oder uns mit unserer ganzen Verlorenheit offen Jesus anvertrauen und ewiges Leben gewinnen. *Markus Majonica*

? Wie gehen Sie mit Ihren Fehlern um?

! Gott will dem die Schuld zudecken, der sie aufdeckt.

✝ Psalm 51

Verschlungen ist der Tod in Sieg.

JESAJA 25,8

Salzwiesenpflanzen

Das hört sich gar nicht so gesund an – und ist es auch nicht. Zwischen Meer und Land entstehen an flachen Küsten Salzwiesen, die bei jeder Flut erneut mit Salzwasser überschwemmt werden. Wie jede andere Wiese erwachen sie im Frühjahr zum Leben. Dann sind Strandgrasnelken, Strandflieder und Queller da zu sehen, die trotz des eigentlich schädlichen Salzes in die Höhe schießen und zum Teil ansehnlich die Landschaft verschönern. Sie bieten einen dezenten, aber durchaus bereichernden Anblick.

Während der Strandflieder das Salz über Drüsen ausscheiden kann, gelingt das beim Queller nicht. Eine gewisse Zeit kann er damit leben, aber im Herbst ist die Salzkonzentration so hoch, dass die Pflanze abstirbt und sich dabei erst gelb und dann rot färbt. So setzt sie bei ihrem Vergehen im Herbst wenigstens noch einen farblichen Akzent, bevor im nächsten Frühjahr dank des zuvor noch ausgestreuten Samens der Zyklus des Werdens und Vergehens von Neuem beginnt.

Welch ein treffendes Bild für uns Menschen, die doch trotz ihres eigentlich erstaunlichen Bauplans und ihres schönen Anblicks so sehr vom Gift der Sünde beeinträchtigt sind, dass ihr prachtvoll und genial vom Schöpfer angelegtes Dasein letztlich im Vergehen, im Tod, endet. Im Gegensatz zu den Pflanzen empfindet der Mensch zutiefst, wie wenig dieses Ende seinem eigentlich zugedachten Zweck entspricht. Doch die gute Nachricht ist: Jesus Christus hat durch sein Sterben für uns den Stachel des Todes, die Sünde, weggenommen und sie ihrer Kraft beraubt. Für alle, die an ihn glauben, wird er zum Retter, indem er ihnen ewiges Leben schenkt. Statt Salzwasser bietet er ihnen lebendiges Wasser, das ins ewige Leben quillt (vgl. Johannes 4,14). *Joachim Pletsch*

? Woran spürt man die Auswirkungen des Salzes/der Sünde?

! Nur mit Jesus lässt sich das Schlimmste, der ewige Tod, abwenden.

† 1. Korinther 15,54-58

Sammelt euch aber Schätze im Himmel.

MATTHÄUS 6,20

Inflation damals und heute

Haben Sie auch schon mal einen Geldbetrag von 1 000 000 000 in den Händen gehabt? – Mein Freund hat so einen Geldschein. Leider sind es nur Mark und nicht Euro. Der Schein ist aus der Inflation, die vor 100 Jahren im Jahre 1923 ihren Höhepunkt erreicht hatte. Weil der Geldwert so schnell verfiel, wurde der ursprünglich gedruckte Wert von »Eintausend Mark« einfach mit »Eine Milliarde Mark« überdruckt. Aber auch dieser Wert wurde bald überholt und schließlich waren Scheine mit 100 Billionen Mark im Umlauf.

Auch heute haben Menschen wieder Angst vor einer Geldentwertung. Nach der Euroumstellung, den Euro-Rettungsschirmen und dem Lieferkettenproblem in der Coronazeit haben die Preise für den Lebensunterhalt stark angezogen und klettern immer mehr in die Höhe. Viele Sparer haben Angst vor der Blase einer künstlichen Geldvermehrung, die immer größer wird, bis sie schließlich platzt.

Die Frage »Wie lege ich mein Geld sicher an?« beschäftigte Menschen schon immer. Jesus Christus rät: »Ihr sollt euch nicht Schätze sammeln auf Erden, wo die Motten und der Rost sie fressen, und wo die Diebe nachgraben und stehlen. Sammelt euch aber Schätze im Himmel« (Matthäus 6,19-20). Wer sein (von Gott anvertrautes) Geld für Gottes Interessen und z. B. die Errettung von Menschen vor dem ewigen Tod einsetzt, wird »hundertfältig empfangen« (Matthäus 19,29). Gott braucht zwar nicht unser Geld, aber der Herr Jesus weiß, »wie wir ticken«: »Wo dein Schatz ist, da wird auch dein Herz sein« (Matthäus 6,21). Er, der als Sohn Gottes auf die Erde kam, um für uns zu sterben, möchte unser Herz gewinnen, dass wir Gott lieben, Vergebung unserer Sünden empfangen und »das ewige Leben erben« (Matthäus 19,29).

Thomas Pommer

? Wo ist mein (größerer) Schatz – im Himmel oder auf Erden?

! Die sicherste Geldanlage mit dem höchsten Gewinn ist im Himmel.

† Matthäus 6,19-24

MITTWOCH **NOVEMBER** Allerheiligen **01**

Wes das Herz voll ist, des geht der Mund über.

MATTHÄUS 12,34

Eine einfache Frau

Heute möchte ich uns eine Person vor Augen stellen, die für uns als Familie ein großes Vorbild ist: Es ist eine einfache, unbekannte Frau. Sie wohnt seit vielen Jahren in einem Altenheim in Velbert bei Wuppertal. Ich nenne Sie hier mal Frau Neveling. Sie ist ledig. Im November 2021 wurde sie 97 Jahre alt.

Was ist an Frau Neveling so außergewöhnlich? Während viele alte Menschen sich nur um sich selbst drehen und ihren Ruhestand vor dem Fernseher verbringen, haben die Tage bei dieser Frau einen ganz anderen Inhalt. Tagsüber ist sie oft nicht erreichbar. Sie besucht andere einsame Heimbewohner erzählt ihnen von Jesus Christus, an den sie glaubt. Außerhalb des Hauses verteilt sie Traktate in der Innenstadt und in einem Park. Sie versucht auch dort, mit Menschen über diesen Jesus ins Gespräch zu kommen. Ansonsten ist sie extrem dankbar für das kleine Zimmer, das sie bewohnen darf, dankbar für das freundliche Personal und den schönen Lebensabend.

Wie wurde Frau Neveling zu einem solchen Menschen? Sie erzählte uns mehrfach, dass sie traurig sei, erst mit 51 Jahren zum Glauben an den Herrn Jesus gekommen zu sein! Seitdem wurde alles gut in ihrer Biografie. Ihr Leben bekam ein Ziel, einen Inhalt. Ihr Herz ist von Jesus Christus erfüllt, und ihr Mund geht davon über, wen sie gefunden hat und wie glücklich sie durch diesen Jesus geworden ist. Das kann und will sie nicht verschweigen!

Im Frühjahr 2021 gab es in diesem Seniorenheim einen Corona-Ausbruch. Ca. 40 Bewohner starben. Frau Neveling war ein paar Wochen krank. Aber sie wurde wieder gesund. – Wir waren uns einig: Dann hat der Herr noch etwas mit ihr vor! Und so erzählt sie seit ihrer Genesung nun weiter anderen von Jesus Christus.

Martin Reitz

? Wovon ist Ihr Herz voll?

! Wahres Glück und echten Lebenssinn gibt es tatsächlich nur bei einer einzigen Person – Jesus Christus.

✝ Johannes 15,1-17

Ich will frohlocken und mich freuen an deiner Gnade, denn du hast mein Elend angesehen. Du hast auf die Nöte meiner Seele geachtet.

PSALM 31,8

Echtes Mitgefühl

Einen Tag nach der Beerdigung meiner Mutter frühstückten wir als Familie bei meinem Vater. Er griff nach seiner Bibel und las einen Vers vor, der ihn innerlich bewegte. Diesen Vers hatte ihm ein Freund als Trostwort geschickt. »Du [Gott], hast mein Elend angesehen. Du hast auf die Nöte meiner Seele geachtet.« Ich staunte. Hier war ein mitfühlender Freund, der wusste, wie es meinem Vater ging und was ihm in seinem Leid helfen könnte.

Auf vielen Beileidskarten beschreiben Trostworte das Leben nach dem Tod und die Erlösung des Verstorbenen. Das ist auch richtig so und tröstend. Aber was meinen Vater in diesem Moment am meisten tröstete, war echtes Mitgefühl von jemand, der die Not und Traurigkeit seiner Seele kannte. Dieses Mitgefühl hatte mein Vater bei seinem Freund gefunden. Und dieser wiederum verwies ihn auf Gott: »Gott hat dein Elend gesehen. Er hat echtes Mitgefühl mit dir!«

Wahrscheinlich kennen Sie das auch, dass Sie in schlimmen Stunden jegliches Mitgefühl von Mitmenschen vermissen. Manchmal kann man ihnen das auch gar nicht übel nehmen, weil sie die gleiche Not noch nie erlebt haben. Sie können gar nicht nachempfinden, wie es uns wirklich geht. Aber wussten Sie, dass Gott jederzeit mit Ihnen mitfühlen kann? – Ja, Gott kennt jede Not unserer Seele. Mehr noch, er hat unsere Nöte persönlich erlebt. Als der Sohn Gottes, Jesus Christus, auf der Erde lebte, weinte er Tränen und hatte Schmerzen. Er wurde missverstanden, verspottet, hintergangen und geschlagen. Er war einsam. Er litt Hunger. Er hatte Angst. Und auch er sehnte sich nach echtem Mitleid. Daher kann er uns verstehen. Und genau deshalb sollten wir mit allen unseren Nöten zu Gott gehen. Denn bei ihm finden wir echtes Mitgefühl.

Paul Wiens

? Sehnen Sie sich manchmal nach aufrichtigem Mitgefühl?

! Sagen Sie Jesus im Gebet alles, was Sie bewegt!

† Jesaja 38,9-20

Eli beobachtete sie, während sie lange Zeit zum HERRN betete. Er sah, dass ihre Lippen sich bewegten, aber er hörte nichts, weil Hanna nur im Stillen für sich betete.

1. SAMUEL 1,12-13

Kommunikation mit Gott

Vor rund 100 Jahren entdeckte der Zoologe Karl von Frisch, wie Bienen miteinander kommunizieren. Hat eine Feldbiene einen wichtigen Futterplatz entdeckt, so teilt sie im Bienenstock über einen Schwänzeltanz den anderen Bienen mit, wo dieser Futterplatz in der Natur zu finden ist. Mit ihrer tanzenden Kommunikation erfahren die anderen die Richtung und die Entfernung. Wenn Tiere also miteinander kommunizieren, geschieht das häufig über ihre Körpersprache. Aber auch Laute können Hinweise sein wie »Achtung Gefahr« oder »In diese Richtung«.

Auch uns Menschen hat Gott zur Kommunikation befähigt. Handzeichen, Blickkontakt, Laute, Gestik und Mimik – solche Fähigkeiten gehören auch dazu. Aber die Befähigung zur Sprachentwicklung übersteigt das bei Weitem. In Worte lässt sich letztlich alles fassen und darlegen. Darum hat auch Gott von Anfang an in Worten gesprochen, die dann niedergeschrieben und schließlich in einem dicken Buch zusammengefasst wurden. Dabei will Gott aber nicht nur zu uns reden, sondern auch, dass wir mit ihm reden.

Wie kommunizieren wir Menschen mit Gott? Sagen wir am Abend nur ein auswendig gelerntes Gebet auf und denken im Stillen, dass es für Gott reichen muss? Unser Tagesvers beschreibt das Beten einer Frau in biblischer Zeit. Rivalität innerhalb ihrer Familie und Kinderlosigkeit machen ihr zu schaffen. Und so betet sie. Ihre intimsten Sorgen breitet sie vor Gott aus. Dabei ist sie mit Gott ganz allein, auch wenn der Priester Eli sie dabei beobachtet. Er hält sie für betrunken, doch Gott hört das Gebet der Weinenden und Verzweifelten. Der Allerhöchste sieht das besorgte Herz. Auch wenn es sprachlich unvollkommen ist – Gott vernimmt das menschliche Schluchzen, das wir an ihn richten.

Stefan Taube

? Gibt es etwas, was Sie Gott gerne sagen möchten?

! Wenn Gott die Sprache der Tiere kennt, um wie viel mehr hört er Ihr Gebet!

† 1. Samuel 1

04 | NOVEMBER — SAMSTAG

Seid still und erkennt, dass ich Gott bin.

PSALM 46,11

Die Notwendigkeit, einmal innezuhalten

Zur Ruhe kommen. In einer Zeit, in der die ganze Welt »in Flammen« steht – nicht nur wegen der Waldbrände oder Viren – fangen wir an, den gesunden Menschenverstand einer Zivilisation infrage zu stellen, die sich den eigenen Ast zum Leben absägt. Die Geschehnisse der Gegenwart machen uns zu aufgeschreckten, klagenden, kleinen Menschlein. Ich merke, dass viele in dem Durcheinander wie Umhertastende auf der Suche nach ihrem Ursprung sind, auf der Suche nach Gott – auch wenn sie das nicht so nennen würden.

Mir selbst und einigen anderen in meinem Umfeld geschah etwas Wunderbares: Auf der Suche nach Gott hat er sich finden lassen. Plötzlich wurde uns klar, dass wir nicht mehr gebildet oder unwissend, modern oder altmodisch, kultiviert oder unkultiviert, weiß oder farbig sein müssen. Alle Unterscheidungen lösten sich auf. Tausende Jahre Bildung verschwanden in einem Augenblick. Vor Gott waren wir plötzlich einfach nur »Mensch«. D. h. dem gegenüber, der allmächtig, allwissend und vollkommen heilig und gerecht ist, haben wir nichts aufzuweisen, was er nicht schon kennt und worüber er nicht schon alle Gewalt und Macht hat. Das war für uns ernüchternd und befreiend zugleich. Ernüchternd, weil es uns klarmachte, dass wir ganz und gar auf ihn angewiesen und ohne seine Hilfe verloren sind. Befreiend, weil wir diesem Gott nicht egal sind, sondern er sich tatsächlich unserer annimmt, um uns zu retten.

Wir merkten, dass wir einen Heiland brauchen, einen Retter von Sünden. Der ist Jesus Christus. Er streckt jedem seine liebende Hand entgegen, die wir ergreifen sollen – bei ihm finden wir Ruhe und Seelenfrieden. In ihm begegnet uns Gott selbst – mit all seiner Liebe und Barmherzigkeit.

Sebastian Weißbacher

? Fürchten Sie sich, zur Ruhe zu kommen, oder begreifen Sie das als Chance zum Leben?

! Lassen Sie sich finden von dem wunderbaren Retter Jesus Christus!

✝ Hebräer 4,1-11

Denn dies ist der Wille meines Vaters, dass jeder, der den Sohn sieht und an ihn glaubt, ewiges Leben hat; und ich werde ihn auferwecken am letzten Tag.

JOHANNES 6,40

Deus vult!

Im November 1095 trafen sich unter Papst Urban II. in Clermont im Rahmen einer Synode viele kirchliche Würdenträger und Adlige. Dabei ging es auch um Hilfeersuchen von Vertretern des byzantinischen Hofes, die im Vorfeld der Synode vom Schicksal der christlichen Glaubensgenossen in Gebieten berichtet hatten, die zuvor zu Byzanz gehört hatten, inzwischen aber durch arabische Heere erobert worden waren. Besonders schmerzlich war für sie der Verlust der Stadt Jerusalem in den Jahren 637/638. Dort lagen die Stätten, an denen Jesus Christus gestorben und auferstanden war. In einer dramatischen Rede rief Urban die Menge zur Befreiung des »Heiligen Landes« auf. Die Zuhörer sollen mit dem begeisterten Ruf »Deus vult!« geantwortet haben: Gott will es!

Damit wurde eine Bewegung ausgelöst, die als der erste Kreuzzug in die Geschichte eingegangen ist. Seine Teilnehmer zogen eine blutige Spur durch Europa und Kleinasien. In ihrem Hass gegen Andersgläubige richteten sie gerade unter den jüdischen Gemeinden grässliche Pogrome an. Und als die Kreuzfahrer schließlich im Juli 1099 tatsächlich Jerusalem einnahmen, metzelten sie mehrere Tausend Einwohner der Stadt nieder.

War das Gottes Wille? Für die Anführer des Kreuzzuges war die Einnahme Jerusalems *der* Beweis dafür, dass Gott hinter ihrer Sache stand. Ich bin mir allerdings anhand der Bibel sicher, dass dieses Morden nicht dem Willen Gottes entsprach. Gottes erklärter Wille ist, dass jeder Mensch – unabhängig von seiner Herkunft – seinen Sohn Jesus Christus kennenlernt und an ihn glaubt, um ewiges Leben zu bekommen. Er will, dass jeder zu dieser Erkenntnis kommt. Um das zu erreichen, hat Jesus Christus seine Feinde nicht ermordet, sondern geliebt und sein eigenes Leben geopfert.

Markus Majonica

? Woran machen Sie Gottes Willen fest?

! Gott will, dass Sie seinen Sohn kennenlernen.

† 1. Timotheus 2,1-7

Kommt her zu mir, alle ihr Mühseligen und Beladenen! Und ich werde euch Ruhe geben.

MATTHÄUS 11,28

Angekommen

Frau E. ging es schlecht, schon wieder hatte eine schwere Depression sie überfallen. Drei Tage lang konnte sie nicht aus dem Haus gehen. Wie sollte sie sich nur diesmal wieder aufrappeln? Hatte sie nicht schon genug Kurse besucht, die ihr helfen sollten, mit ihren Problemen fertigzuwerden? Hatte sie nicht schon genug Geld ausgegeben für esoterische Bücher? Doch nichts hatte ihr wirklich geholfen. Statt der gesuchten Freude nur Traurigkeit und Verzweiflung. Statt Frieden und Erfüllung noch immer Unruhe und Angst. Was konnte ihr jetzt noch helfen? Plötzlich kam ihr der Gedanke an Gott, und sie formte ein kurzes Gebet: »Gott, hilf mir!«

Gewohnheitsmäßig öffnete sie Youtube und stieß »zufällig« auf ein Interview von »Mensch, Gott«. Hier hörte sie, wie Menschen durch die Begegnung mit Jesus Christus verändert wurden. Sie erfuhr, dass es Vergebung gibt für jeden, der seine Schuld bekennt und dass Gott ihm ein neues Leben verspricht. War hier die Lösung? War das die Antwort auf ihr Stoßgebet? Frau E. tat diesen Schritt. Sie bekannte Gott ihre Schuld und brachte ihm die ganze Not ihres Lebens. Danach spürte sie den Frieden, den sie bei ihrer langen Suche in der Welt der Esoterik immer vermisst hatte. Wirkliche Freude erfüllte ihr Herz.

Sie suchte eine christliche Gemeinde, um Gott besser kennenzulernen und in ihrem jungen Glauben zu wachsen. Im Sommer lernte ich sie kennen, und wir lasen zusammen in der Bibel. Frau E. hat erlebt, dass Esoterik kein harmloser Spaß ist, sondern dass es wirklich finstere, böse Mächte gibt, die Menschen von Gott fernhalten wollen. Aber sie hat auch erfahren, dass Jesus Christus stärker ist, und weiß sich sicher und geborgen in ihm.

Anna Schulz

? Wo suchen Sie Frieden und Glück?

! Nur bei Gott kann unser Herz zur Ruhe kommen.

✝ Apostelgeschichte 19

Der Himmel und die Erde werden vergehen,
meine Worte aber werden nicht vergehen.

MARKUS 13,31

Wer darf so etwas sagen?

Kein einigermaßen ehrlicher Mensch kann leugnen, dass eine solche Aussage nur von einem großsprecherischen Betrüger oder von einem Narren oder aber von Gott selbst gemacht werden konnte. Denn welcher vernünftige Mensch würde von sich behaupten, etwas gesagt zu haben, was noch nach dem Untergang von Himmel und Erde von Bedeutung ist?

Daher lautet die Frage jetzt: Ist Jesus Christus, von dem diese Aussage stammt, ein großsprecherischer Betrüger oder ein Narr, oder ist er Gott in Menschengestalt?

Wer das Neue Testament vorbehaltlos liest und es nicht von vornherein für ein Märchenbuch hält, begegnet dort einer Person, die alle denkbaren Ideale erfüllt. Und diese Person nimmt dann auch noch einen grausamen Tod auf sich, um die Sünden aller zu tilgen, die dieses Opfer im Glauben als für sich geschehen annehmen. Dann ist er von den Toten wiederauferstanden und wurde von vielen Menschen lebendig gesehen. Danach ging er in den Himmel zurück, woher er zuvor gekommen war.

Einer seiner Nachfolger sagte hinterher von ihm: »Wir haben seine Herrlichkeit angeschaut, eine Herrlichkeit als eines Eingeborenen vom Vater, voller Gnade und Wahrheit« (Johannes 1,14).

Wir erleben gerade jetzt spannungsgeladene Zeiten, in denen wir Menschen nicht wissen, wie die immer drückender werdenden Probleme zu lösen sind. Wäre es da nicht sinnvoll, uns an den Einzigen zu wenden, dessen Worte auch noch gelten, nachdem hier alles zusammengebrochen ist? Und dieser Herr wendet sich auch heute noch nicht von uns Hilflosen ab, sondern bietet uns eine Rettung an, die alle Stürme der Gegenwart überdauert und ewige Sicherheit gewährleistet.

Hermann Grabe

? Wer sonst noch könnte uns eine solche Zusage machen?

! Nur törichter Stolz hält uns von ewiger Rettung ab.

† Matthäus 7,24-29

Dankt dem HERRN, denn er ist gütig,
ja, seine Gnade währt ewiglich!

PSALM 118,1

Eine gute Nachricht

»Was willst du zuerst hören? Die gute oder die schlechte Nachricht?« In der Regel wähle ich zuerst die schlechte Nachricht, und während mein Gegenüber sie erzählt, warte ich gespannt auf die gute Nachricht.

Ich weiß nicht, wie es Ihnen geht, aber in letzter Zeit warte ich mit der gleichen Hoffnung auf »gute Nachrichten« in unseren Medien. Es passiert leider so vieles, bei dem man nicht gerade Luftsprünge machen kann! Aber ich bin froh, dass ich in der Bibel gute Nachrichten finde. Und zwar steht dort, dass Gott gut ist und Gutes tut (Psalm 119,68). Der Schöpfer-Gott, der das Universum, die Erde und den Menschen geschaffen hat, dieser Gott ist durch und durch gut. Unser Tagesvers sagt außerdem, dass seine Gnade ewig währt. Auf Nahrungsmittelpackungen ist immer ein Haltbarkeitsdatum abgedruckt. Auf der Gnade Gottes müsste stehen: ewig. Sie verdirbt nie. Selbst nach dem Tod ist sie gültig.

Aber was hat das mit uns und den Problemen unserer Welt zu tun? Wenn Gott gut ist, heißt das im Umkehrschluss, dass alles Gottlose schlecht ist. Hier kommen wir Menschen ins Spiel. Wir streiten, führen Krieg, machen uns gegenseitig das Leben schwer, im Großen wie im Kleinen. Die Bibel stellt fest, dass jeder von uns schuldig ist. Es gibt niemanden, der ohne Sünde wäre, wir sind alle von Geburt an gottlos und schlecht. Dieser Zustand trennt uns von Gott. Aber weil Gott gut ist, bietet er uns bis heute seine Gnade an, obwohl wir sie nicht verdient haben. Er möchte uns ein neues Herz schenken, wenn wir ihm unsere Schuld bekennen. Wir müssen nicht weiter in Rebellion gegen Gott und im Unfrieden mit unseren Mitmenschen leben. Ein Neuanfang ist möglich. Das ist die gute Nachricht der Bibel.

Theo Schelenberg

? Wie gehen Sie mit dieser guten Nachricht um?

! Vertrauen Sie Ihr Leben diesem guten Gott an!

† Psalm 119,65-72

Siehe, Nationen gelten wie ein Tropfen am Eimer und wie Staub auf der Waagschale.

JESAJA 40,15

Hitler-Putsch und Reichsprogromnacht

Am 8. und 9. November 1923, heute vor 100 Jahren, stürmen Adolf Hitler und seine Anhänger die Feldherrnhalle in München. Der Marsch wird von der Landespolizei gestoppt, 16 Putschisten, ein Zivilist und vier Polizisten kommen im Gefecht um. Hitler wird wegen Hochverrats zu fünf Jahren Festungshaft verurteilt, wird aber nach neun Monaten wegen »guter Führung« aus der Haft entlassen. Wohl nicht zufällig fällt die Reichspogromnacht 15 Jahre später, der »Startschuss« für die bestialische Verfolgung und Ermordung der Juden, auf das gleiche Datum, den 9. November.

Unser Tagesvers sagt uns, dass Nationen für Gott wie ein Tropfen an einem Eimer oder wie Staub auf der Waagschale sind. Das bedeutet, dass Gott alles in seiner weisen und guten Hand hält. Aber warum lässt Gott dann so viel Schlimmes zu? Warum lässt er so einen Despoten wie Hitler an die Macht kommen, der solches Leid über Millionen von Menschen gebracht hat?

Die Antwort darauf ist sicherlich nicht leicht. Ich verstehe Menschen, welche die Existenz eines liebenden Gottes wegen diesen schrecklichen Ereignissen in Zweifel ziehen. Ich habe Hochachtung vor den vielen unschuldigen Opfern. In jedem Krieg leiden viele Menschen, Schwache, die sich nicht wehren können. Ich weiß nicht, warum Gott so gehandelt hat und warum dies alles so geschehen ist. Aber ich weiß, dass Gott keine Fehler macht. Ich habe Gott im Laufe der letzten rund 25 Jahre immer besser kennengelernt. Ich habe ihn persönlich erfahren und erlebt, dass er liebevoll handelt und Gebete erhört. Ich lese täglich in seinem Wort, der Bibel, und weiß, dass wir einen gerechten und weitsichtigen Gott haben, auch wenn wir ihn nicht völlig verstehen können. *Axel Schneider*

? Wie denken Sie über Gottes Handeln?

! Vertrauen Sie einem allwissenden Gott!

† Jesaja 40,27-31

Er [Gott] kehrt die Wolken, wohin er will, dass sie alles tun, was er ihnen gebietet auf dem Erdkreis: zur Züchtigung für ein Land oder zum Segen lässt er sie kommen.

HIOB 37,12-13

Ursachen der Klima-Erwärmung

Darin sind sich Regierung und Aktivisten einig: Um die Erwärmung des Klimas aufzuhalten, muss der Ausstoß von Treibhausgasen dringend reduziert werden. Doch der Treibhauseffekt ist nicht der einzige Faktor, der unser Klima beeinflusst. Den weitaus größten Einfluss auf unser Klima hat die Sonne. Ohne sie gäbe es überhaupt kein Klima und damit auch kein Leben auf der Erde. Die Sonne ist das Zentralgestirn in unserem Sonnensystem. Sie hält durch ihre große Masse alle Planeten in ihren Bahnen. Diese Masse ist so groß, dass sie 99,86 % der Gesamtmasse des Systems ausmacht. Nur 0,14 % entfallen auf die Planeten einschließlich deren Monde. Von daher gesehen ist die Sonne der mit Abstand wichtigste Faktor für unser Klima.

Das Alter der Sonne wird von der Wissenschaft auf 4,5 Milliarden Jahre geschätzt. Man geht davon aus, dass sie auch noch einmal so lange leuchten wird, wobei ihre Temperatur stetig zunimmt, bis sie sich am Ende zum Roten Riesen aufbläht und die inneren Planeten, zu denen auch die Erde gehört, verschlingen wird. Ob sich die Sonne an den von Menschen vermuteten Zeitplan halten wird, kann mit Recht angezweifelt werden. Angesichts des Größenverhältnisses der Erde zur Sonne sind alle Bemühungen um den Klimaschutz nur wie ein Tropfen auf den heißen Stein.

Der Mensch denkt so häufig, dass es zu größten Teilen an ihm liegt, den Bestand unserer Welt und den unseres Lebens zu sichern, und doch kann er tatsächlich nur wenig bewirken. Ob wir hier auf der Erde weiterleben können, hängt sehr viel mehr von Gott ab, als wir es uns vorstellen können. Die Bibel zeigt aber dazu klar die Fakten auf. Klug ist, wer in erster Linie mit Gott rechnet und sich ihm anbefiehlt, denn er hat auf alles den viel größeren Einfluss.

Günter Seibert

? Wäre es da nicht sinnvoll, erst einmal auf das zu achten, was der Schöpfer zu diesem Thema zu sagen hat?

! Wer Zeitung liest, weiß, was in der Welt geschieht. Doch wer die Bibel liest, weiß, warum es geschieht.

† Hiob 36,5-15

Prüfen wollen wir unsere Wege und erforschen und umkehren zu dem HERRN!

KLAGELIEDER 3,40

Ein scheinbar einfacher Umbau

Unsere Zufahrt zur Doppelgarage war uns lästig geworden und auch unfallträchtig. Durch eine stark schräg verlaufende Außenwand an der Grundstücksgrenze waren entweder die Wand oder der Mittelpfosten im Weg. Das Herausfahren war geradezu ein artistisches Kunststück. Links wie rechts drohten die Kotflügel verbeult zu werden.

Nach etlichen Jahren wagten wir nun den Umbau. Die Mittelsäule konnten wir nicht einfach entfernen, ohne die Statik des Gebäudes zu zerstören. Das Gespräch mit dem Architekten und dem hinzugezogenen Bauschlosser brachte die Lösung: Sicherung mit Querverstärkung im oberen Bereich vor dem Einbau eines elektrischen Rolltores. Die Handwerker rückten an. Eine große Aktion startete, die fast in einem Desaster geendet hätte. Nicht wegen der Statik, sondern wegen der Elektrik: Bei deren Ausfall wären wir weder in die Garage hinein- noch wieder herausgekommen. Der Schlosser hatte selbstverständlich angenommen, dass wir im Notfall hinten durch eine Tür aus der Garage hinausgehen könnten. Die führt aber nur in ein Kämmerchen und damit in eine Sackgasse. – Eine falsche oder unvollständige Planung kann zu gefährlichen Konsequenzen führen. Prüfen wäre besser gewesen. Oder nachfragen. Daran denke ich nahezu täglich beim Ein- und Ausfahren aus der Garage. Selbst prüfen und lieber mehrmals prüfen.

Das gilt auch für die Fragen des Glaubens. Da wird nämlich mehr angenommen und vermutet als geprüft. Und sehr leicht landet man dann in einer Sackgasse. Wie kann man denn genau nachforschen, z. B. wie Gott ist und welche Pläne er mit uns hat? Seine Pläne sind in der Bibel offengelegt, absolut zuverlässig und bieten im Notfall einen Ausweg. Doch wenn wir unser Leben planen, ohne ihn zu fragen, landen wir in einer tödlichen Sackgasse.

Klaus Spieker

? Welches Lebensziel streben Sie an?

! Verlassen Sie sich in Bezug auf Ihr Lebensziel nicht auf »Fachleute«, sondern fragen Sie Gott um Rat!

† Klagelieder 3,21-25.40-41.55-57

Es kommt aber die Stunde und ist jetzt, da die wahren Anbeter den Vater in Geist und Wahrheit anbeten werden.

JOHANNES 4,23

Anbeten

Verborgen im Text der Ursprache des Neuen Testaments ist der Anhänglichkeit der Hunde ein ewiges Denkmal gesetzt, das uns zugleich mit der höchsten Berufung des Menschen in Verbindung bringt. Das griechische Wort für »anbeten« heißt: *proskynein*. Es setzt sich aus den Wörtern *pros* = »hinzu«, und *kynein* = »Hund« zusammen und bedeutet – zu einem Tuwort gemacht – wörtlich »sich wie ein Hund benehmen«.

Anbeten ist mehr als danken und loben und ganz gewiss weit mehr als bitten. Bei der Anbetung Gottes geht es nicht darum, von ihm etwas zu erbitten oder ihm für etwas zu danken oder ihn wegen einer seiner herrlichen Eigenschaften zu loben. Nein, es geht beim Anbeten darum, vor der wunderbaren Majestät des allmächtigen, allwissenden und allgegenwärtigen Gottes still zu werden und sich darüber zu freuen, dass man die unverdiente Gunst erhalten hat, in seine Gegenwart treten zu dürfen. Dann wünscht man sich nichts mehr, betrauert nichts mehr und will nichts mehr, als diese Nähe zu genießen.

Fällt einem da nicht von selbst das Verhalten eines Hundes ein, der, satt geworden, sich nichts weiter wünscht, als zu den Füßen seines Herrn liegen zu dürfen? Hunden geht es sogar so sehr um diesen Platz, ganz in der Nähe des »Leitwolfes« sein zu dürfen, dass heiße Kämpfe darum entbrennen können, wenn sie keine Einzeltiere sind, sondern im Rudel leben. Selbstverständlich handelt es sich hier um ein natürliches, in den Instinkten verankertes Verhalten, das keiner Überlegung bedarf. Es gehört also keine Überwindung widerstrebender Empfindungen dazu, und darum ist es moralisch völlig neutral. Dieses Bild zeigt uns aber auch, für wie unnatürlich Gott es hält, dass wir Menschen von uns aus gar nicht nach dieser Nähe zu ihm trachten.

Hermann Grabe

? Wie denken Sie über diese wichtige Angelegenheit?

! Bevor wir nicht zu Anbetern werden, kann Gott nicht mit uns zufrieden sein.

† Johannes 4,1-26

Und sein Kreuz tragend, ging er hinaus zu der Stätte, genannt Schädelstätte, die auf Hebräisch Golgatha heißt, wo sie ihn kreuzigten.

JOHANNES 19,17-18

Ein ganz besonderer Hügel

Als ich neulich das Radio einschaltete, staunte ich nicht schlecht, als in den Nachrichten schon im ersten Beitrag meine Heimatstadt Darmstadt erwähnt wurde. Was war passiert? Die Mathildenhöhe war zum UNESCO-Weltkulturerbe ernannt worden. Jetzt steht sie auf der Liste der Orte, denen die Vereinten Nationen eine besondere historische und kulturelle Bedeutung zumessen und die daher besonders wertgeschätzt und geachtet werden.

Die Mathildenhöhe ist ein Hügel in Darmstadt, der durch ein Gebäudeensemble aus der Zeit des Jugendstils eine architektonische Besonderheit bietet. Der Hochzeitsturm mit seiner charakteristischen Silhouette ist das Wahrzeichen der Stadt. Ansonsten ist die Mathildenhöhe eher unspektakulär und sicherlich nicht mit anderen Orten des Weltkulturerbes wie dem Kölner Dom oder dem Schloss Sanssouci vergleichbar. Aber für mich hat sie eine ganz besondere persönliche Bedeutung, ja, eine lebensverändernde Dimension. Denn im Hochzeitsturm haben meine Frau und ich uns offiziell das Ja-Wort gegeben. Und dieser Moment hat mein Leben verändert und geprägt.

Viel wichtiger als die Mathildenhöhe ist aber ein anderer Hügel: Golgatha. Es ist ein eher unspektakulärer Hügel am Rande der Stadt Jerusalem. Dieser Hügel ist kein offizielles Weltkulturerbe. Aber dennoch ist er eine Stätte mit einer unschätzbaren Bedeutung für mich. Denn hier starb vor rund 2000 Jahren der Sohn Gottes für meine Schuld. Hier gab er aus Liebe sein Leben für meines, hier gab er mir sein göttliches Ja-Wort. Diese Erkenntnis hat mein Leben entscheidend verändert und geprägt – und ebenso das Leben unzähliger weiterer Menschen, die in Jesus Christus Rettung und Frieden gefunden haben.

William Kaal

? Welche Bedeutung hat Golgatha für Sie?

! Das Kreuz von Golgatha kann auch Ihr Leben verändern.

✝ 1. Korinther 1,17-24

Ich vergesse, was dahinten ist, und strecke mich aus nach dem, was vor mir liegt, und jage auf das Ziel zu, den Kampfpreis der himmlischen Berufung Gottes in Christus Jesus.

PHILIPPER 3,13-14

Träume und Ziele

Träume sind eine schöne Sache. Oft liest man: »Träume nicht dein Leben, lebe deine Träume.« Träume haben allerdings einen Nachteil: Ich kann sie nicht klar definieren und deshalb häufig nicht feststellen, ob ich die Erfüllung meines Traumes tatsächlich erlebe. Ein Beispiel: Ich kann davon träumen, ein »gutes Leben« zu leben. Da geht es schon los: Was ist »gut«? Wann ist mein Leben »gut« genug? Wann ist mein Urlaub schön genug, mein Partner aufregend genug, mein Job erfüllend genug? Vor allem, wenn ich sehe, dass es anderen »besser« geht, sie also ein »besseres« Leben haben?

Ziele sind anders: Sie sind definierbar, erreichbar und überprüfbar. Ein Beispiel: Ich möchte gerne 3 kg abnehmen. Das kann ich schaffen. Das kann ich jederzeit nachmessen, und dann weiß ich ganz genau, wann ich mein Ziel erreicht habe. Ein anderes Beispiel: Ich kann sagen, ich putze meine Wohnung so lange, bis sie sauber ist. Das wäre eher ein Traum. Denn wann ist sie »sauber genug«? Wenn ich aber sage: Ich putze jetzt eine Stunde meine Küche – dann habe ich nach einer Stunde Arbeit mein Ziel erreicht. Sich Ziele in diesem Sinn zu setzen, ist eine wichtige Voraussetzung für Zufriedenheit. Ein kluger Mann hat deshalb einmal gesagt: Setze dir Tagesziele, Wochenziele, Jahresziele und Lebensziele. Wenn du ein Ziel erreicht hast, ist das gut. Dann setz dir das nächste Ziel. Ziele sind also greifbar, realistisch, erlebbar.

Wenn nun jemand sagt, er möchte in den Himmel kommen, ist das ein Traum oder ein Ziel? Paulus macht deutlich, dass das Erreichen des Himmels für ihn kein diffuser Traum ist, sondern ein klar definiertes, erreichbares Ziel. Gott sagt es jedem zu, der sein Leben auf seinen Sohn gründet.

Markus Majonica

? Welches Lebensziel haben Sie sich gesetzt?

! Ein höheres Ziel als den Himmel gibt es nicht. Das sollte man also auf keinen Fall verpassen.

† Philipper 3,7-16

MITTWOCH

NOVEMBER 15

Redet nicht schlecht übereinander, liebe Geschwister. Wer Bruder oder Schwester verleumdet oder verurteilt, der verleumdet und verurteilt das Gesetz.

JAKOBUS 4,11

Zu schnell geurteilt

Letztens brachte ich kranken Freunden ein Mittagessen. Ich parkte unglücklich halb am Bordstein, weil es nicht anders möglich war, wohl wissend, dass ich dort eigentlich schlecht stand. Das hat den Fahrradfahrer, der aus dem Wald kam, offensichtlich ziemlich gestört, obwohl er sowieso auf die Straße abbiegen musste. Trotzdem rief er laut: »Was für ein unmögliches Benehmen, sein Auto auf dem Gehweg zu parken! Wer macht denn so etwas?« Ich hätte seinen Vorwurf einfach überhören und abhaken können, aber er hat mich doch nachdenklich gemacht. Der Mann wusste nicht, dass ich den halben Morgen für meine Familie und die Freunde gekocht hatte oder dass ich seit Wochen Probleme mit einer schmerzhaften Hand habe und so den Korb mit dem Essen nicht weit tragen konnte. Er sah scheinbar auch nicht, dass sonst überall Garagen waren. Ich konnte ihn verstehen, denn aus seiner Sicht war es Dummheit, dort zu stehen. Aber er kannte einfach nicht das ganze Bild.

Wie oft geht es uns genauso!? Wir urteilen über Menschen, manchmal in einem Augenblick, und bilden uns eine Meinung. Wir wissen oft gar nicht, wieso ein Mensch so handelt, ob er gute Gründe dafür hat, oder ob er einfach ganz anders geprägt ist als wir. Wir können anderen immer nur vor den Kopf schauen. Wir oft erlauben wir uns ein schnelles Urteil, regen uns auf, wissen es besser.

Ich möchte mich immer wieder daran erinnern, jeden Menschen gleich zu behandeln. Das ist unglaublich schwierig, weil es göttliche Liebe dafür braucht. Nur Gott liebt jeden Menschen gleich, unabhängig von seiner Herkunft, seinem Handeln, seiner Prägung. Ich mache so schnell Schubladen auf, aber Gott macht das nicht. Er will uns helfen, Empathie, Liebe und Freundlichkeit zu haben.

Ann-Christin Ohrendorf

? Wann haben Sie das letzte Mal über einen anderen Menschen (vorschnell) geurteilt?

! Jesus kennt unser Herz genau und begegnet uns trotzdem immer ohne Vorurteil. Welch ein Vorbild!

† Lukas 18,35-43

... Gott, der uns alles reichlich darreicht zum Genuss.

1. TIMOTHEUS 6,17

Guten Appetit!

Haben Sie ein Lieblingsessen? Vielleicht den echten deutschen Sauerbraten? Oder das beliebte Kalorientrio Hamburger, Pizza, Pommes? Oder mögen Sie etwa neumodische »Superfoods« wie Nudeln aus Insektenmehl? Ich persönlich finde das alte Nachkriegsrezept »Speckeier« meiner Oma unvergleichlich gut, vielleicht, weil es so viele Kindheitserinnerungen weckt.

Essen ist ein nicht unbedeutender Teil unseres Lebens. Dabei müssen wir uns nie wirklich Gedanken machen, *ob* wir etwas auf dem Teller haben, sondern höchstens, *was*. Die Auswahl im Supermarktregal ist manchmal schwindelerregend. Essen war schon immer auch eine wichtige Gemeinschaftsaktion: die familiäre Weihnachtstafel, das bedeutsame Geschäftsessen oder das lauschige Dinner zu zweit. Man kommt zum Essen zusammen, tauscht sich aus, schaut sich in die Augen, hört einander zu.

Die Bibel hat eine ganze Menge über das Thema Essen zu sagen. In unserem Tagesvers heißt es, dass Gott uns viele gute Dinge gibt, damit wir sie *genießen* können. Gott ist der größte Gönner! Und er möchte mit uns »essen und trinken«, Gemeinschaft haben, Beziehung pflegen. Im letzten Buch der Bibel spricht Jesus genau davon: »Siehe, ich stehe an der Tür und klopfe an; wenn jemand meine Stimme hört und die Tür öffnet, zu dem werde ich hineingehen und mit ihm essen und er mit mir.« Jedes Mal, wenn Sie in diesem Kalender lesen, in die Bibel schauen oder zu einem Gottesdienst gehen, klopft Jesus auch an Ihr Herz. Man könnte sagen, Jesus gibt Ihnen eine Einladung zum gemeinsamen Essen. Möchten Sie Ihr Leben aus Ihrer Hand in seine geben? Möchten Sie die Gemeinschaft erleben, wofür Gott Sie geschaffen hat und Jesus gestorben ist? Dann nehmen Sie seine »Essenseinladung« an! Er wartet auf Sie. *Jan Klein*

Hätten Sie gedacht, dass Gott ein Gönner ist, der uns Gutes so gerne genießen lässt?

Das Tischgebet erinnert uns daran, woher wir das Gute bekommen, das wir tagtäglich genießen dürfen.

Johannes 21,1-14

So soll der Priester anordnen, dass man für den, der als rein erklärt werden soll, zwei lebende reine Vögel sowie ein Stück Zedernholz, Karmesinfäden und Ysop bringe.

3. MOSE 14,4

Frei wie der Vogel

Das dritte Buch Mose enthält Regeln, die uns fremd erscheinen. Hier im 14. Kapitel geht es z. B. um die Reinigung eines ehemals Aussätzigen. War er tatsächlich geheilt, dann benötigte der Priester als Opfer zwei lebende, reine Vögel, Zedernholz, karmesinfarbene Wolle und Ysop (ein krautiges Gewächs). Der eine Vogel musste nun über frischem Wasser geschlachtet werden. Das Holz, die Wolle, der Ysop und der noch lebende Vogel sollten in das Blut des geschlachteten Vogels getaucht werden. Auch der Geheilte sollte mit dem Blut des geopferten Vogels besprengt werden. Schließlich wurde der lebende Vogel freigelassen.

Ich kann verstehen, dass man solche Stellen der Bibel leicht überblättert. Doch wenn man die Details betrachtet, erhält man ein erstaunliches Bild von Schuld und Vergebung. Der Aussatz ist in der Bibel oft ein Bild für Sünde. Er schloss von der Gemeinschaft aus, so wie es Sünde auch tut. Die kräftige Karmesinfarbe deutet auch auf Sünde, die in Gottes Augen sichtbar ist (Jesaja 1,18). Holz und Ysop lassen an die Kreuzigung denken, bei der der Sohn Gottes für die Schuld der Menschen an einem Holzkreuz hing, mittels eines Ysops getränkt wurde und sein Blut für die Sünde der Menschen vergoss. Das frische (andere übersetzen: lebendige) Wasser spricht vom Heiligen Geist, der den Menschen von seiner Schuld überführt. Die Tötung des einen Vogels macht deutlich, dass auf Sünde die Todesstrafe steht. Die Besprengung des ehemals Aussätzigen mit dessen Blut macht deutlich, dass an seiner Stelle ein anderes Lebewesen sterben musste. Und der zweite Vogel? Er steht für das neue Leben, das Gott durch die Vergebung schenkt, ein Leben der Freiheit von Schuld, das sich zu Gott aufschwingt!

Markus Majonica

? Welchen Stellenwert haben Schuld und Vergebung für Sie?

! Wenn Gott selbst das Thema so wichtig nimmt, sollten wir es nicht leichtfertig beiseitetun.

† 1. Petrus 2,21-25

Denn im Haus meines Vaters gibt es viele Wohnungen. Sonst hätte ich euch nicht gesagt: Ich gehe hin, um dort alles für euch vorzubereiten.

JOHANNES 14,2

Die perfekte Wohnung

07:30

An manchen Tagen laufe ich durch unsere Wohnung und finde überall, wo ich auch hinschaue, »Optimierungspotenzial«: Hier müsste mal wieder abgestaubt werden ... dieses Regal wollte ich schon längst ausgemistet haben ... an der Wand müsste unbedingt noch einmal nachgestrichen werden, und ein neuer Schlafzimmerschrank würde den Raum optisch ruhiger gestalten. An manchen Tagen sehne ich mich sogar nach einem weiteren Zimmer, um all dem Chaos aus dem Weg gehen zu können!

Leider werden meine Träume von einer perfekten Wohnung aus verschiedenen Gründen nicht Realität. Im Alltag reichen Zeit und Kräfte nicht immer aus, alles gleichzeitig sauber und ordentlich zu halten. Und schließlich fehlt uns manchmal auch einfach das nötige Geld, praktischere oder schönere Möbel zu kaufen oder gar in eine größere Wohnung oder in ein Haus umzuziehen. Das ist sehr frustrierend! Ganz besonders dann, wenn ich trotz meiner Mühe am Ende des Tages keine Verbesserung der Situation erkennen kann. Ich muss immer wieder feststellen, dass ich meine Wunschvorstellung von einem stets perfekten Zuhause loslassen muss.

In diesen Momenten tröstet mich die Zusage Jesu, dass er denen, die an ihn glauben, Wohnungen im Himmel vorbereitet hat. Das bedeutet, dass ich nicht mehr frustriert nach dem perfekten Zustand streben muss – egal, in welchem Lebensbereich. Absolute Zufriedenheit gibt es nämlich auf dieser Erde nie, immer bleiben noch Wünsche offen. Aber wenn Sie glauben, dass Jesus Christus am Kreuz für Sie gestorben ist, dann hält er auch für Sie eine Wohnung im Himmel bereit, die perfekt sein wird. Wer das weiß, der kann Chaos auch mal Chaos sein lassen und auch in einfachen Umständen glücklich und dankbar sein. *Kathrin Stöbener*

? In welchem Lebensbereich sehnen Sie sich nach dem perfekten Zustand?

! Wer die Gewissheit des Himmels hat, muss nicht auf der Erde schon alles erreichen.

† Matthäus 11,28-30

Fürchte dich nicht, glaube nur!

MARKUS 5,36

Hoffnung

Hoffnung erwächst aus dem Glauben, dass alles wieder gut wird, dass es eine Zukunft gibt, dass nach einer dunklen Nacht wieder der Tag anbricht und es hell wird. Der Glaube wiederum gründet sich auf einen Zuspruch, d. h., ein anderer versichert mir, dass es so kommen wird, wie ich es mir erhoffe.

Einen solchen Zuspruch mag mir ein Mensch geben, der aber selbst gar keine Macht über die Zukunft hat, dessen Möglichkeiten begrenzt sind und der gar keine Garantie dafür geben kann, dass es wieder hell wird. Dann wird sich meine Hoffnung u. U. nicht erfüllen, sondern enttäuscht werden. Wenn aber Gott mir diesen Zuspruch gibt, dann tut das jemand, der alle Macht hat und die Dinge umkehren kann, wie er will. Er kann das geschehen lassen, was die Sonne in meinem Leben wieder hell strahlen lässt. Er kann die dunklen Wolken beiseiteschieben, die in unseren Köpfen und manchmal auch wirklich über unserem Leben hängen. Er kann Rettung bringen, wo alle Menschen »mit ihrem Latein« am Ende sind. Er kann uns aus der Enge, in die wir getrieben wurden, wieder zurück in die Weite führen.

Was wäre denn so ein göttlicher Zuspruch? Z. B. sagte er: »Fürchte dich nicht, glaube nur!« – Halte am Glauben fest, vertraue mir! Ich werde mich darum kümmern, und du wirst mich preisen (vgl. Psalm 43,5). Und dann sagt er auch noch: »Wer den Sohn hat, hat das Leben« (1. Johannes 5,12). Dieser Sohn ist Jesus Christus. Dessen Hand kann man im Glauben ergreifen, indem man zu ihm ruft: »Herr, rette mich!«, während man droht, in den Wellen und Stürmen des Lebens zu versinken. Denn dafür ist der Sohn Gottes gekommen, damit wir nicht für ewig in den Fluten des Todes versinken und verlorengehen müssen.

Joachim Pletsch

? Worauf gründet sich Ihre Hoffnung?

! Jesus Christus reicht Ihnen die Hand.

† Matthäus 14,22-33

Er aber antwortete und sprach:
Der den guten Samen sät, ist der Sohn des Menschen, der Acker aber ist die Welt …

MATTHÄUS 13,37-38

Guter und schlechter Samen

Wer im August einen der heute zahlreichen Fichtenkahlschläge durchquert, wird sicher an seiner Kleidung oder im Fell seines Hundes eine Menge kleiner Kügelchen finden. Das sind die Samen des Klebkrauts, das zusammen mit Hohlzahn, Weidenröschen, Brombeeren, Taubnesseln und vielem mehr gnädig die Wunden des Waldes bedeckt. Diese kleinen Kügelchen verraten jedem Kundigen, wo man sich aufgehalten hat.

Das erinnert mich daran, dass andere Menschen an meiner Wortwahl und an meinem Verhalten ziemlich deutlich einschätzen können, in welchem Milieu ich mich bewege. Und wenn sich diese Kügelchen mit ihren winzigen Hakenhärchen auch gut festhalten können, so fallen sie doch manchmal an Orten ab, die bisher kein Klebkraut kannten. Genauso können wir durch unser Verhalten andere anstecken. Mit welchen Ausdrücken, die sie auf dem Spielplatz oder in der Schule aufgeschnappt haben, erschrecken Kinder manchmal ihre braven Eltern! Die haben dann viel Mühe, den ausgestreuten Samen wieder unschädlich zu machen. Dazu haben sie große Weisheit nötig, weil sie sonst diese schädlichen Samenkörner nur noch fester ihren Kindern in die Seele prägen.

Das Ausstreuen von Samen gilt natürlich auch im positiven Sinn. Jedes Mal, wenn Kinder erleben, dass die Eltern im Alltag das verwirklichen, was sie bei der biblischen Gute-Nacht-Geschichte erzählt hatten, erleben die Kinder das Ausstreuen guter Samen. So können wir alle guten Samen säen wie der Schweizer Walter Mauerhofer: Als Gärtnerlehrling hatte er gelernt, Saatgut auszustreuen. Dann wurde er von Gott berufen, nach Österreich zu gehen. Seit über 50 Jahren streut er dort den guten Samen des Wortes Gottes aus. Mit erstaunlichen Ergebnissen! *Hermann Grabe*

? Welcher Art Samen streuen Sie aus?

! Wer guten Samen ausstreuen will, muss auf das Einsammeln von gutem Samen bedacht sein.

† Matthäus 13,24-33

Denn aus dem Herzen kommen hervor böse Gedanken: Mord, Ehebruch, Unzucht, Diebstahl, falsche Zeugnisse, Lästerungen.

MATTHÄUS 15,19

Herrlichkeit und Schande

Der englische Pastor John Stott sagte einmal auf die Frage, warum er glaube, dass das Christentum wahr sei, und es als einzige Glaubensrichtung das Paradoxon der Herrlichkeit und Schande des Menschen erklären könne. Diese beiden Begriffe prägen uns tatsächlich. Nehmen wir das Hochwasser im Ahrtal: Menschen wuchsen in der Not über sich hinaus. Es gab echte Helden, die unter Einsatz ihres Lebens andere retteten und unzählige Helfer, die sich tatkräftig für ihre Mitmenschen einsetzten. Aber auch die Schande des Menschen zeigte sich: Plünderer, die schamlos die Not ihrer Mitbürger ausnutzten, Hilfsgüter stahlen oder sich in den unbewohnten Häusern selbst bedienten. Woher kommt es, dass wir Menschen einerseits so gut und andererseits so böse sein können?

Die Bibel sagt, dass der Mensch ein Geschöpf Gottes ist. Unsere Fähigkeit zum rationalen Denken, unser Empfinden für Schönheit und Gerechtigkeit, unser Verlangen, uns für eine größere Sache einzusetzen, kommen daher, dass wir nicht bloße Materie, sondern im Bild unseres Schöpfers geschaffen sind. Andererseits sehen wir auch, dass der Mensch zu abgrundtiefer Bosheit fähig ist. Wir sind Gott-ähnlich, aber zugleich schlimmer als Tiere, wofür der Begriff »Auschwitz« zum Synonym geworden ist. Ja, wir können lieben, denken, Schönes erschaffen, mitfühlen und uns für andere einsetzen – aber wir können auch hassen, kämpfen, lügen, zerstören und töten. »Allmählich wurde mir offenbar, dass die Linie, die Gut und Böse trennt, nicht zwischen Staaten, nicht zwischen Klassen und Parteien verläuft, sondern quer durch jedes Menschenherz«, schrieb der Gulag-Überlebende und Literaturnobelpreisträger Alexander Solschenizyn. Doch die Bibel stellt nicht nur die passende Diagnose, sondern bietet auch die wirksame Therapie: die Erlösung in Christus Jesus. *Elisabeth Weise*

? Wie würden Sie das »Paradoxon des Menschen« erklären?

! »Das Herz des Problems des Menschen ist das Problem des menschlichen Herzens.« (John Stott)

† Römer 3,9-25

Wendet euch zu mir und lasst euch retten, alle ihr Enden der Erde! Denn ich bin Gott und keiner sonst.

JESAJA 45,22

Solidarität und/oder Gebet?

Als im vergangenen Jahr Russland einen Krieg gegen die Ukraine in Gang setzte, gab es von vielen Ländern eine große Solidarität mit dem überfallenen Land. Zahlreiche Bilder und Berichte vermittelten den unvorstellbaren Schrecken des Krieges und seine Folgen für die Menschen. Millionen flüchteten und ließen ihr gesamtes Hab und Gut zurück, während der Aggressor Russland Zerstörung, Leid und Tod über weite Regionen des Landes brachte. Doch nicht nur Solidarität löste das alles aus. Viele beteten auch zu Gott, um aus Not und Angst befreit zu werden, und für eine Beendigung der Kämpfe.

Der heutige Buß- und Bettag steht für eine früher landesweite Bewegung, bei Not und Gefahr die ganze Bevölkerung zum Gebet aufzurufen. Dahinter stand die Einsicht, nur sehr begrenzt selbst für eine Wende sorgen zu können, und die Überzeugung, wesentlich von Gottes Eingreifen abhängig zu sein. Seit Ende des 19. Jahrhunderts wurde dann der Mittwoch vor dem letzten Sonntag des Kirchenjahres festgelegt, um einen solchen Buß- und Bettag zu begehen.

In seiner Bezeichnung geht die Buße, also die Umkehr zu Gott, dem Beten voraus. Das ist der Einsicht geschuldet, dass man Gott kaum um etwas bitten kann, wenn man abgewendet von ihm lebt, denkt und handelt. Der Aufruf zur Buße erfolgt in der Bibel immer wieder (siehe Tagesvers), und er ist heute nötiger denn je, weil immer mehr Menschen sich von Gott abgewendet haben – zumindest in Deutschland, wo dieser Tag 1994 in vielen Bundesländern als gesetzlicher Feiertag abgeschafft wurde. Dabei geht es für uns um alles, nicht nur um Rettung aus gegenwärtiger Not, sondern auch um unsere ewige Errettung. Sich daran zu erinnern und entsprechend zu handeln, dazu ist heute und an jedem Tag Gelegenheit. *Joachim Pletsch*

? Haben Sie die Gelegenheit zu Umkehr und Gebet heute schon genutzt?

! Man kann immer noch Gottes Hilfe erfahren, in kleinen und großen und sogar in ewigen Dingen.

† Lukas 13,1-9

Fürchte dich nicht; glaube nur.

MARKUS 5,36

Verzweiflung

Das fünfte Kapitel im Markusevangelium zeigt *drei Menschen, die am Ende sind.* Zunächst einen Mann, der so schlimm von Dämonen getrieben ist, dass keinerlei Kontakt mehr zu anderen besteht. Er lebt in einem Grab wie ein Toter. Alle Versuche, seine Wut gegen sich und andere zu bändigen, sind gescheitert. – Die zweite Person ist auch ein hoffnungsloser Fall: eine Frau, die bereits seit zwölf Jahren schwer krank ist. Ihre Not hat sie zu vielen Ärzten getrieben. Sie hat ihr gesamtes Geld hierfür ausgegeben, aber es ist nicht besser, sondern schlechter geworden. – Schließlich noch ein Mann, dessen kleine Tochter im Sterben liegt. Seine Hoffnung fokussiert sich auf diesen Jesus, doch sie wird zunächst scheinbar enttäuscht. Denn das Kind stirbt, und damit scheint jede Hoffnung verloren.

Doch das, was für Menschen unmöglich ist, ist bei Jesus möglich. Er verwandelt Verzweiflung in neues Leben: Der Besessene kehrt befreit in die Gemeinschaft der Menschen zurück. Die Frau wird geheilt. Und das tote Mädchen wird von Jesus auferweckt und ihren Eltern zurückgegeben.

Diese drei glücklichen Ausgänge sind wichtige Hinweise. Denn es gibt eine andere, ganz existenzielle Art der Verzweiflung, die uns Menschen packen kann: Wenn wir erkennen, wie abgrundtief böse unser Herz ist. Und es wird trotz der besten Vorsätze nicht besser. Ein Mensch, dem Gott ein solch waches Gewissen schenkt, gerät dadurch in Verzweiflung und Hoffnungslosigkeit. Doch das ist heilsam, denn es treibt ihn zu dem, der allein helfen kann: Jesus. Um uns aus dieser berechtigten Verzweiflung zu retten, ist er für uns am Kreuz gestorben. Und wie bei den drei Genannten kann er die Verzweiflung über Schuld in neues Leben verwandeln: durch Vergebung.

Markus Majonica

? Treibt es Sie auch zu dem, der helfen kann?

! Nicht nur die Hoffnungslosen und Verzweifelten, auch die Gesunden und Starken brauchen Jesus als ihren Retter.

✝ Apostelgeschichte 22,3-21

Nehmt mein Joch auf euch und lernt von mir;
denn ich bin sanftmütig und von Herzen demütig:
so werdet ihr Ruhe finden für eure Seelen.

MATTHÄUS 11,29

Seelenfrieden im Literaturunterricht

Im Deutschunterricht meiner zehnten Klasse beschäftigen wir uns mit der Figur der Lady Milford in Schillers »Kabale und Liebe«, als einer meiner Schüler die Sache auf den Punkt bringt: »Lady Milford hat keinen Seelenfrieden und sucht ihn in der Beziehung zu Ferdinand.« Ich bin sichtlich beeindruckt von diesem Geistesblitz, als die Schulglocke uns unterbricht. In der nächsten Stunde muss das Thema vertieft werden, und ich lasse meine Schüler aufschreiben, was Seelenfrieden für sie persönlich bedeutet. Sie erarbeiten u. a. »geliebt sein«, »Zuneigung bekommen«, »Freiheit haben«, »mit reinem Gewissen leben«, »innerlich ruhen« usw. Unfassbar, damit hätte ich nicht gerechnet! Jeder von ihnen hat eine sehr genaue Vorstellung davon, was Seelenfrieden bedeutet, und wünscht ihn sich für sein Leben.

Bei näherem Betrachten ist das nicht verwunderlich. Jeder Mensch sucht nach Frieden für seine Seele und möchte zur Ruhe kommen. Das kann sich in der Suche nach echter Liebe wie bei Lady Milford oder in Anerkennung, Selbstverwirklichung oder einer der unendlich vielen anderen Möglichkeiten zeigen. Im Grunde bleiben uns nur zwei Optionen: den Seelenfrieden überall zu suchen, bis man ihn gefunden hat, oder sich dauerhaft abzulenken, um ohne ihn leben zu können.

Darf ich Ihnen empfehlen, Ihren inneren Frieden bei Jesus Christus zu suchen? Wenn man sein Leben gemeinsam mit ihm lebt und an seiner Seite geht, kann man wirklich Ruhe für seine Seele finden. Ich bin angekommen und angenommen. Das rastlose Suchen hat ein Ende, ich habe Halt, Sicherheit und ein reines Gewissen. Ich bin innerlich nicht mehr abhängig von anderen Menschen und darf befreit leben. *Janina und Philipp Strack*

? Haben Sie Seelenfrieden?

! Suchen Sie Frieden für Ihre Seele bei Jesus!

† Psalm 23

Der Herr hat im Himmel aufgerichtet seinen Thron,
und seine Herrschaft regiert über alles.

PSALM 103,19

Krisen und Kriege

Was war das für ein Spaß, den wir Jugendliche hatten. Wir setzten und legten uns demonstrativ mitten auf die Straße. Wir waren gewiss, es konnte und durfte kein Auto kommen. Das war heute, vor 50 Jahren, am 25. November 1973. Nicht nur für die Straßen in unserem Dorf, sondern bundesweit (in der alten BRD) galt ein Fahrverbot. Vor dem Hintergrund der Ölkrise hatte die Bundesregierung den »autofreien Sonntag« angeordnet. Diese Krise war durch den israelisch-arabischen »Jom-Kippur-Krieg« im Oktober des gleichen Jahres ausgelöst worden, in dessen Nachgang die arabischen Staaten das Erdöl erstmals als politisches Druckmittel einsetzten. Das alles hat uns junge Menschen damals nicht interessiert. Wir genossen einfach unsere »Freiheit auf den Straßen«.

Durch die zunehmende Globalisierung haben Krisen und Kriege, egal wo sie auf der Welt geführt werden, immer mehr Einfluss auch auf Menschen, die eigentlich weit weg von diesen Krisenherden leben. Viele verlieren täglich durch Gewalt ihr Hab und Gut und oft auch ihr Leben. Es scheint so, als gäbe es immer mehr Despoten, die in ihrem Egoismus und Wahn ihre und andere Völker ins Chaos stürzen.

Doch der Einfluss selbst des größten Tyrannen ist beschränkt. Nicht der Zufall oder die Machtfülle eines Menschen bestimmen die Geschichte, sondern Gott. Die Rückkehr des Staates Israel auf die Bühne der Weltgeschichte nach fast 2000 Jahren Pause ist z. B. ein beredtes Zeugnis davon, dass Gott seine Pläne genau so umsetzt, wie er sie durch Propheten vorab verkündet hat. Deswegen lohnt es sich, trotz all des scheinbaren Wirrwarrs dieser Welt das eigene Leben ganz Gott anzuvertrauen. Die Hand, die die ganze Welt lenkt, lässt mich nicht fallen. *Axel Schneider*

? Stehen Sie Krisen hilflos gegenüber?

! Geben Sie Ihre Ohnmacht dem, der Allmacht hat!

† Jeremia 32,17-22

Denn jeder, der Böses tut, hasst das Licht; er tritt nicht ins Licht, damit sein Tun nicht aufgedeckt wird.

JOHANNES 3,20

Der Stern muss weg

Mit der Reaktion hatte ich nicht gerechnet. Als ich in der Vorweihnachtszeit einen beleuchteten Weihnachtsstern für den Außenbereich mitbrachte, wollte ich meiner Frau damit eine Freude bereiten. Um sie zu überraschen, hängte ich den Stern unter unserem Carport auf. »Dort kommt er in der dunklen Jahreszeit gut zur Geltung«, so dachte ich. Doch als meine Frau das Geschenk entdeckte, hielt sich ihre Begeisterung in Grenzen: »Das Licht fällt genau dahin, wo die Mülltonnen und die Sachen für den Sperrmüll stehen!« So dauerte es nicht lange, bis der Leuchtstern einen neuen Platz im Obstbaum auf der anderen Seite des Hauses erhielt.

Bei der Befestigung der Dekoration an ihrem neuen Platz musste ich daran denken, dass wir uns in anderen Bereichen unseres Lebens ähnlich verhalten: Ins rechte Licht rücken wir gerne unsere Stärken. Wir sorgen für eine schöne Dekoration, indem wir von dem reden, was uns gut gelungen ist. Wir zeigen das, wofür wir Anerkennung bekommen. Dagegen verschweigen wir, wo wir uns falsch verhalten oder mit schlechten Angewohnheiten zu kämpfen haben. Diesen »Müll« unseres Lebens soll niemand sehen.

Doch Jesus Christus ermutigt uns, gerade unsere Fehler und Sünden in sein Licht zu stellen. Er kennt unsere Gedanken, Worte und Taten sowieso. Doch sein Ziel ist es nicht, uns durch sein Licht bloßzustellen. Vielmehr will er uns befreien. Statt die Sünden weiter zu verstecken, dürfen wir sie ihm bekennen. Er vergibt uns gerne, wenn wir ihn darum bitten. Gleichzeitig will er uns verändern. Über das Licht zur manchmal schmerzhaften Selbsterkenntnis hinaus gibt er uns auch Kraft zur Veränderung und zum Neuanfang. Weil er uns liebt, dürfen wir mutig in sein Licht treten.

Andreas Droese

? Welche Bereiche Ihres Lebens halten Sie gerne im Dunkeln?

! Jesus bringt Sünden ans Licht, um sie vergeben und für immer wegräumen zu können.

† 2. Korinther 13,1-10

Lobe den HERRN, meine Seele, und vergiss nicht, was er dir Gutes getan hat: der dir alle deine Sünde vergibt und heilet alle deine Gebrechen.
PSALM 103,2-3

Elefantengedächtnis

Elefanten haben ein unglaublich gutes Gedächtnis. Sie lernen aus ihren Erfahrungen und speichern ihr Wissen. Wurde ein Elefantenjunges in seiner Kindheit an eine Wasserstelle geführt, findet es diese 30 Jahre später wieder. Auch nach langer Zeit erinnern sich Elefanten an Menschen, die gut zu ihnen waren. Und wenn ein Elefant an einem bestimmten Ort auf eine Gefahr stößt, möchte er auch Jahre später nicht dorthin zurückkehren. Seine Erinnerung hilft ihm also, gute Entscheidungen zu treffen und Gefahren zu meiden.

Wir Menschen werden in der Bibel oft aufgefordert, uns zu erinnern: Erinnere dich daran, was Gott dir geschenkt und wovor er dich bewahrt hat. Im Alten Testament werden Israels nachrückende Generationen immer wieder daran erinnert, wie Gott ihre Vorfahren leitete, versorgte und bewahrte. Dieses Erfahrungswissen sollte dem Volk Israel zeigen, dass es sich lohnt, Gott zu vertrauen. Gott führte das Volk Israel auf wunderbare Weise aus der Sklaverei Ägyptens, indem er das Meer teilte. In der Wüste, wo nichts zu erwarten war, schenkte Gott für rund zwei Millionen Menschen Nahrung und Wasser. Doch anders als ein Elefant vergaßen die Israeliten schnell all dieses Gute. Es dauerte nicht lange, da murrten sie bereits über die Eintönigkeit der Verköstigung und sehnten sich zurück nach Ägypten, dem Ort ihrer Unterdrückung.

Auch Jesus Christus fordert uns auf, uns immer wieder an das zu erinnern, was er für uns getan hat: Er starb stellvertretend für uns, damit wir mit Gott versöhnt leben können. Er setzte das Abendmahl ein, damit wir diese große Rettungstat Gottes nicht vergessen. Das Gedächtnis an die Güte Gottes soll uns lehren, ihm unser ganzes Leben anzuvertrauen.

Stefan Taube

? Könnte Gott von Ihnen sagen, dass Sie ihn vergessen haben?

! Jeden Tag tut Gott Ihnen Gutes. Zählen Sie diese Dinge oder schreiben Sie sie auf!

✝ Apostelgeschichte 14,8-18

Auch wenn ich wandere im Tal des Todesschattens, fürchte ich kein Unheil, denn du bist bei mir.

PSALM 23,4

Vereinzelung

Wir Menschen werden in der Bibel mit Schafen verglichen, weil Gott uns als Gemeinschaftswesen erschaffen hat und nicht als Einzelgänger. Sonst würde er uns mit Katzen vergleichen, die außer in der Paarungszeit am besten ganz allein fertigwerden. Das wird in Pandemiezeiten besonders deutlich. Schon die Atemmaske wirkt stark ausgrenzend, weil man zwar – wenn auch schlecht – die Worte hört, das dazugehörige Lächeln aber nicht wahrnehmen kann, auf das es doch so sehr ankommt.

Eigentlich könnte man sich in solchen Zeiten umso intensiver den Mitgliedern der eigenen Familie widmen, was durchaus ein Segen wäre; aber durch das Handy und das Fernsehen hat selbst im engsten Kreis die Vereinzelung tiefe Gräben verursacht. Viele finden einfach nicht mehr zueinander. Weil man aber unbedingt ein Gegenüber braucht, haben sich heute sehr viele Leute Hunde angeschafft. Überall sieht man in den Parks und Anlagen die Leute mit ihren Hunden spazieren gehen. Solch ein Hund ist ein geduldiger Zuhörer, dem man, so oft man es nötig hat, sein Leid über die Bosheit anderer Menschen klagen kann. Er fühlt sich auch warm und weich an und lässt sich – meistens wenigstens – unbegrenzt streicheln und liebkosen. Aber machen wir uns da nichts vor? Kann der Hund unsere Klagen wirklich begreifen? Und verfügt er über Möglichkeiten, uns zu helfen?

Gott, der Menschen und Tiere erschaffen hat, hört nicht nur unsere Klagen. Er kennt unsere Situation besser als wir selbst, und er hat versprochen, aufrichtige Gebete zu erhören. So sagte Gott einst zu Mose: »Gesehen habe ich das Elend meines Volkes, ... und sein Schreien ... habe ich gehört, und ich bin herabgekommen, es ... zu erretten« (2. Mose 3,7).

Hermann Grabe

? Von wem kann man wirklich Hilfe erwarten?

! Pflegen Sie Ihren Hund so gut wie möglich, aber erwarten Sie Hilfe doch lieber von Gott!

✝ Psalm 139

Denn aus dem Herzen kommen hervor böse Gedanken: Mord, Ehebruch, Unzucht, Diebstahl, falsche Zeugnisse, Lästerungen.

MATTHÄUS 15,19

»Innerer Schweinehund«

Ich kann mich noch gut an einen Vortrag erinnern, den ein Professor während meiner Studienzeit hielt. Das ist nun rund 30 Jahre her. Seine Aussage war in etwa: In jedem Menschen sitzt ein innerer Schweinehund, der für vier Dinge zu haben ist: Fressen, Saufen, Huren und Angebetet werden. Und am liebsten möchte er für all diese Sachen nicht einmal das Haus verlassen. Das fand ich damals ziemlich krass.

Seinerzeit gab es aber auch noch kein Internet. Wenn ich mir die heutige Wirklichkeit ansehe, dann kommt das *World Wide Web* genau diesen Charakterzügen extrem entgegen. Ich kann mir die ausgefallensten Speisen und Getränke direkt ins Haus liefern lassen, und zwar (fast) »24/7«, also rund um die Uhr. Ich kann – ohne in die schmuddelige Videothek im Gewerbegebiet oder den Swingerclub im Nachbarort zu betreten – jede sexuelle Spielart im Internet jederzeit konsumieren. Schließlich kann ich über diverse »soziale« Medien eine Hochglanzversion meiner Lebenswelt publizieren, um Anerkennung oder gar Bewunderung zu erhalten und mir »Follower« zu beschaffen.

Ich möchte nicht missverstanden werden: Ich schätze das Internet als Kommunikations- und Informationsquelle (wenn man weiß, *wo* man suchen muss). Und nicht zuletzt bietet es eine sehr gute Möglichkeit, etwas von Gottes Wirklichkeit unter Menschen zu verbreiten, zu denen man andernfalls vielleicht keinen Zugang hätte. Aber wie jede menschliche Erfindung kann ich sie auch nutzen, um sie zur Befriedigung meiner Triebe zu pervertieren. Warum ist das so? Der Tagesvers gibt eine Antwort: Weil diese Dinge aus uns herausquellen, um befriedigt zu werden. Um dies zu ändern, muss eine radikale Änderung unseres Herzens erfolgen. Doch das gelingt nur durch Gott!

Markus Majonica

? Wie gehen Sie mit Ihrem »inneren Schweinehund« um?

! Selbsterkenntnis ist der erste Schritt zur Besserung.

† Philipper 4,8-9

Er selbst aber, unser Herr Jesus Christus, und unser Gott und Vater, der uns geliebt hat und uns einen ewigen Trost und eine gute Hoffnung gegeben hat durch Gnade …

2. THESSALONICHER 2,16

Echte Hoffnung hält am Leben!

Dr. Curt Richter (1894–1988) machte in den 1950er-Jahren einen ganz erstaunlichen Versuch. Er setzte ein paar Ratten in ein Wasserbecken, um zu testen, wie lange sie sich über Wasser halten können. Die Ratten kämpften um ihr Leben. Obwohl Ratten gute Schwimmer sind, gaben manche Tiere schon nach wenigen Minuten auf und akzeptierten den Tod. Im Durchschnitt schafften es die Ratten, sich 15 Minuten über Wasser zu halten, bevor sie untergingen.

Doch Richter zog einige Ratten, kurz bevor sie aufgaben, aus dem Wasser und gab ihnen Zeit, sich auszuruhen. Dann wurden sie für eine zweite Runde erneut ins Wasser gelegt. Raten Sie mal, wie lange die Ratten beim zweiten Versuch durchhielten! Das erstaunliche Ergebnis war, dass sie 60 Stunden durchhielten. Das ist 240-mal so lange wie beim ersten Versuch. Wie konnten sie so lange durchhalten? Die Wissenschaftler erklärten es damit, dass die Ratten noch nie zuvor die Erfahrung gemacht hatten, dass sie jemand aus einer Gefahr rettete. Deshalb gaben sie nach 15 Minuten auf. Ihre Artgenossen mit der Verschnaufpause jedoch erlebten, dass Rettung möglich ist. Man hatte ihnen Hoffnung gegeben. Das ließ sie tagelang durchhalten. Die Forscher kamen zum Ergebnis, dass die Ratten ihren Körper weit über das übliche Maß hinaus antreiben konnten, weil sie hofften, irgendwann gerettet zu werden. Der entscheidende Punkt war Hoffnung.

Wie sieht es bei Ihnen im Leben aus? Jeder Mensch erlebt Krisen. Egal, ob durch eine Naturkatastrophe, eine »seelische Katastrophe«, Krankheit etc. Gibt es Hoffnung auf Rettung? Ja, und zwar eine begründete Hoffnung: Wer Jesus Christus als seinen Retter kennt, der hat eine echte und begründete Hoffnung, die sogar über den Tod hinausgeht.

Daniel Zach

? Auf was hoffen Sie in Ihrem Leben? Was lässt Sie durchhalten?

! Nur bei Jesus gibt es eine echte und begründete Hoffnung.

† Psalm 39

... und vollendet ist er allen, die ihm gehorchen, der Urheber ewigen Heils geworden.

HEBRÄER 5,9

Der letzte Held ist gegangen

»Der letzte Held ist gegangen«, so titelte ein Zeitungsbericht nach dem Tod von Horst Eckel am 3. Dezember 2021. Das »Wunder von Bern« ist nun endgültig Geschichte. Zur Erinnerung: 1954 besiegte die deutsche Fußballnationalmannschaft um Fritz Walter im WM-Finale die Nationalelf Ungarns (die eigentlich als unbesiegbar galt) mit 3:2, und das nach einem 0:2-Rückstand! Der Pfälzer Horst Eckel war einer der Spieler, die damals auf dem Platz standen. Der Artikel berichtet viel von Eckels Freundlichkeit und Bescheidenheit, von seiner späteren Tätigkeit als Realschullehrer und seinem Einsatz für die Sepp-Herberger-Stiftung, für die er Strafgefangene besuchte, um ihnen Perspektiven für das Leben nach dem Knast aufzuzeigen.

Unterm Strich: Ein vorbildlicher Mensch, von dem wir uns sicherlich einiges abschauen können!

Dennoch fiel mir bei der Überschrift »Der letzte Held ist gegangen« eine ganz andere Person ein, die für mich noch viel mehr ein echter Held ist. Ohne die Verdienste Horst Eckels zu schmälern, ist das Werk Jesu Christi von unermesslich viel größerer Tragweite. Der letzte Held von Bern ist gegangen. Aber dieser andere Held ist auferstanden und lebt (Lukas 24,6-8). Und für alle, die diesem Held gehorchen, ist er sogar der Urheber ewigen Heils geworden! In einem Lied über diesen Helden Jesus Christus heißt es: »Seht her, Sein Knecht, ans Kreuz gehängt, / entehrt, entblößt, entstellt; / der Seine Herrlichkeit verschenkt. / Er tut, was Gott gefällt. – Er schwieg geduldig wie ein Schaf, / Verbrechern beigesellt; / damit nicht uns Sein Urteil traf, / hat Er sich hingestellt. – Weil Er den Kelch der Leiden trank, / das Lösegeld gestellt; / bringt Ihm als Lohn der Mühsal Dank, / erhebt Ihn als den Held!« (A. Fett)

Martin Reitz

? Wer ist für Sie ein Held?

! Nur ein Held kann uns ewiges Leben geben: Nur Jesus Christus kann uns ins ewige Leben bringen.

† Zephanja 3,17

Hieran haben wir die Liebe erkannt, dass er für uns sein Leben hingegeben hat; auch wir sind schuldig, für die Brüder das Leben hinzugeben.

1. JOHANNES 3,16

Harriet Tubman (1822–1913)

Harriet Tubmans Eltern waren Sklaven auf einer großen Plantage in Maryland. Schon sehr früh musste Harriet auf ihre Geschwister aufpassen, da ihre Mutter mit Diensten überhäuft war. Auch Harriet landete bald auf den Baumwollfeldern. Dort wurde sie, wie alle Sklaven, häufig ausgepeitscht. Zahlreiche Narben zeichneten ihren Körper.

An einem jener endlosen Tage auf den Feldern warf der Plantagenbesitzer Edward Brodess einen Stein in Richtung eines Sklaven. Der Stein verfehlte jedoch sein Ziel und traf stattdessen Harriet mit voller Wucht auf den Hinterkopf. Ein Teil ihres Schädels zerbarst. Für den Rest ihres Lebens litt Harriet unter dauerhaften Kopfschmerzen.

Als Edward Brodess 1849 verstarb, fürchtete Harriet, dass sie und ihre Geschwister nun getrennt und verkauft werden würden. Sie floh mit zweien ihrer Brüder in die Freiheit der Nordstaaten. Von dort kehrte sie immer wieder in den Süden zurück, um weitere Sklaven zu retten, ständig verfolgt von Sklavenfängern. Unter Einsatz ihres Lebens rettete sie innerhalb der nächsten zehn Jahre 70 Sklaven aus Not und Tod.

Biografen berichten, dass Harriet Tubman die Bereitschaft, ihr Leben für ihre Brüder und Schwestern einzusetzen, aus ihrem starken Glauben schöpfte. Von Kind auf hatten ihre Eltern ihr und ihren Geschwistern die Geschichten aus der Bibel erzählt. Obwohl Harriet nie lesen lernte, lebte sie aus der Kraft der von ihren Eltern weitergegebenen Worte Gottes. Sie hatte, wie es von ihr heißt, »einen starken Glauben an die Gegenwart und Führung Gottes«. 1913, umgeben von ihrer Familie und ihren Freunden, rief Gott sie in die Freiheit des Himmels, jenen ewigen Ruheort, wo es keine Tränen, keine Schmerzen und keinen Tod mehr gibt. *Martin von der Mühlen*

? Was ist die Kraftquelle Ihres Lebens?

! Mit Gottes Hilfe sind erstaunliche Dinge möglich.

✝ 2. Mose 6,1-7

Siehe, die Jungfrau wird schwanger werden und einen Sohn gebären; und man wird ihm den Namen Immanuel geben, das heißt übersetzt: »Gott mit uns«.

MATTHÄUS 1,23

Immanuel

Vollkommen erschöpft und mit starken Kopfschmerzen taumle ich nach wenigen Stunden Schlaf aus dem Bett. Am Küchenschrank entdecke ich einen Liebesbrief meines Mannes: »Mein Schatz ... *Immanuel* gilt heute noch! Ich liebe dich und freu mich, mittags nach Hause zu kommen.« Diese Botschaft durchdringt den Nebel in meinem Kopf und lässt mich innehalten. Immanuel. Gott mit uns.

Jesus wurde *Immanuel* genannt, weil er auf die Erde kam und unter den Menschen lebte. Damit drückte Gott seine tiefste Sehnsucht aus, **mit uns** Menschen sein zu wollen. Mit uns in unseren Schwierigkeiten, unseren trüben Gedanken, mit in unseren Freuden und unseren Festen. Eben mit uns in unserem Alltag. Er möchte daran teilhaben. *Immanuel* bedeutet aber auch, dass Gott **für uns** sein, auf unserer Seite stehen und für uns eintreten möchte.

Hat sich schon mal jemand schützend vor Sie gestellt? Oder Sie verteidigt? Mein Mann tat das für mich, als einmal ein aggressiver Hund auf uns zurannte. Das beeindruckte mich damals sehr. Man fühlt sich geborgen und beschützt, weil der andere stärker ist. Man weiß, dass man ihm wichtig ist, denn er ist bereit, etwas für einen einzustecken. Genau so ist das auch mit *Immanuel*. Er stellte sich schützend vor uns. Aufgrund unserer Sünde haben wir Gottes Zorn verdient. Aber weil wir ihm so wichtig sind, trat *Immanuel* für uns ein und bekam an unserer Stelle Gottes tödlichen Zorn auf Golgatha ab. Er starb für uns! Wer sich jetzt bewusst hinter Jesus stellt, ist in seinem Windschatten vor Gottes Zorn sicher. Ja, er ist sogar versöhnt mit Gott und braucht seinen gerechten Zorn nie mehr fürchten.

Immanuel gilt heute noch und kann auch für Sie Realität werden. Gott möchte mit Ihnen sein. Möchten Sie das auch? *Dina Wiens*

? Welche Bedeutung hat Immanuel in Ihrem Alltag?

! Bitten Sie Jesus darum, in Ihrem Leben Realität zu werden!

✝ Matthäus 1,18-25

Jesus antwortete und sprach zu ihm:
Wahrlich, wahrlich, ich sage dir: Wenn jemand nicht von Neuem geboren wird, so kann er das Reich Gottes nicht sehen.

JOHANNES 3,3

Von Neuem geboren?!

Er ging durch die schmalen Gassen der Stadt. Hinten in seinem Laden lagen sie, die Schriftrollen. Eine stattliche Anzahl hatte er in den letzten Jahren gesammelt. Konnte das wirklich wahr sein, was die Leute erzählten? Sollte der verheißene Messias nun tatsächlich geboren sein? Nein, dieser Gedanke war so abwegig, dass er ihn schnell beiseiteschob. Das war doch nicht möglich – und außerdem, was sollten die anderen von ihm denken? Er fürchtete, seine einflussreiche, politische Stellung zu verlieren.

Doch dann fasste Nikodemus einen Entschluss. Er wollte es jetzt wissen: War Jesus der versprochene Retter oder nicht? Er schlich sich nachts aus seinem Haus, ging durch die Gassen Jerusalems, um Jesus zu treffen und ihn selbst zu fragen. Dieser antwortete ihm: »Denn also hat Gott die Welt geliebt, dass er seinen eingeborenen Sohn gab, auf dass alle, die an ihn glauben, nicht verlorengehen, sondern das ewige Leben haben« (Johannes 3,16).

Nikodemus bekam in dieser Nacht von Jesus erklärt, dass er tatsächlich der versprochene Retter ist. Jesus ist der Messias, den Gott schon im Alten Testament angekündigt hatte, um die zerstörte Beziehung zwischen Gott und Mensch wieder zu heilen. Denn durch all die schlechten Taten, die jeder Mensch immer wieder tut, sind wir schuldig vor Gott geworden. Doch Gott hatte schon von Anbeginn einen Plan, wie diese Beziehung wieder in Ordnung gebracht werden sollte: Er sandte schließlich seinen eigenen Sohn auf die Erde, damit dieser für die Schuld der Menschen starb. Wer daran glaubt, wird von Neuem geboren, er bekommt ewiges Leben. Wir gut zu wissen, dass Jesus Christus wirklich der angekündigte Retter ist und dass durch ihn der Weg zu Gott frei geworden ist! *Ann-Christin Bernack*

? Sind Sie wie Nikodemus auf der Suche nach der Wahrheit über Jesus?

! Er ist wirklich der angekündigte Retter.

† Johannes 3,1-17

Wahrlich, wahrlich, ich sage euch: Wenn jemand mein Wort bewahren wird, so wird er den Tod nicht sehen in Ewigkeit.

JOHANNES 8,51

Es muss vergehen

07:30

Letztes Jahr musste unser Auto zum TÜV. Bei der Untersuchung kam raus, dass wichtige Teile der Karosserie von Rost durchdrungen waren. Dementsprechend war keine Fahrerlaubnis mehr möglich. Der finanzielle Aufwand, die Reparatur in einer Werkstatt durchführen zu lassen, stand in keiner Relation zum Wert des Wagens. Es war für mich schwer hinzunehmen, ein sonst noch gut fahrendes und funktionierendes Auto aufzugeben. Also entschloss ich mich, die Reparatur selbst durchzuführen. Die Kfz-Werkstatt gab mir freundlicherweise Tipps und Ratschläge für die Durchführung. Sie wies mich dennoch darauf hin, dass der Rost trotzdem wiederkommen würde. Dies konnte ich nach ein paar Wochen leider bestätigen.

Den Kampf gegen die Vergänglichkeit, »die Eigenschaft ..., vergehen zu müssen« (Wikipedia), diesen Kampf kennen wir auch aus anderen Bereichen unseres Lebens, z. B. in Haus, Garten und Hof oder in Bezug auf unseren Körper. Wir unternehmen sehr viel, um möglichst lange zu erhalten, was uns wichtig ist. Doch von ewiger Dauer ist es nicht.

Ein Kampf gegen Windmühlen also. Wo ist die Hoffnung? Wir können sie an den Worten Jesu festmachen (siehe Tagesvers). Doch können Worte Leben geben? Ja, wenn Gott sie in seiner Allmacht wahr werden lässt. Was Gott zusagt, hält er gewiss. Darauf können wir uns verlassen. Seine Versprechen sind an Jesus geknüpft. Wenn ich Jesus in mein Leben aufnehme, ihm mein bedingungsloses Vertrauen schenke und meine Lebensschuld bei ihm ablade, dann kann ich sicher sein, dass er mich erhält, auch dann, wenn mein Körper vergeht. Er wird mir einen neuen schenken. Äußerlich mag ich »rosten«, aber innerlich bin ich durch den Glauben an ihn schon auf »Ewigkeit bei ihm« angelegt. Wenn das nicht tröstlich ist!

Gabriel Herbert

? Was ist Ihre Hoffnung in der Vergänglichkeit?

! Gott möchte auch Ihnen Unvergänglichkeit schenken.

† 1. Korinther 15,42-50

Du sollst der Menge nicht folgen zum Bösen.

2. MOSE 23,2

Du musst auch NEIN sagen können

»Nichts ist schwerer und nichts erfordert mehr Charakter, als sich im offenen Gegensatz zu seiner Zeit zu befinden und laut zu sagen: NEIN.« Dieser Satz stammt von Kurt Tucholsky, einem deutschen Journalisten und Schriftsteller. Er steht auf einer Gedenktafel, die daran erinnern soll, dass dort in Bremen das erste Konzentrationslager der Geheimen Staatspolizei gestanden hat. Mitten in einem Wohngebiet. Dieses Lager wurde dann verlegt, weil sich die Anwohner über die Schmerzensschreie der gefolterten Häftlinge beschwerten. Als alles vorbei war, fragten viele: Wie konnten die Nazis so viele Menschen zu Mitläufern und Mittätern machen? Hätte mehr und ernsthafterer Widerstand vielleicht doch etwas ändern können?

Der Tagesvers fordert uns auf, dass wir der Menge nicht zum Bösen folgen sollen. Hier ist jeder gefordert. Wir müssen das Böse erkennen und standhaft bleiben, wenn uns die Menge zum Bösen zieht. Gott erwartet, dass wir nicht einfach mitmachen. Aber das ist leichter gesagt als getan. Es war schon immer schwer, gegen den Strom zu schwimmen. Die sich damals dagegenstellten, bekamen zu Lebzeiten keine Würdigung und bezahlten ihren Widerstand meist mit Gefängnis, KZ und Tod. Erst heute können wir ermessen, was ein Paul Schneider, Dietrich Bonhoeffer oder eine Sophie Scholl geleistet haben und was ihr Leben wert war.

Die Frage ist, wo wir, jeder Einzelne, heute NEIN sagen müssen zum Bösen. Wahrscheinlich werden auch wir kaum Beifall bekommen, dafür aber jede Menge Gegenwind erleben. Hitler und seine Schergen haben eine unauslöschliche Spur der Verwüstung hinterlassen, doch die Widerständler haben Tausende positiv geprägt. Wem würde ich heute eher folgen?

Herbert Laupichler

? Was tun Sie, um der Menge nicht zum Bösen zu folgen?

! Nur die Ausrichtung an der Güte Gottes hilft uns, das Böse zu lassen.

✝ 5. Mose 17,14-20

Kommt und lasst uns ... die Tat des HERRN, unseres Gottes, erzählen!

JEREMIA 51,10

Die Weihnachtsfeier (1)

Es ist jetzt mehr als 30 Jahre her. Ich hatte, kurz nachdem ich Christ geworden war, Anfang des neuen Jahres meine neue Stelle angefangen. Es war ein bewegtes Jahr gewesen, und es neigte sich nun langsam dem Ende zu. Für den letzten Freitag vor Weihnachten wurde der Termin für die alljährliche Weihnachtsfeier festgelegt. Diese Weihnachtsfeier begann dann mit einer Rede unseres Chefs über die Entwicklungen des vergangenen Jahres. Danach mussten alle Neueinsteiger als Chor nach vorne kommen, und es wurden vier Weihnachtslieder gesungen. Es gab noch eine Tombola, und dann wurde gegessen und vor allem getrunken.

An diesem Abend kam ich ziemlich enttäuscht nach Hause. Als meine Frau mich fragte, wie es gewesen war, konnte ich nur erwidern: essen, trinken, fröhlich sein – das war's. Nicht ein Satz über die Geburt Jesu. Meine Frau holte mich wieder auf den Boden der Tatsachen zurück und gab mir zu bedenken, dass es eine Firmen-Weihnachtsfeier war und ich zwei Jahre vorher dabei auch nicht an Jesus gedacht hätte. Sie hatte ja recht. Aber dann sagte sie, so wie es ihre Art ist: Wenn du möchtest, dass auf eurer Weihnachtsfeier an Jesus gedacht wird, dann mach du doch etwas. Das saß.

Ich dachte über ihre Worte nach, und im Laufe des nächsten Jahres formte sich in mir ein Plan. Kurz vor der nächsten Weihnachtsfeier fragte ich meinen Chef, ob ich auf der Feier etwas vorlesen dürfte. Er gab sein Okay, und so las ich an dem Abend eine Geschichte über die Geburt Jesu vor. Als ich mich wieder setzte, war ich aufgewühlt, aber glücklich. Seitdem habe ich jedes Jahr auf die eine oder andere Weise während unserer Weihnachtsfeier das Evangelium bekannt gemacht und bin so zu einem festen Programmpunkt dieses Abends geworden. *Bernd Grünewald*

? Leiden Sie auch darunter, dass Gott aus dem Denken vieler Menschen verschwunden ist?

! Gott gibt uns immer wieder Möglichkeiten, von ihm zu reden, und wir sollten sie nutzen.

† Lukas 24,30-35

... deren Herz öffnete der Herr, dass sie achtgab auf das, was ... geredet wurde.

APOSTELGESCHICHTE 16,14

Die Weihnachtsfeier (2)

Er war Außendienst-Verkaufsleiter für einen Teil Ostdeutschlands und Berlin. Zu unserer betrieblichen Weihnachtsfeier kamen auch die Außendienstler in die Firmenzentrale. Oft ein paar Tage vorher, um noch eine Tagung damit zu verbinden. Dann, bei der Weihnachtsfeier, waren alle miteinander vereint. Jedes Jahr hatte ich hier die Möglichkeit, sozusagen als Weihnachtsbotschaft, den Kollegen und Kolleginnen von Jesus, seiner Geburt, seinem Leben und vor allem seinem Erlösungswerk zu erzählen. Reaktionen gab es eher selten, und auch unser Berliner Verkaufsleiter blieb unbeteiligt. Manchmal fragte ich mich, ob es überhaupt Sinn macht. Aber ein paar Kolleginnen waren froh, dass es auch diesen Teil der Weihnachtsfeier gab.

Dann passierte etwas Schreckliches. Unser Berliner Verkaufsleiter hatte einen Herzinfarkt erlitten und war verstorben. Alle waren schockiert über die Nachricht seines plötzlichen Todes. Zwei Monate später wurde ich gebeten, seinen Firmenwagen aus Ostberlin zurückzuholen. Mit einem mulmigen Gefühl klingelte ich bei seiner Witwe. Sie öffnete die Tür und empfing mich in ihrer Wohnung. Sie sprach sehr liebevoll von ihrem Mann, und wir unterhielten uns über ihn. Wir kamen auf seine Besuche in der Zentrale zu sprechen, und als sie nochmals meinen Namen hörte, fragte sie, ob ich der Mann sei, der bei der Weihnachtsfeier immer über Gott redete. Ihr Mann hätte ihr jedes Jahr weitergegeben, was dort über Gott erzählt wurde. Als ich bejahte, wurde sie sehr froh, und ich konnte ihr sagen, dass sie ihren Schmerz, ihre Zukunft und ihr Leben getrost in Gottes Hände legen kann.

Wir verabschiedeten uns. Im Auto dankte ich Gott und war beeindruckt von seinem Wirken, in das er uns manchmal kurz hineinblicken lässt.

Bernd Grünewald

? Was machen wir, wenn wir das Gefühl haben, die Menschen interessieren sich einfach nicht für Gott?

! Es macht Sinn, nicht aufzugeben, denn Gott wirkt auch im Verborgenen.

† 2. Thessalonicher 2,13-17

... bei dem keine Veränderung ist noch eines Wechsels Schatten.

JAKOBUS 1,17

Wenn der Zeitgeist sich ändert

Was Menschen heute feiern, kann sich morgen schon als falsch erweisen. Besonders tragisch erlebte das der jüdische Lyriker Ernst Lissauer. Er hatte sich, mitgerissen von der allgemeinen Begeisterung, bei Ausbruch des Ersten Weltkrieges freiwillig zum Militär gemeldet, wurde aber ausgemustert. Bitter enttäuscht, seine Vaterlandsliebe nicht unter Beweis stellen zu können, versuchte er, auf andere Weise der Sache zu dienen. Er verfasste das Gedicht »Hassgesang gegen England«, das wie eine Bombe einschlug. Es erreichte eine enorme Popularität, wurde in allen Zeitungen gedruckt, in den Schulen auswendig gelernt, später als Lied gesungen. Auch der Kaiser war begeistert. Der jüdische Außenseiter glaubte, es endlich geschafft zu haben: Er war »angekommen«, ein angesehener, erfolgreicher und allgemein verehrter Schriftsteller.

Doch dann kam die Wende: Der Krieg ging verloren, und die Menschen erkannten, welch furchtbaren Lügen sie auf den Leim gegangen waren. Niemand wollte mehr etwas vom »Hassgedicht gegen England« und seinem Autor wissen. Alle rückten 1919 von Lissauer ab, die ihn 1914 noch gefeiert hatten. Keine Zeitung wollte seine Gedichte mehr drucken, sein Verleger kündigte ihm, Freunde kannten ihn nicht mehr. Und als Hitler an die Macht kam, wurde der Dichter endgültig aus Deutschland vertrieben. Einsam und frustriert starb er am 10. Dezember 1937 in Wien.

Wie schnell können Stimmungen und Meinungen sich wandeln. Nur Gott ist ein unwandelbarer Fels im Strom der Zeit. Sein Wort steht fest, auch wenn alles andere wankt. Wer sich daran hält, hat eine sichere Grundlage – unabhängig davon, ob Menschen ihn feiern oder verachten. Es lohnt sich, sein Leben auf diesen Felsen zu bauen!

Elisabeth Weise

? Welche Trends und Meinungen der letzten Jahre haben sich im Nachhinein doch als falsch herausgestellt?

! Gottes Werte haben ewige Gültigkeit.

† Psalm 18,1-7

Es begab sich aber in jenen Tagen, dass ein Befehl ausging von dem Kaiser Augustus, dass der ganze Erdkreis sich erfassen lassen sollte.

LUKAS 2,1

Wer hat die Kontrolle?

Die Situation von Maria und Josef war nicht so leicht. Maria war schwanger, und die Entbindung stand bevor. Und jetzt sollten sie gezwungenermaßen auch noch aufbrechen, um nach Bethlehem zu gehen. Das war von ihrem Ort Nazareth etwa 150 Kilometer entfernt. Weil der große Kaiser in Rom wissen wollte, über wie viele Menschen er Macht hatte, erließ er den Befehl, dass sich jeder registrieren lassen sollte. Josef, der aus Bethlehem stammte, musste mit seiner hochschwangeren Frau in seine Vaterstadt ziehen. Was das wohl für Maria bedeutete? Menschlich gesehen könnte man sagen: Nur weil ein Machthaber eine machtpolitische Idee hatte, mussten die einfachen Menschen unnötige Strapazen ertragen. Es scheint, als wären sie ein Spielball der Herrschenden.

Kennt man ein wenig Zusammenhänge der biblischen Geschichte, ergibt sich jedoch noch ein anderer Blick auf die Situation. Durch die Anordnung des Kaisers kam es dazu, dass sich die jahrhundertealte Voraussage Gottes durch den alttestamentlichen Propheten Micha erfüllte. Der kündigte an, dass der kommende Retter Gottes in der Stadt Bethlehem geboren werden sollte. Und so bewirkte Gott durch den Befehl des Kaisers, dass sein Messias rechtzeitig in der Stadt Bethlehem zur Welt kam. Kaiser Augustus ist Befehlsgeber, aber auch Werkzeug.

Möglicherweise kennen wir auch Lebenssituationen, wo wir den Eindruck haben, dass über uns verfügt wird. Oder dass wir gar keine Kontrolle über unser Leben haben, egal, was geschieht. Der Glaubende hat immer eine weitere Perspektive. Nämlich die, dass Gott über allen Lebenssituationen und misslichen Lagen steht. Und wenn ich selbst nicht begreife, wozu das alles geschieht, darf ich doch wissen: Gott regiert. Er hat die Kontrolle.

Manfred Herbst

? In welchen Lebensumständen haben Sie sich schon machtlos gefühlt?

! Gott hat immer alles unter Kontrolle. Vertrauen Sie sich ihm an!

Lukas 2,1-14

Aber die Gnade des HERRN währt von Ewigkeit zu Ewigkeit.

PSALM 103,17

»Ewigkeit bekommt ein Ablaufdatum«

Diese Überschrift in einer bekannten Tageszeitung ließ mich aufhorchen. Was soll das – »Ewigkeit bekommt ein Ablaufdatum«? Dann wäre das ja nicht mehr Ewigkeit. Wie ist denn so eine Aussage möglich? Das waren erste Gedanken zu diesem eher widersprüchlich anmutenden Titel. Beim Lesen des Artikels wurde klar: Der Autor bezog seine Aussage auf die Halbwertzeit des radioaktiven Zerfalls von abgebrannten Brennstäben der Atomkraftwerke. Deren Strahlung wurde bisher als »beinahe ewig« bezeichnet. Nun hat ein belgisches Nuklearforschungslabor ein Verfahren entwickelt, um die Strahlungsdauer dieser Stäbe merklich verringern zu können, und kann damit ein Ablaufdatum der gefährlichen Strahlung bestimmen. Es handelt sich hier also nicht um die eigentliche »Ewigkeit« und darum, wie wir diesen Ausdruck gemeinhin verstehen.

In der Bibel wird oft von Ewigkeit gesprochen. Wir können uns davon keine wirkliche Vorstellung machen. Dass unser Zeitbegriff und derjenige Gottes ganz unterschiedlich sind, zeigt uns z. B. Psalm 90,4: »Denn tausend Jahre sind für dich wie der Tag, der gestern verging, wie eine Wache in der Nacht« (in biblischer Zeit bestand eine Nacht aus drei Abschnitten von vier Stunden). Wir erkennen hier, dass Gott nicht an Zeit gebunden ist. Tausend Jahre können bei Gott 24 Stunden oder auch nur vier Stunden sein. Die Ewigkeit jedoch ist unendlich. Wo und wie wollen wir diese Ewigkeit verbringen?

Jesus selbst gibt uns dazu eine Anleitung und ein noch heute gültiges Versprechen, das Ausdruck der großen Gnade Gottes ist: »Denn so hat Gott der Welt seine Liebe gezeigt: Er gab seinen einzigen Sohn dafür, dass jeder der an ihn glaubt, nicht ins Verderben geht, sondern ewiges Leben hat« (Johannes 3,16; NeÜ).

Martin Grunder

? Wo möchten Sie die wirkliche Ewigkeit, ohne Ablaufdatum, verbringen?

! Folgen Sie der Anweisung Jesu und nehmen Sie Kontakt mit ihm im Gebet auf!

† Johannes 3,13-18

Siehe, dies alles tut Gott zwei- oder dreimal
mit dem Menschen, um seine Seele vom Verderben
zurückzuholen, damit sie erleuchtet werde
mit dem Licht der Lebendigen.

HIOB 33,29-30

Gott im gefährlichsten Gefängnis Deutschlands

Als mir der Youtube-Algorithmus eine Doku über das angeblich gefährlichste Gefängnis Deutschlands vorschlägt, ist mein Interesse geweckt. Schwerverbrecher, zu jahrzehntelanger Haft verurteilt, sitzen dort ihre Zeit ab. Sie fristen ihr Dasein in weitgehender Isolation und träumen von einem Leben in Freiheit, für viele von ihnen in weiter Ferne.

Die Kamera filmt einen zu lebenslanger Freiheitsstrafe verurteilten Mörder in seiner Zelle. Er berichtet, dass kein einziger Tag vergeht, an dem er nicht an die Freiheit denkt. Ich pausiere das Video. Stutzig gemacht hat mich ein Kalender im Hintergrund des Mannes, der mir bekannt vorkommt. Der gleiche christliche Wandkalender hängt in unserer Wohnung. Schon oft habe ich mich über die ermutigenden Bibelverse und die Texte über die gute Botschaft von Jesus gefreut. Irgendwie hat es dieser Kalender auch in den gefährlichsten Knast Deutschlands zu einem lebenslänglichen Insassen geschafft. Wenn der Mann schon nicht mehr rauskommt, dann kommt Gott halt zu ihm rein.

Gottes Handeln beeindruckt mich, und ich denke an den Tagesvers. Jeder Mensch bekommt seine Chance. Gott versucht, ihm zu begegnen, ihn vor dem ewigen Abgrund zu retten. Dabei bleibt Gott hartnäckig. Er will dem Menschen unbedingt das ewige Leben schenken und gibt nicht so schnell auf. Er versucht es mehrmals und auf unterschiedlichen Wegen, wenn auch nicht unendlich oft. Manchmal spricht er uns durch andere Menschen an, manchmal durch Leid in unserem Leben. Manchmal tut er es durch einen Bibelvers, der uns begegnet, manchmal durch Literatur, die wir geschenkt bekommen. Auch dieser Kalender hat es ja auf irgendeine Weise in Ihre Hände geschafft. Was ist nun Ihre Reaktion? *Janina und Philipp Strack*

? Wie hat Gott zuletzt zu Ihnen gesprochen?

! Wenn Gott anklopft, sollten Sie öffnen.

† Offenbarung 3,20-22

Wir müssen des Todes sterben, weil wir Gott gesehen haben.

RICHTER 13,22

(Un)Fassbar

Herrlichkeit, Größe, Allmacht: Das sind nur einige Attribute, die wir zu Recht Gott zuschreiben. Gott übersteigt das menschliche Fassungsvermögen. Es übersteigt meinen Verstand, dass Gott ewig ist, weil ich nur zeitlich denken kann. Es ist unglaublich, dass er das Universum geschaffen hat und jeden Stern selbst in der fernsten Galaxie mit Namen kennt. In der Bibel wird überdies beschrieben, dass Gott Licht ist und sich in Licht hüllt, das unzugänglich ist. Einem Mose sagt Gott deshalb, dass dieser es nicht ertragen könnte, Gottes Angesicht zu sehen (2. Mose 33,20). Denn vor dem heiligen Gott wird jeder Mensch mit all seinen Abgründen, seinen Fehlern und seiner Schuld offenbar, sodass der Prophet Jesaja ausruft: »Wehe mir, ich vergehe! Denn ich bin unreiner Lippen und wohne unter einem Volk von unreinen Lippen; denn ich habe den König, den HERRN Zebaoth, gesehen mit meinen Augen« (Jesaja 6,5). Gott ist für den Menschen unfassbar, und es ist unerträglich, ihm in seiner Majestät zu begegnen.

Und nun Weihnachten. Gott entäußert sich in seinem Sohn seiner himmlischen, sichtbaren Herrlichkeit und wird Mensch. Und das nicht in imposanter Gestalt, als strahlender Held, der die Menschen unterwirft. Er wird ein Baby, entbunden in einem schäbigen Stall in einer kleinen israelitischen Stadt, von einer jungen, unbedeutenden Frau. Mittelalterliche Bilder zeigen diese Szenerie oft in ganz natürlicher Schlichtheit: Ein Neugeborenes, das von seiner Mutter gestillt wird, ganz verletzlich. Der große Gott wird (an)fassbar, in einer Art, die der Mensch ertragen kann. Jetzt kann er sich Gott nähern.

Welche Liebe und Menschenfreundlichkeit offenbart der große Gott, dass er uns auf diese Weise begegnet! *Markus Majonica*

? Welche Bedeutung hat Weihnachten für Sie?

! Die Schöpfung ist schon unergründlich, wie viel mehr der Schöpfer!

† Johannes 1,14-18

Da es aber Jesus hörte, antwortete er ihm und sprach: Fürchte dich nicht; glaube nur, so wird sie gerettet werden!

LUKAS 8,50

Vom Tod zum Leben

»Ein Arzt, schnell einen Arzt!«, brüllte die Hebamme durch den Flur. »Wir brauchen eine Reanimations-Spritze, damit sie nicht stirbt!« Meine Frau lag angespannt auf dem Krankenbett – es ging um das Kind in ihrem Bauch. Eigentlich war es eine ganz normale Voruntersuchung. Zur Sicherheit wurde noch ein CT-Scan gemacht, der die Herztöne des Babys aufzeichnete. Doch plötzlich fielen die Herztöne unserer Tochter ab. So tief, dass sie nicht mehr gemessen werden konnten. War sie tot? Der herbeigeholte Arzt spritzte ein Mittel, das wiederbelebend wirken sollte, aber sicher war die Rettung damit nicht. Es war eine Situation zwischen Leben und Tod. Doch tatsächlich wurde der ärztliche Einsatz mit Erfolg belohnt. Die Herztöne waren plötzlich wieder hörbar. Ein wunderbarer Ausgang.

Ich war bei dem Drama nicht anwesend, und es gab vorher keine Warnzeichen. Abends redete ich mit meiner Frau über den aufregenden Tag. Wie sollte unsere Tochter heißen? Auf einen Namen hatten wir uns bisher noch nicht geeinigt. Doch jetzt ist es klar: Sie soll so heißen, wie Jesus das Mädchen in der Bibel anspricht, an das uns das Erlebte erinnerte. Ein Mann namens Jairus hatte eine todkranke zwölfjährige Tochter. Er bat Jesus, zu kommen und sie zu heilen. Zu Hause angekommen, war es eigentlich schon zu spät. Die Tochter war gestorben. Doch Jesus tröstete den Vater: »Fürchte dich nicht, glaube nur, so wird sie gerettet werden!« Jesus ging zu dem toten Kind und sprach: »*Talita* kumi«, das heißt: »Tochter, steh auf«. Und so geschah es.

Unsere Talita wird uns stets daran erinnern, dass es einen Gott gibt, der Wunder tut. Einer, der hier auf Erden schon Leben retten kann, ist auch der Garant ewigen Lebens. Auch dazu muss man »nur« glauben. *Tim Petkau*

? Was trauen wir Jesus zu?

! Wenn wir keinen Ausweg mehr sehen, dann gibt es bei Gott immer noch eine Tür.

† Lukas 8,49-56

Ich will dich unterweisen und dich den Weg lehren, den du wandeln sollst; mein Auge auf dich richtend, will ich dir raten.

PSALM 32,8

Auf dem tiefsten See der Welt

Jährlich machen sich mutige Männer auf, um über den zugefrorenen Baikalsee zu wandern. In der Regel übernachtet man bei dieser Wanderung mindestens einmal direkt auf dem See. Wenn man jedoch das Ziel aus den Augen verliert, können es auch schon mal zwei Nächte werden. Zu Beginn der Wanderung wird die Gruppe darauf hingewiesen, dass das Ziel eine Felsformation auf der anderen Seite des Sees ist, die man nach einer bestimmten Zeit mit dem bloßen Auge gut erkennen kann. Proviant und Ausrüstung werden auf einem Schlitten geschoben. Der Schlittenschieber geht voran – jeder muss mal schieben.

Es kommt jedoch häufig vor, dass der Vordermann – sich auf den Schlitten stützend – wegen Ermüdung seinen Kopf hängen lässt und dann das Ziel aus dem Blick verliert. Dadurch kommt dann die ganze Gruppe vom Kurs ab. Erst wenn der Schlittenschieber sein Abweichen bemerkt und den Kurs entsprechend korrigiert, ist man wieder auf der richtigen Spur. Geschieht das häufiger, führt das nicht selten zu Spannungen zwischen den Männern.

Schlimmer als eine solche kurzzeitige Kursabweichung ist allerdings, wenn man gar kein Ziel vor Augen hat. Der römische Philosoph Lucius A. Seneca hat einmal einen Menschen, der sich ohne Ziel auf seine Lebensreise begibt, wie folgt beschrieben: »Dem Schiff, das nicht weiß, wo es hinwill, ist kein Wind günstig.« So sind manche in ihrem Leben orientierungslos unterwegs und landen am Ende dort, wo sie gar nicht hinwollten. Doch Gott will uns den Weg lehren, den wir gehen sollen, wie unser Tagesvers sagt. Und dieser Weg hat ein klares Ziel: Bei Gott sollen wir ankommen und uns für ewig seiner Gegenwart und Fürsorge erfreuen. Wer sich an ihm orientiert, ist auf richtigem Kurs.

Rudi Löwen

? Woran orientieren Sie sich?

! Gott verspricht, jeden ins Ziel zu bringen, der ihn im Blick behält.

† 2. Mose 13,20-14,31

Unser Leben dauert siebzig Jahre, vielleicht sogar achtzig Jahre. Doch selbst noch die besten Jahre sind voller Kummer und Schmerz, wie schnell ziehen die Jahre vorüber, und alles ist vorbei.

PSALM 90,10

Alt werden – klug werden?

Die Lebenserwartung von Tieren ist sehr unterschiedlich. Einige werden nur wenige Tage alt, andere erreichen ein Alter von über 100 Jahren. So gibt es mehrzellige Bewohner von Süßgewässern, die nur rund drei Tage existieren. Blattläuse schaffen schon eine Lebenszeit von etwa einem Monat. Demgegenüber lebt eine Termitenkönigin immerhin 15 bis 50 Jahre. Papageien können zwischen 40 und 100 Jahre alt werden. Der Elefant bringt es auf sechs Jahrzehnte. Doch eine der längsten Lebenserwartungen genießt die Riesenschildkröte. Sie wird durchschnittlich 177 Jahre alt.

Und der Mensch? Ein Zwanzigjähriger denkt vielleicht, er sei noch jung. Doch in Wirklichkeit ist etwa ein Viertel seines Lebens bereits vorbei, und das auch nur, wenn er tatsächlich 80 Jahre alt wird. Die zeitliche Begrenztheit allen irdischen Lebens ist also offenkundig. Doch welche Konsequenzen ziehen wir daraus?

Die eine Alternative ist: Wir können vor unserer Endlichkeit einfach die Augen verschließen und so tun, als ginge es immer so weiter. Doch den Kopf in den Sand zu stecken, ändert nichts an den Tatsachen. Die andere Alternative ist die, zu der uns die Bibel rät, z. B. in Psalm 90,12: »Lehre uns bedenken, dass wir sterben müssen, auf dass wir klug werden.« Offenkundig ist es also sehr klug, sich die eigene Vergänglichkeit klar vor Augen zu führen. Denn das führt zu der Frage: Was kommt danach?

Hierauf kennt die Bibel eine klare Antwort: Wer in seiner Endlichkeit lernt, sein Leben Gott anzuvertrauen, wird eine Unendlichkeit in der liebevollen Gegenwart Gottes erleben. Wer das nicht tut, den erwartet ewige Gottesferne. Angesichts dieser Konsequenzen ist es wirklich klug, sich zeitnah mit dieser wichtigen Frage auseinanderzusetzen. *Stefan Taube*

? Wie viele Jahre Ihres Lebens leben Sie ohne Gott?

! Das irdische Leben kann jederzeit enden. Ihr ewiges Leben kann heute beginnen.

† Lukas 12,16-21

Wenn nun der Sohn euch frei machen wird,
so werdet ihr wirklich frei sein.

JOHANNES 8,36

Weihnachten hinter Gittern

Während besonders Kinder voller Ungeduld die Tage bis Weihnachten zählen und sich auf ihre Geschenke freuen, stellt das Fest einigen Erwachsenen eine noch viel größere Freude in Aussicht: endlich Freiheit! Viele deutsche Gefängnisse haben es ihren Insassen in den letzten Jahren ermöglicht, früher aus der Haft entlassen zu werden. Die »Weihnachtsamnestie« soll die Wiedereingliederung der Gefangenen in die Gesellschaft erleichtern. So können sie vor der Weihnachtspause Behördengänge erledigen, auf Wohnungssuche gehen und mit der Familie feiern. Aber erstaunlicherweise nehmen nicht alle Insassen das Angebot an. Alleine in NRW verbrachten im Jahr 2019 69 Häftlinge Weihnachten lieber in ihrer Zelle als in Freiheit. Was mag sie zu diesem Entschluss geführt haben? Ängste vor dem Unbekannten? Vor Beziehungen? Vor den Anforderungen, die sie erwarten?

Jesus Christus bietet uns ebenfalls Freiheit an. Zu seinen Zuhörern sagt er, dass er sie von der Sünde frei machen will. Von der Sünde, die uns zwingt, schlechte Entscheidungen zu treffen, uns selbst zu schaden, in unglücklichen Beziehungen zu leben ... und die am Ende in den ewigen Tod führt. Jesus sagt, dass er uns wirklich frei machen will – ohne einen Haken.

Viele Menschen, die vor der Entscheidung stehen, ein Leben mit Jesus zu beginnen, scheinen genau daran zu zweifeln. Was, wenn ich dieses neue Leben nicht hinbekomme, wenn ich mich an Regeln halten muss und versage? Wenn ich mit meinen Beziehungen brechen muss? Aber Jesus möchte uns stattdessen Freiheit und ein erfülltes Leben schenken. Er gibt die Kraft zur Veränderung und führt jeden Menschen individuell in dieses neue Leben. Haben Sie Vertrauen in sein Versprechen! *Janina und Philipp Strack*

? Welche Bedenken hindern Sie daran, ein neues Leben mit Jesus zu beginnen?

! Machen Sie sich auf den Weg und erleben Sie, wie Jesus Ihnen den Weg in die Freiheit ebnet.

† Apostelgeschichte 12,1-17

Wenn es nun irgendeine ... Gemeinschaft des Geistes gibt, wenn irgendein herzliches Mitleid und Erbarmen, so erfüllt meine Freude, dass ihr ... einmütig, eines Sinnes seid.

PHILIPPER 2,1-2

Einigkeit macht stark

Eine Sage berichtet, dass die Städte Rom und Alba Longa ihren langen Streit um die Vorherrschaft dadurch beenden wollten, dass von beiden Städten fünf Krieger gegeneinander kämpfen sollten, um den Sieger zu ermitteln. Schon bald waren vier Römer erschlagen, und nur einer blieb unverletzt, und von den Alba Longaern waren alle fünf unterschiedlich schwer verwundet. Da wandte sich der Römer zur Flucht, und seine Gegner verfolgten ihn. Dabei wurden sie entsprechend ihrer Verwundung immer weiter auseinandergezogen. Als sie einander nicht mehr rechtzeitig zur Hilfe kommen konnten, wandte sich der Römer um und erschlug einen nach dem anderen.

Ob sich die Sache wirklich so zugetragen hat, weiß ich nicht; aber die Lehre aus der Geschichte ist immer noch gültig. »Einigkeit macht stark!«, heißt darum die Parole nicht nur im Bereich von Militärbündnissen und im wirtschaftlichen Konkurrenzkampf. Auch auf geistigem Gebiet ist Einheit lebenswichtig. Wenn Menschen von der Idee beseelt sind, die »Masse« der Bevölkerung zu beherrschen, trachten sie zuallererst danach, bestehende Verbindungen aufzuweichen oder ganz aufzulösen.

Die älteste, wichtigste und stabilste schützende Institution, viel älter als Staaten, Religionen und andere Interessengruppen, ist die Familie. Ihre »Entmachtung« oder gar Zerstörung ist darum auch das oberste Ziel totalitärer Einrichtungen. Hat man sie erreicht, ist es relativ einfach, die wie Schafe ohne Herde und Hirten umherirrenden Einzelnen vor den jeweiligen ideologischen Karren zu spannen. Wer als Vater oder Mutter beten kann, sollte Gott bitten, den Kindern ein wahrer Zufluchtsort sein zu können, an dem sie festen Grund unter die Füße bekommen.

Hermann Grabe

? Was wissen Sie über die wirklichen seelischen Bedürfnisse Ihrer Kinder?

! Eltern müssen der immer verständnisvolle Schuttabladeplatz für ihre Kinder sein.

† 5. Mose 31,12-13

Und kein Geschöpf ist vor ihm unsichtbar, sondern alles bloß und aufgedeckt vor den Augen dessen, mit dem wir es zu tun haben.

HEBRÄER 4,13

Mond mit Schokoladenseite?

Kennen Sie den Mann im Mond? Er besteht aus einer Anordnung von Kratern auf dem Mond, deren Schatten wie die Figur oder das Gesicht eines Menschen aussehen. Bei klarem Himmel und Vollmond ist die Gestalt gut zu sehen. Interessant ist, dass wir von der Erde aus immer nur diese Seite des Mondes sehen. Seine Rückseite kennen wir gar nicht! Das liegt daran, dass die Eigendrehung des Mondes genau der Umlaufzeit um die Erde von einem Monat entspricht. In der Astronomie heißt dieses Phänomen »gebundene Rotation«. Diese Eigenrotation stabilisiert den Mond auf seiner Umlaufbahn um die Erde. Die andere, die »dunkle« Seite des Mondes bekommen wir dadurch nie zu Gesicht.

Als Mensch versuche ich, mich möglichst auch nur von einer, von meiner schönen Seite zu zeigen. Wenn Besuch kommt, räume ich auf, damit meine Gäste sich wohlfühlen. Schon Kindern bringen wir bei, sich möglichst »von ihrer Schokoladenseite« zu zeigen, gerade wenn sie außer Haus sind. Wie ernüchternd kann es sein, wenn eine Ehe nach außen harmonisch erscheint, wir dann aber mitbekommen, wie »der Haussegen schief hängt« und hinter verschlossener Tür Streitigkeiten an der Tagesordnung sind. Solche Schattenseiten halten wir vor unseren Mitmenschen lieber verborgen.

Doch vor Gott müssen und können wir nichts verstecken. Er möchte wie ein guter Freund sein, dem wir auch unsere größten Geheimnisse, die wir sonst niemandem sagen, anvertrauen. Wie befreiend ist es, wenn man Freunde hat, vor denen man Belastungen und Misserfolge aussprechen kann. Aber noch befreiender ist es, wenn ich Sorgen und Schuld Gott sagen kann. Denn als Schöpfer kann er mich wirklich verstehen, und als Retter kann er – und nur er! – Schuld vergeben. *Thomas Pommer*

? Wem zeigen Sie Ihre Schattenseiten?

! Gott können Sie Ihr Herz ausschütten.

† Psalm 32

Wer in Finsternis lebt und wem kein Lichtglanz scheint, vertraue auf den Namen des HERRN und stütze sich auf seinen Gott!

JESAJA 50,10

Songtexte werden immer düsterer

»Songtexte in der Unterhaltungsmusik werden immer trauriger« – das geht aus einer Studie der *Lawrence Technological University* hervor. Die Forscher analysierten anhand von 6000 Hits, welche Empfindungen in Liedtexten zum Ausdruck gebracht werden. Tendenziell, so das Ergebnis der Studie, würden Themen wie »Traurigkeit« und »Angst« immer häufiger verarbeitet. Der Musikproduzent Hans Nieswandt erklärt: »In den 50ern bis 80ern, teilweise auch noch in den 90ern, schaute man eigentlich mit Optimismus in die Zukunft. Das ist dem Menschheitskollektiv ein bisschen abhandengekommen. Kaum jemand denkt noch: »Die Zukunft, die wird super!« Offenbar geht es immer mehr Menschen so, wie Eugen Roth einst dichtete: »Ein Mensch erblickt das Licht der Welt. / Doch oft hat sich herausgestellt, / nach manchem trüb verbrachten Jahr, / dass dies der einzige Lichtblick war.«

Diesem zunehmenden Pessimismus und der Düsternis setzt die Bibel etwas Großartiges entgegen: Gott will mit seinem Licht in unsere Herzen scheinen. Der Tagesvers enthält hierzu bereits einen echten »Lichtblick«: Wenn wir anfangen, uns trotz unserer Lebensumstände auf Gott zu verlassen, will er uns eine neue, klare Perspektive geben. Doch sein Licht verbindet Gott besonders mit einer konkreten Person: Jesus Christus. In Bezug auf die Menschwerdung des Sohnes Gottes heißt es deshalb in Johannes 3,19 (NeÜ): »Das Licht ist in die Welt gekommen.« – »Das Volk, das in Finsternis saß, hat ein großes Licht gesehen, und denen, die im Land und Schatten des Todes saßen, ist Licht aufgegangen« (Matthäus 4,16). Und noch heute gilt: Wer Jesus »nachfolgt, wird nicht in der Finsternis wandeln, sondern wird das Licht des Lebens haben« (Johannes 8,12).

Peter Güthler

? Was lieben Sie mehr: Licht oder Finsternis?

! In der größten Dunkelheit gibt Licht Orientierung.

† Johannes 12,35-36

Denn euch ist heute ein Retter geboren,
der ist Christus, der Herr, in Davids Stadt.

LUKAS 2,11

Weihnachten in Tokio

Keine andere Stadt ist so weihnachtsverrückt wie Tokio! So berichtete der FOCUS am 21. Dezember 2019. Tokio und Weihnachten – passt das überhaupt zusammen? Auf der einen Seite Shintoismus und Buddhismus, auf der anderen Seite ein christliches Fest? Es ist trotzdem das wichtigste Ereignis des Jahres in Japan, vor allem für Paare. Die Männer wählen teure Restaurants, am Ende des Abends geht es dann in eines der zahllosen Liebeshotels. Für das Date wird ein edles Geschenk gekauft. Es gibt außerdem »Christmas Cake«, in den Geschäften ertönt »Christmas-Pop«. Tokio glitzert weihnachtlicher als die meisten Städte in Deutschland in dieser Zeit. An den Straßen ist jeder Baum mit LED-Lampen geschmückt. In der Annahme, dass Europäer zu Weihnachten stets Hühnchen essen, sind die KFC-Restaurants am 24. Dezember überfüllt. Bereits Ende November sind keine Reservierungen mehr möglich. Dies sind nur einige Beispiele für viele Bräuche, die als weihnachtlich gelten und in Tokio gelebt werden.

In dem Artikel wird aber auch deutlich, dass es nur um Konsum und Gefühle geht und nicht um einen inneren Bezug zu diesem Fest. Selbst Atheisten können deshalb problemlos mitfeiern. Denn den wahren Grund für die Feierlichkeiten kennt kaum jemand.

Dabei ist die Geschichte vom Kind in der Krippe einzigartig: Gott wurde Mensch und kam in seinem Sohn Jesus zu uns. Als er in einer Krippe lag, nahm die Welt zwar schon damals kaum Kenntnis davon. Aber was Jesus vollbrachte, ist bis heute von höchster Bedeutung. Durch sein Leben und seinen Tod am Kreuz wurde er der Retter der Welt. Das war schon für viele der Grund, ihrem Leben eine Wende zu geben: Aus Sünde und Schuld heraus zu einem freudigen Leben und Dienst für Gott. *Martin Reitz*

? Worum geht es Ihnen bei diesem Fest?

! Wer den Erretter gefunden hat, hat den wirklichen Grund zur Freude gefunden.

† Lukas 2,1-20

Er kam in das Seine, und die Seinen nahmen ihn nicht an; so viele ihn aber aufnahmen, denen gab er das Recht, Kinder Gottes zu werden, denen, die an seinen Namen glauben.

JOHANNES 1,11-12

Himmlischer Besuch

Was war das größte Ereignis der Weltgeschichte? Die Entdeckung der Bakterien als Ursache viele Krankheiten? Die Mondlandung? Oder die erste Ausfahrt mit einem Motorfahrzeug? Ich meine, es war der Besuch des Schöpfers von Himmel und Erde bei uns Menschenkindern zu Weihnachten.

Gott hatte ein Universum geschaffen, das auf erstaunlich vielfältige Weise eine paradiesische Erde möglich machte. Doch die Verwalter dieses Juwels hatten Raubbau daran betrieben und vieles zerstört, anstatt es zu bewahren. Auch untereinander hatten sie durch Streit um Besitz und Macht Elend und Verwüstung riesigen Ausmaßes angerichtet. Und nun kam der Einzige, der alles wiederherstellen konnte, der Sohn Gottes; und er kam auf die denkbar unbedrohlichste Art zu uns: als Baby in einer Krippe. Er kam auf diese Weise, damit niemand Angst haben brauchte. Andererseits aber auch so, dass jeder frei und offen zeigen konnte, welche Gesinnung er gegenüber dem großen Besitzer aller Dinge hatte. Niemand brauchte Unterordnung zu heucheln.

Sollte da nicht eigentlich überall endloser Jubel ausgebrochen sein? Aber unser Tagesvers sagt, dass sie ihn nicht aufnahmen. Der Teufel, der Feind Gottes, hatte die Herrschaft auf der Erde ergriffen und ließ die Menschen nach seiner Pfeife tanzen. Da schlugen die Starken mit erbarmungsloser Faust auf die Schwachen ein, und die Schlauen stahlen den Einfältigen, wenn es irgend ging, das letzte Hemd.

Jesus Christus ließ sich dadurch nicht abhalten, 33 Jahre lang Segen und Heil zu verbreiten. Und dann ließ er sich zur Bezahlung unserer unermesslichen Schulden vor Gott ans Kreuz schlagen. Das ist wahrlich die beste Botschaft und das größte Ereignis der Weltgeschichte. *Hermann Grabe*

? Wie reagieren Sie darauf?

! Jesus Christus ist nicht irgendwer, sondern der Herr des Himmels und der Erde.

† Johannes 1,1-14

Und der Engel sprach zu ihnen: Fürchtet euch nicht! ... Denn euch ist heute in der Stadt Davids der Retter geboren, welcher ist Christus, der Herr.
LUKAS 2,10-11

Fürchtet euch nicht!

Als ein Engel dem Zacharias im Tempel erschien und ihm die Geburt von Johannes dem Täufer ankündigte, sagte er als Erstes: **Fürchte dich nicht!** Als ein Engel der Maria erschien und ihr die Geburt Jesu ankündigte, sagte er auch ihr als Erstes: **Fürchte dich nicht!** Als Jesus geboren war, erschienen die Engel den Hirten auf dem Feld, und auch zu ihnen sagten sie: **Fürchtet euch nicht!**

Fürchtet euch nicht! Das ist eine Aussage, die schnell gemacht werden, jedoch auch leicht ohne Wirkung bleiben kann. Denn eigentlich hilft es Menschen nicht viel, wenn man zu ihnen sagt: Fürchtet euch nicht! Sie brauchen einen wirklichen Grund, um ihre Angst loszulassen. So war der Grund bei Zacharias und ebenso bei Maria die gute Nachricht, einen Sohn zu bekommen. Bei den Hirten lautete die gute Nachricht: Euch ist heute der Retter geboren.

Das neugeborene Kind in der Krippe wird hier mit drei Titeln benannt: Retter, Christus, Herr. Wenn unser größtes Problem unser Bildungsrückstand wäre, dann hätte Gott uns einen Professor gesandt. Wenn unser größtes Problem die Langeweile wäre, dann hätte er uns einen Entertainer gesandt. Wenn unser größtes Problem mangelndes elektronisches Wissen wäre, dann hätte er uns einen IT-Fachmann gesandt. Und wenn unser größtes Problem die Wirtschaft wäre, dann hätte er uns einen Ökonomen gesandt. Da aber das größte Problem des Menschen seine Gottlosigkeit ist und das damit verbundene Gericht, hat Gott uns einen Herrn und Retter gesandt. Jesus Christus. Er schenkt uns die wahre Weihnachtsfreude.

Genauso wie damals brauchen Menschen auch heute in dieser turbulenten, unsicheren Zeit genauso einen Retter, an dem sie sich festhalten können und der ihnen Zuversicht und Hoffnung gibt. *Robert Rusitschka*

? Was macht Ihnen Angst?

! Es gibt jemand, der Sie davon befreien kann.

† Jesaja 9,1-6

Und Maria sprach: Meine Seele erhebt den Herrn, und mein Geist freut sich über Gott, meinen Retter.
LUKAS 1,46-47

Die schönste Botschaft der Welt

Der Evangelist Lukas berichtet ausführlich über die Geburtsgeschichte von Jesus. Es ist die Weihnachtsbotschaft, an die wir uns alle jedes Jahr gerne erinnern. Im ersten Kapitel seines Evangeliums bereitet uns Lukas auf das herausragendste Ereignis der Menschheitsgeschichte vor, mal abgesehen von der späteren Kreuzigung Jesu Christi: die Geburt Jesu, des Sohnes Gottes. Gott und Mensch zugleich. Die Geburt Jesu war von großer Tragweite. Wie Maria es ausdrückt, hängt an ihm die Rettung, die Gott seinem Volk Israel und noch vielen Menschen mehr bis heute schenken will. Das allein ist Grund genug, Gott zu loben und zu preisen.

Rund um Jesu Geburt begegnen uns weitere Personen, die an diesem Geschehen auf irgendeine Weise beteiligt sind: Zacharias und Elisabeth, die Eltern von Johannes dem Täufer, dem Vorläufer von Jesus, der dessen Kommen dem Volk Israel ankündigte; der Engel Gabriel, der Maria ihre Schwangerschaft ankündigte, und schließlich Johannes selbst, der schon im Bauch seiner Mutter vor Freude »hüpfte«, als die schwangere Maria sie besuchte.

Die bevorstehende Geburt des Heilandes (= Retters) der Welt ist wahrlich ein freudiges Ereignis! Eine alte Frau (Elisabeth) samt ihrem Kind und Mann loben und preisen mit unbändiger Freude und Zuversicht ihren Gott! Und Maria selbst, die Mutter Jesu jubelt ebenso über Gott, ihren Retter! Diese so wundervolle und wahre »Weihnachtsgeschichte« ist im Grunde ein Triumphzug der Gnade Gottes und hinterlässt einen tiefen Eindruck vom liebevollen Handeln Gottes, der einer verlorenen und in Sünde und Schuld verstrickten Welt seinen Sohn als Retter schenkt. Wenn das kein Grund ist, Gott zu loben und zu preisen! *Axel Schneider*

? Welche Rolle spielt Jesus in Ihrem Leben?

! Freuen Sie sich: Jesus ist um unsertwillen Mensch geworden.

† Lukas 1

Denn ein Kind ist uns geboren, ein Sohn uns gegeben, und die Herrschaft ruht auf seiner Schulter.

JESAJA 9,5

Weihnachten – in einer Nussschale

Die englische Redewendung »in a nutshell«bedeutet »komprimiert auf kleinsten Raum«. Genau das geschah an Weihnachten, und genau das gelingt diesem Tagesvers. Beachten Sie, was der Prophet hier in einen Satz packt:

1. Ein Kind ist uns geboren – das weist auf seine Krippe hin.
2. Ein Sohn ist uns gegeben – das schaut voraus zum Kreuz.
3. Ein Herrscher wird er sein – das legt ihm die Krone bei.

Dazu muss man wissen: Der Prophet Jesaja trat mit seiner Botschaft etwa 700 Jahre vor (!) Christus im südlichen Israel auf. In atemberaubender Zuverlässigkeit verkündete er, was zu seiner Zeit noch fernste Zukunft ist. In einem Atemzug entrollt der Prophet bereits den unfassbaren Heilsplan Gottes. Kurz gesagt verkündet Jesaja 700 Jahre vor Christi Geburt – also 25 Generationen im Voraus – die Eckpfeiler des Evangeliums:

Dieses Kind ist der »Immanuel«, den die Jungfrau zur Welt bringen wird (Jesaja 7,14); dieser Sohn ist der »Wunder-Rat, Gott-Held, Ewig-Vater, Friede-Fürst« (Jesaja 9,5b); dieser Jesus ist der kommende Herrscher, dessen Reich für ewig besteht (Jesaja 9,6a); dies alles wird der »Eifer des HERRN der Heerscharen« zustande bringen (Jesaja 9,6b); Weihnachten wurde nicht durch Herodes' Hass zunichte. Karfreitag wurde nicht durch Pilatus' Politik durchkreuzt.

Ebenso wenig wird auch die Zukunft, die Wiederkunft von Jesus Christus, aufgehalten. Das Kind in der Krippe ist der neugeborene König »in a nutshell«. Nichts und niemand wird ihm widerstehen. Auf ihm ruht schon jetzt alle Stärke, Größe und Würde – und bald auch alle Herrschaft. Ihm gehört die Zukunft!

Andreas Fett

? Auf welchem Machthaber dieser Welt ruht Ihre Erwartung?

! Alle Sehnsucht wird auf der Schulter dieses starken Königs zur Ruhe kommen.

† Offenbarung 4,8-11

Und man nennt seinen Namen: Wunderbarer Ratgeber, starker Gott, Vater der Ewigkeit, Fürst des Friedens.

JESAJA 9,5

»Wunderbarer« oder »Weinsäufer«?

Gestern lasen wir von der erstaunlichen Präzision einer Voraussage des Wortes Gottes. Jesaja packt das Evangelium in eine Nussschale. Im heutigen Tagesvers umschreibt der Prophet, wie man das kommende Kind, den Sohn Gottes, nennen wird. Welche Titel wird man ihm beilegen? Welches Pseudonym wird zu ihm passen?

Wenn wir in den vier Kurzbiografien – den Evangelien – nachschlagen, finden wir jedoch keinen einzigen dieser prophezeiten Namen. Nie wurde Jesus zu seinen Lebzeiten hier auf der Erde so angeredet, wie Jesaja ankündigt. Hat sich der Prophet geirrt? Um es mit den zeitgenössischen Bezeichnungen in Übereinstimmung zu bringen, müsste dann der Vers nicht so lauten: »Und man nennt seinen Namen: »Weinsäufer« (Matthäus 11,19); »Gotteslästerer« (Matthäus 9,3); »Übeltäter« (Johannes 18,30); »Verführer« (Matthäus 27,63); »Bastard« (Johannes 8,41); »Beelzebul« (Matthäus 10,25)? Und dann hören Sie sich einmal in Ihrem heutigen Umfeld um. Als was wird Jesus da bezeichnet? Was bedeutet er unseren Zeitgenossen? Wie schmähen ihn Comedians in ihren Shows? Noch immer ist Jesus skandalös – »ein Ärgernis« (1. Korinther 1,23). Noch immer ist er ein »Zeichen, dem widersprochen wird« (Lukas 2,34). Noch immer erduldet Jesus all den »Widerspruch von den Sündern gegen sich« (Hebräer 12,3). Aber glückselig ist, wer sich nicht an ihm ärgert! (Matthäus 11,6).

Es ist nicht so wichtig, für wen die Leute den Menschensohn halten. Lebensentscheidend ist die Frage, die Jesus seinen Freunden stellt: »Und ihr«, fragte er sie, »was bin ich für euch?« (Matthäus 16,15). Jeder, der sein Vertrauen ganz auf Jesus setzt, kann vollen Herzens beten: »Mein wunderbarer Ratgeber, mein heldenhafter Gott, mein ewiger Vater, mein Friedefürst.«

Andreas Fett

? Was ist Jesus für Sie?

! Beten Sie ihn mit Jesajas Worten an!

† Matthäus 16,13-20

Jesus spricht zu ihr: Ich bin die Auferstehung und das Leben. Wer an mich glaubt, wird leben, auch wenn er stirbt.

JOHANNES 11,25

»Geh nur. Ich komme nach!«

Mein Vater und ich standen am Krankenbett meiner Mutter. Sie lag in ihren letzten Zügen, es war zu sehen, dass ihr nur noch ein Augenblick blieb. Die Palliativmedizinerin riet meinem Vater: »Lassen Sie sie gehen.« Wahrscheinlich wusste sie, wie schwer Angehörige ihre Lieben loslassen können. Aber mein Vater erweckte nicht den Anschein, als wollte er sie mit aller Gewalt festhalten. Im Gegenteil, nun sagte er etwas zu meiner Mutter, was sich tief in mein Gedächtnis einprägte: »Geh nur. Ich komme nach!«

Wie konnte er so etwas sagen? Es war gewiss keine Floskel. Es klang überzeugt, trotz aller Traurigkeit in seiner Stimme. Woher nahm mein Vater diese Zuversicht? Die Antwort liegt in den Worten Jesu: »Ich bin die Auferstehung und das Leben. Wer an mich glaubt, wird leben, auch wenn er stirbt.« Daran glaubte meine Mutter. Das wusste mein Vater, denn auch er selbst glaubte diesen Worten. Darum war er sich sicher: Meine Frau lebt nun bei Jesus, und wenn ich sterbe, werde ich ihr folgen.

Wenn ich das Sterben meiner Mutter mit dem Sterben der Menschen um mich herum vergleiche, werde ich traurig. Menschen, die Jesus nicht vertrauen, sterben hoffnungslos. Die Beerdigungen sind gefüllt mit letztlich trostlosen Worten ohne Hoffnung. Wirklich sicher, was nach dem Tod kommt, ist sich dabei kaum jemand.

Bei Jesus ist das anders. Er hat seinen Freunden nicht verheimlicht, was nach dem Tod kommt. Das ist so schön bei Jesus. Sein Versprechen schenkt Gewissheit und echten Trost. Daher kann ich frohen Herzens an das Sterben meiner Mutter zurückdenken. Ich weiß, die Worte meines Vaters werden sich bewahrheiten. Meine Mutter ist zu Jesus gegangen. Mein Vater wird ihr folgen. Und ich irgendwann auch.

Paul Wiens

? Haben Sie Zweifel über das Leben nach dem Tod?

! Denken Sie über das Versprechen von Jesus Christus nach!

† Johannes 11,1-46

Gebt nun acht, wie ihr sorgfältig wandelt,
nicht als Unweise, sondern als Weise,
die die gelegene Zeit auskaufen,
denn die Tage sind böse.

EPHESER 5,15-16

Das verschwendete Leben

»Ich habe es verschwendet, ich habe es einfach verschwendet!« Als ich diese Worte eines alten Mannes neulich in einem Buch las, wurde ich sehr nachdenklich. Was für eine ehrliche und bittere Erkenntnis! Die Minuten, die Stunden, die Tage und Jahre auf dieser Erde – einfach verschwendet. Was machen Sie, was mache ich mit diesem einen von Gott gegebenen Leben? Wofür schlägt Ihr Herz, bis es eines Tages stillsteht?

Viele Menschen sind sich bewusst, dass sie nur dieses eine Leben haben, aber viele feiern, faulenzen und philosophieren, als hätten sie tausend Leben. Wenn Sie Gott nicht persönlich kennen und nicht die Dringlichkeit sehen, sich für oder gegen Gott zu entscheiden, dann lassen Sie mich bitte direkt sein: Ich würde mein eines Leben mit einem klaren Ziel und klaren Überzeugungen nicht für zehn Leben in solch einer Ungewissheit eintauschen. Wo finden Sie Ihre Hoffnung, und wie wollen Sie vor Gott bestehen, wenn Sie eines Tages vor ihm stehen? Wenn Gott derjenige ist, der Sinnhaftigkeit und Zwecklosigkeit definiert, wie sollten Sie am Ende etwas anderes sagen können als: »Ich habe es verschwendet«?

Jesus hat einmal gesagt: Was nützt es einem Menschen, wenn er die ganze Welt gewinnt, am Ende aber sein Leben verliert? – Die Ausrichtung ist falsch. Das Maximum ist nicht, alles zu besitzen, sondern erst einmal den richtigen Ausgangspunkt zu finden, der dann alles andere sinnvoll macht. Und das ist der Bezug zu Gott als unserem Vater. Den hat Jesus konsequent gelebt, und darüber hinaus hat er uns Menschen den Weg dahin eröffnet. Wer sich Jesus im Glauben anschließt, hat das Leben gewonnen und seine Lebenszeit weise ausgekauft. Für den folgt darauf keine bittere Erkenntnis, sondern eine ewige, unaussprechliche Freude. *Jannik Sandhöfer*

? Ist Ihr Leben geprägt von einer Leidenschaft für Jesus Christus?

! Verschwenden Sie Ihr Leben nicht!

† Markus 8,34-38

Wer zu mir kommt, den werde ich nicht hinausstoßen.
JOHANNES 6,37

Es ist noch nicht zu spät

Ich sah ihn schon im Supermarkt. Er stand an der Kasse und bezahlte gerade seine Flasche Wodka. Ich versteckte mich und wartete, bis der Mann draußen war. Nein, heute wollte ich ihm nicht begegnen. Ich wollte einfach nur meine Ruhe haben und so schnell wie möglich wieder nach Hause kommen. Kennengelernt hatte ich ihn Wochen zuvor an einer Tankstelle. Auch dort wollte er gerade Alkohol kaufen. Er sprach mich an, und ich redete ihm sein Vorhaben aus, nahm ihn stattdessen mit zu uns nach Hause und füllte ihn, da er schon sehr betrunken war, mit Kaffee ab. Ich hörte mir stundenlang seine Lebensgeschichte an und erzählte ihm meinerseits von Jesus.

Aber heute wollte ich mich doch lieber verdrücken. Ich verließ den Supermarkt und ging schnell zu meinem Auto. Von Weitem sah ich ihn auf dem Spielplatz sitzen, wie er gerade seine Wodkaflasche öffnete. Ich merkte, dass Gott wollte, dass ich doch zu ihm ging. Ich gab mir einen Ruck und ging auf den Spielplatz, setzte mich neben den kaputten Mann und erzählte ihm, wie sehr Jesus ihn liebte. Dann betete ich noch für ihn. Der Mann weinte bewegt.

Dann die Überraschung: Jahre später rief dieser Mann bei mir an und bedankte sich für meine Fürsorge. Inzwischen hatte er den Weg zu Gott gefunden und war frei vom Alkohol. Unglaublich!

Ja, kein Mensch ist zu weit von Gott entfernt oder zu kaputt, dass er nicht noch gerettet werden könnte. Vielleicht kennen Sie auch Christen, die schon lange für Sie beten oder sich auf andere Weise um Sie kümmern. Gott will durch diese Menschen an Ihrem Herzen wirken und Sie zu sich ziehen. Egal, wie weit weg Sie vom Glauben sind – wenn Sie zu Jesus kommen, dann wird er sein Versprechen halten und Sie nicht hinausstoßen. *Sabine Stabrey*

? Wo merke ich etwas von Gottes Reden in meinem Leben?

! Noch ist die Zeit, wo man umkehren kann.

✝ Markus 5,21-43

Wenn unsere Missetaten gegen uns zeugen,
so handle du, o HERR, um deines Namens willen;
denn unsere Abweichungen sind zahlreich,
an dir haben wir gesündigt!

JEREMIA 14,7

Am Ziel vorbei?

Sünde könnte man mit »Zielverfehlung« umschreiben: Man tut das, was Gott nicht möchte, was er verabscheut. Ein Mensch, der sündigt, ist grundsätzlich von Gott getrennt. Bleibt dieser Grundzustand unverändert, verfehlt der Mensch das Ziel seines Lebens: die Gemeinschaft mit Gott.

Doch Gott hat gehandelt, um diesen Zustand zu verändern. Er hat seinen Sohn auf die Erde gesandt, damit dieser am Kreuz stellvertretend für Ihre und meine Sünden, für Sie und mich sterben sollte. Nimmt man dies für sich ganz persönlich an, hat man Vergebung aller Sünden und ist für ewig errettet. Dann hat man eine echte, ewige Beziehung zu Gott. Dann gibt es keine Trennung mehr. So sagt es die Bibel, Gottes Wort für uns Menschen.

Ich habe dieses Geschenk dankbar angenommen. Aber ich will ehrlich sein: Obwohl ich an Gott glaube und Jesus liebe, tue ich immer noch oft nicht das, was er von mir möchte. Also kein Unterschied zum Leben vorher? Doch. Denn anders als früher bin ich darüber traurig, wenn ich Gottes Willen ignoriert habe. Anders als früher ist es mir ein Bedürfnis, Gott meine Verfehlungen (= Sünden) zu bekennen. Möglichst zeitnah. Denn ich habe das tiefe Verlangen, meine Beziehung zu Gott nicht zu belasten. Ich möchte mit ihm immer wieder ins Reine kommen.

Es gibt daher für mich gar keinen Grund, mich für besser zu halten als andere Menschen, die nicht an Jesus glauben. Ich bin überhaupt nicht besser als andere, im Gegenteil. Aber das Bewusstsein meiner sündigen Natur macht mich demütig. Ich muss täglich lernen, dass ich stets auf Gottes Vergebung angewiesen bleibe. Aber ich kann täglich Zuflucht suchen bei dem Einzigen, der wirklich rettet, weil ich ihn kenne. Ziel erreicht!

Axel Schneider

? Sind Ihre »Zielverfehlungen«, also Ihre Abweichungen, gegenüber Gott zahlreich?

! Seien Sie ehrlich zu sich selbst!

† Römer 5,6-11

Ich will von der Gnade, die der Herr uns erwiesen hat, erzählen und der lobenswerten Taten des HERRN gedenken. Denn in allem hat er uns nach dem Maßstab seiner Gnade behandelt.

JESAJA 63,7

Mal anders ins neue Jahr?

Seit einigen Jahren beenden wir das Jahr immer relativ ähnlich – nach dem Essen und guter Gemeinschaft reflektieren wir mit den Freunden, die mit uns feiern, über das vergangene Jahr. Jeder von uns macht ganz unterschiedliche Erfahrungen, aber uns eint: Wir erleben Jesus in unserem Leben! Ich bin jedes Mal neu fasziniert, wie Gott in unserem Leben gewirkt hat. Wir tauschen aus, was wir lernen durften und wo wir noch Potenzial haben. Aber auch, was wir uns für das neue Jahr wünschen und wofür wir konkret beten wollen. Wir geben uns gegenseitig Zeugnis von Gottes offensichtlichem Wirken im vergangenen Jahr und unserer Sehnsucht danach, im neuen Jahr mehr davon zu erleben. Wir wissen, dass wir noch lange nicht alles verstanden haben und weiter Veränderung brauchen.

Danach beten wir zusammen. Wir danken Gott, weil wir uns an so viel Gutes erinnern, das er geschenkt hat! Wir können ihm danken für seine Größe, seine Allmacht, sein Handeln, für seine Eigenschaften. Danach bringen wir ihm unsere Anliegen. Wir beten für uns gegenseitig, für die Regierung, unsere Gemeinden, für Veränderung und Hingabe in unseren Herzen, für Liebe für unsere Mitmenschen und vieles mehr. Ich liebe solche offenen Runden, und besonders am Jahresende ist es so wertvoll, sich bewusst zu werden, wo Gott gewirkt hat, und darüber zu sprechen.

Wie feiern Sie Silvester? Finden Sie dann Zeit zu einem Rückblick auf das vergangene Jahr? Bestimmt gibt es auch bei Ihnen Erlebnisse, die Ihnen besondere Freude bereitet haben. Warum ziehen Sie nicht einfach mal in Betracht, dass Gott Ihnen Ihr Leben und die vielen guten Dinge darin ermöglicht hat? Danken Sie ihm doch dafür. Es könnte ein Anfang sein, seine Gnade im neuen Jahr täglich in Anspruch zu nehmen.

Ann-Christin Ohrendorf

? Wie sehen Ihre Silvesterfeiern aus?

! Probieren Sie doch auch mal aus, mit Gott ein Jahr zu beenden und das nächste zu starten.

† Psalm 65

Wenn Sie wissen wollen, wie man ein Leben mit Jesus Christus beginnt, nennen wir Ihnen hier:

Fünf Schritte zu einem neuen Leben

1 Wenden Sie sich an Jesus Christus und sagen Sie ihm alles im Gebet. Er versteht und liebt Sie.
»Kommt her zu mir, alle ihr Mühseligen und Beladenen, und ich werde euch Ruhe geben.« *(Matthäus 11,28)*

2 Sagen Sie ihm, dass Sie bisher in der Trennung von Gott gelebt haben und ein Sünder sind. Bekennen Sie ihm Ihre Schuld. Nennen Sie alles, was Ihnen an konkreten Sünden bewusst ist.
»Wenn wir unsere Sünden bekennen, ist er treu und gerecht, dass er uns die Sünden vergibt und uns reinigt von jeder Ungerechtigkeit.« *(1. Johannes 1,9)*

3 Bitten Sie den Herrn Jesus Christus, in Ihr Leben einzukehren. Vertrauen und glauben Sie ihm von ganzem Herzen. Wenn Sie sich dem Herrn Jesus Christus so anvertrauen, macht er Sie zu einem Kind Gottes.
»So viele ihn aber aufnahmen, denen gab er das Recht, Kinder Gottes zu werden, denen, die an seinen Namen glauben.« *(Johannes 1,12)*

4 Danken Sie Jesus Christus, dem Sohn Gottes, dass er für Ihre Sünde am Kreuz gestorben ist. Danken Sie ihm, dass er Sie aus dem sündigen Zustand erlöst und Ihre einzelnen Sünden vergeben hat. Danken Sie ihm täglich für die Gotteskindschaft.
»In ihm haben wir die Erlösung und die Vergebung der Sünden.« *(Kolosser 1,14)*

5 Bitten Sie Jesus Christus, die Führung in Ihrem Leben zu übernehmen. Suchen Sie den täglichen Kontakt mit ihm durch Bibellesen und Gebet. Der Kontakt mit anderen Christen hilft, als Christ zu wachsen. Jesus Christus wird Ihnen Kraft und Mut für die Nachfolge schenken.
»Wenn jemand mir dient, so folge er mir nach! Und wo ich bin, da wird auch mein Diener sein. Wenn mir jemand dient, so wird der Vater ihn ehren.«
(Johannes 12,26)

Wenn Sie weitere Fragen haben, dann schicken Sie uns einfach eine E-Mail: **info@lebenistmehr.de** oder schreiben Sie uns: **Redaktion »Leben ist mehr«, Am Güterbahnhof 26, 35683 Dillenburg**

THEMENINDEX

TAGESVERSE

ALTES TESTAMENT

1. Mose 1,27	ELB	21.01.
1. Mose 2,7	ELB CSV	24.10.
1. Mose 3,9	LUT	1.08.
1. Mose 3,13	SLT	7.03.
1. Mose 3,23	ELB CSV	10.05.
1. Mose 11,1	ELB	9.09.
1. Mose 11,4	ELB	7.10.
1. Mose 16,13	LUT	18.01.
1. Mose 19,22	SLT	8.06.
2. Mose 12,13	ELB CSV	2.09.
2. Mose 15,26	SLT	30.03.
2. Mose 23,2	ELB	6.12.
2. Mose 40,34	LUT	3.09.
3. Mose 14,4	MENG	17.11.
5. Mose 6,12	ELB	5.04.
5. Mose 31,8	LUT	24.01.
5. Mose 33,3	ELB	3.01.
Richter 13,22	LUT	13.12.
1. Samuel 1,8	ELB	9.03.
1. Samuel 1,12-13	NLB	3.11.
1. Samuel 7,3-4	SLT	28.01.
1. Samuel 16,7	ELB	10.02.
2. Samuel 7,29	ELB	6.01.
2. Könige 7,9	ELB	22.02.
2. Chronik 33,13	ELB	30.06.
Nehemia 9,31	ELB	28.10.
Hiob 2,10	ELB	8.03.
Hiob 33,18	NEÜ	16.08.
Hiob 33,29-30	SLT	12.12.
Hiob 35,10	SLT	16.06.
Hiob 37,6-7	SLT	31.01.
Hiob 37,12-13	LUT	10.11.
Hiob 39,17-18	SLT	8.08.
Hiob 42,3	ELB CSV	24.08.
Psalm 4,8	ELB CSV	20.03.
Psalm 8,4	ELB CSV	24.07.
Psalm 16,11	ELB	22.03.
Psalm 17,6	HFA	17.08.
Psalm 19,13	MENG	12.10.
Psalm 22,5-6	ELB	18.10.
Psalm 23,4	ELB	28.11.
Psalm 23,6	ELB	3.07.
Psalm 26,2	SLT	3.02.

Psalm 31,4	ELB	25.01.
Psalm 31,8	SLT	2.11.
Psalm 32,1	SLT	20.01.
Psalm 32,1	ELB CSV	7.06.
Psalm 32,8	ELB CSV	3.08.
Psalm 32,8	ELB CSV	15.12.
Psalm 33,4	NGÜ	20.09.
Psalm 33,4-5	ELB CSV	17.07.
Psalm 34,19	ELB	28.04.
Psalm 37,37	SLT	21.09.
Psalm 39,6	ELB	17.04.
Psalm 42,6	NLB	30.07.
Psalm 46,11	SLT	16.09.
Psalm 46,11	SLT	4.11.
Psalm 50,15	SLT	4.09.
Psalm 50,23	ELB	13.07.
Psalm 54,6	NGÜ	29.08.
Psalm 55,23	SLT	19.10.
Psalm 60,6	SLT	13.01.
Psalm 61,3	ELB CSV	27.10.
Psalm 66,3	LUT	18.04.
Psalm 66,5	NEÜ	28.06.
Psalm 69,6	ELB	15.07.
Psalm 81,3	SLT	4.07.
Psalm 84,9	ELB	5.03.
Psalm 85,9	ELB	27.06.
Psalm 86,15	ELB	20.10.
Psalm 90,10	ELB	9.05.
Psalm 90,10	LUT	6.10.
Psalm 90,10	NLB	16.12.
Psalm 90,12	LUT	29.04.
Psalm 91,14	SLT	10.10.
Psalm 94,9	ELB	14.10.
Psalm 95,8	NEÜ	31.08.
Psalm 96,1	ELB	3.10.
Psalm 101,2	NGÜ	9.06.
Psalm 103,2-3	ELB	27.02.
Psalm 103,2-3	LUT	27.11.
Psalm 103,17	SLT	11.12.
Psalm 103,19	ELB	25.11.
Psalm 107,25-28	ELB	17.02.
Psalm 107,28-31	ELB CSV	17.10.
Psalm 111,4	SLT	11.06.
Psalm 115,3	ELB	10.09.
Psalm 118,1	SLT	8.11.
Psalm 119,68	ELB CSV	10.01.
Psalm 119,70	HFA	14.03.
Psalm 119,105	LUT	4.01.
Psalm 119,105	ELB	15.09.
Psalm 119,105	ELB	9.10.
Psalm 119,143	NEÜ	23.04.
Psalm 119,162	ELB CSV	11.01.
Psalm 121,2-4	ELB	23.08.
Psalm 125,5	ELB CSV	14.08.
Psalm 126,1-2	ELB	1.04.

Psalm 127,3	LUT	2.05.
Psalm 130,1-2	SLT	19.04.
Psalm 130,1-5	ELB CSV	11.02.
Psalm 139,2-4	ELB CSV	12.06.
Psalm 139,8	ELB	31.07.
Psalm 139,12	ELB	25.05.
Psalm 139,13	HFA	15.01.
Psalm 139,14	ELB	12.02.
Psalm 139,14	ELB	22.04.
Psalm 139,14-16	NEÜ	4.08.
Psalm 143,10	LUT	13.05.
Psalm 144,3	LUT	1.03.
Psalm 145,18	NLB	17.03.
Psalm 145,18-19	ELB	26.03.
Psalm 147,4	ELB	29.03.
Sprüche 2,6	SLT	26.08.
Sprüche 10,22	ELB	3.04.
Sprüche 16,9	ELB CSV	23.07.
Sprüche 18,10	SLT	5.01.
Sprüche 18,14	ELB	11.07.
Sprüche 21,21	ELB	27.07.
Sprüche 22,6	ELB	5.10.
Sprüche 24,16	ELB	12.07.
Sprüche 27,20	ELB	9.01.
Sprüche 28,13	SLT	12.01.
Sprüche 31,8	ELB CSV	8.09.
Prediger 9,9	ELB	26.01.
Prediger 11,3	ELB CSV	25.04.
Prediger 11,5	ELB	26.10.
Hoheslied 2,12	ELB	12.03.
Jesaja 5,20	ELB	27.01.
Jesaja 6,3	ELB	31.05.
Jesaja 6,8	ELB	1.05.
Jesaja 9,1	HFA	9.02.
Jesaja 9,5	ELB	25.12.
Jesaja 9,5	ELB	26.12.
Jesaja 25,8	ELB	30.10.
Jesaja 30,15	SLT	7.02.
Jesaja 38,17	ELB	16.07.
Jesaja 40,15	ELB	9.11.
Jesaja 43,24	LUT	23.10.
Jesaja 45,22	ELB	6.08.
Jesaja 45,22	ELB	22.11.
Jesaja 46,4	ELB	10.08.
Jesaja 50,10	ELB	20.12.
Jesaja 53,5	ELB CSV	20.07.
Jesaja 55,7	ELB	1.01.
Jesaja 55,7	SLT	7.07.
Jesaja 58,13-14	LUT	29.01.
Jesaja 59,2	NEÜ	15.04.
Jesaja 63,7	andere	31.12.
Jesaja 65,1	ELB	23.06.

Jeremia 10,1	ELB CSV	13.10.
Jeremia 14,7	ELB	30.12.
Jeremia 17,9	ELB CSV	20.02.
Jeremia 18,23	LUT	2.04.
Jeremia 29,11	LUT	4.05.
Jeremia 31,3	LUT	4.06.
Jeremia 31,3	ELB	13.06.
Jeremia 33,3	ELB	2.10.
Jeremia 33,8	NEÜ	1.07.
Jeremia 42,20	ELB CSV	11.08.
Jeremia 51,10	ELB CSV	7.12.
Klagelieder 3,40	ELB	11.11.
Hesekiel 3,27	ELB	24.04.
Hesekiel 34,12	NLB	22.05.
Hesekiel 36,26-27	ELB	27.04.
Daniel 4,22	ELB	16.04.
Sacharja 1,3	HFA	29.07.

NEUES TESTAMENT

Matthäus 1,21	SLT	5.07.
Matthäus 1,23	SLT	3.12.
Matthäus 5,5	ELB	3.05.
Matthäus 5,43-45	ELB	25.07.
Matthäus 5,44	ELB	21.10.
Matthäus 6,20	SLT	31.10.
Matthäus 6,31	LUT	29.06.
Matthäus 6,34	ELB CSV	5.09.
Matthäus 7,7	NEÜ	16.10.
Matthäus 8,25	SLT	10.07.
Matthäus 11,5	SLT	24.09.
Matthäus 11,28	ELB	6.11.
Matthäus 11,29	MENG	24.11.
Matthäus 12,34	LUT	1.11.
Matthäus 13,37-38	ELB	20.11.
Matthäus 13,46	ELB	6.03.
Matthäus 14,24	ELB	24.03.
Matthäus 14,24-25	SLT	25.06.
Matthäus 14,30-31	ELB	25.03.
Matthäus 15,19	ELB	21.11.
Matthäus 15,19	ELB	29.11.
Matthäus 16,25	ELB	8.05.
Matthäus 19,19	ELB	14.05.
Matthäus 25,35	ELB	19.03.
Matthäus 26,53	NEÜ	4.04.
Matthäus 26,56	ELB	23.05.
Matthäus 26,75	SLT	22.09.
Markus 1,40	ELB	28.02.
Markus 2,14	LUT	28.09.
Markus 5,36	ELB	19.11.
Markus 5,36	ELB CSV	23.11.
Markus 7,21-22	ELB	26.04.

TAGESVERSE

Markus 7,23	SLT	9.07.
Markus 8,34	LUT	7.08.
Markus 8,35	HFA	20.04.
Markus 9,36	NEÜ	7.09.
Markus 9,47-48	ELB	27.09.
Markus 10,15	ELB	23.03.
Markus 10,17	ELB	2.07.
Markus 10,17	ELB CSV	15.10.
Markus 10,21	LUT	14.09.
Markus 10,27	ELB	7.01.
Markus 10,43	ELB CSV	2.03.
Markus 13,31	ELB	7.11.
Lukas 1,46-47	ELB	24.12.
Lukas 2,1	SLT	10.12.
Lukas 2,10-11	SLT	23.12.
Lukas 2,11	ELB CSV	21.12.
Lukas 5,26	NGÜ	4.10.
Lukas 8,25	ELB	19.02.
Lukas 8,50	SLT	14.12.
Lukas 11,31	ELB	18.06.
Lukas 12,3	NEÜ	18.02.
Lukas 12,7	NGÜ	30.04.
Lukas 18,41	ELB	6.06.
Lukas 19,10	LUT	2.08.
Lukas 19,10	ELB	22.10.
Lukas 21,33	ELB CSV	26.05.
Lukas 24,26	ELB CSV	10.04.
Lukas 24,49	ELB CSV	28.05.
Johannes 1,9	SLT	8.07.
Johannes 1,11-12	ELB CSV	22.12.
Johannes 1,12	ELB CSV	18.07.
Johannes 1,12	ELB CSV	19.07.
Johannes 3,3	LUT	4.12.
Johannes 3,8	ELB	29.05.
Johannes 3,16	ELB	12.05.
Johannes 3,20	NGÜ	26.11.
Johannes 3,30	ELB CSV	19.01.
Johannes 3,36	ELB CSV	11.03.
Johannes 4,23	ELB	12.11.
Johannes 6,37	LUT	29.12.
Johannes 6,40	ELB CSV	15.08.
Johannes 6,40	ELB CSV	5.11.
Johannes 6,68	ELB CSV	12.09.
Johannes 7,37	ELB CSV	18.03.
Johannes 8,36	LUT	6.02.
Johannes 8,36	ELB CSV	17.12.
Johannes 8,51	ELB	5.12.
Johannes 10,2-3	HFA	21.02.
Johannes 10,11	NEÜ	17.01.
Johannes 11,25	SLT	27.12.
Johannes 11,25-26	SLT	11.04.
Johannes 12,6	MENG	29.10.
Johannes 14,2	NEÜ	11.09.
Johannes 14,2	ELB CSV	25.09.

Johannes 14,2	HFA	18.11.
Johannes 14,2-3	ELB	11.10.
Johannes 14,6	SLT	26.02.
Johannes 14,6	ELB	31.03.
Johannes 14,6	ELB	28.07.
Johannes 14,6	SLT	28.08.
Johannes 14,14	SLT	3.03.
Johannes 14,21	SLT	19.06.
Johannes 14,27	ELB	4.02.
Johannes 15,13	SLT	14.07.
Johannes 15,14	andere	8.02.
Johannes 16,13	ELB CSV	23.02.
Johannes 16,23	LUT	2.06.
Johannes 17,17	ELB	2.02.
Johannes 19,17-18	ELB CSV	13.11.
Johannes 19,30	ELB	7.05.
Johannes 20,15	ELB	10.03.
Johannes 20,27	ELB	16.03.
Apostelgeschichte 4,12	NEÜ	13.03.
Apostelgeschichte 10,1-2	ELB	5.08.
Apostelgeschichte 10,42	ELB CSV	26.09.
Apostelgeschichte 14,17	ELB	25.02.
Apostelgeschichte 16,14	ELB	8.12.
Apostelgeschichte 17,30	ELB CSV	3.06.
Apostelgeschichte 20,26-27	ELB	24.02.
Apostelgeschichte 26,28	LUT	30.01.
Römer 1,20	NEÜ	21.04.
Römer 1,20	NEÜ	6.05.
Römer 1,20	ELB	21.07.
Römer 2,10-11	ELB	15.05.
Römer 3,11	NGÜ	1.06.
Römer 5,12	LUT	21.06.
Römer 6,23	ELB	8.10.
Römer 8,28	ELB	15.03.
Römer 8,29	ELB	22.06.
Römer 10,13	ELB	20.05.
Römer 12,2	ELB	14.04.
Römer 15,7	ELB	18.09.
1. Korinther 1,18	LUT	27.08.
1. Korinther 2,2	LUT	6.04.
1. Korinther 3,6	ELB	23.01.
1. Korinther 3,7	ELB	11.05.
1. Korinther 14,33	SLT	20.06.
1. Korinther 15,7-8	ELB CSV	12.04.
1. Korinther 15,20	ELB	9.04.
1. Korinther 15,55	ELB	15.06.
2. Korinther 5,17	ELB	2.01.
2. Korinther 5,21	LUT	28.03.
2. Korinther 5,21	ELB	13.08.
2. Korinther 6,2	ELB CSV	23.09.
2. Korinther 7,10	ELB CSV	26.06.

Galater 2,20	HFA	29.09.
Galater 3,1	ELB	19.09.
Galater 3,11	ELB CSV	27.05.
Galater 3,13	ELB	25.08.
Galater 5,1	ELB	8.01.
Epheser 5,15-16	ELB CSV	28.12.
Philipper 1,21	ELB	25.10.
Philipper 2,1-2	ELB	18.12.
Philipper 2,6	HFA	5.02.
Philipper 2,7-8	ELB	22.08.
Philipper 3,13-14	SLT	14.11.
Philipper 4,4	LUT	16.01.
Philipper 4,4	NEÜ	1.10.
Kolosser 1,12	NGÜ	30.09.
Kolosser 1,19-20	LUT	22.01.
Kolosser 1,20	ELB	1.09.
Kolosser 1,27	ELB	17.06.
1. Thessalonicher 2,11-12	ELB CSV	19.05.
1. Thessalonicher 4,7	GNB	14.02.
1. Thessalonicher 5,18	ELB	4.03.
2. Thessalonicher 2,16	SLT	30.11.
1. Timotheus 2,5-6	ELB CSV	24.05.
1. Timotheus 6,17	ELB	16.11.
2. Timotheus 1,5	ELB	12.08.
2. Timotheus 1,12	ELB CSV	13.04.
2. Timotheus 2,13	SLT	30.05.
2. Timotheus 3,16	ELB	14.01.
Hebräer 4,12	ELB	9.08.
Hebräer 4,13	LUT	16.05.
Hebräer 4,13	ELB	19.12.
Hebräer 5,9	ELB CSV	1.12.
Hebräer 9,27	ELB	21.05.
Hebräer 10,35	ELB	14.06.
Hebräer 11,1	MENG	18.08.
Hebräer 12,1-2	ELB	6.09.
Hebräer 12,2	ELB	7.04.
Hebräer 13,8	ELB	21.08.
Jakobus 1,17	LUT	16.02.
Jakobus 1,17	ELB	9.12.
Jakobus 2,9	ELB	15.02.
Jakobus 4,10	SLT	24.06.
Jakobus 4,11	NEÜ	15.11.
1. Petrus 1,4	HFA	30.08.
1. Petrus 2,2	ELB	10.06.
1. Petrus 2,24	SLT	8.04.
1. Petrus 2,25	NEÜ	22.07.
1. Petrus 5,7	SLT	1.02.
2. Petrus 3,9	LUT	17.09.
2. Petrus 3,10	ELB	13.02.
1. Johannes 1,5	ELB CSV	20.08.
1. Johannes 1,9	LUT	5.05.
1. Johannes 3,2	LUT	18.05.
1. Johannes 3,16	ELB	2.12.
1. Johannes 4,1	ELB	17.05.
1. Johannes 5,12	ELB CSV	6.07.
1. Johannes 5,13	ELB	26.07.
Offenbarung 3,8	ELB	27.03.
Offenbarung 16,9	ELB	21.03.
Offenbarung 21,4	NGÜ	19.08.
Offenbarung 21,5	ELB CSV	13.09.
Offenbarung 22,12	ELB	5.06.

Erläuterung zu den Abkürzungen der Bibelübersetzungen

ELB	Elberfelder Bibel. Wuppertal/Dillenburg: R. Brockhaus/Christliche Verlagsgesellschaft.
ELB CSV	Die Heilige Schrift. Aus dem Grundtext übersetzt. Hückeswagen: Christliche Schriftenverbreitung (CSV).
GNB	Gute Nachricht Bibel © 2000 Deutsche Bibelgesellschaft, Stuttgart.
LUT	Lutherbibel. Deutsche Bibelgesellschaft, Stuttgart.
NEÜ	bibel.heute. Neue Evangelistische Übersetzung 2010. Karl-Heinz Vanheiden.
NGÜ	Neue Genfer Übersetzung 2009. Genfer Bibelgesellschaft.
NLB	Neues Leben. Die Bibel © der deutschen Ausgabe 2002 / 2006 / 2017 SCM R.Brockhaus in der SCM Verlagsgruppe GmbH
SLT	Schlachterbibel (Franz Eugen Schlachter). Revision 2000. Genfer Bibelgesellschaft.
ZB	Zürcher Bibel © Verlag der Zürcher Bibel beim Theologischen Verlag Zürich

Für Textvergleiche siehe www.bibleserver.com.

Einmal im Jahr das ganze Neue Testament lesen! (Bereits gelesene Abschnitte können zur besseren Übersicht jeweils in dem Kästchen abgehakt werden.)

Januar
- ☐ Matth.1
- ☐ Matth.2
- ☐ Matth.3
- ☐ Matth.4
- ☐ Matth.5,1-26
- ☐ Matth.5,27-48
- ☐ Matth.6
- ☐ Matth.7
- ☐ Matth.8
- ☐ Matth.9,1-17
- ☐ Matth.9,18-38
- ☐ Matth.10,1-23
- ☐ Matth.10,24-42
- ☐ Matth.11
- ☐ Matth.12,1-21
- ☐ Matth.12,22-50
- ☐ Matth.13,1-32
- ☐ Matth.13,33-58
- ☐ Matth.14,1-21
- ☐ Matth.14,22-36
- ☐ Matth.15,1-20
- ☐ Matth.15,21-39
- ☐ Matth.16
- ☐ Matth.17
- ☐ Matth.18,1-20
- ☐ Matth.18,21-35
- ☐ Matth.19,1-15
- ☐ Matth.19,16-30
- ☐ Matth.20,1-16
- ☐ Matth.20,17-34
- ☐ Matth.21,1-22

Februar
- ☐ Matth.21,23-46
- ☐ Matth.22,1-22
- ☐ Matth.22,23-46
- ☐ Matth.23,1-22
- ☐ Matth.23,23-39
- ☐ Matth.24,1-22
- ☐ Matth.24,23-51
- ☐ Matth.25,1-30
- ☐ Matth.25,31-46
- ☐ Matth.26,1-19
- ☐ Matth.26,20-54
- ☐ Matth.26,55-75
- ☐ Matth.27,1-31
- ☐ Matth.27,32-66
- ☐ Matth.28
- ☐ Mark.1,1-22
- ☐ Mark.1,23-45
- ☐ Mark.2
- ☐ Mark.3,1-21
- ☐ Mark.3,22-35
- ☐ Mark.4,1-20
- ☐ Mark.4,21-41
- ☐ Mark.5,1-20
- ☐ Mark.5,21-43
- ☐ Mark.6,1-32
- ☐ Mark.6,33-56
- ☐ Mark.7,1-13
- ☐ Mark.7,14-37
- ☐ Mark.8,1-21

März
- ☐ Mark.8,22-38
- ☐ Mark.9,1-29
- ☐ Mark.9,30-50
- ☐ Mark.10,1-31
- ☐ Mark.10,32-52
- ☐ Mark.11,1-19
- ☐ Mark.11,20-33
- ☐ Mark.12,1-27
- ☐ Mark.12,28-44
- ☐ Mark.13,1-13
- ☐ Mark.13,14-37
- ☐ Mark.14,1-26
- ☐ Mark.14,27-52
- ☐ Mark.14,53-72
- ☐ Mark.15,1-26
- ☐ Mark.15,27-47
- ☐ Mark.16
- ☐ Luk.1,1-23
- ☐ Luk.1,24-56
- ☐ Luk.1,57-80
- ☐ Luk.2,1-24
- ☐ Luk.2,25-52
- ☐ Luk.3
- ☐ Luk.4,1-30
- ☐ Luk.4,31-44
- ☐ Luk.5,1-16
- ☐ Luk.5,17-39
- ☐ Luk.6,1-26
- ☐ Luk.6,27-49
- ☐ Luk.7,1-30
- ☐ Luk.7,31-50

April
- ☐ Luk.8,1-21
- ☐ Luk.8,22-56
- ☐ Luk.9,1-36
- ☐ Luk.9,37-62
- ☐ Luk.10,1-24
- ☐ Luk.10,25-42
- ☐ Luk.11,1-28
- ☐ Luk.11,29-54
- ☐ Luk.12,1-34
- ☐ Luk.12,35-59
- ☐ Luk.13,1-21
- ☐ Luk.13,22-35
- ☐ Luk.14,1-24
- ☐ Luk.14,25-35
- ☐ Luk.15,1-10
- ☐ Luk.15,11-32
- ☐ Luk.16,1-18
- ☐ Luk.16,19-31
- ☐ Luk.17,1-19
- ☐ Luk.17,20-37
- ☐ Luk.18,1-17
- ☐ Luk.18,18-43
- ☐ Luk.19,1-27
- ☐ Luk.19,28-48
- ☐ Luk.20,1-26
- ☐ Luk.20,27-47
- ☐ Luk.21,1-19
- ☐ Luk.21,20-38
- ☐ Luk.22,1-30
- ☐ Luk.22,31-53

Mai
- ☐ Luk.22,54-71
- ☐ Luk.23,1-26
- ☐ Luk.23,27-38
- ☐ Luk.23,39-56
- ☐ Luk.24,1-35
- ☐ Luk.24,36-53
- ☐ Joh.1,1-28
- ☐ Joh.1,29-51
- ☐ Joh.2
- ☐ Joh.3,1-21
- ☐ Joh.3,22-36
- ☐ Joh.4,1-30
- ☐ Joh.4,31-54
- ☐ Joh.5,1-24
- ☐ Joh.5,25-47
- ☐ Joh.6,1-21
- ☐ Joh.6,22-44
- ☐ Joh.6,45-71
- ☐ Joh.7,1-31
- ☐ Joh.7,32-53
- ☐ Joh.8,1-20
- ☐ Joh.8,21-36
- ☐ Joh.8,37-59
- ☐ Joh.9,1-23
- ☐ Joh.9,24-41
- ☐ Joh.10,1-21
- ☐ Joh.10,22-42
- ☐ Joh.11,1-17
- ☐ Joh.11,18-46
- ☐ Joh.11,47-57
- ☐ Joh.12,1-19

Juni
- ☐ Joh.12,20-50
- ☐ Joh.13,1-17
- ☐ Joh.13,18-38
- ☐ Joh.14
- ☐ Joh.15
- ☐ Joh.16,1-15
- ☐ Joh.16,16-33
- ☐ Joh.17
- ☐ Joh.18,1-23
- ☐ Joh.18,24-40
- ☐ Joh.19,1-22
- ☐ Joh.19,23-42
- ☐ Joh.20
- ☐ Joh.21
- ☐ Apg.1
- ☐ Apg.2,1-13
- ☐ Apg.2,14-47
- ☐ Apg.3
- ☐ Apg.4,1-22
- ☐ Apg.4,23-37
- ☐ Apg.5,1-16
- ☐ Apg.5,17-42

- ☐ Apg.6
- ☐ Apg.7,1-19
- ☐ Apg.7,20-43
- ☐ Apg.7,44-60
- ☐ Apg.8,1-25
- ☐ Apg.8,26-40
- ☐ Apg.9,1-22
- ☐ Apg.9,23-43

Juli

- ☐ Apg.10,1-23
- ☐ Apg.10,24-48
- ☐ Apg.11
- ☐ Apg.12
- ☐ Apg.13,1-24
- ☐ Apg.13,25-52
- ☐ Apg.14
- ☐ Apg.15,1-21
- ☐ Apg.15,22-41
- ☐ Apg.16,1-15
- ☐ Apg.16,16-40
- ☐ Apg.17,1-15
- ☐ Apg.17,16-34
- ☐ Apg.18
- ☐ Apg.19,1-22
- ☐ Apg.19,23-41
- ☐ Apg.20,1-16
- ☐ Apg.20,17-38
- ☐ Apg.21,1-14
- ☐ Apg.21,15-40
- ☐ Apg.22
- ☐ Apg.23,1-11
- ☐ Apg.23,12-35
- ☐ Apg.24
- ☐ Apg.25
- ☐ Apg.26
- ☐ Apg.27,1-26
- ☐ Apg.27,27-44
- ☐ Apg.28,1-15
- ☐ Apg.28,16-31
- ☐ Röm.1

August

- ☐ Röm.2
- ☐ Röm.3
- ☐ Röm.4
- ☐ Röm.5
- ☐ Röm.6
- ☐ Röm.7
- ☐ Röm.8,1-18
- ☐ Röm.8,19-39
- ☐ Röm.9
- ☐ Röm.10
- ☐ Röm.11,1-24
- ☐ Röm.11,25-36
- ☐ Röm.12
- ☐ Röm.13
- ☐ Röm.14
- ☐ Röm.15,1-21
- ☐ Röm.15,22-33
- ☐ Röm.16
- ☐ 1.Kor.1
- ☐ 1.Kor.2
- ☐ 1.Kor.3
- ☐ 1.Kor.4
- ☐ 1.Kor.5
- ☐ 1.Kor.6
- ☐ 1.Kor.7,1-24
- ☐ 1.Kor.7,25-40
- ☐ 1.Kor.8
- ☐ 1.Kor.9
- ☐ 1.Kor.10,1-13
- ☐ 1.Kor.10,14-33
- ☐ 1.Kor.11,1-15

September

- ☐ 1.Kor.11,16-34
- ☐ 1.Kor.12
- ☐ 1.Kor.13
- ☐ 1.Kor.14,1-20
- ☐ 1.Kor.14,21-40
- ☐ 1.Kor.15,1-32
- ☐ 1.Kor.15,33-58
- ☐ 1.Kor.16
- ☐ 2.Kor.1
- ☐ 2.Kor.2
- ☐ 2.Kor.3
- ☐ 2.Kor.4
- ☐ 2.Kor.5
- ☐ 2.Kor.6
- ☐ 2.Kor.7
- ☐ 2.Kor.8
- ☐ 2.Kor.9
- ☐ 2.Kor.10
- ☐ 2.Kor.11,1-15
- ☐ 2.Kor.11,16-33
- ☐ 2.Kor.12
- ☐ 2.Kor.13
- ☐ Gal.1
- ☐ Gal.2
- ☐ Gal.3
- ☐ Gal.4
- ☐ Gal.5
- ☐ Gal.6
- ☐ Eph.1
- ☐ Eph.2

Oktober

- ☐ Eph.3
- ☐ Eph.4
- ☐ Eph.5
- ☐ Eph.6
- ☐ Phil.1
- ☐ Phil.2
- ☐ Phil.3
- ☐ Phil.4
- ☐ Kol.1
- ☐ Kol.2
- ☐ Kol.3
- ☐ Kol.4
- ☐ 1.Thess.1
- ☐ 1.Thess.2
- ☐ 1.Thess.3
- ☐ 1.Thess.4
- ☐ 1.Thess.5
- ☐ 2.Thess.1
- ☐ 2.Thess.2
- ☐ 2.Thess.3
- ☐ 1.Tim.1
- ☐ 1.Tim.2
- ☐ 1.Tim.3
- ☐ 1.Tim.4
- ☐ 1.Tim.5
- ☐ 1.Tim.6
- ☐ 2.Tim.1
- ☐ 2.Tim.2
- ☐ 2.Tim.3
- ☐ 2.Tim.4
- ☐ Titus1

November

- ☐ Titus2
- ☐ Titus3
- ☐ Philemon
- ☐ Hebr.1
- ☐ Hebr.2
- ☐ Hebr.3
- ☐ Hebr.4
- ☐ Hebr.5
- ☐ Hebr.6
- ☐ Hebr.7
- ☐ Hebr.8
- ☐ Hebr.9
- ☐ Hebr.10,1-23
- ☐ Hebr.10,24-39
- ☐ Hebr.11,1-19
- ☐ Hebr.11,20-40
- ☐ Hebr.12
- ☐ Hebr.13
- ☐ Jak.1
- ☐ Jak.2
- ☐ Jak.3
- ☐ Jak.4
- ☐ Jak.5
- ☐ 1.Petr.1
- ☐ 1.Petr.2
- ☐ 1.Petr.3
- ☐ 1.Petr.4
- ☐ 1.Petr.5
- ☐ 2.Petr.1
- ☐ 2.Petr.2

Dezember

- ☐ 2.Petr.3
- ☐ 1.Joh.1
- ☐ 1.Joh.2
- ☐ 1.Joh.3
- ☐ 1.Joh.4
- ☐ 1.Joh.5
- ☐ 2.Joh.
- ☐ 3.Joh.
- ☐ Judas
- ☐ Offb.1
- ☐ Offb.2
- ☐ Offb.3
- ☐ Offb.4
- ☐ Offb.5
- ☐ Offb.6
- ☐ Offb.7
- ☐ Offb.8
- ☐ Offb.9
- ☐ Offb.10
- ☐ Offb.11
- ☐ Offb.12
- ☐ Offb.13
- ☐ Offb.14
- ☐ Offb.15
- ☐ Offb.16
- ☐ Offb.17
- ☐ Offb.18
- ☐ Offb.19
- ☐ Offb.20
- ☐ Offb.21
- ☐ Offb.22